国家社科基金项目"非物质文化遗产档案资源建设'群体智慧模式'研究"最终成果
（项目编号:13BTQ060）

非物质文化遗产档案资源建设
"群体智慧模式"研究

Research on the "Collective Intelligence Model" of
Intangible Cultural Heritage Archive Resource Construction

周耀林　赵跃　等　著

WUHAN UNIVERSITY PRESS
武汉大学出版社

图书在版编目(CIP)数据

非物质文化遗产档案资源建设"群体智慧模式"研究/周耀林等著.—武汉：武汉大学出版社,2020.8
数字时代图书馆学情报学研究论丛
ISBN 978-7-307-20948-0

Ⅰ.非…　Ⅱ.周…　Ⅲ.非物质文化遗产—档案管理—研究—中国
Ⅳ.①G122　②G279.2

中国版本图书馆 CIP 数据核字(2019)第 100009 号

责任编辑:詹　蜜　　　责任校对:汪欣怡　　　版式设计:韩闻锦

出版发行:武汉大学出版社　(430072　武昌　珞珈山)
　　　　　(电子邮箱: cbs22@ whu.edu.cn　网址:www.wdp.com.cn)
印刷:武汉市金港彩印有限公司
开本:720×1000　1/16　　印张:28.5　　字数:408 千字　　插页:3
版次:2020 年 8 月第 1 版　　　2020 年 8 月第 1 次印刷
ISBN 978-7-307-20948-0　　　定价:88.00 元

周耀林，男，1965年生，博士，武汉大学信息管理学院教授、博士生导师，武汉大学信息资源研究中心专职研究员，武汉大学国家文化创新研究中心、武汉大学中国非物质文化遗产研究院兼职教授，武汉大学政务管理研究中心主任。曾任武汉大学信息管理学院副院长、国家保密学院副院长、国家网络安全学院副院长。巴黎第一大学、法国藏品保护研究中心访问学者。

主要社会职务：教育部高等学校档案学专业教育指导委员会委员，中国档案学会理事，中国档案学会档案保护技术委员会副主任，全国档案工作标准化技术委员会委员，中国感光学会影像保护专业委员会副主任。

研究领域：档案学原理与方法、数字档案与现代技术、文化遗产保护。

承担项目：主持国家社会科学基金重大项目1项、重点项目1项、一般项目2项，教育部人文社会科学重点研究基地重大项目2项，其他省部级项目8项，横向项目20余项。

学术论著：出版学术著作与教材20部，发表论文100余篇。

学术奖励：国家档案局首批"全国档案专家""全国档案领军人才"，教育部高等学校科学研究优秀成果奖三等奖1项，国家档案局优秀科技成果奖二等奖2项、三等奖4项，湖北省人民政府奖二等奖1项，其他奖励10余项。

赵跃，男，1990年生，博士，四川大学公共管理学院助理研究员。

研究领域：档案学理论与方法、个人数字存档、非遗档案资源建设。

学术论著：在《中国图书馆学报》、*The Journal of Academic Librarianship*、*Journal of Documentation*、《档案学研究》《档案学通讯》等国内外期刊发表论文50余篇，参编学术著作与教材4部。

承担项目：主持四川省社科规划项目1项、国家档案局科技项目1项，参与国家社科基金项目、国家社科基金青年项目、教育部人文社科重点研究基地重大项目、湖北省社科联项目、国家档案局科技项目10项。

学术奖励：国家档案局优秀科技成果奖励三等奖2项。

内 容 摘 要

非物质文化遗产（以下简称"非遗"）是在各个民族长期活动中形成的、与生俱来的独特记忆。联合国教科文组织 2003 年通过的《保护非物质文化遗产公约》（以下简称《保护非遗公约》），提出了为非遗"建档"的要求，是全球非遗档案资源建设的纲领性文件，由此在国内外形成了登录-普查、建档、建库、建站等重要的非遗档案资源建设模式。在我国，2005 年《关于加强我国非物质文化遗产保护工作的意见》、2011 年《中华人民共和国非物质文化遗产法》的出台与实施，推动着我国非遗档案资源建设综合模式的形成。然而，在 Web2.0 环境下，非遗档案资源建设的主体、客体、方法都在发生变化，这种综合模式面临着新问题。为此，如何抓住 Web2.0 带来的新机遇，充分利用群体的智慧与力量，最大限度地抢救非遗档案资源，是非遗档案资源建设面临的重要课题。

本书首先在调查分析国内外非遗档案资源建设的"登录-普查模式""建档模式""建库模式""建站模式""建馆模式"等主要模式及其特点的基础上，总结了当前我国非遗档案资源建设的"综合模式"，分析了这种综合模式在 Web2.0 环境下面临的非遗档案管理主体、客体和方法发生变化的现实。其次，剖析了非遗档案资源建设新模式创新的影响因素以及创新动力的主体、类型、组成和特征，分析了新时代背景下基于主体、客体、方法、环境等层面对于非遗档案资源建设模式创新的诉求。在此基础上，通过 Malone 群体智慧模型、Bonabeau 群体智慧框架模型、Lykourentzou 群体智慧系统模型、Georgi 群体智慧综合模型剖析了群体智慧模式理论及其在网络环境、文化遗产领域的应用，以此为依据构建了非遗档案资源建设新模式——非遗档案资源建设群体智慧模式，从建设目标（What）、建设主体（Who）、建设机制（Why）、建设方法（How）四个层面设计了非遗档案资源建设"群体智慧"模式的基本模块，并阐释其实现路径。再次，从模式出发，分别从非遗档案资源建设群体智慧模式涉的主体、客体与平台三个层面分析了非遗档案资源建设群体智慧模式实现的方法与途径。最后，着重从知识产权保护、激励、协调、保障等方面论述了非遗档案资源建设群体智慧模式实现的保障机制。

本书的完成，不仅论证了《保护非遗公约》明确提出的"要确保社区、群体和个人参与到非物质文化遗产保护工作当中"的要求，而且在执行我国"自上而下"（top-down）的非遗档案管理模式的同时，探索并形成了一种"自下而上"（bottom-up）的非遗档案资源建设模式，即借助公众力量参与非遗档案资源建设。这种全新的模式是现有的非遗档案资源建设复合模式的补充，适应了Web2.0 环境下新媒体平台的发展趋势，有益于推动文化主管部门科学实施、稳步拓展非遗档案资源建设工作，将"十三五"期间非遗档案资源建设乃至非遗的保护与传承推向一个新的高度。

目　录

1 绪 论

1.1 研究背景与意义

1.1.1 研究背景

非物质文化遗产（以下简称"非遗"）是人类世代相承而与生活密切相关的各种传统文化表现形式和文化空间。① 根据《保护非遗公约》（《保护非物质文化遗产公约》，Convention for the Safeguarding of the Intangible Cultural Heritage）的定义："非遗指被各群体、团体，有时为个人视为其文化遗产的各种实践、表演、表现形式、知识和技能及其有关的工具、实物、工艺品和文化场所。"它是各种以非物质形态存在的与群众生活密切相关、世代相承的传统文化表现形式，是世界各民族人民世代传承至今的宝贵财富。非遗一般是作为艺术或文化的表达形式而存在的，体现了特定民族、国家或地域内人民独特的创造力，或表现为物质的成果，或表现为具体的行为方式、礼仪、习俗，这些都具有各自的独特性、

---

① 周耀林，王三山，倪婉. 世界遗产与中国国家遗产［M］. 武汉：武汉大学出版社，2010：249.

唯一性和不可再生性。①

　　非遗既是历史发展的见证，又是珍贵的、具有重要价值的文化资源，是中华民族智慧与文明的结晶，是联结民族情感的纽带和维系国家统一的基础。保护和利用好我国非遗资源，对落实科学发展观，实现经济社会的全面、协调、可持续发展具有重要意义②。在对非遗的重大价值形成普遍认识的基础上，非遗的保护与传承日益成为世界关注的焦点。然而，新技术、文化及商业全球化给世界多元社区文化的"特有性""多元性"等特质造成威胁③，使得大批非遗处于濒危边缘。截至目前，全球共有429项非物质文化遗产，联合国教科文组织保护非遗政府间委员会先后将世界范围内的47项非遗列入"急需保护的非遗名录"④，见表1-1。

表1-1　　　　　　　　急需保护的非遗项目概况

序号	项目名称	时间	国家
1	Ca trù singing	2009	越南
2	Cantu in paghjella, a secular and liturgical oral tradition of Corsica	2009	法国
3	Mongol Biyelgee, Mongolian traditional folk dance	2009	蒙古
4	Mongol Tuuli, Mongolian epic	2009	蒙古
5	羌年	2009	中国

---

① 王文章. 非物质文化遗产概论 [M]. 北京：文化艺术出版社，2006：61.

② 百度百科. 非物质文化遗产 [EB/OL]. [2015-12-29]. http://baike.baidu.com/view/11090.htm.

③ WIPO. Consolidated Analysis of the Legal Protection of Traditional Cultural Expressions [EB/OL]. [2015-07-20]. http://www.wipo.int/edocs/mdocs/tk/en/wipo_grtkf_ic_5/wipo_grtkf_ic_5_3.pdf.

④ 联合国教科文组织. 非物质文化遗产 [EB/OL]. [2017-11-08]. http://en.unesco.org/themes/intangible-cultural-heritage.

续表

序号	项目名称	时间	国家
6	Rite of the Kalyady Tsars（Christmas Tsars）	2009	白俄罗斯
7	Sanké mon, collective fishing rite of the Sanké	2009	马里
8	Suiti cultural space	2009	拉脱维亚
9	中国木拱桥传统营造技艺	2009	中国
10	黎族传统纺染织绣技艺	2009	中国
11	Traditional music of the Tsuur	2009	蒙古
12	Traditions and practices associated with the Kayas in the sacred forests of the Mijikenda	2009	肯尼亚
13	麦西热甫	2010	中国
14	Ojkanje singing	2010	克罗地亚
15	水密隔舱福船制造技艺	2010	中国
16	中国活字印刷术	2010	中国
17	Al Sadu, traditional weaving skills in the United Arab Emirates	2011	阿联酋
18	Eshuva, Harákmbut sung prayers of Peru's Huachipaire people	2011	秘鲁
19	Folk long song performance technique of Limbe performances-circular breathing	2011	蒙古
20	赫哲族伊玛堪说唱	2011	中国
21	Moorish epic T'heydinn	2011	毛里塔尼亚
22	Naqqāli, Iranian dramatic story-telling	2011	伊朗
23	Saman dance	2011	印尼
24	Secret society of the Kôrêdugaw, the rite of wisdom in Mali	2011	马里
25	Traditional skills of building and sailing Iranian Lenj boats in the Persian Gulf	2011	伊朗
26	Xoan singing of Phú Tho Province, Viet Nam	2011	越南

序号	项目名称	时间	国家
27	Yaokwa, the Enawene Nawe people's ritual for the maintenance of social and cosmic order	2011	巴西
28	Ala-kiyiz and Shyrdak, art of Kyrgyz traditional felt carpets	2012	吉尔吉斯斯坦
29	Bigwala, gourd trumpet music and dance of the Busoga Kingdom in Uganda	2012	乌干达
30	Earthenware pottery-making skills in Botswana's Kgatleng District	2012	博茨瓦纳
31	Noken multifunctional knotted or woven bag, handcraft of the people of Papua	2012	印尼
32	Chovqan, a traditional Karabakh horse-riding game in the Republic of Azerbaijan	2013	阿塞拜疆
33	Empaako tradition of the Batooro, Banyoro, Batuku, Batagwenda and Banyabindi of western Uganda	2013	乌干达
34	Mongolian calligraphy	2013	蒙古
35	Nan Pa'ch ceremony	2013	危地马拉
36	Isukuti dance of Isukha and Idakho communities of Western Kenya	2014	肯尼亚
37	Male-child cleansing ceremony of the Lango of central northern Uganda	2014	乌干达
38	Mapoyo oral tradition and its symbolic reference points within their ancestral territory	2014	委内瑞拉
39	Coaxing ritual for camels	2015	蒙古
40	Glasoechko, male two-part singing in Dolni Polog	2015	马其顿
41	Koogere oral tradition of the Basongora, Banyabindi and Batooro peoples	2015	乌干达

序号	项目名称	时间	国家
42	Manufacture of cowbells	2015	葡萄牙
43	Traditional Vallenato music of the Greater Magdalena region	2015	哥伦比亚
44	Bisalhães black pottery manufacturing process	2016	葡萄牙
45	Chapei Dang Veng	2016	柬埔寨
46	Cossack's songs of Dnipropetrovsk Region	2016	乌克兰
47	Ma'di bowl lyre music and dance	2016	乌干达

在我国，非遗的传承与保护同样面临着极为严峻的形势，例如：

作为一门融民间文化、南北扎制技术精华于一体，具有独特风格的北京"曹氏风筝工艺"，其43种技法目前仅保留下来20种，而掌握这20种制作技法的孔祥泽先生已年逾古稀，其子孔令民先生年纪已过半百，传承保护工作迫在眉睫，时不可待。

陕西三原县东寨十八罗汉是清末商人周金城依佛教故事人物整编而成的民间舞蹈节目。150多年来，经过周家世代艺人的传承与创新，十八罗汉艺术更加成熟完美，然而，让人担忧的是十八罗汉的传承人日渐减少，目前剩下的第三代传承人周志英82岁，第四代传承人周福乐也年过六旬，周家在现代社会生活中，因种种原因，还没有培养出真正意义的第五代传承人，如不采取措施抢救，十八罗汉这种以人为载体、口传身授的特点，便会艺随人走，随着时间的流逝而绝种、消亡。

隋唐秧歌（又称"跑大场"）是流传在宁夏鸣沙曹桥一带颇具特色的社火形式，精通隋唐秧歌套路的民间艺人李兴成于2006年去世，这一宝贵的民间舞蹈种类濒临失传。

西藏山南昌果卓舞是一种腰鼓舞，起源于达布（现加查）地区，距今至少已有1300年历史，其动作粗犷豪放、刚劲威武、节奏感强、变化多端，但近来山南昌果卓舞的传承状况不容乐观。

5

襄阳火炮（也称"襄阳打火炮""襄阳锣鼓"）激烈、火爆，声似放火炮，表演时气势、动作、唱腔具有独特的魅力，令人惋惜的是，襄阳火炮的表演套路已不完整，许多唱词已经失传，仅存的火炮艺人以古稀老年人居多，几乎没有年轻人。

新疆桑皮纸是以当地的桑树皮为原料制作的一种纸，纤维很细，十分结实，韧性很好，质地柔软，拉力强，不断裂，无毒性而且吸水性强，在上面写字不浸，如果墨汁好，一千年也不会褪色，不会被虫蚀，并且可以存放很长时间，目前却仅存一位会制作桑皮纸的艺人，且已届暮年，这门古老的技艺面临失传危险。

此外，根据已出版的一些音乐辞典、乐器志等资料记载，我国的民族乐器至少有 500 种以上，但目前人们经常使用的民族乐器（包括打击乐器）却不过几十种，这意味着大部分古老的民族乐器正在被遗忘。1982 年我国有文字记载和演出活动的剧种尚有 394 种，但目前能演出的仅剩 267 种，有些剧种只有一个专业剧团在支撑着。民间剪纸、年画、皮影、傩戏等民间艺术，随着它们生存环境的改变而日渐式微①。

应该看到，随着全球化趋势的加强和现代化进程的加快，我国的文化生态发生了巨大变化，非遗受到越来越大的冲击，不少依靠口授和行为传承的文化遗产正在不断消失，许多传统技艺濒临消亡，大量有历史、文化价值的珍贵实物与资料遭到毁弃或流失境外，随意滥用、过度开发非遗的现象时有发生，加强我国非遗的保护已经刻不容缓。②

事实上，非遗的抢救与保护早在 2003 年《保护非遗公约》颁布之前就已经存在。例如，日本早在 1950 年颁布了《文化财保护法》，强调由国家保护无形的文化艺术遗产。该法的第三章将文化财为分五类：有形文化财、无形文化财、民俗文化财、纪念物和传

---

①　李荣启．论非物质文化遗产保护的主要原则与方法［J］．广西民族研究，2008（2）：187．

②　中国非物质文化遗产网．非物质文化遗产保护工作的意义［EB/OL］．［2015-09-28］．http：//www.zgfy.org/contentRead.asp？classid＝80&cmsid＝13400．

统建造物群①。

《文化财保护法》是日本于1950年综合了《国宝保护法》《史迹名胜天然纪念物保存法》等旧法律的内容形成的。1962年，韩国政府也颁布了《文化财保护法》，这是韩国第一个有关文化财保护的综合性立法文件，明确阐述了保护文化财的目的和意义，规定依法设立文化财委员会，由该委员会负责对文化财的保存管理及其使用事项的调查审议工作，其中包括了无形文化财。日、韩两国关于无形文化遗产（无形文化财）的保护，对国际社会保护非遗产生了重要的影响。

及至20世纪70年代，无形文化遗产保护在日本经过了近三十年的实践后，联合国教科文组织于1977年正式接受了这一概念。1989年，联合国教科文组织第25届成员国大会通过了《关于保护传统和民间文化的建议》，提出了保护无形遗产的原则。从此，无形文化遗产同有形的自然遗产、历史文化遗产一样被纳入了联合国教科文组织保护的范围。1999年11月，第30届大会决定设立人类口头和无形文化遗产代表作名录。2000年6月，在联合国教科文组织巴黎总部，首次召开口头和无形文化遗产代表作评委会议，正式发起设立"人类口头和无形文化遗产代表作名录"，并为会员国申报工作制定了《申报条例指南》。联合国教科文组织将"无形文化遗产"（Intangible Cultural Heritage）列入了遗产清单，并于2001年首次宣布了19个世界人类口头遗产和无形文化遗产代表作（国际公约中"Intangible Heritage"一词，有人翻译成"不可接触性遗产"②，也有人翻译为"无形遗产"③，2002年10月亚太博物

① 冯彤. 日本无形文化财保护体系下"和纸"的技艺传承［J］. 中国文化遗产，2008（2）：84.

② 吴晓隽. 现代旅游活动与文化遗产保护［D］. 杭州：浙江大学管理学院硕士学位论文，2002：17.

③ 张晋平. 咬文嚼字：是"无形遗产"还是"非物质遗产"？［N］. 中国文物报，2005-5-7（5）.

馆界签署的《上海宪章》将其译为"非物质遗产"①）。两年后，联合国教科文组织公布了第二批代表作，我国的古琴艺术榜上有名②。2003 年，联合国教科文组织《保护非遗公约》的颁布推动全球非遗保护运动的高涨。截至 2015 年底，全球已有 163 个国家和地区加入该公约③，并制定自己的非遗保护政策，开始了公约引导下的非遗保护活动。

我国于 2004 年加入《保护非遗公约》，并以《保护非遗公约》为基础，开始形成具有中国特色的系列化非遗保护政策。国家层面上，相继出台了《关于实施中国民族民间文化保护工程的通知》《国家级非物质文化遗产项目代表性传承人认定与管理暂行办法》《关于加强非物质文化遗产生产性保护的指导意见》等十余项国家层面的非遗保护政策法规。其中，《关于加强我国非物质文化遗产保护工作的意见》是我国非遗保护的主要政策依据之一。2006 年，国家文化部颁布了《国家级非物质文化遗产保护与管理暂行办法》，国家级非遗的保护，实行"保护为主、抢救第一、合理利用、传承发展"的方针，坚持真实性和整体性的保护原则。2007年，商务部、文化部发布《关于加强老字号非物质文化遗产保护工作的通知》提出切实加强对老字号非遗的保护。同时，各省、市、县也先后制定相应的非遗保护实施办法，如《江苏省非物质文化遗产保护条例》《长沙市人民政府办公厅关于加强非物质文化遗产保护工作的意见》《北京市房山区人民政府关于加强非物质文化遗产保护工作的意见》等，形成从中央到地方的非遗保护政策体系。

上述政策引导我国非遗保护实践的发展。2005—2008 年，我国相继开展全国范围内"清家底、明现状"的非遗普查工作，各级

8

---

① 佚名.《上海宪章》博物馆、非物质遗产与全球化 [J]. 中国博物馆，2002 (4)：90.
② 刘魁立. 论全球化背景下的中国非物质文化遗产保护 [J]. 河南社会科学，2007，15 (1)：26.
③ 《保护非物质文化遗产公约》缔约国名单（截止至 2015）[EB/OL]. [2016-02-11]. http：//www.crihap.cn/2016-01/22/content_23205296.htm.

文化主管部门、档案馆、公共图书馆和其他机构也积极探索并开展非遗的建档、建库、建站、建馆等工作，逐渐形成了四个层级（国际级、国家级、省级、市县级）、两个层面（非遗保护项目、非遗代表性传承人）的非遗传承与保护工作模式。我国非遗保护工作在取得积极进展的同时，也逐渐暴露出一些问题和不足，例如：

滥用、过度开发非遗的现象经常可见。法律法规建设的步伐不能与非遗保护的紧迫性相适应，由于保护工作不能纳入国民经济和社会发展整体规划之中，与保护相关的一系列问题不能得到系统性解决；保护标准和目标管理以及收集、整理、调查、记录、建档、展示、利用、人员培训等工作相对薄弱，保护、管理资金和人员不足的困难普遍存在；一些地方保护意识淡薄，重申报、重开发，轻保护、轻管理的现象比较普遍；适合我国保护工作实际的具有整体性、有效性的工作机制尚未建立，尤其是政府主导的有效性亟待体现；文化遗产对象分割，由政府不同部门分别实施管理，与实际的保护工作不相适应①。

保护理念尚存误区。有些地方的保护方法"名"是保护非遗，"实"则是加剧非遗的毁灭速度；工作机制有待完善，需明确各参与主体之间的权利与责任，实现社会各界共同参与的"协同效应"；资金投入力度不足，如果仍然以现有的财力投入额度抢救和保护非遗，很多具有重要价值的濒危非遗将在得到及时抢救前消亡；理论研究相对滞后，致使工作过程中存在一些错误做法；评估标准体系缺失，我国在申报和传承人评定方面已制定相关标准，但其他方面标准尚未健全或出台；此外，我国在非遗的抢救与恢复、数字化建设、知识产权以及档案收集与整理等方面也缺乏规范性的标准②。

①　王文章. 非物质文化遗产概论［M］. 北京：文化艺术出版社，2006：16-17.

②　周耀林，戴旸，程齐凯. 非物质文化遗产档案管理理论与实践［M］. 武汉：武汉大学出版社，2013：12-15.

与此同时，我们还需要看到，非遗保护过程中，非遗信息资源建设具有非常重要、无可替代的作用。建设非遗信息资源，充分利用现代信息技术手段，深入开发利用文化遗产信息资源，不仅有助于全面提升文化遗产保护、抢救、利用和管理工作水平①，而且可以极大提高我国的文化主权和文化保护意识②。从这个层面看，非遗信息资源建设的作用不可估量。

《中华人民共和国非物质文化遗产法》（以下简称"《非遗法》"）第十二条规定："文化主管部门和其他有关部门进行非遗调查，应当对非遗予以认定、记录、建档，建立健全调查信息共享机制"；第十三条规定："文化主管部门应当全面了解非遗有关情况，建立非遗档案及相关数据库"。国务院办公厅《关于加强我国非物质文化遗产保护工作的意见》第三条规定，"运用文字、录音、录像、数字化多媒体等各种方式，对非遗进行真实、系统和全面的记录，建立档案和数据库"。文化部办公厅文件《关于开展非物质文化遗产普查的通知》第一条规定，"运用文字、录音、录像、数字化多媒体等方式，对非遗进行真实、系统和全面的记录"。这些是对非遗档案资源建设的要求。

仔细研读上述法规与政策不难发现，从 2005 年开始，非遗的普查、建档、建库工作逐渐成为非遗保护管理的一项重要工作。归根到底，都是在《保护非遗公约》提出的非遗"记录""建档"的总体要求下，通过普查、建档、建库等方式，形成非遗档案或非遗数据库。究其实质，这些都是非遗档案资源管理的重要环节。从这个意义上看，非遗档案资源建设，对于保护和抢救非遗具有很重要的现实意义和长远影响。此后至今，我国非遗档案资源建设取得了骄人的成绩，主要体现为：制定非遗档案资源建设相关法律政策、多元主体积极参与非遗档案资源建设、非遗档案资源建设成果

10

① 曾立毅. 基于项目管理理论的非物质文化遗产信息化建设研究 [J]. 管理世界，2013（4）：180-181.

② 陈彬强. 闽台非物质文化遗产信息资源建设与共同保护研究 [J]. 图书馆工作与研究，2013（9）：9-13.

的数量不断增多、形成相对完善的非遗档案资源建设模式等多个方面。

（1）非遗档案资源建设政策的支持

随着非遗保护与传承工作的不断发展，非遗保护的相关法律法规和政策条例对非遗档案资源建设也提出了明确要求。在国家层面，《非遗法》第十二和十三条、国务院办公厅《关于加强我国非物质文化遗产保护工作的意见》第三条、文化部办公厅文件《关于开展非物质文化遗产普查的通知》第一条都提出了非遗记录、建档的要求。此外，《国家级非物质文化遗产保护与管理暂行办法》第八条、国务院《关于加强文化遗产保护的通知》第四条、《国家级非物质文化遗产代表作申报评定暂行办法》第十一条都是国家关于非遗档案资源管理的战略性要求。在地方层面，例如《湖北省非物质文化遗产条例》第一章第四条、《安徽省省级非物质文化遗产项目代表性传承人认定与管理暂行办法》第十条等也是地方层面上所做的规定。十余年来，从中央到地方，非遗建档以及非遗档案资源管理的系统化政策逐渐形成，直接指导了非遗档案管理的实践工作，为非遗档案资源建设的推进提供了有力支撑。

（2）非遗档案资源建设主体的明确

《非遗法》在第十一条和第十四条对非遗档案资源建设的主体做出了说明，即"县级以上人民政府根据非遗保护、保存工作需要，组织非遗调查。非遗调查由文化主管部门负责进行"，"公民、法人和其他组织可以依法进行非遗调查"。国务院办公厅《关于加强我国非物质文化遗产保护工作的意见》提出，"要发挥政府的主导作用，建立协调有效的保护工作领导机制。由文化部牵头，建立中国非遗工作部际联席会议制度，统一协调非遗保护工作"。"以文化主管部门为主体，广泛吸纳有关学术研究机构、大专院校、企事业单位、社会团体等各方面力量共同开展非遗保护工作，充分发挥专家的作用，形成合力，建立非遗保护的专家咨询机制和检查监督制度。"不难看到，相关法律政策肯定了非遗档案资源建设主体的多元性，实践工作中已经初步形成了政府主导、文化主管部门为主体、多方参与共同建设的多元主体格局，这为非遗档案资源建设

11

提供了重要保障。

（3）非遗档案资源建设数量的剧增

为使中国的非遗保护工作规范化，国务院发布《关于加强文化遗产保护的通知》，并形成了国家、省、市（县）的非遗保护体系，要求各地方和各有关部门贯彻"保护为主、抢救第一、合理利用、传承发展"的工作方针，切实做好非遗的保护、管理和合理利用工作。按照非遗保护体系的要求，国家级非遗名录、省级非遗名录、市（县）级非遗名录已经形成。截至目前，国家级名录第一、二、三、四批共收录 1372 项①，省、市（县）名录收录非遗项目更多。在认定各级非遗名录的同时，通过对非遗的普查、记录、建档等，形成了丰富的非遗档案资源。例如，浙江省为其属于国家级和省级非遗项目的 103 项民间文学、73 项传统音乐、130 项传统舞蹈、122 项传统美术、30 项传统医药、111 项传统戏剧、84 项曲艺、208 项民俗、281 项传统技艺、74 项传统体育、游艺与杂技进行了普查、记录和建档，并为其 222 位非遗传承人进行建档②。

（4）非遗档案资源建设模式的形成

我国非遗档案资源建设模式有多种（详见第 2 章），归纳概括为来自实践归纳和理论提炼两个方面。其中，实践归纳的非遗档案资源建设模式，即在非遗实践工作中逐渐形成的各种与非遗档案资源建设相关的方法和方式，经概括、归纳总结形成的模式。自西周时期"采诗观风"制度、秦汉时期"乐府"采诗制度，直到近现代以来形成的普查制度，都是典型的非遗档案资源建设"普查"模式；理论提炼的非遗档案资源建设模式，往往是来源于实践却高于实践，学术性更加浓厚。例如，针对当前文化主管部门为主体、多部门合作建档的现状，周耀林、程齐凯根据非遗档案管理的目

---

① 国家级非物质文化遗产名录 [EB/OL]．[2017-11-10]．http：//baike.baidu.com/view/2262178.htm.

② 浙江省非物质文化遗产网 [EB/OL]．[2017-11-10]．http：//www.zjfeiyi.cn/.

标、相关工作的承担主体、各方参与的动力机制、群体智慧的实施与协同机制，提出了"基于群体智慧的非遗档案管理模式"①，其更多是一种理论讨论。无论是理论模式还是实践模式，都不同程度地为非遗档案资源建设提供了参考和指导。然而，来自实践的模式，包括普查模式、建库模式等，对于现实的非遗档案管理工作具有更加直接的指导作用。

限于篇幅，从档案管理的角度进行考察，非遗建档和非遗档案资源管理的成绩远远不止上述四个方面。事实上，尽管时间不长，但非遗档案资源管理的成绩很多，前面提及的四个方面仅仅是从档案管理的主体、客体、方法方面进行了初步的总结。在总结成绩的同时，也需要看到，非遗档案资源建设仍然存在如下问题：

第一，缺乏专门的非遗档案资源建设政策支持。非遗档案资源建设方面的政策散见于相关的文件，例如，《非遗法》《关于开展非物质文化遗产普查的通知》《国家级非物质文化遗产保护与管理暂行办法》《关于加强我国非物质文化遗产保护工作的意见》《国家级非物质文化遗产项目代表性传承人认定与管理暂行办法》《宁夏回族自治区非物质文化遗产保护条例》《湖北省非物质文化遗产条例》《上海市非物质文化遗产项目代表性传承人认定与管理暂行办法》等法规政策，无论是从国家层面还是从地方层面，均对非遗档案资源建设做了相应规定和要求。但截至目前，尚没有出台专门的非遗档案管理办法、规范，更谈不上非遗档案资源建设的专门政策，这导致实践工作中非遗档案资源建设各行其是。

第二，非遗档案资源建设参与主体广泛，形成的非遗档案资源相对分散，缺乏必要的集中。例如，不同地区形成的非遗档案资源相对隔离，即使是同一地区，不同系统或部门形成的非遗档案资源也是相对隔离。多主体的参与造成"各行其是""保存分散"的局面，导致非遗档案资源在不同建设主体之间形成了非遗档案资源孤岛，为后续非遗档案资源的整合、开发和利用带来极大的不便。

13

---

① 周耀林，程齐凯. 论基于群体智慧的非物质文化遗产档案管理体制的创新 [J]. 信息资源管理学报，2011（2）：62.

　　第三，多元主体参与后，有些主体机构对非遗保护与非遗档案管理的关系认识不到位。非遗保护是一项包含收集、整理、调查、记录、建档、展示、利用、人员培养等多个环节的复杂工作，非遗档案管理是其中的一个环节①。有的决策部门一味地强调非遗普查、建库工作，对非遗保护与非遗档案管理两者间的关系以及非遗建档、建库与档案资源管理的关系缺乏系统的梳理和认真的研究。

　　第四，非遗档案资源建设方法多样，标准化程度较低。在具体的操作层面，特别是在非遗档案资源的建设中，表现出规范化程度较低、标准化程度不够的特点。自 2011 年正式启动非遗数字化保护标准体系至今，《术语和图符》《数字资源信息分类与编码》《数字资源核心元数据》3 个基础标准以及《普查信息数字化采集》《采集方案编写规范》《数字资源采集实施规范》《数字资源著录规则》4 个民间文学类、传统戏剧类、传统美术类、传统技艺类中的民居营造技艺业务标准等 7 项基本标准已经形成②，但各个地方性的标准规范仍未被提上议事日程，加之非遗标准化涉及的方面多，既存在标准规范严重滞后的情形，也存在标准缺失的现象。由于缺乏相应的强制性标准，非遗档案资源的保存方式各不相同，加之缺乏长期保存的意识，在存储载体、存储格式、存储环境等的选择上以及信息分类、元数据编制等方面都具有很大的随意性和不确定性。非遗档案资源长期保存方式有欠统一，对非遗档案资源的长期保存造成不利影响，长此以往，将会影响我国非遗档案资源的建设③。

　　这些问题的存在，究其原因，"非遗档案管理与档案管理专业部门存在着剥离的现象，作为专业性的档案管理机构的各级档案馆

---

　　① 周耀林，程齐凯. 论基于群体智慧的非物质文化遗产档案管理体制的创新［J］. 信息资源管理学报，2011（2）：60.
　　② 丁岩. 吹响非遗数字化保护工作的时代号角［N］. 中国文化报，2013-12-11（3）.
　　③ 周耀林，李丛林. 我国非物质文化遗产资源长期保存标准体系建设［J］. 信息资源管理学报，2016（1）：39.

被排除在非遗档案管理的责任方之外"①? 也正是因为如此, 当前我国的非遗档案资源建设实践难以有效满足非遗档案信息资源集聚化、有序化和优质化的要求, 如政府主导的非遗档案资源建设工作, 覆盖范围相对有限; 相关机构有限的人力、物力、技术等资源难以单独承担非遗的"建档""建库"等工作, 致使急需保护的非遗档案信息资源难以建档、入库; 尚未建立起行之有效的非遗档案资源建设协作、协调机制, 多元建设主体各自独立、相互分离的状况, 导致非遗档案资源的重复建设和非遗档案资源的割裂; 相关机构工作人员对非遗的认识存在表层化现象, 对多元化的非遗档案资源理解不够深入, 影响了非遗档案资源建设的质量和效果。

总之, 仅仅依靠政府、文化机构开展非遗档案资源建设工作, 覆盖范围仍然是有限的。非遗档案资源建设工作人力、物力消耗过大, 相关机构渐显力不从心。资源建设要求工作人员对非遗有相当的了解, 面对众多的类别, 机构工作人员有时难以达到这一要求。为此, 本书将群体智慧理论引入非遗档案资源建设, 构建非遗档案资源建设"群体智慧模式", 有助于协调非遗档案资源建设各主体之间的关系, 充分调动文化主管部门、档案机构、社会公众等更多主体参与非遗档案资源建设的积极性, 并充分利用当前 Web2.0 网络环境的交互功能, 通过群体认知、共享、协商和合作, 实现群体智慧的涌现, 促进群体智慧的发挥, 推动非遗档案资源建设的长足发展, 从而实现保存非遗档案资源、保护与传承非遗的根本目标。

1.1.2 研究意义

冯骥才曾指出: "目前国家级非遗有 1219 项, 省级非遗有 8500 项, 但是 80% 以上的非遗没有档案。"② 这体现了非遗保护工

15

---

① 周耀林, 程齐凯. 论基于群体智慧的非物质文化遗产档案管理体制的创新 [J]. 信息资源管理学报, 2011 (2): 61.

② 中国传承人口述史研究所成立. 冯骥才: 给非遗建档案 [EB/OL]. [2015-06-17]. http://www.chinanews.com/cul/2015/06-17/7349562.shtml.

作中存在的问题，同时也表明了为非遗建档的必要性。与此同时，在这个"资源为王"的时代①，运用信息技术、数字技术开展非遗档案资源建设已经成为非遗保护工作的主流，这不仅是非遗保护和传承的重要基础，而且是公共文化服务的必然之举，由此决定了非遗档案资源建设研究的必然性和重要性。与此同时，置身于当前互联网+的大环境中，运用群体智慧理论来探索非遗档案资源建设模式，是一种全新的研究视角，不仅具有理论探索的价值，而且具有现实指导的意义。

（1）理论意义

首先，构建了非遗档案资源建设的"群体智慧模式"。在笔者曾经提出的非遗档案资源管理"群体智慧模式"的基础上，本书针对非遗档案资源建设环节，以网络为载体，以 Web2.0 交互功能为平台，以保存非遗建档资源为中心，将非遗档案资源建设的主体、客体和方法进行了系统地研究，形成了非遗档案资源建设的"群体智慧模式"，进行学术上的创新。

其次，通过跨学科研究推动档案学应用理论的发展。"群体智慧"理论的产生源于生物物种的启示，教育学、社会学、心理学、经济学和大众行为学等领域均对其展开了研究，图书馆学和情报学也形成了一定的研究成果。笔者将其作为本文的理论基础，并试图探寻该理论在档案学、文化人类学和民俗学等学科的适用性，由此形成了跨学科的研究成果，在进一步充实档案学研究内容的同时，拓展了档案学应用理论研究的边界，促使档案学学科新的研究生长点的形成，进而推动档案学应用理论的发展。

（2）现实意义

首先，厘清了非遗档案资源建设的主体及其定位。现有的非遗研究成果中，不少学者意识到，单一管理主体对于非遗保护工作有着一定的影响和制约，档案部门切入非遗档案管理存在着制度瓶颈

---

① 詹姆斯·穆迪，比安卡·诺格拉迪．第六次浪潮：一个资源为王的世界［M］．张婧斯，译．北京：中信出版社，2011.

和体制瓶颈①，社会公众处于"被忽视"的尴尬境地。如何改变这种格局，如何充分调动来自社会公众的群体智慧和力量，目前尚未有这一方面的成果。本书以解决非遗档案资源中存在的问题与弊端为出发点，重新认识了非遗档案资源法定主体的地位，明确了社会公众在非遗档案资源建设中的地位与作用。通过社会公众参与非遗档案资源建设的"群体智慧模式"，对非遗档案资源建设中各主体的角色定位和责任分配进行了界定，有助于指导当前的非遗档案资源建设实践。

其次，利用Web2.0构建了非遗档案资源建设的方式。近十年来，Web2.0、人群计算（Human Computation）、众包（Crowdsourcing）、参与式网络（Participative Web）以及用户生成内容（User Generated Content）等概念的兴起，推动着互联网理念的升级，引起了学界的关注，由此带来了Web2.0下文化遗产保存新理念的形成。利用Web2.0建设非遗档案资源，尽管是一种尝试，但无论是博物馆还是图书馆，都在积极探索如何扩大公众参与、激发群体智慧。Web2.0的运用，将群体智慧运用到我国非遗档案信息资源建设中，实现了Web2.0环境下政府、文化主管部门、档案部门以及社会公众交互协作，不仅体现了档案馆等文化事业机构的"亲民"②，而且为非遗档案资源建设带来了新的发展。尤其是，通过非遗档案资源建设"群体智慧模式"的实现，借助Web2.0应用以及新媒体平台为公众参与非遗档案资源建设提供新路径，为政府、文化主管部门调整非遗档案资源建设的宏观政策、唤醒社会公众力量的参与提供合理化的建议，在确定社会公众作为非遗档案资源建设主体地位的同时，也将大大提高非遗档案资源建设水平和质量，真正做到集思广益、群策群力，共同保护非遗档案资源。

总而言之，非遗产生于民间、成长于民间、繁荣于民间，更是

① 周耀林，程齐凯．论基于群体智慧的非物质文化遗产档案管理体制的创新［J］．信息资源管理学报，2011（2）：61.

② 冯惠玲．论档案馆的"亲民"战略［J］．档案学研究，2005（1）：10.

17

传承于民间。文化主管部门正在主导的非遗普查与建档是非遗保护的基础性工作，由此形成了丰富的非遗档案资源。从档案管理的角度切入，这个过程也就是非遗档案资源建设的过程，是实现非遗由"无形化"到"有形化""固态化"的重要途径，是直接影响非遗档案资源长期保存、科学管理与传播利用的质量门槛。因此，档案部门一直以来都很关注这个领域。本书的完成，可以直接服务于文化主管部门，有助于推动文化主管部门科学实施非遗档案资源建设工作，在扩大文化事业机构参与度的同时吸收广大公众的参与，并在建设过程中加深对非遗的深层认识和自觉传承，实现文化大发展大繁荣时代背景下非遗的保护和传承。

1.2　国内外研究综述

随着非遗保护和传承日益引起国内外的关注，关于非遗保护与传承的研究也逐渐兴起。作为非遗保护与传承重要措施的非遗档案信息资源建设，其实践与研究也逐渐引起实践部门和理论界的注意，并在实践与理论的相互作用下不断发展。系统地梳理国内外研究成果，不仅有助于全面掌握国内外非遗档案资源建设领域的研究进展，而且有助于认识现有研究的成绩与不足，为该领域的深入研究奠定基础。

1.2.1　国外研究综述

1.2.1.1　研究成果统计

以 Web of Science 为文献检索平台，以 Intangible cultural heritage 为"标题"范围检索词，分别与 archive、document、database、website、digitizing、informatization、digital museum 和 virtualmuseum 搭配，在"主题"范围内进行检索，共得到 153 篇文献（检索时间为 2017 年 10 月 5 日）。检索结果见表 1-2。

表1-2　　　　　国外非遗信息资源建设研究成果统计

检索式	检索结果
intangible/nonphysical/immaterial +cultural heritage+	
mode/model/pattern/type	80
archive/document	34
database	8
website	16
digitizing/ informatization	9
digitalmuseum/ virtual museum	6

1.2.1.2　主要研究内容

上述成果中，与本选题相关的成果主要包括：

Sheenagh Pietrobruno 提出运用 YouTube 等 Web 2.0 工具实现非遗动态影像的非官方建档①。Dan Bendrups 指出录音档案的数字化及其传播在非遗保护中有着重要作用，并探讨了录音档案在非遗保护中的具体应用问题②。Freeman Cristina Garduno 提出以大众参与的图片分享网站 Flickr 为平台，开展非遗档案的收集和管理③。Danilo Giglitto 提出要运用 Wiki 创建非遗数字档案馆以促进社区的参与④。

---

① Sheenagh P. Between Narratives And Lists: Performing Digital Intangible Heritage through Global Media [J]. Information Journal of Heritage Studies, 2013: 7-8.

② Bendrups D. Sound Recordings and Cultural Heritage: The Fonck Museum, the Felbermayer Collection, and Its Relevance to Contemporary Easter Island Culture [J]. International Journal of Heritage Studies, 2013 (10): 166-176.

③ Freeman C G. Photosharing on Flickr: Intangible Heritage and Emergent Publics [J]. International Journal of Heritage Studies, 2010, 16 (4-5): 352.

④ Giglitto D. Using Wiki Software to Enhance Community Empowerment by Building Digital Archives for Intangible Cultural Heritage [C]. Proceedings of EUROMED 2014: 5th International Conference on Cultural Heritage, Limassol, Cyprus, 2014: 268.

Artese Gagliardi 构建了一个基于多语种的专业术语标注框架，旨在为美国人种科学协会档案馆存储的非遗档案标签进行有效的编目、翻译和描述①。Karavia Georgopoulos 根据非遗存在的空间特征，提出利用地理信息系统可以进行数据采集、储存、管理、运算、分析、显示和描述，用于非遗信息的存储和空间查找并可分析地理环境对非遗形态演变的影响②。

Khan Muqeem 提出利用运动传感技术在博物馆构建一个非遗体验式学习系统③。Ciftcioglu G C 针对塞浦路斯岛药用食用野生植物传统知识在现代化影响下日益式微的状况，提出通过收集传统知识数据，构建数据库，以对非遗进行维护和传承④。Han Youngho、Jang JungSik 等针对已有非遗数据库存在的问题，提出在非遗数据库建设过程中应引入互动机制，并对存储的非遗信息进行可视化表达的论点⑤。Artese Maria Teresa 和 Gagliardi Isabella 提出了一个基于生命周期的，完整的非遗多媒体信息管理系统框架，并将其应用于意大利伦巴第地区民族志和社会历史档案的设计和实施⑥。

在非遗档案资源建设模式方面较为重要的相关文献主要有：Jasenko Ljubica 等在 "Cruise Tourism and Society" 中提出了"可持

---

① Artese M T, Gagliardi I. Lecture Notes in Computer Science ［M］. Springer-verlag Berlin：2014：767-776.

② Karavia D, Georgopoulos A. Placing Intangible Cultural Heritage ［C］. 2013 Digital Heritage International Congress，2013：675-678.

③ Muqeem K. MUSE：Understanding Traditional Dances ［C］. IEEE Virtual Reality Conference，2014：173-174.

④ Ciftcioglu Cetinkaya G. Sustainable Wild-collection of Medicinal and Edible Plants in Lefke Region of North Cyprus ［J］. Agroforestry Systems，2015：917-931.

⑤ Youngho H, JungSik J. A Study on the Cyber Museum Organization System for Intangible Cultural Properties III-Focused on the Chungnam Province ［J］. Korean Institute of Interior Desogn Journal，2004：179-186.

⑥ Artese MT, Gagliardi I. Inventorying Intangible Cultural Heritage on the Web：A Life-cycle Approach ［J］. International Journal of Intangible Heritage，2017，12：112-138.

续发展战略模式"，通过非遗档案资源建设为不断膨胀的旅游行业
提供支撑①。Guoxin Tan 等在"Research on Construction Method of
Multimedia Semantic Model for Intangible Cultural Heritage"中设计了
"多媒体语义模式"，将语义模型应用于非遗档案资源的多媒体建
设②。Roland 在"Living with Heritage"创建了一个融技术与新型
管理理念于一体的非遗档案资源建设的"利益协调模式"③。
Danilo Giglitto 指出，在非遗档案资源建设过程中，要运用 Wiki 创
建非遗数字档案馆以促进社区的参与④。此外，欧盟支持的地中海
活态文化遗产保护项目（MEDLIHER）建立了环地中海区域代表
性非遗名录体系，开创了非遗档案资源建设的"项目模式"⑤；印
度尼西亚通过总结印尼口头传统与语言文字，建立了"登录与归
档模式"；法国文化部科学政策与研究试点处利用信息技术展现奥
克语文化空间表达方式（en Aquitaine sur le PCI d'expression
occitane），形成了非遗档案资源建设的"3D 技术模式"；苏格兰通
过 Wiki 让公众参与非遗档案资源建设，开创了"大众参与模式"。
简言之，国外已经形成了多样化的非遗档案资源建设模式，既有宏
观模式，也有微观模式；既有管理模式，也有技术模式；既有专业
建设模式，也有大众参与模式。

---

① Ljubica J, Dulcic Z. Megaships and Developing Cultural Tourism in
Dubrovnik［C］. International Cruise Conference，2011：17-28.

② Tan G，Hao T，Liang S，et al. Research on Construction Method of
Multimedia Semantic Model for Intangible Cultural Heritage［M］. Instrumentation，
Measurement，Circuits and Systems. Springer Berlin Heidelberg，2012：923-930.

③ Fletcher R，Khun-Neay K. Living with Heritage：Site Monitoring and
Heritage Values in Greater Angkor and the Angkor World Heritage Site，Cambodia
［J］. World Archaeology，2007，39（39）：385-405.

④ Giglitto D. Using wiki software to enhance community empowerment by
building digital archives for intangible cultural heritage［C］. Proceedings of
EUROMED 2014：5th International Conference on Cultural Heritage，Limassol，
Cyprus，2014：268.

⑤ Medliher：quatre années de coopération pour la sauvegarde du patrimoine
immatériel en Méditerranée［R］. 2015.

1.2.2　国内研究综述

《非遗法》① 提出：文化主管部门和其他有关部门进行非遗调查，应当对非遗予以认定、记录、建档，建立健全调查信息共享机制；文化主管部门应当全面了解非遗有关情况，建立非遗档案及相关数据库；国务院建立国家级非遗代表性项目名录，将体现中华民族优秀传统文化，具有重大历史、文学、艺术、科学价值的非遗项目列入名录予以保护；省、自治区、直辖市人民政府建立地方非遗代表性项目名录，将本行政区域内体现中华民族优秀传统文化，具有历史、文学、艺术、科学价值的非遗项目列入名录予以保护。从某种意义上讲，上述规定确定了非遗档案资源建设的范围。然而，学界的研究并没有囿于上述内容，而是对非遗普查、非遗建档、非遗数字化、非遗信息化、非遗网站建设、非遗数据库建设等进行了系统的研究，形成了丰富的非遗档案资源建设研究成果。

1.2.2.1　研究成果统计

（1）专著

在读秀数据库"图书"子库中，以书名含有"非物质文化遗产"为检索条件，以 2001—2017 年 10 月为检索时间，共检索到相关专著 1334 本，其年度分布见表 1-3（注：其中 21 本图书无具体出版时间，不在统计表中予以呈现）。

表 1-3　　　　　　　　非遗选题专著年度分布统计

年度	2001	2002	2003	2004	2005	2006	2007	2008	2009
数量/本	0	0	1	2	7	37	44	88	239
年度	2010	2011	2012	2013	2014	2015	2016	2017	
数量/本	123	163	166	123	126	108	74	26	

————————

①　中华人民共和国非物质文化遗产法［Z］.

通过对检索到的专著进行分析发现，关于非遗的研究多是从历史、地理和艺术的角度出发，但从具体内容来看，主要涉及非遗保护的基础理论研究、非遗保护的应用理论研究、非遗保护的法律问题研究、经济学视角下的非遗开发与保护研究、信息学视角下的非遗保护研究和非遗档案资源的调查成果展示等。

通过对专著的主要研究内容进行分析发现，从基础理论角度出发研究非遗专著有 12 本，如《非物质文化遗产学》《非物质文化遗产概论》《非物质文化遗产导论》等；从应用理论角度研究非遗的专著有 49 本，如《非物质文化遗产保护》《非物质文化遗产保护与本土经验》《薪火相传非物质文化遗产保护的理论与实践》《非物质文化遗产保护理论与方法》等；从法律角度研究非遗的专著有 20 本，如《我国非物质文化遗产的法律保护研究》《中国非物质文化遗产保护法律机制研究》等；从经济学角度研究非遗的专著有 8 本，如《非物质文化遗产保护与文化产业发展》《非物质文化遗产保护与开发的经济学研究：基于上海弄堂文化的研究》等；从信息学角度研究非遗的专著有 8 本，如《非物质文化遗产档案管理理论与实践》《数字化保护：非物质文化遗产保护的新路向》《基于关联数据的非物质文化遗产资源聚合研究》《图书馆与非物质文化遗产》等；展示非遗编研成果的图书有 1237 本，如《北京非物质文化遗产丛书》系列、《河南省非物质文化遗产普查成果汇编》系列、《甬上风物：宁波市非物质文化遗产田野调查》系列等。

（2）期刊文献

以"CNKI"为期刊文献检索平台，以"期刊"为检索入口，以"非物质文化遗产"为检索词，分别与"信息""档案""普查""建档""数字化""网站""数据库""数字博物馆""虚拟博物馆"搭配进行检索，检索时间截至 2017 年 10 月。经剔除无效文献，共检索到 977 篇相关文献，检索结果见表 1-4。

表 1-4　　　　国内非遗档案资源建设期刊文献检索结果汇总

检索式：非物质文化遗产+	信息	档案	普查	建档	数字化
文献量/篇	150	362	40	49	268
检索式：非物质文化遗产+	网站	数据库	数字博物馆	虚拟博物馆	
文献量/篇	12	87	7	2	

考虑到同一篇文献在上述不同检索式中可能多次出现，现根据同样的检索式，按照年度分别进行统计，共得到期刊文献 912 篇。其年度分布见表 1-5。

表 1-5　　　国内非遗档案资源建设期刊文献年度分布统计

年度	2003	2004	2005	2006	2007	2008	2009	2010
文献量/篇	1	1	2	10	16	33	50	28
年度	2011	2012	2013	2014	2015	2016	2017	
文献量/篇	61	101	142	119	157	94	97	

通过对国内期刊文献的研究内容进行分析发现，早期关于非遗档案资源建设的研究内容主要集中在非遗档案资源的普查、建档等资源收集方面，随着非遗档案资源的日益丰富，研究的侧重点逐渐转向非遗档案资源的管理、数字化、整合、开发和利用，包括非遗档案资源的管理方法及其原则、非遗的信息化、非遗信息的聚合、非遗数据库和网站建设、非遗的开发利用问题等。这一研究内容侧重点的变化，符合一般的认识规律和信息资源的建设规律，同时也反映了外部环境的改变，特别是信息技术的发展对非遗档案资源建设的巨大推动作用。

（3）学位论文

以 "CNKI" 为期刊文献检索平台，以 "硕博论文" 为检索入口，以 "非物质文化遗产" 为检索词，分别与 "信息" "档案" "普查" "建档" "数字化" "网站" "数据库" "数字博物馆""虚拟博物馆"搭配检索，共检索到相关文献 96 篇，其中硕士学位论文 87 篇，博士学位论文 9 篇。其年度分布情况见表1-6。

表1-6　　　国内非遗档案资源建设学位论文年度分布统计

年度	2006	2007	2008	2009	2010	2011	2012	2013	2014	2015	2016	2017
篇数	1	4	4	1	3	8	12	13	16	14	17	3

通过表1-5和表1-6的对比可以看出，学位论文与期刊文献的研究成果，在数量上均呈现出随着时间发展逐渐增多的趋势，特别是2010年之后，均保持在一个较高的数量水平上。这说明，随着社会各界对非遗保护与传承的重视，非遗信息资源的建设研究日益进入一个相对稳定和成熟的阶段。

对上述学位论文的授予单位进行统计可以看出，对非遗信息资源建设研究最多的高校是云南大学，其次是山东大学、华中师范大学和安徽大学。表1-7列出了含2篇以上学位论文的高校。

表1-7　　　国内非遗信息资源建设研究学位论文授予单位分布情况

授予单位	云南大学	山东大学	华中师范大学	安徽大学	浙江大学
篇数	8	6	6	6	4
授予单位	江南大学	北京印刷学院	重庆师范大学	云南艺术学院	
篇数	2	2	2	2	

（4）网络资源

通过分析网络资源的丰富程度，可以对某一研究领域的状况有一个大致的认识，即网络资源越丰富，说明某一领域的研究获得的关注越多。通过百度检索，可以得到近年来我国非遗信息资源建设网络资源的主题分布情况。检索结果见表1-8。

表 1-8　我国非遗信息资源建设网络资源的主题分布情况统计

检索词	网页数量	检索词	网页数量
非物质文化遗产信息资源	62900	非物质文化遗产普查	2440000
非物质文化遗产信息资源建设	81500	非物质文化遗产建档	870000
非物质文化遗产信息化	2150000	非物质文化遗产数据库	2050000
非物质文化遗产数字化	2140000	非物质文化遗产网站	4420000
非物质文化遗产档案	2140000	非物质文化遗产数字博物馆	1460000
非物质文化遗产档案资源建设	102000	非物质文化遗产虚拟博物馆	2180000

（5）会议资料

以"CNKI"为检索平台，以"会议"为检索入口，以"非物质文化遗产""档案"为检索词，共检索到 11 条有效文献。会议名称、会议时间、会议成果名称、会议成果作者信息见表 1-9，涉及非遗档案的建设、管理、保护等多个方面。

表 1-9　　　档案学视野下的非遗研究会议文献统计

会议名称	时间	会议成果名称	作者
浙江省高等学校档案学会论坛	2007	对松阳高腔地方艺术档案建设的思考	毛丽君
纪念《中华人民共和国档案法》颁布 20 周年档案学术研讨会	2007	对非遗档案管理工作的思考	顾永贵
中国档案学会、浙江省档案局馆．实践·创新·发展——全国地（市）县（市）档案局馆长论坛	2007	对加强非遗档案管理工作的思考	王晓灵

续表

会议名称	时间	会议成果名称	作者
贵州省 2007 年档案学术交流会	2007	对非遗档案管理工作的思考	顾永贵
贵州省档案局、贵州省档案学会 2008 年年会	2008	透过档案管理看民族文化的拯救——水族文化的抢救与保护	王琳玲
贵州省档案学会 2008 年年会	2008	透过档案管理看民族文化的拯救——水族文化的抢救与保护	石艳霞，李世掌
兰台撷英——向建党 90 周年献礼	2011	非遗档案管理与现代档案资源建设	凌照，李姗姗
档案与文化建设：2012 年全国档案工作者年会	2012	修裱技术行业的传承与发展	刘小敏
档案管理与利用——方法、技术、实践	2013	浅谈非遗档案的意义与现状研究	邓智星
2014 年 7 月民俗非遗研讨会	2014	非遗档案式保护及思考	蒋秋萍
世界中医药学会联合会中医药传统知识保护研究专业委员会第二届学术年会暨中医药传统知识保护国际学术大会	2014	畲医药档案的建设及保护开发利用	鄢晓琳，鄢连和
"'满洲'民族共同体及其文化"学术研讨会	2015	"'满洲'民族共同体及其文化"学术研讨会综述	常越男
决策论坛——管理科学与工程研究学术研讨会	2016	非物质文化遗产档案工作的原则及保护措施	赵英宁
2016 中国城市规划年会	2016	市域层面传统村落整体保护初探——以山东省济宁市为例	郭诗洁，陈锦富
2017 年武术非物质文化遗产展演及文化生产研讨会	2017	新媒体时代下武术非物质文化遗产传承与保护研究	苏王飞

会议名称	时间	会议成果名称	作者
2017 年武术非物质文化遗产展演及文化生产研讨会	2017	非物质文化遗产视角下龙身蛇形太极拳的传承与发展	宋亚洲，李玉，李亚梅

（6）报刊资料

以"CNKI"为检索平台，以"报纸"为检索入口，以"非物质文化遗产"为检索词，分别与"信息资源""信息资源建设""普查""收集""编研""档案""建档""建库""数字化""数据库""数字博物馆""虚拟博物馆"等检索词搭配，共检索到199 条相关文献。其内容以通知型、报道型为主，即通知开展非遗普查或介绍当地取得的非遗建设成果为主，如"本市（指北京市）将对非遗全面普查"①、"全市（指重庆市）普查非遗项目 4110 项"②、"襄汾县'非遗'普查工作成效显著"③ 等，而研究性文献较少。具体检索结果见表 1-10。

表 1-10　　非遗档案信息资源建设视角下的报刊资料研究主题分布

检索式非物质文化遗产+	档案	建档	数字化	建库	信息资源	信息资源建设
检索结果	16	6	7	0	0	0
检索式非物质文化遗产+	普查	收集	数据库	编研	虚拟博物馆	数字博物馆
检索结果	159	4	6	0	0	1

① 汲传排 . 本市将对非物质文化遗产全面普查 ［N］. 北京日报，2006-02-06 （1）.

② 杨冰，盛凤 . 全市普查非遗项目 4110 项 ［N］. 重庆日报，2015-06-040 （2）.

③ 郑少婕，邱丽群 . 襄汾县"非遗"普查工作成效显著 ［N］. 临汾日报，2010-01-08 （1）.

（7）研究项目

研究项目是推动非遗保护与传承研究的重要形式之一。关于非遗的项目研究，得到了国家、省、市各级的资金支持。本书对相关科研项目进行了搜集整理，限于篇幅，列举了主要的非遗研究课题。具体内容见表1-11。

表1-11　　　　我国非遗研究主要资助项目汇总①

序号	课题名称	类型	时间
1	非遗代表性项目名录和代表性传承人制度改进设计研究	国家社科基金重大项目	2017
2	武陵山区民族传统体育非物质文化遗产传承模式与发展路径研究	国家社科基金一般项目	2017
3	丝绸之路陕甘川毗邻区非物质文化遗产旅游开发及其生态保护研究	国家社科基金一般项目	2017
4	英国体育非物质文化遗产保护的路径选择及其镜鉴研究	国家社科基金一般项目	2017
5	新疆少数民族体育非物质文化遗产保护与传承机制研究	国家社科基金一般项目	2017
6	贵州体育类非物质文化遗产调查研究	国家社科基金一般项目	2017
7	"一带一路"倡议下我国体育非物质文化遗产传播研究	国家社科基金青年项目	2017
8	非物质文化遗产数字信息资源管理研究——以分类存储和语义检索为中心	国家社科基金重大项目	2016
9	非物质文化遗产保护视野下的青藏地区民族民间戏剧研究	国家社科基金一般项目	2016
10	青海省非物质文化遗产数字化建设研究	国家社科基金一般项目	2016

①　注：统计时间为2017年11月10日（本年度国家社科重大项目立项结果公示中）。

续表

序号	课题名称	类型	时间
11	非物质文化遗产项目及传承人建档保护策略研究	国家社科基金一般项目	2016
12	我国体育非物质文化遗产保护的社区参与式治理研究	国家社科基金一般项目	2016
13	博物馆学视阈下武术非物质文化遗产保护与发展的研究	国家社科基金一般项目	2016
14	濒危撒拉族非物质文化遗产的传承与数字化保护研究	国家社科基金一般项目	2016
15	羌族非物质文化遗产活态传承研究	国家社科基金一般项目	2016
16	文化与科技融合背景下非物质文化遗产建档式保护机制及实现研究	国家社科基金一般项目	2015
17	教育人类学视域下蒙古族非物质文化遗产传承研究	国家社科基金一般项目	2015
18	边疆民族地区非物质文化遗产传承与保护的影像参与研究	国家社科基金一般项目	2015
19	人口极少民族城镇化进程中非物质文化遗产保护模式探索研究	国家社科基金一般项目	2015
20	少数民族非物质文化遗产数字化保护现状与对策研究	国家社科基金青年项目	2015
21	非物质文化遗产档案式保护模式与实现机制研究	国家社科基金一般项目	2014
22	非物质文化遗产与中国民间文艺美学传承创新研究	国家社科基金一般项目	2014
23	壮族非物质文化遗产的诗性传统与文化建设的整合研究	国家社科基金一般项目	2014
24	蒙古族安代舞非物质文化遗产的保护现状调查研究	国家社科基金一般项目	2014

续表

序号	课题名称	类型	时间
25	非物质文化遗产学视野下的成吉思汗陵旅游文化研究	国家社科基金青年项目	2014
26	非物质文化遗产档案资源建设"群体智慧模式"研究	国家社科基金一般项目	2013
27	联合国人类非物质文化遗产代表作"花儿"传承人研究	国家社科基金一般项目	2013
28	我国西南地区民族传统体育非物质文化遗产濒危状态评估研究	国家社科基金一般项目	2013
29	中国历史建成遗产真实性中的非物质维度——兼论整体性保护策略的可能性	国家自科基金重大项目	2012
30	我国非物质文化遗产名录体系与资源图谱研究	国家社科基金重大项目	2012
31	信息技术视域下土家织锦传承与发展的策略建构	国家社科基金一般项目	2012
32	国家非物质文化遗产池州傩研究	国家社科基金项目	2012
33	历史村镇非物质文化遗产可持续发展研究	教育部人文社科基金一般项目	2012
34	非物质文化遗产知识产权保护的实证分析——以云南石林彝族自治县为例	国家民委研究项目一般项目	2012
35	中国非物质文化遗产体系探索研究	国家社科基金重大项目	2011
36	非物质文化遗产校园传承研究	全国教育科学"十二五"规划教育部重点课题	2011
37	非物质文化遗产的产业发展与法律保护研究	教育部人文社科重点研究基地重大项目	2011
38	非物质文化遗产保护中文化研究的转型	国家社科基金一般项目	2011

序号	课题名称	类型	时间
39	羌族宗教文化与非物质文化遗产研究	国家社科基金一般项目	2011
40	人类非物质文化遗产《玛纳斯》史诗哲学思想	国家社科基金一般项目	2011
41	重庆传统特产的地理标志与非物质文化遗产分析	教育部人文社科基金一般项目；文化部科技创新项目	2011
42	民间法之私法渊源地位探究——从非物质文化遗产保护的角度	教育部人文社科规划基金一般项目	2010
43	生态场：非物质文化遗产生态保护的关键	教育部人文社科规划基金一般项目	2010
44	体育非物质文化遗产研究	国家哲学社科体育类基金一般项目	2010
45	科尔沁非物质文化遗产文化生态环境保护研究	教育部人文社科基金西部和边疆地区项目	2010
46	西南民族地区非物质文化遗产的法律保护问题研究	国家社科基金西部项目	2010
47	中国非物质文化遗产数字化保护工程	文化部项目	2010
48	人口较少民族非物质文化遗产保护课题研究	文化部非遗司"非物质文化遗产保护课题调研委托项目"	2010
49	少数民族民间信仰与非物质文化遗产保护——以云南大理、楚雄地区为例	国家社科基金项目	2009
50	徽州文化生态保护研究	国家社科基金项目	2009
51	贵州非物质文化遗产问题研究	国家社科基金项目	2006
52	黄河上游小民族非物质文化遗产的抢救与保护研究	国家社科基金项目	2006
53	新疆喀什非物质文化遗产保护研究	国家社科基金项目	2006

序号	课题名称	类型	时间
54	民族自治地方少数民族非物质文化遗产法律保护问题研究	国家社科基金项目	2005
55	蒙古族非物质文化遗产的抢救与发掘研究	国家社科基金项目	2005
56	西南少数民族非物质文化遗产保护研究——总论和若干濒危珍贵遗产抢救	国家社科基金项目	2005
57	乌江流域非物质文化遗产抢救与保护	国家社科基金项目	2004
58	重庆非物质文化遗产保护对区域经济发展的作用研究	国家社科基金项目	2004
59	中国少数民族口头和非物质遗产抢救保护和人的发展政策研究	国家社科基金项目	2004

1.2.2.2 研究内容剖析

深入分析上述研究成果发现，现有的研究内容大致可划分为非遗档案资源建设的基本理论、非遗档案资源建设的主体、非遗普查与建档、非遗档案资源收集与整理、非遗档案数字化、非遗档案资源建设标准、非遗档案信息化、非遗档案数据库、非遗网站建设、非遗档案与"群体智慧" 10 个方面。

（1）非遗档案资源建设的基本理论

非遗档案资源建设理论与一般问题的研究是推动非遗档案信息资源建设的重要理论支撑，对非遗档案资源建设的发展有着积极作用。

吴品才、储蕾从非遗与档案的共同属性、隐性知识的显性化理论、文件横向运动理论、口述档案理论、文件生命周期理论等理论角度分析了非遗档案化保护的理论基础①；王云庆、赵林林提出了非遗档案保护应坚持及时建档、真实完整、系统有序、分级保护、

33

---

① 吴品才，储蕾. 非物质文化遗产档案化保护的理论基础 [J]. 档案学通讯，2012（5）：75-77.

优化利用等五项原则①；苑利、顾军认为，非遗项目普查申报应坚持重点发掘各地的地域标志性文化事项、关注原生态文化、关注濒危遗产、防止伪遗产的流入和确保普查资料的全息化与永续利用等原则②；马盛德认为，运用"本体性描述与文化意义的考察"相结合的方法和注重原生性的原则进行非遗普查③；李英提出，非遗档案的建设应坚持及时性原则、真实性原则、系统性原则、保护性原则，以实现档案材料及时收集、分类建档、有效保护、便于检索等目的④；而郎元智、孙海燕则认为，非遗档案的建设应坚持人本性、文化个性和地域性的原则⑤；刘忠宝从技术层面、研究思路层面和人才培养层面提出了非遗数字化保护的一般对策⑥；戴旸、周耀林提出了非遗档案信息化建设的四项原则："统一领导、分级管理""维护本真、适当优先""慎用技术、确保通用""重视效益、保障安全"⑦；周耀林等从宏观、中观和微观三个层面探讨非遗分类重构的方案⑧，并且提出了基于本体的非遗分类组织方法⑨；谈国新、孙传明借助信息空间理论、知识可视化框架和传播学等相关

① 王云庆，赵林林. 论非物质文化遗产档案及其保护原则 [J]. 档案学通讯，2008（1）：71-74.

② 苑利，顾军. 非物质文化遗产项目普查申报的五项原则 [J]. 温州大学学报（社会科学版），2010（1）：16-21.

③ 马盛德. 舞蹈类非物质文化遗产普查方法初探 [A]. 民族遗产（第2辑），2009：5.

④ 李英. 非物质文化遗产档案的特点和建档原则 [J]. 档案管理，2012（1）：80-82.

⑤ 郎元智，孙海燕. 建设非物质文化遗产档案的原则及其有效利用 [J]. 兰台世界，2014（14）：15.

⑥ 刘忠宝. 非物质文化遗产数字化保护方法研究——以山西省为例 [J]. 图书馆学刊，2015（9）：33-35，46.

⑦ 戴旸，周耀林. 论非物质文化遗产档案信息化建设的原则与方法 [J]. 图书情报知识，2011（5）：69-75.

⑧ 周耀林，王咏梅，戴旸. 论我国非物质文化遗产分类方法的重构 [J]. 江汉大学学报（人文科学版），2012（2）：30-36.

⑨ 程齐凯，周耀林，戴旸. 论基于本体的非物质文化遗产分类组织方法 [J]. 信息资源管理学报，2011（3）：78-83.

知识，对非遗数字化保护和传播进行了研究①；袁晓波、崔艳峰探讨了非遗信息的获取和惠益分享原则②。

上述成果涉及非遗档案资源建设的依据、原则、组织分类等问题，从不同角度对非遗信息资源建设理论与一般问题进行了研究和探讨，对非遗信息资源的建设有一定的指导意义。但总体来讲，研究成果多是策略性和方法论性质的分析，尚未形成一个完整的理论体系，关于非遗信息资源建设理论与一般问题仍需进一步加强。

（2）非遗档案资源建设主体

非遗档案信息资源建设的主体是非遗档案信息资源建设的基本力量，主要包括政府部门、文化机构、档案部门、图书馆、博物馆以及其他社会组织、社会群体等。

王巧玲、孙爱萍从非遗档案工作相关主体的研究角度出发，指出与非遗档案工作相关的主体有九类，其中，非遗的共享群体是非遗档案最重要的记录对象；社会公众是非遗档案工作的终极服务对象；文化、档案行政部门分别负有确定非遗档案工作的核心对象和统筹规划、组织协调以规范指导相关档案工作之责；保护中心负有非遗档案数据库建设之责；传承人和保护单位负有收集、整理之责；档案馆、博物馆等其他文化事业机构应承担保存和传播之责。在促进非遗的保护、传承与共享上，九类主体应在发挥各自优势的基础上密切合作③。

王云庆认为，面对亟待保护的珍贵非遗，图书馆等文化事业机构有责任发挥积极作用，将保护非遗的职责明确纳入其职能中，具体可以从为专项遗产立档保存、确保有关资料的完整与安全并促进利用、建立传承（人）档案、参与非遗的研究、开展大普查工作、

---

① 谈国新，孙传明．信息空间理论下的非物质文化遗产数字化保护与传播［J］．西南民族大学学报（人文社会科学版），2013（6）：179-184.

② 袁晓波，崔艳峰．论非物质文化遗产获取和惠益分享原则［J］．湖南社会科学，2013（4）：69-73.

③ 王巧玲，孙爱萍．非物质文化遗产档案工作相关主体分析［J］．山西档案，2013（2）：56-58.

宣传与振兴非遗等方面来考虑①。叶鹏、周耀林提出，由文化主管部门牵头建立非遗建档保护协调工作组，以科技部门为主导构建跨领域、跨学科、跨专业的合作机制，鼓励社会公众参与建档保护，拓展非遗的传承受众，保证我国非遗保护工作的顺利推进②。张春珍认为，非遗建档工作应由政府挂帅，主管非遗保护工作的文化主管部门牵头，成立由档案局、文物局等部门参加的非遗档案工作领导小组，形成图书馆、博物馆、文化馆等公共文化机构共同参与的工作机制③。王晓灵认为，必须建立协调有效的非遗档案管理工作和领导机制，建立联席会议制度和监督检查制度，统一协调保护和管理工作。档案馆、图书馆、博物馆等公共文化机构应积极配合，开展咨询、展示和保护工作④。

上述关于非遗档案信息资源建设主体研究的成果具有以下特点。第一，认识到了非遗档案信息资源建设主体的多元性，但对各主体在非遗档案信息资源建设中的不同地位和作用分析得较少，对如何协调各建设主体在非遗档案信息资源建设中的相互关系研究得不够充分；第二，研究成果对非遗信息资源建设主体建设非遗本体信息研究较多，对各主体参与建设其他相关的非遗申报信息、非遗传承人信息等相关非遗档案信息的研究较少；第三，对政府机构、文化事业单位等非遗档案信息建设的主体研究较多，对民间组织和公众参与非遗档案信息资源建设的研究较少。总体来讲，对非遗档案信息资源建设主体的研究已经取得了一定的成果，但有进一步深化的必要。

（3）非遗普查与建档

开展非遗普查，了解非遗档案资源的现存状况，做好非遗的记

---

① 王云庆. 图书馆等文化事业机构保护非物质文化遗产的措施 [J]. 图书情报工作，2007（8）：132-135.

② 叶鹏，周耀林. 非物质文化遗产建档式保护的现状、机制及对策 [J]. 学习与实践，2015（9）：115-124，2.

③ 张春珍. 对建立非物质文化遗产档案的思考 [J]. 山西档案，2008（S1）：91-92.

④ 王晓灵. 对加强非物质文化遗产档案管理的思考 [J]. 档案，2008（1）：57-58.

录，可以为之后的非遗建档工作提供翔实的数据，为整个非遗档案资源建设打下坚实的基础。部分学者对非遗档案资源普查方法和非遗普查与建档的关联展开了研究。

在非遗档案资源普查方法方面，李荣启认为，非遗普查工作要把握好普查准备阶段、实地考察阶段和总体评估阶段三个步骤的工作，其中，第一阶段重在制定普查实施方案和组织学习培训，第二阶段可采取重点走访、抽样调查、观摩民间艺术家表演、参与民俗节庆活动等调查方法，第三阶段重点是要写好调查报告①。姚燕君指出，开展非遗普查要了解非遗普查的基础与条件，建立非遗普查组并组织培训，以走访形式开展非遗普查工作②。

在非遗普查与建档关联方面，李荣启进一步指出，紧随非遗普查工作之后，要将非遗普查成果系统化、规范化、档案化，并且建立非遗影像档案、非遗资料库以及民间艺人档案馆③。赵毅认为，普查后的民间非遗资料种类众多，应通过记录、分类、编目等方式，运用文字、图像、音像、数字化多媒体等手段，为各类非遗建档④。

（4）非遗档案资源收集与整理

非遗档案资源收集是非遗档案资源建设的前提和基础。侯采坪、王晓燕提出做好非遗档案收集工作的三点要求，强调了档案部门的作用：加强对非遗档案工作的组织领导、促进非遗档案工作在法制化的轨道上发展、拓展非遗档案的收集途径和方式⑤。关逾从收集范围、收集手段和收集原则三个方面阐述了如何做好非遗档案

① 李荣启，唐骅．新世纪我国非物质文化遗产的保护与传承［J］．广西民族研究，2010（1）：198.

② 姚燕君．非物质文化遗产普查与开发利用浅析［J］．大众文艺，2014（11）：14-15.

③ 李荣启．采取系统科学的有效方法 做好非物质文化遗产保护工作［J］．重庆社会科学，2006（4）：113.

④ 赵毅．中原民间非物质文化遗产的传播与发展研究［J］．黄河之声，2012（17）：21.

⑤ 侯采坪，王晓燕．档案部门应加强对非物质文化遗产档案的收集［J］．山西档案，2006（4）：32.

的收集管理工作，其中，收集原则包括全面收集、忠实记录和抢救性原则①。李蔚提出要从多渠道开展征收工作和积极探索抢救保护非遗档案的有效办法两方面做好非遗档案收集、征集工作②。

　　在非遗档案资源的整理方面，邹吉辉、何永斌阐述了设置非遗档案客体全宗的意义和可行性，并提出非遗档案客体全宗设置应遵循"质量统一"的一般原则及"唯一性、原真性、完整性和稳定性"的具体要求③。陈竹君则从非遗档案建立管理卷宗、非遗档案的分类问题、非遗档案的整理原则三个方面论述了非遗档案资源的整理问题④。

　　（5）非遗档案数字化

　　在非遗档案的数字化保存与建设方面，彭毅认为，数字化与多媒体技术是非遗档案保存的最佳方式，并指出现有的数字化多媒体技术主要包括数字化录音及录像技术、二维三维扫描技术、数字摄影技术、数字化舞蹈编排与声音驱动技术、数字化图案数据库及计算机辅助设计系统⑤。高鹏阐述了利用数字化档案管理技术保护非遗的直观性、易保管、易查询和便于交流推广的特点，以及需要注意的真实完整性和长期存取问题⑥。谭必勇等强调了档案馆参与非遗数字化的必要性，并进一步从清晰准确的目标定位、层次分明的产品与服务、多元化的运作机制三个方面分析了档案馆参与非遗数

---

① 关逾．如何做好非物质文化遗产档案的收集管理工作［J］．黑龙江档案，2011（1）：60．

② 李蔚．创新思维 积极探索档案资源整合新方法——非物质文化遗产档案征集与管理［J］．云南档案，2011（2）：17．

③ 邹吉辉，何永斌．非物质文化遗产档案全宗设置管窥［J］．湖北档案，2009（9）：18-19．

④ 陈竹君．非物质文化遗产档案研究［D］．合肥：安徽大学，2010：27-29．

⑤ 彭毅．非物质文化遗产档案的数字化保护［J］．档案与建设，2009（1）：46-48．

⑥ 高鹏．利用数字化档案技术保护非物质文化遗产［J］．大众文艺，2010（19）：179．

字化保护的运作模式①。

彭冬梅、刘肖健和孙守迁基于非遗信息的数字化表达与扩散的需求，详细分析了非遗信息传播的技术问题、语义问题和有效性问题及其解决方案，并且在信息空间框架内，对非遗信息的编码、抽象、扩散、解码、吸收影响和再创作等构成具有自我发展能力的信息循环回路的一系列过程做了深入分析与探讨②。

从非遗档案管理的角度看，非遗档案数字化不仅包括非遗项目、非遗传承人档案的数字化，而且包括非遗"申遗"材料的数字化。这个数字化过程是非遗信息化建设的一个环节。

（6）非遗档案资源建设的标准

戴旸、李财富在分析我国非遗建档标准建设的问题与不足的基础上，提出构建非遗建档标准体系的思路与原则，并从非遗项目和非遗传承人"两条主线"和管理维、业务流程维和技术维"三个维度"勾画出该体系的基本框架③。叶鹏、周耀林针对我国非遗档案数据标准缺失的现状，通过各国相关领域已有的代表性元数据标准成果的比较研究和语义分析，提出非遗档案元数据的设计思想、创立思路和基本内容④。李姗姗、周耀林、戴旸针对非遗信息资源档案式管理中存在的标准体系瓶颈，提出制定非遗分类标准、非遗收集范围与标准、非遗转化技术标准、非遗存储载体选择、非遗著录标引方案等方面的标准与细则，必要时可以编制《非遗信息资源档案式管理指南（手册）》⑤。

---

① 谭必勇，徐拥军，张莹. 档案馆参与非物质文化遗产数字化保护的模式及实现策略研究 [J]. 档案学研究，2011（2）：69-74.

② 彭冬梅，刘肖健，孙守迁. 信息视角：非物质文化遗产保护的数字化理论 [J]. 计算机辅助设计与图形学学报，2008（1）：117-123.

③ 戴旸，李财富. 我国非物质文化遗产建档标准体系的若干思考 [J]. 档案学研究，2014（5）：35-39.

④ 叶鹏，周耀林. 论我国非物质文化遗产档案元数据的创立思路与语意标准 [J]. 忻州师范学院学报，2014（2）：112-117.

⑤ 李姗姗，周耀林，戴旸. 非物质文化遗产信息资源档案式管理的瓶颈与突破 [J]. 信息资源管理学报，2011（3）：73-77.

（7）非遗档案信息化

在非遗档案信息化方面，戴旸、周耀林探讨了非遗档案信息化的原则、方法和注意事项，概括出"统一领导，分级管理""维护本真，适当优先""慎用技术，确保通用""重视效益，保障安全"四个方面的原则，面向公众需求的非遗档案网站建设、面向长期保存的非遗档案数据库的整合两个方面的建设方法，机制、标准和知识产权三个方面的注意事项①。王先发、孙二明认为，档案馆在进行非遗档案信息化建设中应做到以下两点：一是要注重电子形式非遗的收集、积累与保管，二是加强非遗档案的网络化建设②。国健则从非遗普查软件的研发与使用、非遗数据库的建设、传统戏剧类非遗网站的设计与推广三个方面对传统戏剧类非遗档案信息化建设的管理实践展开研究③。

（8）非遗档案数据库建设

在非遗档案数据库建设方面，徐拥军、王薇在介绍"美国记忆"工程、日本"亚太非遗数据库"、中国台湾地区"兰屿媒体与文化数字典藏"等文化遗产档案数据库建设的基本情况和特色的基础上，提出了对我国非遗档案数据库建设的四点启示：采取多方合作建设模式、丰富资源种类和数量、强调全文内容建置、注重推广与应用④。杨红提出，档案部门可以通过四种方式参与非遗数据库的建设：加强区域档案管理部门的行政监督指导，以合作形式共同建设非遗数据库、备份非遗数据库入档案馆、自建非遗数据库⑤。范金

---

① 戴旸，周耀林．论非物质文化遗产档案信息化建设的原则与方法[J]．图书情报知识，2011（5）：69-75．

② 王先发，孙二明．论档案信息化建设的新视野——非物质文化遗产建设[J]．湖北档案，2007（9）：18．

③ 国健．传统戏剧类非物质文化遗产档案管理研究[D]．济南：山东大学，2014：51-53．

④ 徐拥军，王薇．美国、日本和台湾地区文化遗产档案数据库资源建设的经验借鉴[J]．档案学通讯，2013（5）：58-62．

⑤ 杨红．档案部门与非物质文化遗产数据库建设[J]．北京档案，2011（3）：23．

霞指出，图书馆可以通过建立非遗口述档案、建立专题非遗口述档案、建立非遗口述档案数据库等方法加强非遗口述档案建设与保护①。柳霞提出了非遗档案资源数据库构建方法，将非遗档案资源数据库建设的架构描述为：数据库存储系统、著录系统、数据处理整合系统、检索系统、备份系统及数据库的安全和共享等②。此外，周耀林等也对非遗档案数据库的类型、建设原则、建设方法展开了详细的论述，其中非遗档案数据库类型包括非遗目录数据库、非遗多媒体数据库、非遗传承人档案数据库③。

（9）非遗网站建设

网站中展示的非遗在国内外都有一定的体现，由此带动了非遗网站建设的研究。姜雷针对我国非遗网站建设存在的问题，指出应加强栏目建设与个性化服务功能建设，最大限度方便用户；注重特色资源建设；加强网站的宣传与维护工作④。王薇、徐拥军在分析我国省级非遗网站存在问题的基础上，指出我国省级非遗网站建设应采取五方面的应对策略：建立部门合作机制；丰富网站资源体系；突出资源内容的生活化、平民化；加强网站推广与互动；探索网站产业化运营模式⑤。司丽君指出，非遗网站建设要突出个性化设计理念，从多角度把握互联网时代受众接受知识的心理特征，定期维护和更新网站内容⑥。

---

① 范金霞. 非物质文化遗产中的口述档案保护与图书馆 [J]. 图书馆学刊，2008（5）：23-24.

② 柳霞. 非物质文化遗产资源数据库的建设 [J]. 东岳论丛，2008（6）：196-198.

③ 李姗姗，周耀林，戴旸. 非物质文化遗产信息资源档案式管理的瓶颈与突破 [J]. 信息资源管理学报，2011（3）：74.

④ 姜雷. 非物质文化遗产网站建设现状及对策 [J]. 农业图书情报学刊，2011（2）：62-64.

⑤ 王薇，徐拥军. 我国省级非物质文化遗产网站建设情况调研报告 [J]. 山西档案，2013（3）：44-47.

⑥ 司丽君. 上海市非物质文化遗产网站研究 [D]. 南京：南京艺术学院，2013：21-22.

（10）非遗档案与"群体智慧"

周耀林、程齐凯指出从体制上改革非遗档案管理的必要性，并通过"群体智慧"概念和实施模型的分析，从政策、管理、基础设施和标准规范四个方面阐述了利用群体智慧创新非遗管理体制的实现方法①。戴旸在解析"群体智慧"理论内涵和分析我国非遗档案管理现状及存在问题的基础上，从管理主体（who）、管理内容（what）、管理方法（how）和管理保障（why）四个主要模块具体设计出群体参与非遗档案管理模型及实现途径②。周耀林等在专著中对基于群体智慧的非遗档案管理模型进行了多方面的论述：首先，指出了模型构建的思想，即应用互联网等互动渠道，利用一定的系统平台，调动公众参与非遗档案管理，通过公众群体智慧的发挥实现高效的非遗相关资料聚合和非遗档案管理决策；其次，在分析了模型做什么、谁来做、动力机制和怎么做的基础上，构建了基于群体智慧的非遗档案管理模型；最后，分析了模型的具体应用，并构建了非遗档案管理系统③。这些非遗档案管理模式，从环节和内容上看，包含了非遗档案资源建设。

除了上述成果外，与非遗档案资源管理相关的研究成果还有不少，例如，非遗档案资源的征集④、开发⑤、可视化⑥等。限于篇幅，本书不再展开论述。

---

① 周耀林，程齐凯. 论基于群体智慧的非物质文化遗产档案管理体制的创新 [J]. 信息资源管理学报，2011（2）：55-66.

② 戴旸. 基于群体智慧的非物质文化遗产档案管理研究 [D]. 武汉：武汉大学，2013.

③ 周耀林，戴旸，程齐凯. 非物质文化遗产档案管理理论与实践 [M]. 武汉：武汉大学出版社，2013：295-309.

④ 嵇秋红. 太仓市档案局注重非物质文化遗产的征集 [J]. 档案与建设，2006（10）：28.

⑤ 韩英，章军杰. 论非物质文化遗产的档案资源开发 [J]. 档案学通讯，2011（5）：72-75.

⑥ 周耀林，王璐瑶. 非物质文化遗产档案可视化探析 [J]. 中国档案，2016（6）：66-67.

1.2.3 国内外研究评析

1.2.3.1 研究成绩

尽管关于非遗的专门研究起步较晚，但非遗研究成绩有目共睹。前述成绩，可以从如下方面进行简要的概括：

（1）已有的研究成果涉及非遗档案资源建设的方方面面

国内外都涉及非遗档案资源建设的理论、方法、技术、标准等。国内的相关研究较为具体、全面，主要包括：

①非遗档案资源建设的基础理论研究，如周耀林在《非物质文化遗产档案管理理论与实践》一书中，阐释了非遗档案、非遗档案管理的概念与内涵，系统论述了非遗档案的收集、整理、鉴定、保管、信息化及非遗档案管理的制度创新和政策推进等问题①。吴品才、储蕾也提出了非遗档案化保护的理论基础②。

②非遗档案资源建设的主体研究，如王巧玲、孙爱萍提出的非遗档案工作相关主体共计九类的提法③，以及周耀林、程齐凯提出的多主体参与非遗档案资源建设的提法④等。

③非遗档案资源建设的方式与模式研究，如李荣启提出的把握普查准备阶段、实地考察阶段和总体评估阶段三个步骤的工作方式⑤，彭毅提出的数字化与多媒体技术方式，戴旸、周耀林提出的

① 周耀林，戴旸，程齐凯．非物质文化遗产档案管理理论与实践［M］．武汉：武汉大学出版社，2013.

② 吴品才，储蕾．非物质文化遗产档案化保护的理论基础［J］．档案学通讯，2012（5）：75-77.

③ 王巧玲，孙爱萍．非物质文化遗产档案工作相关主体分析［J］．山西档案，2013（2）：56-58.

④ 周耀林，程齐凯．论基于群体智慧的非物质文化遗产档案管理体制的创新［J］．信息资源管理学报，2011（2）：55-66.

⑤ 李荣启，唐骅．新世纪我国非物质文化遗产的保护与传承［J］．广西民族研究，2010（1）：198.

面向公众需求的非遗档案网站建设、面向长期保存的非遗档案数据库的整合方法①，杨红提出的通过四种方式参与非遗数据库的建设方法②，王薇、徐拥军提出的我国省级非遗网站建设策略③，周耀林等也构建了非遗档案管理的"群体智慧模型"④。

④非遗档案资源建设的标准，如戴旸、李财富提出非遗项目、非遗传承人"两条主线"和管理维、业务流程维、技术维"三个维度"的标准体系基本框架⑤，叶鹏、周耀林提出的元数据标准建设方法⑥等。

（2）群体智慧理论在非遗领域的应用已经开始涉及

国内外对于非遗档案的研究时间不长，将群体智慧理论用于非遗档案资源建设与管理，是一个较为新颖的课题，针对性的研究成果很少。

在国外相关领域研究中，Freeman Cristina Garduno 提出以大众参与的图片分享网站 Flickr 为平台的建设与应用⑦，Danilo Giglitto 提出运用 Wiki 创建非遗数字档案馆以促进社区的参与⑧等。

---

① 戴旸，周耀林. 论非物质文化遗产档案信息化建设的原则与方法 [J]. 图书情报知识，2011（5）：69-75.

② 杨红. 档案部门与非物质文化遗产数据库建设 [J]. 北京档案，2011（3）：23.

③ 王薇，徐拥军. 我国省级非物质文化遗产网站建设情况调研报告 [J]. 山西档案，2013（3）：44-47.

④ 周耀林，戴旸，程齐凯. 非物质文化遗产档案管理理论与实践 [M]. 武汉：武汉大学出版社，2013：295-309.

⑤ 戴旸，李财富. 我国非物质文化遗产建档标准体系的若干思考 [J]. 档案学研究，2014（5）：35-39.

⑥ 叶鹏，周耀林. 论我国非物质文化遗产档案元数据的创立思路与语意标准 [J]. 忻州师范学院学报，2014（2）：112-117.

⑦ Freeman C G. Photosharing on Flickr：Intangible heritage and emergent publics [J]. International Journal of Heritage Studies，2010，16（4-5）：352.

⑧ Giglitto D. Using Wiki Software to Enhance Community Empowerment by Building Digital Archives for Intangible Cultural Heritage [C]. Proceedings of EUROMED 2014：5th International Conference on Cultural Heritage，Limassol，Cyprus，2014：268.

国内，周耀林、程齐凯将群体智慧理论引入非遗档案管理体制①，周耀林、戴旸、程齐凯构建了基于群体智慧的非遗档案管理模型②，戴旸提出了激发群体智慧的主要举措③，周耀林、黄川川、叶鹏以刺绣为案例构建了基于群体智慧的刺绣传承的 SMART 模型④等，都涉及群体智慧在非遗领域的应用。

（3）Web2.0 在非遗领域的运用得到重视

Web2.0 在互动性和开放性方面更具优势，传播的内容和形式也更加丰富多样，在非遗领域的运用得到了国内外研究人员和实践部门的重视。

国外学者 Garduno 提出的以 Flickr 为平台的非遗档案资源的收集与管理⑤，Giglitto 提出的运用 Wiki 创建非遗数字档案馆⑥，都体现了国外对于 Web2.0 的重视。

在国内，王云庆、陈建提出现代科技手段运用于非遗档案展览可以充分依托声、光、电技术给予非遗全方位、立体化的生动展陈与描述⑦；杨洋论述了全景技术、虚拟现实技术在虚拟戏曲博物馆

① 周耀林，程齐凯．论基于群体智慧的非物质文化遗产档案管理体制创新［J］．信息资源管理学报，2011（2）：59-66.

② 周耀林，戴旸，程齐凯．非物质文化遗产档案管理理论与实践［M］．武汉：武汉大学出版社，2013：287-309.

③ 戴旸．应然与实然：对我国非物质文化遗产建档主体的思考［J］．档案学通讯，2014（4）：82-85.

④ 周耀林，黄川川，叶鹏．论中国刺绣技艺的保护与传承——基于群体智慧的 SMART 模型［J］．武汉大学学报（人文科学版），2016（2）：100-112.

⑤ Freeman C G. Photosharing on Flickr：Intangible Heritage and Emergent Publics［J］．International Journal of Heritage Studies，2010，16（4-5）：352.

⑥ Giglitto D. Using wiki software to enhance community empowerment by building digital archives for intangible cultural heritage［C］．Proceedings of EUROMED 2014：5th International Conference on Cultural Heritage，Limassol，Cyprus，2014：268.

⑦ 王云庆，陈建．非物质文化遗产档案展览研究［J］．档案学通讯，2012（4）：39.

建设中的应用及表现①；伍晓鲁、康国栋运用 QQ 技术搭建了基于 Android 源代码的非遗智能交互平台②；刘英梅、郭瑞芳提出了构建全媒体端砚数据库的设想③；北京非遗保护中心，利用新媒体技术搭建了非遗网站并开通了非遗微博公众号和非遗微信公众号④等。这些成果表明，Web2.0 以及新媒体对于非遗档案管理产生的影响已经形成，如何因势利导加以运用，是管理部门需要关注的一个方面。

1.2.3.2 研究不足

总体而言，国内外学者在非遗普查与建档、非遗档案资源收集与整理、非遗档案资源开发利用、非遗数字化与信息化等方面有了一定的研究基础，但也存在值得进一步探讨的问题，主要表现在以下方面：

（1）非遗档案资源建设的理论研究相对滞后

非遗档案资源作为一种特殊的信息资源，其建设应遵循一般的信息资源建设规律。非遗档案资源建设的理论研究在借鉴信息科学相关理论的同时，应根据非遗档案信息资源的特性，探讨非遗档案信息资源建设的理论，构建相关的理论框架和理论体系。本书的目的之一是在借鉴"群体智慧"理论时，主要针对群体智慧理论与非遗档案管理的结合与应用，侧重从档案管理的主体、内容、方法等方面展开论述，对非遗档案资源建设流程中如何发挥群体智慧模式的作用做进一步探讨。

（2）非遗档案资源建设的研究视角有待拓宽

非遗档案资源建设的研究视角主要集中在政府机构、文化主管

① 杨洋. 虚拟戏曲博物馆的设计思考［J］. 戏曲艺术，2012（4）：121-125.

② 伍晓鲁，康国栋. 非物质文化遗产智能交互平台的搭建研究——以吉首大学图书馆为例［J］. 新世纪图书馆，2012（8）：59-61.

③ 刘英梅，郭瑞芳. 全媒体端砚数据库构建意义及其内容结构［J］. 图书馆学研究，2012（18）：29-33.

④ 北京非物质文化遗产保护中心［EB/OL］. http：//www. bjchp. org/.

部门、博物馆、图书馆、档案馆等机构参与非遗档案资源建设的方式、方法，对于民间组织、社会公众参与非遗档案信息资源建设的研究较少，关于非遗档案资源建设的统筹发展的研究缺乏，对于新技术的应用，包括新媒体在非遗档案资源管理领域的探索研究不够。

（3）非遗档案资源建设的内容研究尚需拓展

现有的非遗档案资源建设主要集中在非遗本体信息资源的建设上，对非遗在申报、普查、建档等过程中形成的非遗档案信息建设研究较少；对非遗档案信息资源建设方法整合、非遗档案资源共建共享的研究十分薄弱，从而影响了非遗档案资源的开发利用。

（4）非遗档案资源建设的体制研究不够深入

学者们提到非遗档案管理的体制问题，但对政府主导下的非遗档案信息资源建设体制的应对和优化改善措施研究不够充分。对非遗档案信息资源建设各主体及其相互关系的研究不够深入，还主要停留在各个部门、机构或组织单独构建非遗档案信息资源的阶段，缺乏必要的组织和协调；对社会组织和社会公众参与非遗档案信息资源建设等缺乏必要的研究论证。

（5）非遗档案资源建设的机制研究有待加强

非遗档案资源广泛分布在文化主管部门和其他文化事业机构，对各机构在非遗档案信息资源建设中如何有效发挥作用，如何协作各非遗档案信息资源建设机构的关系，如何构建有效的激励机制、保障机制、共建共享机制等研究工作显得比较薄弱。

（6）非遗档案资源建设技术应用研究需加强

新技术的应用对于立体展现非遗档案资源，协同构建非遗档案资源体系，充分共享非遗档案资源有着巨大的优势。目前，Web2.0以及新媒体技术在非遗档案资源建设中崭露头角，特别是非遗档案信息资源建设方面的理论研究和实际应用已经开始起步，但尚未充分运用，这也是今后需要加强的重点工作之一。

正是因为上述问题的存在，本书在总结已有研究成果的基础上，以形成完善的非遗档案资源建设"群体智慧模式"为目标，以借鉴国内外已有的非遗档案资源建设模式为基础，以非遗档案资

源建设的动力机制分析为理论导向，以系统研究非遗档案资源建设
的主体、客体和方法为脉络，以基于 Web2.0 的交互平台应用为关
键，系统地研究了非遗档案资源建设理论、方法与技术实现及其保
障，旨在为当代我国非遗档案资源建设提供理论指导和实践参考。

1.3 相关概念界定

21 世纪以来，在联合国教科文组织以及各国政府文化主管部
门的推动下，非遗保护和传承逐渐形成一套完善的体系。而在非遗
保护工作中，政策法规的制定、普查申报制度机制的建立、建档建
库技术和手段的运用、数字化和信息化建设的推进都会产生大量的
文献和档案资源以及其他相关信息资源。在这一过程中，非遗资
源、非遗旅游资源、非遗档案资源、非遗信息资源、非遗数字资源
等概念纷纷出现。在此，有必要对其进行辨析。

1.3.1 非遗资源与非遗信息资源

1.3.1.1 非遗资源

不同的时代，人们对资源的认识不同。在劳力经济阶段，人
们对资源的理解局限于自然资源的传统观念。随着时代的发展，
人们逐渐意识到，能给人类带来利益的绝不仅仅是自然资源，还
有社会资源、经济资源。随着知识、信息等无形资源在社会经济
发展中的作用越来越大，知识逐渐从资源大系统中单独划分出来
成为单一的资源。而如今，大资源观已经形成，这里的大资源是
相对于小资源而言的，指人类社会发展可以利用的一切有形的或
无形的、物质的或非物质的、自然的或者社会的要素或价值①。

① 李维华，韩红梅. 资源观的演化及全面资源论下的资源定义 [J].
管理观察，2003（2）：11-12.

因此，在人类经济活动中，各种各样的资源之间相互联系、相互制约，形成一个结构复杂的资源系统，每一种资源内部又有自己的子系统。

20 世纪 70 年代，美国国家公园管理局（National Park Service）率先使用了"文化资源"一词，之后迅速被采纳。它与"文化遗产"基本同义，是指"与人类活动有关的自然和人工物质遗迹，包括遗址、建筑物和其他单独或同时具有历史、建筑、考古或人文发展方面重要性的物件"①。与文化资源概念同时出现的还有"文化资源管理"这一术语，它与"自然资源管理"并行，即强调对历史遗址、建筑物、博物馆馆藏、历史文献等物质遗产的管理，也强调了对宗教习俗、民俗、传统等非物质遗产的管理②。

全球化时代，一个国家和民族的文化价值逐渐被重视，并从文化价值角度及资源开发角度提出"文化即资源"（Culture-as-Resource）"的概念。George Yúdice 指出"文化即资源"不仅仅强调文化的"商品"价值，它已经成为意识形态以及福柯（Foucault）所谓的"规训社会"在融入经济（或生态）理性之后形成的新的认识框架的关键要素，将优先考虑文化及其成果的管理、保护、获取、分配以及投资③。Patrick C Wilson 也阐述了将文化作为一种资源来促进厄瓜多尔亚马逊土著社区经济可持续发展的重要意义④。Kit Dobson 指出，无论在加拿大还是世界各地，文化和知识都已被视为一种可以被用来促进社区可持续发展的资源。文化工作和文化生产的最大受益者是民族国家，从更广泛意义上看，

---

① Fowler D D. Cultural Resources Management ［J］. Advances in Archaeological Method and Theory, 1982（5）: 2.

② Wikipedia. Cultural resourcesmanagement ［EB/OL］. ［2015-07-27］. https: //en. wikipedia. org/wiki/Cultural_resources_ma nagemen.

③ Yúdice G. The Expediency of Culture: Uses of Culture in the Global Era ［M］. Durham: Duke University Press, 2003: 1.

④ Wilson P C. Ethnographic Museums and Cultural Commodification Indigenous Organizations, NGOs, and Culture as a Resource in Amazonian Ecuador ［J］. Latin American Perspectives, 2003, 30（1）: 177.

是国家的治理结构①。

在我国,党和国家高度重视文化强国战略,通过政策、法规来保护文化,促进文化的发展。非遗当中蕴涵了特定民族的独特智慧和宝贵精神财富,承载着丰富而独特的民族记忆。其中含有丰富的历史资源、文化资源、审美资源、科学资源、伦理资源、教育资源、经济资源、创造资源,具有历史、文化、审美、科学、和谐、教育、经济等方面的价值②(见图1-1)。因此,非遗本身即是一种资源,人们常说的非遗资源就是指非遗本身,它们是旅游资源、文化资源、审美资源以及创造资源等资源的集合体。而站在信息资源的角度看,非遗资源主要是指非遗保护、传承以及传播过程中形成并保存下来的各类信息资源。

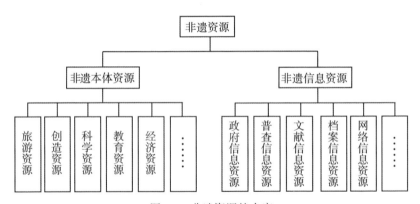

图1-1 非遗资源的内容

1.3.1.2 非遗信息资源

信息社会中,信息资源已成为推动社会进步和经济增长的战略资源。当前,图书情报界对于信息资源定义的理解主要从狭义和广

---

① Dobson K. Culture as Resource? The Function of Literary Research and Criticism in Canada [J]. ESC: English Studies in Canada, 2006, 32 (2): 15.

② 王文章. 非物质文化遗产概论 [M]. 北京: 文化艺术出版社, 2006: 76.

义的角度展开，狭义的信息资源是指人类社会经济活动中经过加工处理有序化并大量积累后的有用信息的集合。而广义的信息资源是信息和它的生产者及信息技术的集合①。

在实践中，图书馆界、档案界使用较多的是狭义的信息资源概念。高波、吴慰慈就认为现实当中狭义的信息资源概念更可取，他们将信息资源的定义阐述为"信息资源是经过人类采集、开发并组织的各种媒介信息的有机集合，也就是说信息资源既包括制品型的文献资源，也包括非制品的电子信息资源，强调任何一个方面都是片面的"②。吴宝康、冯子直同样采用的是狭义定义，认为信息资源是指人类社会生活中所需要的信息集合体③。它具有与能源、材料一样的属性：①可存贮性，即可记录于某种物理载体之上，并与载体共存，如书籍、胶卷等；②可传递性，如信件、电报等；③价值属性，即在一定时期内可在社会活动中发挥作用。从使用角度看，可分为两类：一类是直接信息资源，接收者可直接使用，如科技资料、档案史料和各种新闻报道等；另一类是隐含信息资源，包含于某一事物中，需要经过分析和考证才可揭示出来，如一件文物、一次事故、一种现象的潜在使用价值等。不同的时代，采用不同的技术，因此信息资源的形式也有不同。信息资源集合体有档案馆、图书馆、资料馆等形式；随着新技术的发展，有计算机数据库、缩微资料库、光盘资料库等形式。

肖希明认为信息资源等同于知识、资料和消息，无论信息资源是以声音、图形、图像等形式表达出来的，还是以文献、实物、数据库等载体记录下来的，其信息内容都是一样的，都是要经过加工处理、对决策者有用的数据。他指出信息资源包括：①文献型信息资源（笔记、手稿、原始档案等刻写型文献信息资源，图书、连

51

---

① 马费成，赖茂生．信息资源管理［M］．北京：高等教育出版社，2006：4.

② 高波，吴慰慈．从文献资源建设到信息资源建设［J］．中国图书馆学报，2000，26（5）：26.

③ 吴宝康，冯子直．档案学词典［M］．上海：上海辞书出版社，1994：414.

续出版物、特种文献资料、档案资料等印刷型文献信息资源，缩微型文献信息资源，视听型文献信息资源）；②数字化信息资源（网络信息资源、单机信息资源)①。

因此，狭义的非遗信息资源就是指：非遗相关的信息集合体，是非遗资源的重要组成部分。具体来说是指非遗保护、传承、传播等活动中记录和保存下来的一些信息资源的集合。按照来源可分为，非遗政府信息资源（如政策、法规、保护动态、案例等），非遗普查信息资源（如普查记录、调查笔记等），非遗文献信息资源（图书、报纸、期刊），非遗档案信息资源（普查档案、申遗档案、项目档案、传承人档案等），非遗网络信息资源（网站、网络数据库、博客、论坛、社交媒体上网络资源）。

1.3.1.3　非遗档案信息资源

非遗档案的含义国内至今还没有统一的界定，但主要可分为广义和狭义两个角度，其中广义居多。非遗档案的广义概念，以王云庆、赵林林、胡云、李波等为代表，认为其是指与非遗活动有关的那部分档案。确切地说，即所有与非遗有关的具有保存价值的各种载体的档案材料，包括非遗活动的道具、实物等，以及对非遗进行记录和保护过程中形成的文字载体、声像资料等，对于列入非遗名录的遗产项目，还包括与申遗工作有关的一系列档案文件②③④。因此，它包含的内容极其丰富，至少应该涵盖以下一些基本内容：①非遗发生、发展、演变的历史过程；②非遗的活态遗存状况；③非遗的标志性物质载体和表现方式；④非遗代表性传承人的基本情况与相关资料；⑤非遗工作和事业发展的全景式记录及各阶段性成

①　肖希明. 信息资源建设［M］. 武汉：武汉大学出版社，2008：10-16.

②　王云庆，赵林林. 论非物质文化遗产档案及其保护原则［J］. 档案学通讯，2008（1）：71.

③　胡芸，顾永贵. 如何做好民族民间非物质文化遗产档案管理工作［J］. 中国档案，2008（5）：43.

④　李波. 非物质文化遗产在城市文化旅游中的作用［J］. 北京档案，2009（1）：36.

果等①。或者以"档案信息集合"和"固化成果整体"为尺度，非遗档案包含项目板块、历史板块、工作板块和传承人板块②。非遗档案的狭义概念以朱伶杰、何永斌、陈妙生等为代表，认为其是在非遗保护和申报过程中形成的具有档案价值的各种材料③④⑤。

在综合上述观点的基础上，周耀林等认为，"非遗档案是见证非遗的传承演变过程及其各个阶段文化的特征，反映非遗的现存状态和存续情况，记录非遗保护与管理工作的各项活动，体现非遗代表性传承人及典型传承群体自然状况、文化背景、文化活动等的各种类型记录材料的总和。"其内涵可具体包括以下三个方面⑥：

（1）非遗本体档案

非遗本体档案体现为非遗项目的记录，是指记录和反映非遗传承过程与结果的文字、录像等材料，以及作为活动媒介的实体档案等。本体档案记录、反映的是非遗产生、发展和变化的完整历史进程，包括从各种相关文献中挖掘出来的档案史料的系统整合材料、作为非遗表现工具的实物档案等。我国已对木版年画、泥塑、皇会等建立了档案，当前正在做传统村落和唐卡建档。这部分非遗档案来源复杂，管理困难，是管理的重要对象。

（2）申报与保护工作中形成的档案

申报与保护工作中形成的档案是指记录非遗申报、保护过程与

---

① 何永斌，陈海玉. 非物质文化遗产档案工作体系建设刍议［J］. 四川档案，2008（6）：32-33.

② 何永斌. 谈非物质文化遗产档案资源建设的几个问题［J］. 兰台世界，2008（10）：22.

③ 朱伶杰. 世界遗产活动与档案［J］. 档案与建设，2006（4）：12.

④ 何永斌. 谈非物质文化遗产档案工作中的几对关系［J］. 山西档案，2009（3）：50.

⑤ 陈妙生，陆英. 太仓市加强非物质文化遗产档案工作的探索与思考［J］. 档案与建设，2009（2）：58.

⑥ 周耀林，戴旸，程齐凯. 非物质文化遗产档案管理理论与实践［M］. 武汉：武汉大学出版社，2012：49-50.

结果的档案。申报工作中的档案是指非遗项目在申报非遗保护名录时，申报单位准备的申请报告、项目申报书、保护计划以及其他有助于说明申报项目的必要材料。保护过程中形成的档案是指反映和记录为抢救、保护、管理、开发、弘扬与传承非遗而形成的各种资料。这部分档案相对简单，数量少，常常以"项目"为单位进行管理，也是管理的重点。

（3）传承人档案

传承人（含传承团体，下同）最能体现非遗的存在价值。传承人档案是指记录和反映非遗传承人的自然状况、文化背景，说明传承人传承非遗的活动状况、传承状态，以及在传承人认定和管理过程中形成的各种资料。这部分非遗档案常常以"传承人"为单位进行管理，应当作为管理的重点。"十二五"时期，我国便采用录像、录音、数字多媒体等技术手段，将完成至少300名国家级代表性传承人记录，真实、系统地保留传承人的口述史和传统技艺、代表剧（节）目、仪式规程等全面信息。

非遗档案资源既包括了非遗实体档案资源，也包括了非遗实体档案当中蕴含的信息资源，即非遗档案信息资源。当然，在非遗档案资源的收集或征集过程中常常会有部分非遗实物档案，尽管其也是非遗档案资源当中的一部分，但从信息资源的角度来看，我们这里所指的非遗档案资源主要是指非遗档案信息资源，它是非遗信息资源的重要组成部分。

何永斌站在信息资源的角度指出非遗档案资源是围绕非遗及其保护工作建立起来的档案信息集合，是全面记录和反映非遗本身及其保护工作发展演变历程的固化成果整体。他将非遗档案资源范畴划分为项目、历史、工作、传承人四大板块①。在此基础上，本书认为非遗档案信息资源就是围绕非遗及其保护工作建立的档案信息集合体，是需要经过加工处理的、对决策者有用的数据，具有可存贮性、可传递性和价值属性。按照非遗档案类型分类，包括非遗本

① 何永斌. 谈非物质文化遗产档案资源建设的几个问题 [J]. 兰台世界，2008（20）：22.

体档案信息资源、申报与保护工作中形成的档案信息资源、传承人档案信息资源等。

1.3.2 信息资源建设与非遗信息资源建设

1.3.2.1 信息资源建设

信息资源可存贮性、可传递性、价值属性等特点告诉我们，信息资源是可以且必须通过一定的建设和开发才能形成或者优化，更好地被利用。2000 年，高波和吴慰慈指出："信息资源建设是人类对处于无序状态的各种媒介的信息进行有机集合、开发、组织的活动。"① 此后，孟雪梅从更加宏观的层面指出："信息资源建设是指在一定范围内的信息资源中心对信息资源进行有计划的采集、积累、开发并合理布局，以满足信息用户的需求，保障社会发展和国家建设需要的全部活动。"② 程焕文和潘燕桃站在图书馆的角度指出："所谓信息资源建设，是指图书馆根据其性质、任务和用户需求，有系统地规划、选择、收集、组织、管理各种资源，建立具有特定功能的信息资源体系的整个过程和全部活动。"③ 2006 年，肖希明指出："信息资源建设，就是人类对处于无序状态的各种媒介信息进行选择、采集、组织、管理和开发等活动，使之形成可以利用的信息资源体系的全过程。"④

网络环境下的信息资源建设既包括文献型的资源建设，也包括数据库的建设，还包括对网络信息资源的开发与组织。肖希明指出信息资源建设的内容包括：信息资源体系规划、信息资源的选择和

① 高波，吴慰慈. 从文献资源建设到信息资源建设 [J]. 中国图书馆学报，2000，26（5）：26.

② 孟雪梅. 信息资源建设 [M]. 哈尔滨：黑龙江人民出版社，2002：11.

③ 程焕文，潘燕桃. 信息资源共享 [M]. 北京：高等教育出版社，2004：7.

④ 肖希明. 信息资源建设 [M]. 武汉：武汉大学出版社，2008：21-22.

采集、馆藏资源数字化与数据库建设、网络信息资源的开发、信息资源的组织管理、信息资源共建与共享、信息资源建设基本理论与方法的研究。

1.3.2.2　非遗信息资源建设

我国拥有世界数量最多的非遗本体资源，而与这些非遗本体资源相伴而生的非遗信息资源更是不可计量。非遗信息资源建设是信息社会环境下，挖掘蕴含在非遗当中信息资源的重要手段。我国历朝历代对民间文学、民间传统的调查记载，以及近现代以来的民俗、民族民间文化的普查和搜集都是非遗信息资源建设的早期形式。进入 21 世纪之后，随着现代化数字信息技术的发展，非遗保护从最初的拍照、采访、记录、物品收藏等简单方式，逐渐发展为全面的"数字化"记录、采集和处理，虚拟现实技术、3D 建模技术、数字博物馆技术的出现，更是让非遗的保存与保护更加"保真"[1]。当前，非遗普查建档工作全面展开，同时非遗网站、非遗数据库、非遗数字博物馆等"数字化"保存手段也逐渐发展起来，非遗信息资源建设得到巨大的发展。

2006 年，郭小川就指出"随着信息化时代的发展，我们的民族民间文化需要注入更多的现代化内容，需要建立一个以计算机为基础、综合型数字化非遗保护与发展的框架，让现代人能够通过电子设备进行观赏并查阅相关文化信息"。利用现有的软件技术对非遗进行创新设计已成为发展的需要，这些内容包括[2]：①利用数字化技术对非遗进行学术分类、信息化存储，建立资料性的符号库和素材数据库；②开发非遗声音、图像检索技术，研究计算机辅助设计系统；③开发非遗的数字化信息获取技术、多媒体虚拟场景建模技术、虚拟场景协调展示技术；④利用虚拟现实技术对传统手工艺

---

①　郭小川. 非物质文化遗产的数字化保护 [J]. 中国美术馆，2006 (9)：91.

②　郭小川. 非物质文化遗产的数字化保护 [J]. 中国美术馆，2006 (9)：92.

的生产方式、使用方式、消费方式、流通方式、传播传承方式等文化存在方式进行再现。

2011 年，文化部部长蔡武在"2011 年文化部全国非遗保护工作重点"中强调要"推进非遗保护信息化建设"，进一步推动非遗信息化建设，完善非遗数字化保护工程建设方案，统筹规划非遗数据库建设，初步建立适应社会发展、满足工作需要、兼顾各地实际、提供公共服务的数据库群和工作平台。增强科技创新力度，充分利用信息化、数字化的现代科技，建立技术平台，加强对全国非遗保护工作的科学指导和宏观管理①。

2011 年，浙江省召开非遗信息化建设推进会，在全省正式启动非遗信息化建设工作。浙江省文化厅厅长杨建新出席会议并作重要讲话，对非遗的信息化建设提出了要求，他指出：各地文化主管部门要充分认识到非遗信息化建设的重要性，增强紧迫感和使命感，积极推动非遗信息化建设工作进程。他强调，非遗信息化建设是一项极为复杂的系统工程，我们必须站在新的高度，充分认识信息化建设在非遗保护工作中的重要作用。当前，要着重加强以下几个方面工作：一是加强组织领导，把非遗信息化建设摆上重要位置；二是加强技术装备配置，夯实非遗信息化建设基础；三是加强业务技能学习，不断提升信息化应用水平；四是加强服务平台建设，切实提高综合服务水平；五是加快转型升级步伐，推进我省非遗事业跨越式发展②。

总之，非遗信息资源建设是一项系统工程，不仅涵盖了非遗的信息资源体系规划，而且包括非遗信息资源整合与开发、非遗数据库建设、非遗网站的建设、非遗信息资源的共建共享等方面内容。

1.3.2.3 非遗档案资源建设

57

我国关于"档案资源建设"的相关界定中，档案界人士往往

---

① 蔡武.2011 年全国非物质文化遗产保护工作重点［EB/OL］.［2015-07-20］. http：//www.sccnt.gov.cn/whmt/scfwzwhycwhmt/201105/P020110503635364063956.pdf.

② 骆蔓.浙江省非物质文化遗产信息化建设推进会在杭召开［EB/OL］.［2015-08-01］.http：//www.zjfeiyi.cn/news/detail/31-1142.html.

站在"国家档案资源建设"的高度进行阐述。总体看来，国家档案资源建设则有广义和狭义之分。广义的国家档案资源建设是以建立档案资源体系为目的，依据国家有关档案法律法规开展的档案积累、移交、接收、整理，档案资源开发利用等一系列档案工作①，狭义的国家档案资源建设是指国家档案资源的形成、收集、加工、整合的过程②③。

另外，有学者从档案机构角度出发，认为："档案资源建设是指档案机构对本区域、本部门的档案信息资源进行合理配置、分工协调，形成档案信息资源库而开展的一系列创造性工作"④；"档案资源建设泛指档案资源的形成归档、价值判断、收集积累、结构体系、资源整合等"⑤。一般地，档案资源建设就是档案资源从产生之时起，为利用奠定基础和准备的全部工作，包括档案产生、收集、保存、整合以及开发的全部过程。而早期直到20世纪80年代电子档案出现以前，档案资源建设就是实体档案的建设。20世纪80年代以后，档案资源建设出现了新的趋势，既包括传统的实体档案的建设，也包括由计算机技术、通信技术发展带动的数字档案的建设，形成了实体档案建设与数字档案建设共存互补的局面。

信息社会环境下，非遗档案信息资源同样分为纸质文献型档案信息资源和非遗数字型档案信息资源。而非遗档案信息资源建设就是指非遗档案信息资源从形成到优化的全过程。非遗档案信息资源建设的目标主要是通过广泛的收集（采集）、征集等手段，实现档

---

① 毛福民 . 以"三个代表"为指导全面加强国家档案资源建设［J］. 中国档案，2002（2）：5.

② 傅华，冯惠玲 . 国家档案资源建设研究［J］. 档案学通讯，2005（5）：41.

③ 陈姝 . 国家档案资源建设的途径，问题与策略［J］. 北京档案，2011（6）：13.

④ 徐欣 . 浅谈档案馆档案资源的建设［J］. 档案学通讯，2006（1）：82.

⑤ 王天泉 . 为了记忆不再缺失——专家学者研讨国家档案资源建设［J］. 中国档案，2006（12）：41.

案信息资源数量的增加和聚合，通过分类、鉴定、著录、整合、开发等手段实现非遗档案信息资源的有序化和质量的优化。在实践工作中主要表现为：非遗普查、数字化记录与建档、数据库建设、资源开发利用等方面的工作。

1.3.3 群体智慧

"群体智慧"一词是一个源自西方的合成词。在英文当中有较多相似的表述，如"collective intelligence""group intelligence""wisdom of crowds""swarm intelligence"等，前三者一般用于社会经济系统中出现的群体性智慧，后者来源于对自然生态系统所具有智能的观察与表达①。而在我国一般将前三者译为"群体智慧"②或"集体智慧"③，将后者译为"群集智能"④。

1.3.3.1 群体智慧的词源分解

字面上看，"群体智慧"由"群体"和"智慧"组合而成。《韦伯字典》将"智慧"解释为"学习、理解或者处理新情况的能力；运用知识来适应环境的能力或者通过客观标准测定的抽象思维能力"⑤，而我国《现代汉语常用词典》中"智慧"被解释为"能够辨析判断各种事物，进行发明创造的能力"⑥。Jan Marco

---

① 刘钒，钟书华. 国外"群集智能"研究述评［J］. 自然辩证法研究，2012（7）：114.

② 戴旸，周磊. 国外"群体智慧"研究述评［J］. 图书情报知识，2014（2）：120.

③ 刘海鑫，刘人境. 集体智慧的内涵及研究综述［J］. 管理学报，2013，10（2）：305.

④ 刘钒，钟书华. 国外"群集智能"研究述评［J］. 自然辩证法研究，2012（7）：114.

⑤ Merriam-Webster Dictionary. Intelligence［EB/OL］.［2015-08-10］. http://www. merriam-Webster. com/dictionary/intelligence.

⑥ 张清源. 现代汉语常用词词典［M］. 成都：四川人民出版社，1992：521.

Leimeister 指出"智慧"是指通过运用知识学习、理解以及适应环境的能力，这就让人们能够从容应对不断变化的各种困难状况①。Tom Atlee 和 George Pór 将智慧定义为"随外界环境变化而变化的能力，尤其是在面对改变和挑战的时候"②。群体智慧研究所（The Co-Intelligence Institute）对"智慧"的概念进行了总结，他们指出智慧一般有以下几种描述：①智慧是扩展、应用和改变我们知识和技能的能力；②智慧是学习和解决问题的能力，尤其是在面临改变和挑战的时候；③智慧是识别出我们思维模式和生活方式的能力；④智慧是随着现实的变化而去挑战我们的想法、感受和行为的能力③。当前，智慧定义中，广泛认同的定义来自 David Wechsler，他指出"智慧"是指个体有目的地行动、合理地思考、高效地处理他周围环境的、沉着的或全面的能力④。

对于"群体"的概念，《韦伯字典》将其解释为"表示若干人或物所组成的一个组或一个整体"⑤。而西方学者 George A Hillery 认为"群体是在一定时间内相互交往着的一群人"⑥；Henry P Sims 等则将其界定为"两个或两个以上的人，在共同工作目的和目标指引下结成的相互依赖、相互作用的集合体"⑦。Jan Marco

---

① Leimeister J M. Collective Intelligence [J]. Business & Information Systems Engineering, 2010, 2 (4): 245.

② Atlee T, Por G. Collective Intelligence as a Field of Multi-disciplinary Study and Practice [EB/OL]. [2015-08-10]. http://www.community-intelligence.com/files/Atlee% 20-% 20Por% 20-% 20CI% 20as% 20a% 20Field% 20of% 20multidisciplinary%20study%20and%20practice%20.pdf.

③ The Co-Intelligence. What is Intelligence? [EB/OL]. [2015-08-10]. http://www.co-intelligence.org/FAQ.html.

④ Wechsler D. Die Messung der Intelligenz Erwachsener [M]. Bern-Stuttgart: Huber, 1964: 20-50.

⑤ http://www.merriam-Webster.com/dictionary/collective [EB/OL].

⑥ Hillery G A. Definitions of Community: Areas of Agreement [J]. Rural Sociology, 1955, 20 (2): 111.

⑦ Sims H P, Szilagyi A D, Keller R T. The Measurement of Job Characteristics [J]. Academy of Management Journal, 1976, 19 (2): 195-212.

Leimeister 指出"群体"描述的是不要求持有相同态度或观点的一群人，不同的成员可以提出不同的看法和方法，从而给相关问题一个更好的解释或是解决途径①。我国关于"群体"的理解与西方大致相似。《现代汉语大词典》中指出"群体"是指"①人群，集体；②由许多在生理上发生联系的同种生物个体组成的整体②"。而"集体"是指"由许多个体结合而成的整体③"。章志光将其定义为"彼此间为了一定的共同目的，以一定的方式结合在一起，彼此之间存在相互作用、心理上存在共同情感的两个以上的人群"④；金盛华也指出"群体是两个或两个以上相互依赖和相互作用的个体，为了某个共同的目标而结合在一起的彼此之间具有情感联系的人群"⑤。可见，群体是人类存在于社会的基本单位，群体行为则是人类组织活动的主要方式。

1.3.3.2 群体智慧的主要定义

如果将"群体"与"智慧"简单组合，"群体智慧"也就可以看作群体所拥有或形成的智慧或者说是群体的认知能力。然而，在实际研究当中，群体智慧的概念往往更加复杂。群体智慧在生物学、社会学、大众行为学、计算机科学、管理学等多个学科领域的应用，使得各学科对群体智慧的理解也有所不同。

计算机科学和信息科学领域学者将群体智慧理解为"自组织"的过程。如 Satnam Alag 认为"当个体相互协作或者彼此竞争时，

① Leimeister J M. Collective intelligence [J]. Business & Information Systems Engineering, 2010, 2 (4): 245.

② 阮智富，郭忠新. 现代汉语大词典·下册 [M]. 上海：上海辞书出版社，2009：2978.

③ 阮智富，郭忠新. 现代汉语大词典·下册 [M]. 上海：上海辞书出版社，2009：3141.

④ 章志光. 社会心理学 [M]. 北京：人民教育出版社，2002：427.

⑤ 金盛华. 社会心理学 [M]. 北京：高等教育出版社，2010：402.

智慧或行为就会以前所未有的方式显现出来，这通常被称为群体智慧"①；Henry Jenkins 则将群体智慧在媒体领域的作用理解为由于媒体整合和信息共享造成的信息数量和质量的提高②；Toby Segarant 从技术的角度上认为群体智慧是"为了创造新的想法，而将一群人的行为、偏好或思想组合在一起"③；Ioanna Lykourentzou 等指出"群体智慧是基于大型团体的合作理念，使互相协作的个体可以产生高阶智能、解决方案和创新"④。

在社会以及管理层面的研究强调运用群体智慧来解决问题、实现决策的过程，起源于不同意见的讨论决策形式，由 Peter Russell，Tom Atlee 等共同提出和论述，是指由许多的个体合作与竞争中所显现出来的智慧，研究包括社会学科、计算机科学与群众行为，是一门由夸克层次到细菌、植物、动物以及人类社会层面等群体行为的研究⑤。

James Surowiecki 提出了"群体的智慧"（The Wisdom of Crowds）的概念，他指出"多数人的群体智慧超过少数人的个体智慧"，并提出了"群体智慧"超过"个体智慧"的四个条件，即多样化的观点（Diversity of Opinion）、独立性（Independence）、分散与分权化（Decentralization）、集中化（Aggregation）⑥。

---

① Alag S. Collective Intelligence in Action [M]. New York：Manning, 2009：3-19.

② Flew T. New Media：An Introduction [M]. South Melbourne, Victoria, Australia：Oxford University Press, 2005：101-114.

③ Segaran T. Building Smart Web 2.0 Application—Programming Collective Intelligence [M]. O'Reilly Media Inc, August 2007.

④ Lykourentzou I, Vergados D J, Kapetanios E, et al. Collective Intelligence Systems：Classification and Modeling [J]. Journal of Emerging Technologies in Web Intelligence, 2011, 3（3）：217.

⑤ Sun R. Cognition and Multi-agent Interaction：From Cognitive Modeling to Social Simulation [M]. Cambridge University Press, 2006.

⑥ Surowiecki J. The Wisdom of Crowds：Why the Many are Smarter Than the Few and How Collective Wisdom Shapes Business, Economies, Societies, and Nations [M]. New York：Little Brown, 2004：10-20.

Finn Voldtofte 指出一个群体或社会系统拥有的问题和表达能力对于任何个体所拥有的智慧而言都太过于复杂，任何个体想要制定出未来策略、远景和目标等都是不可能的①。从进化的角度，George Pór 将群体智慧定义为"通过分化与整合、竞争与协作的创新机制，人类社区朝更高的秩序复杂性以及和谐方向演化的能力"②，他认为群体智慧系统是一个由个人学习和集体学习组成的动态的、有活力的生态系统③。

Thomas Malone 指出群体智慧就是"个体组成的群体共同去完成事情所表现出的智慧"④。Pierre Lévy 认为群体智慧是一种主观动员、高度个人化以及伦理和协作的形式。描述了人类社区、组织和文化所展现出的类似思维的财产，例如学习、认知、行动、思考以及解决问题等，他指出群体智慧的基础和目标是个体之间的相互承认以及个体数量的富集⑤。

Craig A Kaplan 指出群体智慧既包括群体所具有的优于个体的解决问题的能力，也包括一个群体做出的比个人更加稳妥完善的决策⑥。John Smith 认为群体智慧是"一群人在共同信念的指引下，以群体为单位自行完成一项任务，这个群体不再是一个由众多

① Voldtofte F. A Generative Theory on Collective Intelligence ［EB/OL］. ［2015-08-10］. http：//Web. archive. org/Web/2 0061230194534/http：//www. worldcafe. dk/worldcafe/generative. htm.

② Pór G. What is Collective Intelligence ［EB/OL］. ［2015-08-10］. http：//www. community-intelligence. com/blogs/public/.

③ Pór G. The Quest for Collective Intelligence ［EB/OL］. ［2015-08-10］. http：//www. visionnest. com/btbc/cb/chapters/quest. htm.

④ Malone T W. What is Collective Intelligence and What will We do about it ［M］. Collective Intelligence：Creating a Prosperous World at Peace，Oakton：Earth Intelligence Network，2008：1.

⑤ Lévy P. Collective Intelligence：Mankind's Emerging World in Cyberspace ［M］. Cambridge：Perseus Books，1997：4-13.

⑥ Kaplan C A. Collective Intelligence：A New Approach to Stock Price Forecasting ［C］//Systems，Man，and Cybernetics，2001 IEEE International Conference on IEEE，2001：2893-2898.

独立个体组成的组合，而是一个有着极强的凝聚力，并显示出极高智慧的集合"①。Francis Heylighen 指出群体智慧是一个群体所具有的，能够比其中单个成员解决更多问题的能力②。Tom Atlee 和 Karen Mercer 指出群体智慧是在社会环境中形成的、以多种形式共享群体职能、集结群体意见进而转化为决策的过程。它不仅源于众多个体的竞争与合作，而且可以克服'团体迷思'和个人认知偏差，通过协同合作实现群体创新，大大提高人类智力表现"③。Tom Atlee 把群体智慧的重点主要放在人类社会中，探讨人类如何利用群集智能来克服集体决策失误和个人认知偏差④。他和 George Pór 给群体智慧下了一个广泛而简单的定义："群体智慧就是任何产生于群体或其他集体生活系统的智慧，或者说是该群体或系统的一种能力或特性"。⑤

国内学者在总结国外研究成果的基础上，从不同角度阐述了群体智慧的概念：

在人类社区层面，周耀林、程齐凯从群体智慧的最初观察角度出发，揭示了群体智慧的基本特征："群体智慧又称作集体智慧，可以理解为共享的或者群体的智能，它可以在细菌、动物群体、人类社会、计算机网络中出现，表现为集体协作的创作方式、协商一

---

① Smith J B. Collective Intelligence in Computer-based Collaboration [M]. CRC Press, 1994.

② Heylighen F. Collective Intelligence and Its Implications on the Web: Algorithms to Develop a Collective Mental Map [J]. Computational and Mathematical Theory of Organizations, 1999 (5): 253-280.

③ Tom Atlee, Karen Mercer. The First Little Book on Co-Intelligence [M]. The Co-Intelligence Institute, 1996.

④ Tom A. Defining Collective Intelligence [M] //Taher Nasreen. Collective Intelligence: An Introduction. India: ICFAI University Press, 2005: 3-13.

⑤ Atlee T, Pór G. Collective Intelligence as a Field of Multi-disciplinary Study and Practice [EB/OL]. [2015-08-10]. http://www.community-intelligence. com/files/Atlee% 20-% 20Por% 20-% 20CI% 20as% 20a% 20Field% 20of% 20multidisciplinary%20study%20and%20practice%20. pdf.

致的决策方式等群体合作方式"①。

在管理层面,聂规划等认为"群体智慧是由于合作或者竞争而在不同个体之间产生的一种分享的、团体的智慧,它不是个人智慧的简单加和,而是个人智慧在系统的相应层次中不断交织所涌现的,体现的是个人智慧的配置机制和效率"②。苏寒和胡笑旋将群体智慧定义为"群体之间、个体之间以及群体和个体之间通过多次地相互协作、竞争和其他机制,将自己的知识技能等转化成共享的智慧,这种智慧优于个体及团队的智慧,可以去解决复杂的、大规模的问题"③。刘海鑫和刘人境援引并补充了麻省理工学院集体智慧研究中心的定义,认为集体智慧是通过网络将大量松散的个人、现代企业和组织集合在一起,通过集体成员间的互动或集体行为所产生的高于个体所拥有的能够迅速、灵活、正确理解事物和解决问题的能力④。张喜文认为集体智慧特指企业经营过程中个人之间或不同层级组织之间相互协作与竞争而涌现出的共享智慧,形成迅速、灵活、正确地理解事务、协同决策、解决问题和创新发明的能力⑤。

在信息共享与获取的层面,卢志国等认为,"群体智慧是群体在创造、创新和发明上共同合作的一种能力"⑥;张赛男提出,集体智慧是学习群体中各成员为了共同目标,利用个体的独特性与差异性,有意识地发展个体与集体的关系,强调学习者个人主动参与

① 周耀林,程齐凯. 论基于群体智慧的非物质文化遗产档案管理体制的创新 [J]. 信息资源管理学报,2011(2):62.

② 聂规划,张喜文,徐尚英. 支持企业协同进化的集体智慧平台设计 [J]. 当代经济,2011(7):48.

③ 苏寒,胡笑旋. 基于群体智慧的复杂问题决策模式 [J]. 中国管理科学,2012(S2):784.

④ 刘海鑫,刘人境. 集体智慧的内涵及研究综述 [J]. 管理学报,2013,10(2):305-306.

⑤ 张喜文. 基于集体智慧的生态型企业协同进化研究 [D]. 武汉:武汉理工大学,2011:14.

⑥ 卢志国,马国栋,任树怀. 论信息共享环境下虚拟学习社区的构建 [J]. 情报杂志,2008(8):130-132.

及学习者间交互，是个体智慧在交互中创造的，是一种创新的群体智慧。在学习过程中，集体中各成员通过"合作共建""协同编辑""共同评价""大众分类"等方法，在个体的合作与竞争中，促进集体协作与创新，使我们加深对事物的理解，使个体智慧达到进一步的凝聚，进而形成更高层次的共同创造的能力①；黄晓斌等指出，"群体智慧是由组成群体的个人贡献出自己的知识、技能、经验，通过个体间的协作、灵感互动、相互启迪等共享机制，产生的优于任何个人的智慧"②；刘钒、钟书华认为群体智慧产生于大量不同个体的集体协作行为。从协作的方式与表现形式来看，协作可分为有意识协作和无意识协作。前者是指多个个体通过信息交互（交换）来协调各自的行为，共同完成某一任务或实现共同目标；后者则是由于大量个体的局部交互和自组织作用所涌现出的某种协调、有序行为。群集智能正是创造性地运用和发展了集体协作行为，并形成了一种更高级的整体智慧③。

无论是在人类社区层面，还是管理层面以及信息共享与获取层面，群体智慧的思想应该是不断成熟，且得到了学者们的热捧，并形成了比较成熟的成果。

1.3.3.3　群体智慧的内涵

人类关于群集智慧的灵感源于生物界，例如蚁群、蜂群、鱼群等的集体行为。Howard Bloom 描绘了群体智慧现象的演化进程，证明多物种的群体性智慧在生命起源之初就已经存在，它们可使生物更好地学习和适应环境，从而实现群体的发展④。受生物界群体

---

①　张赛男．基于集体智慧的开放学习资源聚合与分享研究［D］．大连：东北师范大学，2014：17.

②　黄晓斌，周珍妮．Web2.0 环境下群体智慧的实现问题［J］．图书情报知识，2011（6）：114.

③　刘钒，钟书华．国外"群集智能"研究述评［J］．自然辩证法研究，2012（7）：114.

④　Bloom H. Global Brain: The Evolution of Mass Mind from the Big Bang to the 21st century［J］. Wiley, 2001: 8.

智慧的启发，社会学、大众行为学、计算机科学、管理学等领域对各自领域的群体智慧现象与理论展开了跨学科探索和多视角透视，对其概念的理解和诠释也略有不同，但仍存在共同之处：①群体智慧的涌现以群体行为为依托，众多个体在共同的目标或信念的驱使下组成群体，在保持各自独立的同时，又以群体为单位实施行为；②群体智慧可用于信息获取、问题认知、群体决策和群体预测等诸多方面，进而产生积极的影响；③在适当的情况下，群体形成的智慧往往会超越单个个体，或是个体总和，这也正是群体智慧的优越之处。

基于以上认识，本书将群体智慧的概念界定为：众多个体在共同目标和信念的驱使下，通过个体的认知、个体间的协作与合作，依托一定的平台，以群体为单位，开展的信息获取、问题认识、群体决策和群体预测等方面的行为，进而产生超越个体，或是个体总和的智慧与能量①。正如 Tom Atlee 和 George Pór 所述，群体智慧可以为人类社会带来诸多好处②，例如：①支撑群体和社区的良性运作；②维持和振兴社会与文化；③促进创新，提高生产力和公司利润；④缓和冲突、解决社会和环境问题；⑤为个人和群体带来重要突破、见解和灵感；⑥提供范围广博的、广泛适用的、不断发展中的信息；⑦比专家更好地感知未来趋势和预测事件的发生；⑧改善"群体思维"和"暴民政治"似的群体弱智做法；⑨帮助组织学习，提升集体意识和行为。群体智慧有着丰富的内涵和重要的意义，从管理的视角看，它是一种管理理念、一种管理手段，也是一个管理目标。

（1）*群体智慧是一种创新的管理理念*
在缺乏工具和手段的年代，集思广益、激发群体智慧是难以实

67

① 戴旸. 基于群体智慧的非物质文化遗产档案管理研究 [D]. 武汉：武汉大学，2013：52-53.

② Atlee T，Pór G. Collective intelligence as a field of multi-disciplinary study and practice [EB/OL]. [2015-08-10]. http：//www. community-intelligence. com/files/Atlee% 20-% 20Por% 20-% 20CI% 20as% 20a% 20Field% 20of% 20multidisciplinary%20study%20and%20practice%20. pdf.

现的。高度分散的群体，不但无法实现观点的汇集、共享和筛选，反而会因其信息的零散、琐碎而掩盖群体智慧原本所具有的能量。但是，互联网的推广，Web2.0 的兴起，使得群体智慧再度崛起，并重新达到一个新的高度，它使得面向群体寻求智慧和灵感成为可能。各种任务、事件经由网络化整为零，交给大量的网络民众去解决，这种开放性的人力资源网络将有助于集合更多的创新资源，获得更加快速高效的管理效果。

（2）群体智慧也是一种先进的管理手段

调动群体智慧，不仅仅是对群体力量的尊重，更是对解决管理任务策略的选择。高度专业化和集权化的管理，必定带来管理决策的内向、保守和封闭。工作经历相似，知识背景相近的人做出的判断和决策，势必也是相近或雷同的，因而很容易带来决策和判断上的偏差与极化。只有让不同立场、不同视角的个体参与信息的收集，管理方面的决策，才能更好地提升管理质量，实现社会价值的最大化，以及组织机构自身效率的最大化。

（3）群体智慧更是一个科学的管理目标

在传统高度专业化和集权化管理模式逐渐显现出弊端的背景下，群体智慧试图以一种更为开放、独立和多元化的管理模式对其加以变革，群体智慧理论下的管理框架，不再是纯粹"金字塔"式的层级体系，而是一种多样化增值和多重资源高度共享的网络化、扁平化结构。意见领袖与社会精英的观点不总是绝对权威和高明的，来自群体的观点和决策才是最明智和最值得采纳的，因此，充分发挥群体力量，集思广益，最大限度地激发群体中的智慧成为群体智慧管理的核心。

1.4　研究内容的组织与研究方法

本书首先对非遗资源、非遗信息资源、非遗档案信息资源、非遗资源建设、非遗信息资源建设、非遗档案信息资源建设等基本概念进行了辨析和界定，以此作为课题研究的基础。课题主要研究内容如下：

本书在分析国内外已有的非遗资源建设模式及其特点的基础上，总结了我国非遗档案资源建设复合模式及其不足。在此基础上，分析了非遗档案资源建设"群体智慧模式"的动力机制，并从建设主体、建设客体、建设方法三个主要层面上分析了当前我国非遗档案资源建设对于新模式的诉求，并构建了非遗档案资源建设"群体智慧模式"的主要模块和基本框架。以此为依据，详细探讨了非遗档案资源建设"群体智慧模式"实现问题，即从主体层面、客体层面和技术层面三个维度分析非遗档案资源建设的"群体智慧模式"实现的路径与方式。最后，为促进我国非遗档案资源建设"群体智慧模式"的实现，本书对非遗档案资源建设的制约因素进行了详细的分析论证，从知识产权保护机制、质量控制机制、协调机制、激励机制、保障机制等方面阐述了非遗档案资源建设"群体智慧模式"的实现机制。课题研究框架见图1-2。

根据上述主要内容组织架构，本书由8章组成，分如下六个部分：

第一部分即第1章，为概述，对本书研究的背景与意义、国内外研究综述以及本书内容结构、研究方法等进行了说明。

第二部分即第2章，在调查分析国内外非遗档案资源建设的"登录-普查模式""建档模式""建库模式""建站模式""建馆模式"等模式及其优缺点的基础上，总结了当前我国非遗档案资源建设的"复合模式"，分析了这种复合模式的不足。

第三部分即第3章，非遗档案管理新模式创新的理论分析，从新模式创新的影响因素着眼，分析了非遗档案管理模式创新动力的主体、类型、组成和特征，并从建设主体、建设客体和建设方法三个层面对非遗档案资源建设模式创新的诉求进行剖析。

第四部分即第4章，分析了非遗档案资源建设"群体智慧模式"的建立，包括建立原则、理论和实践依据构建方法。

第五部分含第5、6、7章，从非遗档案管理的主体、客体、平台三个层面分析了非遗档案管理"群体智慧模式"的主要实现方法。主体上，突出各个参与非遗档案资源建设主体包括公众的作用

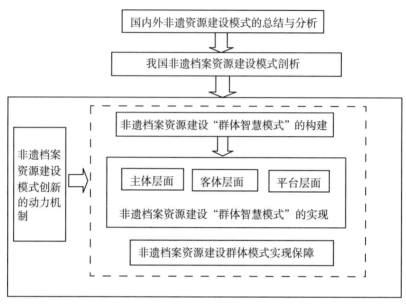

图 1-2 非遗档案资源建设"群体智慧模式"研究内容基本框架图

和合理分工；客体上，强调非遗档案建设过程中非遗档案资源的整合；平台上，凸显了 Web2.0 环境下新媒体平台的构建与应用。

第六部分即第 8 章，从非遗档案管理群体智慧模式涉及的主体、客体与平台的关系角度出发，分析了非遗档案资源建设群体智慧的实现机制，重点论述了知识产权保护机制、质量控制机制、激励机制、协调机制和保障机制等。

为了完成上述研究内容，本书采取了如下研究方法。

（1）文献调查法

本书围绕"非遗档案信息资源建设'群体智慧模式'"的选题，仅仅围绕"非遗档案资源建设"与"群体智慧"这两个主题，通过查阅国内外相关数据库，对该领域的相关著作、期刊论文、会议论文、报纸等文献进行全面的检索，尽可能全面搜集第一手相关文献资料等，经过分析、综合、比较、归纳，把握该领域研究的进展与前沿动态，找出其中的规律和问题，以求全面了解非遗档案信息资源建设研究的历史和现状，帮助确定课题的主要研究内容。

（2）实地调查法

通过对政府文化主管部门以及文化馆、图书馆、博物馆、档案馆、非遗保护中心等与非遗信息资源建设相关机构的调查，广泛搜集我国非遗档案资源建设的相关信息，经过系统整理和科学分析，揭示我国非遗档案资源建设的现状。

（3）比较研究法

立足于文献调研和实地调查，选取国内外非遗档案资源建设中具有代表性的实例进行比较分析，发现不足，吸收先进的成果与经验，以指导本研究的开展。

（4）案例分析法

结合国内外非遗档案资源建设和群体智慧应用的典型案例的分析，借鉴其经验教训，应用于本书提出的模式构建，使得模式更具说服力。

（5）跨学科研究方法

非遗档案信息资源建设是一项复杂的系统工程，针对其多主体、多层次、多内容的特点，本书借鉴、运用档案学、文化遗产学、社会学、信息管理学、计算机科学等学科的理论、方法与技术，对其进行分析研究。

1.5　研究创新与不足

本书以非遗档案信息资源建设"群体智慧模式"研究为主题，以非遗为切入点，以档案资源建设为研究视角，综合应用档案学、文化遗产学、社会学、信息管理科学等相关知识和理论，在总结非遗信息资源建设的普查-登录模式、建档模式、建库模式、建站模式和建馆模式的基础上，构建了非遗档案信息资源建设的"群体智慧模式"，论述了该模式实现的技术方法及其保障机制，从而实现创新研究的目标。基于这个视角，本书进行创新性研究：

第一，提出了一个非遗档案资源建设的专门模式。以往，学界

71

提出了登录模式、建档模式、建库模式、建站模式、建馆模式等与非遗档案管理密切相关的模式，也出现了非遗档案管理模式，但缺乏专门的非遗档案资源建设模式。本书构建了非遗档案资源建设"群体智慧模式"，是对现有的、与非遗档案管理密切相关的模式的补充研究，是关于非遗档案资源建设的专门模式。这种模式，是站在档案管理的角度，充分利用计算机科学领域的研究成果，如Web2.0、Wiki模式等，吸收博物馆2.0、图书馆2.0以及数字博物馆等先进理念，提出了以社会公众的群体智慧为中心来开展非遗档案资源建设的构想，是一种符合联合国教科文组织《保护非遗公约》精神，以及"自下而上"非遗档案资源建设的创新性思维模式。

第二，构建了一个基于群体智慧的非遗档案资源建设的一体化框架。以往，学者们关注于非遗档案管理的流程、非遗档案资源建设过程多元主体、非遗档案客体的范围，对于多元主体之间合作平台的建立、合作方法缺乏系统梳理。本书以非遗档案资源建设的主体、客体、方法三个方面构建了非遗档案资源建设"群体智慧模式"的整体框架。在此基础上，不仅分析了多元主体的合理分工、非遗档案资源客体的整合，而且突出了Web2.0环境下新媒体在非遗档案资源建设过程中的运用，形成了以多元主体合理分工为主体、以新媒体为平台、以建设流程变革为主线的一体化建设框架，充分展示了群体智慧在非遗档案资源建设中的运用。

第三，提供了一套非遗档案资源建设"群体智慧模式"实现的保障体系。以往，学者强调非遗档案管理的机制、体制问题，旨在凸显档案机构参与的必要性，但缺乏对于非遗档案资源建设体制与机制的系统研究。本书在强调档案部门等机构以及个人共同参与的基础上，综合运用组织协调、政策、标准以及非遗知识产权保护机制、质量控制机制、激励机制、协调机制、保障机制等，有助于推进和完善非遗档案资源建设工作，有助于推进非遗保护工作的科学化和规范化进行，为我国非遗档案资源建设"群体智慧模式"的实现保驾护航。

重新审视本书的内容组织与安排发现，本书突出理论方面的构建，在与文化主管部门的结合方面尚需要加强，实证研究尚未开展。这些是今后的研究需要加强的方面。

2　非遗档案资源建设模式的
总结与分析

　　查有梁从"模式论"的角度，将模式界定为"一种重要的科学操作与科学思维方法"，"是为解决特定的问题，在一定的抽象、简化、假设条件下，再现原型客体的某种本质特性。作为中介，模式构建是一种更好地认识和改造原型客体构建新型客体的科学方法。从实践出发经概括、归纳、综合，可以提出各种模式，模式一经被证实，即有可能形成理论，也可以从理论出发，经类比、演绎、分析，提出各种模式，从而促进实践发展"①。基于上述界定，笔者将"非遗档案资源建设模式"理解为在非遗建档保护工作中总结归纳出来的，或者基于某种成熟理论、技术方法提出的，能够指导非遗档案资源建设工作的思维方法和操作规程。由此，非遗档案资源建设模式分为两个方面：第一，基于非遗实践工作形成的非遗档案资源建设模式。例如，西周时期的"采诗观风"制度、秦汉时期"乐府"采诗制度，直到近现代以来形成的普查制度②，究其实质都是典型的非遗档案资源建设模式，可称为"普查"模式。第二，基于成熟理论、技术方法提出的非遗档案资源建设模式。例如，学者们提出的建立"非遗数据库"、建立"非遗数字生

---

　　①　查有梁. 什么是模式论？[J]. 社会科学研究，1994（2）：90.

　　②　王文章. 非物质文化遗产概论［M］. 北京：文化艺术出版社，2006：169-174.

态博物馆"，是在信息技术、数字技术环境下，利用数据库原理、生态博物馆等理论、技术方法形成的非遗档案资源建设模式。系统总结国内外非遗档案资源建设模式方面的成果，深入分析当前我国非遗档案资源建设模式的成绩与不足，是探索并建立新的非遗档案资源建设模式的基础。

📚 2.1　国内外非遗档案资源建设模式的总结

关于非遗档案资源建设模式方面的专门成果，截至目前，无论是实践上还是理论上都很缺乏。透过本书第 1 章文献综述不难看到，国外提出了"多媒体语义模式"① 等模式，国内学者提出了旨在调动档案部门力量参与建档的"基于群体智慧的非遗档案管理模式"②③，是为数不多的，与非遗档案资源建设密切相关的模式。无论是"多媒体语义模式"还是"基于群体智慧的非遗档案管理模式"，都是基于档案管理学理论、从档案收集（征集）到利用的全流程的管理模式，并非非遗档案资源建设的专门模式。从档案管理环节或流程出发，如何建立非遗档案资源建设的专门模式，是学界亟须研究的问题。

尽管如此，仔细梳理国内外关于非遗档案资源建设的相关模式，深入分析这些模式各自的优点和不足，是创建新的非遗档案资源建设专门模式的基础。

① Tan G，Hao T，Liang S，et al. Research on Construction Method of Multimedia Semantic Model for Intangible Cultural Heritage［M］//Instrumentation，Measurement，Circuits and Systems. Springer Berlin Heidelberg，2012：923-930.

② 周耀林，戴旸，程齐凯. 非物质文化遗产档案管理理论与实践［M］. 武汉：武汉大学出版社，2013.

③ 周耀林，程齐凯. 论基于群体智慧的非物质文化遗产档案管理体制的创新［J］. 信息资源管理学报，2011（2）：59-66.

2.1.1　登录-普查模式

非遗资源建设的前提是"摸清家底，查明资源现状，确定资源保护范围"，只有清楚了非遗资源的存在状况、发展演变、性质特点等情况，才能认定非遗资源的价值，决定是否将其纳入保护体系并采取相应保护措施。登录-普查是对现在还在流行的各类非遗形态、各类非遗作品、优秀的非遗传承人，进行调查、登记、采录、建档，并按照全国统一编码进行登记并分级建档的工作①。通过普查探明非遗数目和保护现状，将有价值的非遗进行登录并辅以法律保护，是非遗资源建设的基础性工作，能使非遗资源得到最大限度、最大范围的保护。随着各国对非遗保护重视程度的提高，采取不同形式的普查对非遗资源基本情况进行摸底，通过登录、编制非遗清单认定价值在非遗保护中意义重大。我国进行的非遗全面普查工作、日本修订《文化财保护法》引进的登录制度，以及各地编制的文化遗产清单等都是对登录-普查模式的实践，为整个非遗保护工作提供了重要的参考资料和数据，引导和推进了非遗资源建设的有序发展。

2.1.1.1　登录-普查模式的内涵

《汉语大词典》对于"普查"的定义是②："普查是统计调查的组织形式之一。是指对统计总体的全部单位进行调查以搜集统计资料的工作。普查资料常被用来说明现象在一定时间点上的全面情况。"由此可以看出普查这种调查形式是全面了解某一对象风貌和特点的有效手段，近年来的人口普查、经济普查以及非遗普查都是通过对有关全部单位和当事人进行调查得到可靠的资料数据，作为

---

① 中国艺术研究院，中国非物质文化遗产保护中心编．中国非物质文化遗产普查手册 [M]．北京：文化艺术出版社，2007（1）：5.
② 中国汉语大词典编委会．汉语大词典 [M]．上海：汉语词典出版社，1994：213.

统计分析等后续工作进行的依据。而根据《新词语大词典》的解释，"登录"一词具有两层含义①：①登记、记录；②在计算机领域内指进入一个系统。

非遗登录-普查模式是指对非遗进行普查，并统计分析普查所收集的资料和数据，挖掘出其中有价值的非遗资源并注册登记、收录进遗产清单，纳入非遗保护范围。这一模式在非遗资源建设中发挥了巨大的作用。具体而言，全面普查得到的记录和数据是全面分析非遗情况的重要资料之一，也是国家或地区主管机构制定非遗保护地方政策乃至国家政策的重要依据，同时还能在普查中发现问题及时对文化遗产进行有效保护，对濒危遗产进行抢救②；对普查结果进行筛选认定，发掘有价值的非遗进行登录并编制遗产保护清单是对普查工作的总结，被登录或者纳入非遗保护清单的文化遗产将得到更为专业和有效的保护。可以认为，非遗的普查登录是整个非遗资源建设的基础性工作。

非遗登录-普查模式起源于欧美的"文化财产登录制度"。1996年10月，日本在第四次修改形成于1950年的《文化财保护法》时，导入了欧美的"文化财产登录制度"，实施文化财登录制度、委任地方权限、促进重要文化财利用，并登录有形文化财。在我国，普查是对研究对象的全体作无一遗漏的逐个调查，亦称全面调查。它是在一定时空范围内，一次性地搜集调查对象资料，目的在于了解事物的共性，把握事物的发展趋势。普查的方式一般有两种：①建立专门的普查机构，配备大量的普查人员，对调查单位进行直接的登记，如人口普查等；②利用调查单位的原始记录和核算资料，颁发调查表，由登记单位填报，如物资库存普查等。我国曾开展的全国范围内的非遗普查就属于上述第一种普查方式。日本在其文化财保护当中推行的登录制度，从字面上即可理解，通过对文

---

① 亢世勇，刘海润. 新词语大词典1978—2002［M］. 上海：上海辞书出版社，2003：233.

② 中国艺术研究院，中国非物质文化遗产保护中心编. 中国非物质文化遗产普查手册［M］. 北京：文化艺术出版社，2007（1）：7.

化遗产的广泛调查，列入清单进行登录，编制出存在于我们周围环境中的文化遗产目录，由此可知在我们周围存在着什么类型和数量的文化遗产。

登录-普查模式是一种普查与保护并举的非遗资源建设模式。一方面，非遗普查在坚持全面性、真实性原则的基础上，全面了解和掌握各地各民族非遗资源的种类、数量、分布状况、生存环境、保护现状及存在问题，制定非遗保护规划；运用文字、录音、录像、数字化多媒体等方式，对非遗进行真实、系统和全面的记录；直接认定和抢救一批具有历史、文化和科学价值的，处于濒危状态的非遗项目①。另一方面，由于非遗具有多样性、分散性特点，很多融入群众日常生活的非遗未被发现并得到相应的保护，深入群众进行全面的非遗普查能避免有价值的非遗档案资源被忽视。且非遗普查多通过走街串巷、讲座访谈等形式开展，可利用与群众深入接触的机会，在群众中广泛宣传开展非遗保护工作的意义，在了解非遗基本情况的同时，提高公众的保护意识，建立多方参与的非遗保护体系。

2.1.1.2　登录-普查模式的实践

对于登录-普查模式的探索，各国根据实际情况采取了不同的实践形式。我国非遗普查、日本的登录制度以及在《保护非遗公约》指导下各国采取的编制清单制度，都是具有代表性的登录-普查模式。

（1）我国的非遗普查

我国的非遗普查追溯历史较早，中华人民共和国成立后也进行过大规模的普查。2003 年"非遗"概念出现以前，非遗的调查侧重于民族与民间文化的调查；2003 年"非遗"概念出现后，非遗

---

① 文化部办公厅. 文化部办公厅关于开展非物质文化遗产普查工作的通知（办社图发 [2005] 21 号）[EB/OL]. [2005-07-23]. http://www.maoxian. gov.cn/zhuant/fwzwhyc/zcfg/201305/t20130506_903018.html.

的调查则集中在非遗本身及其具体类别（如舞蹈、音乐等）的调查。此外，我国的非遗普查不仅仅是一种普查，普查结果通过专门的系统、数据库进行登记，究其实质也是一种登录制度。

①我国非遗普查的实践历史。

中华人民共和国成立后，与非遗相关的全国性、地方性和专题性的调查采录工作，运用在当时条件下可行的手段搜集了大量珍贵的资料，对研究非遗的性质、特点和作用等方面曾起到巨大的作用。至今，全国范围进行了三次大规模的非遗普查：

1955—1962年进行的全国民族文化调查，主要是对少数民族的特色文化进行的学科调查和记录，形成了一批文字材料和大量的照片，被收录进民族文化宫和个人手中。

1979年文化部、国家民委和中国文联有关的艺术家协会联合开展了十部中国民族民间文艺继承志书的编纂及其普查研究工作，普查对象涵盖了戏曲、民间音乐、民间舞蹈、曲艺和民间文学等5个艺术门类10个领域，并将搜集的资料编纂成了十部大型丛书，被称为"中华民族文化万里长城"，是20世纪下半叶的一项伟大的文化工程，实质上也是一项抢救民族民间文化遗产的重大举措，全国30多个省、直辖市和自治区组织动员了10万多名文化艺术工作者深入民间，全面系统地普查、收集和整理流传于我国各地的民族民间文化艺术资料，将民间"无形"的文化资源转化为"有形"的文化资产，为后续的非遗普查工作起到良好的示范作用。

21世纪的前十年，我国非遗普查开启并进入快速发展模式，2001年，昆曲入选人类口头与非遗代表作后，政府和社会各界逐渐加大对非遗的重视。2002年，"非遗民间文化遗产抢救工程"在中国民间文艺家协会的组织下开始实施。2004年，"中国民族民间文化保护工程"正式启动，确立了对民族民间传统文化的普查、立档工作的实施方案。2005年正式下发了《文化部办公厅关于开展非物质文化遗产普查工作的通知》。2006年，受文化部委托，中国艺术研究院设计开发了"中国非遗数据库普查管理系统软件"①，实现了在线普查功能。2005—2009 年期间，在文化部组织下，各级文化主管部门和基层组织共同参与开启全国性的首次非遗资源普查工作，此次普查共投入人力 76 万人次，走访民间艺人 86 万次，投入经费 3.7 亿，收集珍贵实物和资料 26 万多件，普查的文字记录量达 8.9 亿字，录音 7.2 万小时，录像记录 13 万小时，拍摄图片 408 万张，汇编普查资料 8 万册，非遗资源总量近 56 万项，② 收集了大量的非遗资源。

进入 21 世纪，随着非遗的重要性被逐步认识，新一轮的非遗普查工作开始了。2005 年 3 月颁布的《国务院办公厅关于加强我国非物质文化遗产保护工作的意见》将非遗普查工作纳入文化遗产保护体系中，明确指出要将普查摸底工作作为非遗保护的基础性工作来抓，统一部署、有序进行，在充分利用已有工作成果的基础上，分地区、类别制定普查工作方案，组织开展对非遗的现状调查，全面了解掌握各地非遗资源的现状及问题，并通过文字、录音、录像、数字化多媒体等多种形式对非遗进行系统真实全面的记录，建立档案和数据库。③ 文件颁布后，全国各地纷纷出台相关政策响应《意见》精神，并掀起了非遗普查工作的浪潮，经过三年的努力，取得了显著成果：共有 76 万人次参与其中，收集到文字记录 8.9 亿字，录音 7.2 万小时，资源总量近 56 万项。

②我国非遗普查的有关政策及宏观规划。

在国家政策法规方面，2005 年颁布的《国务院办公厅关于加强我国非物质文化遗产保护工作的意见》指出"要认真开展非遗普查工作。要将普查摸底作为非遗保护的基础性工作来抓，统一部署、有序进行。依据普查结果建立非遗代表名录体系。"该《意见》明确了非遗普查的重要性和必要性，并从机构建设、领导组

---

① 戴旸. 基于群体智慧的非物质文化遗产档案管理研究［D］. 武汉：武汉大学，2013：84.

② 新华网. 中国首次非物质文化遗产普查基本结束［EB/OL］. ［2009-11-26］. http://news.xinhuanet.com/politics/2009/11-26/content_12545361.htm.

③ 国务院办公厅关于加强我国非物质文化遗产保护工作的意见（国办发［2005］18 号）.

织等方面对非遗普查做了规定。此后，文化部在布置全国非遗普查的任务时，颁布了《文化部办公厅关于开展非物质文化遗产普查工作的通知》，对非遗普查的目的和意义、普查范围、普查工作的指导原则、普查的组织实施、普查工作的步骤及要求六个方面做了较为详细的介绍和指导，为非遗普查的全面开展做了有力引导。非遗普查结束后针对非遗申报和验收工作，2009 年出台了《文化部办公厅关于开展全国非物质文化遗产普查验收工作的通知》，提出普查工作要"家底清、现状明、记录全、质量高"，明确了普查验收标准和要求，为将更多有价值的文化遗产纳入保护范围提供了可能性。同时，2011 年颁布的《非遗法》用法律的形式规定了非遗普查的负责部门、实施步骤和方式、实施主体以及普查中的注意事项，为普查的实施提供了法律依据。

各个地方也结合实际情况出台相关的规定以响应国家非遗普查政策和法规精神。例如《山东省非物质文化遗产普查验收标准》《陕西省非物质文化遗产普查实施方案》等。这些地方性的政策，往往是结合本地实际，对非遗普查工作的领导、组织管理、指导思想、工作目标、资金来源等方面做了明确规定，为普查试点工作的推行提供了有力的政策保障。

③我国非遗普查的具体实施。

我国悠久的历史和多元的文化形成了种类繁多的非遗资源，它们特点各异、地域分布不均，实施非遗普查的难度较大，需要宏观与微观的结合。2005 年颁布的《文化部办公厅关于开展非物质文化遗产普查工作的通知》从宏观上对非遗普查的实施进行了指导，主要包括以下几方面①：

第一，在普查试点阶段，首先应该做好普查准备，包括了解和掌握以往工作成果，结合当地实际情况，制订普查工作方案和计划以及开展普查人员培训工作。其次确定普查试点地区，有计划地开展普查试点工作，并及时总结普查试点经验，以点带面，稳步推动

---

① 文化部办公厅关于开展非物质文化遗产普查工作的通知（文化部办社图发〔2005〕18 号）〔Z〕.

本地区普查工作的开展。

第二，在普查全面开展阶段，要总结普查试点经验，在此基础上按照普查工作方案，有计划地按地区、分类别开展非遗的普查。以期全面了解、掌握各地区各民族非遗的种类、数量、分布状况、生存环境、保护现状及存在问题，建立档案和数据库。

第三，进入普查总结阶段，需要撰写并提交本地普查工作总结报告，其内容包括普查工作的时间、地点、人员安排及各类非遗的分布、价值、现状等，总结报告以文字为主，并应配备必要的图片和音像资料。

政策的出台为各地开展非遗普查工作提供了宏观指导，但由于不同地区发展水平不均衡、所拥有非遗资源的差异性，只有充分发挥主观能动性，结合本地非遗资源实际情况制定工作流程，并通过试点、总结、再实践探索出的具体措施才能有力引导、推动普查工作的有效开展。目前各地已形成各具特色的普查方法，主要包括：

a. 通过加强机构建设，提高普查质量。

非遗资源的建设与保护需要专门机构保障实施，以山东省为例，2005 年以来，建立了文化、发改、教育、民政、民族宗教、财政等部门分管领导参加的非遗保护部门联席会议制度，并成立了省非遗保护中心，17 市均依托市艺术馆成立了保护中心，140 个县级保护中心也在县文化馆挂牌成立，形成了省、市、县三级业务工作网络。① 同时通过培训与引进专业人员、建立专家小组等措施加强领导队伍建设，各机构各人员分工合作、各司其职，普查工作得到切实保障，普查效率和质量都得到大幅度的提高。

b. 通过试点工作，保障普查工作的有效性。

不同地区非遗资源的差异性、各地经济发展水平的不平衡性导致各地群众对于非遗保护工作的认识有所不同，对非遗资源进行一次性全面普查的工作难度很大，因此通过选取试点地区进行非遗普查工作，从中总结经验，并将经验用于更大范围的普查工作中，接

82

① 林理."非遗"普查，看看他们怎么做 ［N］. 中国文化报，2008-11-30（1）：1.

受检验、不断完善，最终形成可指导全国范围内普查工作的范本并推行实施。这种方式能够减少因经验不足导致的普查工作中人力物力的浪费、提高普查工作的有效性，目前山西、盐城等地纷纷采用这种形式方法普查并取得显著效果。

c. 动员社会力量，实现普查工作的多方参与。

非遗资源的多样性和分散性决定了非遗普查需要广泛动员社会力量，除了大范围的实地走访之外，还可以借助电视、广播、政府网站等媒体，进行非遗普查宣传，提高全社会的参与意识。以常熟市为例，通过开通非遗普查"寻宝热线"，收集到了市民提供的信息100余条，并充分利用高校人才资源和民间社团力量开展非遗普查，先后有400多人参与调查工作，访问了千余人，采访了500多位民间艺人，采录了3000多分钟录像。

d. 建立非遗资源数据库，进行数字化普查。

当今时代，信息技术高度发达，缺乏信息技术的支撑，非遗普查质量将会大打折扣，因此，将信息化思路贯穿于非遗保护工作的全过程是时代发展的要求。重视非遗普查信息化工作，通过配置配套硬件采集设备以及研发非遗普查资源管理系统软件，以网络技术、软件技术、数据库技术等信息化手段，全面有效管理普查成果是数字化时代非遗普查工作的发展趋势。目前，宜昌市在非遗资源普查数字化方面取得了巨大的成效，通过普查管理软件免费供各县使用，并对经费困难的县市提供服务器空间，最大限度地支持各县的普查工作。

（2）日本的登录制度

包括非遗在内的文化财登录制度由来已久，是欧美等西方发达国家普遍采用的一种文化遗产保护制度。1996年，日本修订本国的《文化财保护法》，引进登录制度，主要对本国的建筑物有形文化遗产进行保护。2004年，日本进一步修法扩充登录制度的适用范围，将建筑物以外的其他文化遗产类型也纳入登录体系，与之前采用的文化遗产指定制度相结合，共同发挥作用以期最大程度保护本国文化遗产。

①登录制度的形成。

83

明治维新以前，日本主要采用指定制度保护国内的文化遗产，即从国家立场出发严格筛选指定、重点保护文化遗产中历史、艺术价值极高的部分，这种重点保护政策下的文化遗产保护对象具有很大的局限性，虽然一部分极具价值的文化遗产得到了保护，但还有很多与人民生活密切相关的文化遗产被忽略。据统计，在 1996 年《文化财保护法》修订之前，日本通过指定制度纳入保护范围的文化财建造物共计只有 2137 件，其中近代文化遗产只有 128 件①，还有大量有价值而未能作为文化财指定的文化遗产在城市改造中被随意破坏。随着全社会富裕程度的提升、国民对于文化遗产重要性认识的不断深化，指定制度重点保护政策的弊端逐渐显露，在这一背景下，日本修订《文化财保护法》，引进登录制度，以灵活宽松的方式保护文化遗产。

登录制度将物质文化遗产和非物质文化遗产进行注册、登记，通过登录认定文化遗产和非物质文化遗产的资格，确定其历史文化价值，再辅以法律约束，并借助大众媒体公布于众，提高大众保护意识，以推动文化遗产的保护，② 它是对指定制度的补充。相对于指定制度中国家的强力干预和严格限定，登录制度更倾向于国民自主参与文化遗产的保护利用工作，其实质是所有者向国家备案注册，是一种较缓和的文化遗产保护方式，能够一定程度上保护指定制度下具备价值但被遗漏的文化遗产。

②登录制度的实施。

从实施过程看，登录制度与指定制度基本相同，但更强调由下而上的自主申报流程，即文化遗产所有者可向地方政府提出申请或者由地方政府向国家推荐登录，在登录之前需要专家学者对所申报登录的文化遗产进行系统和全面地调查，探明文化遗产保护的现状；再由文部科学大臣向文化审议会·文化遗产分科会提出咨询，以进一步了解申报登录的文化遗产的相关情况；针对咨询，文化审

---

① 张松.国外文物登录制度的特征与意义［J］.新建筑，1991（1）：5.

② 王伟凯.日本与韩国非物质文化遗产保护方式述略［J］.理论探讨，2012（1）：330.

议会·文化遗产分科会委托专业调查会进行调查，并向文部科学大臣提交调查报告，这份调查报告是决定文化遗产是否被登录的重要依据；最后由文部科学大臣根据接收的报告决定申请的文化遗产登录与否，将符合登录条件的文化遗产登录于文化遗产登录原簿上，再由国家文化厅颁布有关证书并予以公示①。

通过分析登录制度的内容及实施过程可以看出，较之于严格的指定制度，登录制度通过宽松的保护形式一方面能够将文化遗产保护工作由国家主导转变为国家和公民的共同参与，让普通大众去发掘保护身边的文化遗产，而不是仅仅由少数专业人士参与且缺乏必要的监督，由此避免因一些暗箱操作和专家的疏漏而损失有价值的文化遗产；另一方面，登录制度将文化遗产视为一种资源，规定登录之后的文化遗产仍可被利用，在保护文化遗产的同时，发挥其现有价值。

文化遗产登录制度扩大了保护范围，保护对象由单一的宗庙建筑扩大到民居、近代建筑、产业遗址以及非遗等多种类型，将文化遗产与人们的日常生活相联系，提高了公民参与文化遗产保护的便捷性和积极性；其相对宽松的保护方式保证了文化遗产现实价值的发挥，是非遗资源建设的有效模式②。同时这种国家结合地方主管以及社区和所有者共同进行文化遗产保护的方式也是将来各国文化遗产资源建设努力的方向。

（3）编制清单

所有的文化遗产，包括非遗在内，普查过程即需要根据非遗普查结果编制清单，将有价值的文化遗产纳入保护范围，确认各国非遗项目；确立这些项目的存续能力；建立这些项目的保护关系。通过清单的认定提高非遗项目的认知度进而强化非遗传承人的认同感和持续感，利于非遗的良好管理和可持续发展。

《保护非遗公约》指出"为了使其领土上的非遗得到确认以便

85

---

① Training Course for Safeguarding of Intangible Cultural Heritage［R］.

② 王伟凯．日本与韩国非物质文化遗产保护方式述略［J］．理论探讨，2012（1）：330.

加以保护，各缔约国应根据自己的国情拟定一份或数份关于这类遗产的清单，并应定期加以更新。"这为各国非遗清单编制工作提供了依据。同时《保护非遗公约》还简要介绍了非遗清单编制中的一些注意事项，如加强社区参与、尊重各地的习俗禁忌等，为非遗清单编制的实施提供了指导。在《保护非遗公约》的指导下，各地纷纷进行非遗清单编制的实践探索，其中我国的非遗保护四级名录编制、我国香港、日本京都和奈良等地的非遗清单编制是具有代表性的实践探索。

日本的京都和奈良两大文化古城在进行非遗清单编制过程中做了很多努力：在《文化财保护法》的指导下，地方出台《京都市文化财保护条例》《奈良市文化财保护条例》对地方文化遗产普查及清单编制具体工作进行了相关规定，据此进行非遗普查工作，并以调查问卷、遗产实地考察、影像记录和专家访谈的形式呈现，编制进清单的主要对象是民俗文化遗产，分为国家级清单和市级清单，市级清单中的非遗项目可升级到国家级，但升级后，将被移除出市级文化遗产清单，二者不可有重复项目。非遗清单的具体编制首先需要进行全面普查，由市教育董事会根据普查结果决定文化遗产清单编制的候选者，通过参考地方颁布的文化财保护条例对其进行挑选认定，做出最终决定后须公示清单项目。决定是否将文化遗产纳入清单的标准主要包括文化遗产的特点、历史演变情况以及生命力大小，同时还需要考虑其所有者信息和分布信息，在关注非遗本身的同时将其放在一个更大范围内，全方位考量和判定价值。清单中文化遗产信息不仅包括基本信息描述，还有名称、起源时间、所有者等细节性信息，力争全面揭示文化遗产的基本情况①。清单编制完成后要通过纸质版和电子版进行公示，确保有价值的非遗资源得到更多关注和更好的保护。

建立和完善非遗保护名录体系，是我国非遗保护工作中具有开

---

① Training Course for Safeguarding of Intangible Cultural Heritage ［EB/OL］. ［2015-12-23］. http：//www. mofa. go. jp/policy/culture/coop/unesco/c_heritage/i_heritage/preservation/index. html.

创性意义的举措。我国在《国务院办公厅关于加强我国非物质文化遗产保护工作的意见》中明确指出，"建立非遗代表作名录体系。要通过制定评审标准并经过科学认定，建立国家级和省、市、县级非遗代表作名录体系。国家级非遗代表作名录由国务院批准公布。省、市、县级非遗代表作名录由同级政府批准公布，并报上一级政府备案。"① 据此，2006 年国务院批准公布第一批国家级非遗名录，包括十个门类共 518 个项目，涉及 758 个申报地区或单位，同年 10 月文化部颁布《国家非物质文化遗产保护与管理暂行办法》规定国家级名录要两年进行一次更新。在此基础上，全国各省、自治区和直辖市设立省级非遗名录，县级也设立了非遗名录，从而形成了涵盖国家、省、市、县级的金字塔式的分级分类非遗名录体系。

2009 年 8 月，香港特区政府康乐及文化事务署委聘香港科技大学华南研究中心进行全港性非物质文化遗产普查，搜集研究资料和数据，编制首份非遗清单。经过 3 年多的时间，整项普查工作于 2013 年年中完成。由本地学者、专家和社区人士组成的咨询委员会根据工作小组提交的调查结果，推荐了一份包括 477 个项目的建议清单。参考公众意见后，建议清单项目增至 480 个，清单已获政府确认。② 清单编制工作在实地探访、全面普查基础上进行，具有可信性，为非遗保护的开展提供了翔实有序的数据，具有很大的参考价值。

2.1.1.3　登录-普查模式的特点

对非遗资源进行普查登录、编制清单，是整个非遗保护体系中的基础工作，也是非遗档案资源建设的重要内容，具有鲜明的特

---

① 　国务院办公厅关于加强我国非物质文化遗产保护工作的意见［EB/OL］.［2005-07-23］. http：//www. gov. cn/gongbao/content/2005/content_63227. htm.

② 　人民日报. 香港公布首份"非遗"清单［EB/OL］.［2005-07-23］. http：//news. xinhuanet. com/gangao/2014-06/18/c_126634291. htm.

点，主要包括：

（1）通过普查和登录可基本摸清家底，较全面地掌握非遗资源现状

非遗普查成立专门的工作小组，按照"不漏村镇、不漏线索、不漏种类、不漏艺人"的要求，走村串户，访问座谈，对非遗资源进行了地毯式的调查和登记，全面了解和掌握非遗资源的种类存量、分布情况、存在环境和保护现状，在非遗资源建设中发挥了巨大的作用；同时通过非遗普查，发掘有价值的而被指定的非遗，充实非遗名录。据不完全统计，我国首次非遗普查取得显著成果，共有 76 万人次参与普查，文字记录 8.9 亿字，录音 7.2 万小时，资源总量近 56 万项，① 为之后建立非遗代表作名录体系提供了翔实的数据，成为整个非遗资源有效保护的基础性工作。

（2）宣传非遗保护工作意义，提高群众的非遗保护意识

非遗普查通过走村串户与文化艺人及广大群众有了深入接触的机会，在交谈和调查中间接地影响群众对非遗资源的认识，使群众清楚自己身边的非遗并有意对其进行保护；另外通过举行访谈讲座及文化展演的方式直接向群众宣传非遗保护的重要性，动员更多群众参与其中，壮大了非遗保护力量。同时，普查模式下的一些文化展演充分展示了本地优秀的非遗项目，扩大非遗影响力，其本身就是对非遗的一种传承和保护。

（3）及时发现问题，提出濒危遗产保护对策

目前很多地方的非遗因旅游业的发展、商业运作被过度开发遭受到不同程度的破坏，或由于文化传承人的离世面临消失的危险，而群众因为知识水平不够而导致认识水平有限，无法采取有效措施对濒危遗产进行保护。这种背景下，非遗普查，通过组建具备专业知识的工作小组实地走访、田间调查，在工作过程中发现濒危遗产、指出问题，并制定相应的保护措施抢救濒危遗产。例如，宁夏回族自治区，在对非遗普查的同时制定保护方案，对传承人实施抢

---

① 钟和. 我国首次"非遗"普查基本结束 ［N］. 中国文化报，2009-11-29（1）.

救性保护。从 2007 年开始，结合普查，对全区民间老艺人进行调查登记，对 40 余位自治区级以上非遗项目代表性传承人进行了抢救性录音录像，对家庭生活困难、生病的传承人予以资助，完成录像资料总时长约 1600 分钟，基本完成了全区民间艺人的调查统计工作①。这些举措弥补了当地群众对遗产保护的不足，推动了非遗保护运动的开展。

毋庸置疑，以走村串巷、深入群众为主要形式进行的登录-普查模式在全面掌握遗产现状、提高群众文化遗产保护意识等方面的优势不可小觑，与此同时也应该看到，登录-普查模式在很多方面还不成熟，其实施需要覆盖广大的区域，涉及诸多群众主体，工作量大，实施难度大，受到限制的环境因素多，筛选难度大，在实际工作中容易"挂一漏万"；同时，有些国家和地区即使能够实现普查，但非遗本身是流变的，环境也在变化，有些入选的非遗项目不免显得"多和杂"，容易导致传承的困难。

2.1.2 建档模式

档案是国家机构、社会组织或个人在社会活动中直接形成的有价值的各种形式的历史记录②，是社会记忆最真实可靠的第一手记录资料，是保存和再现历史文化原貌的重要记录。档案来源于社会实践，丰富的社会实践活动会产生多样的档案资源，如文书档案、科技档案、会计档案、人事档案等。随着各国档案工作的不断发展，人们对档案价值有了更深入的认识，档案在社会资源留存、社会活动开展等方面的作用也更加突出，档案管理成为当今社会许多机构、组织工作活动的重要部分。档案的特性使得建档成为各行各

---

① 林理. "非遗"普查 看看他们怎么做 [N]. 中国文化报，2008-11-30 (1).

② 国家档案局. 档案工作基本术语（中华人民共和国档案行业标准 DA/T1 模式的实践 2000）[EB/OL].［2015-07-30］. http：//www. yuanan. gov. cn/art/2013/5/6/art_63_230995. html.

业保存记忆、传承文化的重要方式。非遗的非物质性更是让通过建档形式来对其进行保护变得迫切而重要。

早在 1950 年，中央音乐学院为了发掘、研究和保存民间音乐，委托杨荫浏、曹安和等专程到无锡，用当时最为先进的钢丝录音机为民间乐人华彦钧（瞎子阿炳）录制《二泉映月》，后人又将其转化成数字格式保存下来。数字信息获取与处理技术能更好地整理、收集、记录民族民间文化艺术的信息，可以突破传统意义上的保护方式所不能达到的展示要求与保真效果，更为安全和长久地保存这些弥足珍贵的非遗①。信息技术的飞速发展，带动信息记录方式的快速革新，通过文字、声音、图像、视频等方式来对非遗建档成为非遗保护工作的重要内容。

2.1.2.1　建档模式的内涵

非遗是各族人民世代相承的各种传统文化表现形式和文化空间，以非物质形态存在，具有无形性、分散性、活态性等特点，因此，非遗管理的难度很大。为非遗建档，将档案管理方式运用到非遗资源建设中，有助于解决非遗资源管理中的难题，使非遗信息得到有效保护、非遗资源得以长久留存。

非遗建档模式是指用文字或图像影音的形式整合非遗资源，将其以档案形式保存记录下来，并按照档案管理方式对非遗资源进行收集、整理、立档、保管和利用，形成系统完整的非遗档案管理理念和操作规程。在非遗建档模式中，前提是以档案管理理论为指导，树立档案式保护的意识，重点是结合非遗自身的特点，运用合适的记录方法收集记录非遗，核心是通过完整的建档环节实现对非遗档案的科学管理，并且需要遵循及时建档、真实完整、依"项"建档、依"人"建档、优先抢救等原则。建立非遗档案，通过档案化方式将非遗资源记录下来，既可以使非遗得到长久保存，又便于对非遗资源的进一步开发与利用，因而有

---

① 郭小川. 非物质文化遗产的数字化保护［J］. 中国美术馆，2006（9）：91.

利于促进非遗的传承和发展，有利于民族文化的继承和创新。

非遗档案是非遗建档的重要成果，广义的非遗档案指"所有与非遗有关的具有保存价值的各种载体的档案材料，它应当包括非遗活动的道具、实物等，以及对非遗进行记录和保护过程中形成的文字记载、声像资料等，对于已经列入非遗名录的遗产项目，它的档案还应当包括与'申遗'工作有关的一系列档案文件材料等"①。在非遗保护和非遗建档实践中，非遗档案主要包括三部分②：①非遗本体档案，记录和反映非遗保护、传承过程与结果的各种文字、录像等材料，包括作为活动媒介的实物档案、从各种文献中挖掘出来的档案史料。②申报与保护工作中形成的档案，指与非遗申报和保护相关的过程与结果的整合档案。一方面包括非遗在申报非遗项目保护名录过程中产生的档案，如由申报单位提供的申请报告书、项目申报书、保护计划及其他必要材料等；另一方面包括非遗进行抢救、保护、管理开发利用而形成的各种记录资料，如相关的法律法规、条例制度。③传承人档案，指为非遗传承人建立的档案，记录和反映传承人的基本情况、学习与实践经历、传承非遗的活动状况和传承状态、持有该项目的认定和管理情况等。

根据我国非遗法律规定，并结合非遗建档实践，按照非遗建档主体的不同，非遗建档模式主要分为四种表现形式：①文化主管部门建档，文化部是国家法律确定的我国非遗建档的主管部门，在其领导下，中国非遗保护中心和地方性非遗保护中心逐步成立。作为政府部门成立的从事非遗保护的专门机构，其在非遗普查中能收集大量的档案资料，具有非遗档案收集与管理的资源优势。文化主管部门建档是非遗建档模式的一种重要形式。②档案馆建档，档案馆作为国家档案管理工作的专门负责机构，具有丰富的档案管理经

---

① 赵林林，王云庆. 非物质文化遗产档案的特征与意义［J］. 档案与建设，2007（12）：5.
② 周耀林，戴旸，程齐凯. 非物质文化遗产档案管理理论与实践［M］. 武汉：武汉大学出版社，2013：67.

验、专业的档案管理人才和先进的档案管理技术。档案馆根据自身资源建设需求，也会收集、征集部分非遗档案，对非遗档案资源进行建档保存和开发利用。③公共图书馆建档，公共图书馆面向社会公众提供多样化的文献服务，有些公共图书馆在其地方特色资源建设当中，也涉及非遗资源的采集和整理，并建立非遗文献档案及数据库。丰富的文献资源是公共图书馆开展非遗建档的一大优势。④其他机构建档，一些研究机构或企业也会进行非遗建档工作。近年来在非遗研究热潮影响下，我国成立了大大小小的非遗研究机构，这些研究机构在进行非遗研究过程中积累了大量非遗档案资源。而一些企业出于非遗商业化开发的目的，也搜集了一些有价值的非遗档案资源。

2.1.2.2 建档模式的实践

非遗建档模式是非遗保护实践工作中的重要模式之一，对于实现非遗的固化保护和长久保存具有重要意义。在实践层面，从联合国非遗"最佳保护实践"到我国的实践，非遗建档模式的探索主要包括以下几个方面的内容：

（1）政策要求与宏观规划

首先，在国际层面上，以非遗建档来加强非遗保护的法规条文的制定得到了联合国教科文组织和世界各国的重视。1989年11月，联合国教科文组织通过的《保护民间创作建议案》中首次提出建立非遗档案，议案规定了"建立国家档案机构，将搜集上来的民间传说以适合的方式存放于此并供人使用""建立国家档案中心，以提供某些服务"①。2003年10月，联合国教科文组织通过《保护非遗公约》指出非遗保护"包括这种遗产各个方面的确认、立档、研究、保存、保护、宣传、弘扬、传承（特别是通过正规

---

① Recommendation on the Safeguarding of Traditional Culture and Folklore：UNESCO［EB/OL］.［2015-07-30］. http：//portal. unesco. org/en/ev. php-URL_ID=13141&URL_DO=DO_TOPIC&URL_SECTION=201. html.

和非正规教育）和振兴"①。

其次，在世界非遗保护的政策框架下，我国从国家到地方也相继出台了一系列非遗保护政策法规和宏观规划，非遗建档问题是其重要内容。

在国家政策法规层面，2005年3月，国务院办公厅制发的《关于加强我国非物质文化遗产保护工作的意见》，提到"要运用文字、录音、录像、数字化多媒体等各种方式，对非遗进行真实、系统和全面的记录，建立档案和数据库"②，与之同时出台的《国家级非物质文化遗产代表作申报评定暂行办法》也提出要对非遗申报项目实行建档保护，"通过搜集、记录、分类、编目等方式，为申报项目建立完整的档案"③。文化部于2006年10月审议通过了《国家级非物质文化遗产保护与管理暂行办法》，该办法第八条规定了国家级非遗项目保护单位应当履行的五项职责，其中首项职责就是要全面收集非遗项目相关的实物、资料，并登记、整理、建档④。2008年5月，《国家级非物质文化遗产项目代表性传承人认定与管理暂行办法》颁布，强调了应当建立国家级非遗项目代表性传承人档案。2011年6月，《非遗法》正式颁布，规定了"文化主管部门和其他有关部门进行非遗调查，应当对非遗予以认定、记录、建档，建立健全调查信息共享机制"⑤。

在地方政策法规层面，全国许多省、市制定了非遗条例及相关非遗保护规定，同样重视非遗建档。自2000年以来，云南、贵州、福建、广西陆续制定并颁布了保护当地民族民间传统文化的相关条例，宁夏、江苏、浙江、陕西、安徽、江西、新疆等地也先后出台了当地非遗保护条例或非遗项目代表性传承人认定与管理暂行办

---

① Convention for the Safeguarding of the Intangible Cultural Heritage［EB/OL］.［2015-07-30］. http：//portal. unesco. org/en/ev. php-URL_ID=17716& URL_DO=DO_TOPIC&URL_SECTION=201. html.

② 国务院办公厅. 关于加强我国非物质文化遗产保护工作的意见［Z］.

③ 国务院办公厅. 关于加强我国非物质文化遗产保护工作的意见［Z］.

④ 文化部. 国家级非物质文化遗产保护与管理暂行办法［Z］.

⑤ 中华人民共和国非物质文化遗产法［Z］.

法，建立非遗项目档案和传承人档案成为各地非遗保护工作的重要任务。例如，《江苏省非物质文化遗产保护条例》明确指出要对全面收集非遗项目的资料、实物，建立非遗档案和非遗代表性传承人档案，设立非遗保护专项资金，用途包括非遗的调查、记录、建档、数据库建设和维护以及珍贵资料和实物的收集、整理、保存等①。《浙江省文化厅关于实施省级非物质文化遗产项目"八个一"保护措施的通知》中强调②，每一个申遗项目都要有一套完备档案，用文字、录音、录像、数字化多媒体等手段，科学分类、编目，做好每个省非遗项目的资料保存和建档工作。

在规划层面，一方面是将非遗保护纳入国家或地区的文化改革发展规划当中，包括了建立非遗档案的具体规划要求。如《文化部"十二五"时期文化改革发展规划》在"加强非遗保护"规划中指出"完成非遗普查资料的整理、编目、存档，加强非遗普查资料的研究和利用"③，《四川省"十二五"文化改革发展规划》提出的"加强文化遗产保护传承与利用"规划要求中，也包括"建立健全非遗普查、建档制度和代表性传承人认定制度"等内容④。

另一方面在省级和市级专门的非遗保护（发展）规划中囊括具体的非遗建档存档要求。在省一级，《海南省非物质文化遗产保护规划（2012—2015 年）》中将"建立系统全面的非遗档案和数据库"作为主要任务之一，具体要求"通过普查和专题调查，运

① 江苏省政府. 江苏省非物质文化遗产保护条例［EB/OL］.［2015-07-30］. http：//www.jsqwfy.com/zcfg/jss/1745.shtml.
② 浙江省文化厅. 浙江省文化厅关于实施省级非物质文化遗产项目"八个一"保护措施的通知［EB/OL］.［2015-07-30］. http：//www.ttwhg.com/newsShow.asp? dataID＝342.
③ 文化部. 文化部"十二五"时期文化改革发展规划［EB/OL］.［2015-07-30］. http：//culture.people.com.cn/GB/87423/17857491.html.
④ 四川省政府. 四川省人民政府办公厅关于印发四川省"十二五"文化改革发展规划的通知［EB/OL］.［2015-07-30］. http：//www.sc.gov.cn/10462/11555/11563/2012/3/14/10202765.shtml.

用文字、录音、录像、数字化等各种方式，对全省非遗进行真实、系统和全面的认定记录，制定建档规范，分级建立市县及全省非遗档案"①。《山东省非物质文化遗产保护传承工作规划》提出了"建成系统全面的非遗档案和数据库"的工作目标，并以"全面普查、广泛采集、确立重点、建档立卡、分类制作、图文并茂"作为非遗资源保护体系构建的工作要求。②

在市一级，《海宁市非物质文化遗产"十二五"保护发展规划》提出"抓好非遗项目保护"的任务，要求"运用文字、录音、录像、数字化多媒体等各种方式，建立全市非遗档案资料库和电子数据库，对各类非遗进行真实、系统和全面的记录"③。《中山市非物质文化遗产保护与利用发展规划纲要（2011—2020年）》提出要实施"非遗调查与研究工程"，并指明要"全面普查非遗，包括历史渊源、文化价值、传承范围、传承人、保护措施等相关资料，建立各类非遗项目的文字、图片、音像档案，建设多媒体资源库"。④《成都市非物质文化遗产传承人保护规划》中提到，要采取文字、图片、录音、录像等方式，全面记录市级非遗项目代表性传承人所掌握的非遗表现形式、技艺、技能和知识等，有计划地征集并保管代表性传承人的代表作品，建立成都市市级非遗项目代表

① 海南省文化广电出版体育厅．海南省非物质文化遗产保护规划 ［EB/OL］．［2015-07-30］．http：//www. hainan. gov. cn/hn/zwgk/jhzj/hyzygh/201211/t20121120_798701. html.

② 山东省文化厅．山东省非物质文化遗产保护传承工作规划 ［EB/OL］．［2015-07-30］．http：//www. sdwht. gov. cn/html/2013/qzlxzgcs_0906/10955. html.

③ 海宁市发展和改革局．海发改规（2011）82号关于印发《海宁市非物质文化遗产"十二五"保护发展规划》的通知 ［EB/OL］．［2015-07-30］. http：//www. zjfeiyi. cn/zhuanti/detail/19-625. html.

④ 中山市政府．中山市非物质文化遗产保护与利用发展规划纲要（2011-2020年）［EB/OL］．［2015-07-30］. http：//www. zssfeiyi. com/fygs/fyfgwj/2013216/ n240795. html.

性传承人档案①。

（2）建档模式的具体实践

非遗档案是非遗历史原貌的承载物，是非遗保护工作的记忆，是文化展现和传承的媒介与载体。可以说，非遗档案对于文化的记录、传承、研究和保护，具有非同寻常的价值。因此，做好非遗建档工作，就是对非遗保护与传承最有力的支持。② 非遗建档模式的优势使得非遗建档在国际非遗保护当中有着丰富的实践积累。

在联合国教科文组织的倡导下，建档成为世界各国保护非遗的一个重要手段。"最佳保护实践"是最能体现《保护非遗公约》原则和目标的计划、项目和活动。2009 年至 2015 年间，联合国教文组织非遗政府间委员会共确定了 12 个最佳保护实践③，其中以立档方式来保护非遗的案例不在少数。例如，西班牙普索尔教育项目，通过建立传统文化中心——学校博物馆（School Museum），成功地将非遗保护融合到规范式教育中，培养了接近 500 名学生，同时建立了一个拥有 61000 多库存及 770 项口述档案的学校博物馆。巴西全国性非遗项目呼吁计划在非遗建档方面采取以下措施：规划、编制非遗目录清单，研究民族志；创建或执行信息系统和数据库；制作和保存相关记录和民族志档案；传播传统文化以及强化社区研究、保护、教育的能力。由此可见，非遗建档式保护已经成为保护实践中经常使用的最佳方式之一。

纽芬兰-拉布拉多省是加拿大非遗建档保护的典型，该省在全省社区博物馆、档案馆、图书馆和部分大学开展非遗建档工作，博物馆侧重于非遗的展示与现场表演，超过 160 个社区档案室致力于

---

①　成都市政府. 成都市非物质文化遗产传承人保护规划 [EB/OL]. ［2015-07-30］. http：//www. chengduwenhua. gov. cn/newshow. aspx? mid ＝ 68&id＝487.

②　孙展红. 浅谈非物质文化遗产档案管理 [J]. 黑龙江档案，2009：67.

③　UNESCO. Browse the Lists of Intangible Cultural Heritage and the Register of Best Safeguarding Practices ［EB/OL］. ［2016-04-27］. http：//www. unesco. org/culture/ich/en/lists.

记录传统技能和实践，图书馆则设有负责记录与保存口头遗产的专员。英国的传统工艺品协会支持与传统工艺相关的技能，为传统工艺建立档案。

日本政府在"人间国宝"认定制度下收藏非遗相关作品，录制并保存戏曲、工艺、音乐等技艺，还设立了非遗视听资料科，开展对非遗建档方法的专门研究，保存非遗影音文件①。

印度重视非遗资源的采集和建设，应用录音、录像等多媒体技术和数字手段对表演艺术、口头传统、社会礼仪等非遗资源进行建档和保存，② 并且成立了印度国家可信艺术和文化遗产部，负责物质遗产和非物质遗产的保护和管理，开展非遗建档相关工作。

在我国，2011 年实施的《非遗法》标志着文化主管部门主导的非遗建档管理体制正式形成③。在实践工作中，除了文化主管部门外，档案部门、图书馆等也参与了非遗的建档工作。

①文化主管部门建档。

在中央层面，文化部于 2005 年牵头，正式启动全国性的非遗普查工作，在各地文化主管部门和基层组织的配合下，历经四年的普查工作积累了大量的非遗资源。由普查得知，我国非遗资源总量约为 56 万项，非遗实物资料 26 万多件，文字记录 8.9 亿字，录音记录 7.2 万小时，录像记录 13 万小时，图片 408 万张，普查资料汇编 8 万册。④ 此次全国性大规模的非遗普查为非遗建档的后续工作奠定了扎实的基础。此后，文化部先后举办了"中国非遗保护成果展"（2006 年）、"中国非遗专题展"（2007 年），并于 2010 年

① 马芸馨. 国外非物质文化遗产建档实践 ［J］. 兰台世界，2015：29-30.

② Perera K, Chandra D. Documenting the Intangible Cultural Heritage for Sustainable Economic Growth in Developing Countries ［C］// Proceedings of CIDOC 2014, Dresden, 2014：3.

③ 陈建，高宁. 我国非物质文化遗产建档保护研究回顾与前瞻 ［J］. 档案学研究，2013（5）：60.

④ 腾讯网. 中国首次非物质文化遗产普查基本结束 ［EB/OL］.［2015-07-30］. http：//news. qq. com/a/20091126/002429. htm.

启动"中国非遗数字化工程",非遗档案资源的建设、展示和宣传工作进一步展开。①

在地方层面,全国许多省、市、县也纷纷开展非遗建档工作。2008年,贵州省兴义市非遗办公室的工作人员深入巴结、南龙、平寨、乐立等地,为国家级首批非遗"布依八音"建档。② 2010年,为更好地保护国家和省级非遗项目代表性传承人,辽宁省及沈阳市两级非遗保护中心制定了详细的传承人档案资源采录计划,分阶段、分步骤地对代表性传承人实施了采录工作。③

②档案馆建档。

在省级层面,陕西省档案馆从2014年起启动非遗建档工作,逐步建立健全非遗档案名录、全宗,如对"黄帝陵祭典"项目进行了资料收集、整理、编目,共采集视频18GB,照片1150幅。④

在市级层面,2007年以来,昆明市档案馆将非遗档案征集整理作为重点工作,先后对省级、市级的非遗项目和传承人的资料进行普查和建档,保存了大量反映昆明市民间传说、花灯歌舞、彝族山歌、民间手工艺等非物质文化的档案。⑤ 2013年,苏州昆山市档案馆新辟非遗项目全宗,联合市文广新局开展非遗项目建档工作,如征集省级非遗"郑氏妇科"传承人的各类家传医书、聘书、照片等资料⑥。

---

① 戴旸. 应然与实然:对我国非物质文化遗产建档主体的思考 [J]. 档案学通讯,2014 (4):83.

② 兴义市新闻中心. 兴义市为非物质文化遗产建档 [EB/OL]. [2015-07-30]. http://www.xyzc.cn/news/xytoday/shenghuobaiwei/2008-04-17/9401. html.

③ 辽宁日报. 辽宁全面采录非遗传承人技艺 生活环境全面采录 [EB/OL]. [2015-07-30]. http://liaoning.nen.com.cn/liaoning/112/3443112.shtml.

④ 王璞,徐方. 陕西省档案馆启动非物质文化遗产建档工作 [J]. 陕西档案,2014:4.

⑤ 李蔚. 创新思维积极探索档案资源整合新方法——非物质文化遗产档案征集与管理 [J]. 云南档案,2011 (2):17-18.

⑥ 雅安市档案局. 苏州昆山市档案馆开展"非遗"项目建档试点 [EB/OL]. [2015-07-30]. http://www.yasdaj.gov.cn/info-1353.html.

在县级层面，至 2009 年 6 月，江西省会昌县已将非遗建档纳入历史保护档案之中，切实开展非遗的挖掘、保护、整理、建档工作，对非遗的种类数量、分布状况、发展过程等进行了详细登记，收集保存了大量文字、音像资料及其代表人物的相关档案①。2010年 1 月至 7 月，湖南省泸溪县档案馆先后征集到踏虎凿花（国家级）、苗族挑花（国家级）、苗族傩面具制作（省级）、杨柳石雕（省级）等各类非遗实物作品 100 余件，并收藏进馆②。2013 年 11月，浙江省松阳县档案馆通过采访省级"非遗"竹溪锣鼓的传承人肖大福和徐发增两位老人，完成了竹溪锣鼓口述档案的文字整理和录音制作，正式启动该县"非遗口述档案"建档工作③。

③公共图书馆建档。

公共图书馆主要是通过将非遗文献化的方式来建设非遗档案资源。非遗文献化就是将与非遗项目相关的各种文献资料，以各种不同文献类型或文献格式类型的方式加以呈现、收藏、保存和保护，以便非遗项目得到更好的传承与发展。④ 例如，山东省公共图书馆通过非遗文献化方式，建立了丰富的非遗档案文献资源，并基于此建设了非遗开放获取文献资源数据库及其网站，为用户提供丰富多样的地方非遗文献资源⑤。大理白族自治州图书馆从 2011 年开始

① 赣州市政府信息公开. 会昌：为非物质文化遗产建档［EB/OL］.［2015-07-30］. http：//xxgk. ganzhou. gov. cn/bmgkxx/daj/gzdt/zwdt/200906/t20090622 _95523. htm.

② 章永恒，田祖武. 泸溪为非物质文化遗产建档［J］. 团结报，2010：01.

③ 中国松阳网. 我县启动"非遗口述档案"建档工作［EB/OL］.［2015-07-30］. http：//www. songyang. gov. cn/zwgk/sydt/bmdt/201311/t20131119 _136382. htm.

④ 姜璐. 公共图书馆在非物质文化遗产保护中的作用——以山东省非物质文化遗产开放获取文献资源为例［J］. 河南图书馆学刊，2015，35（03）：8.

⑤ 姜璐. 公共图书馆在非物质文化遗产保护中的作用——以山东省非物质文化遗产开放获取文献资源为例［J］. 河南图书馆学刊，2015，35（03）：8.

了代表性传承人作品实物及相关文献的征集工作，下一步将启动对全州非遗传承人影像资料的拍摄，形成图书馆文献、影像、实物相结合的立体化收藏。①

④其他机构建档。

中国艺术研究院音乐研究所采集了包括阿炳演奏的二胡曲《二泉映月》、管平湖演奏的古琴曲《流水》等在内的 7000 小时音响资料，这批音响成为全世界第一个获得联合国教科文组织"世界的记忆"名录的音响档案。② 2015 年 6 月 16 日，中国传承人口述史研究所成立，其确立的工作主题有两点：一是给全国非遗建立档案；二是给传承人口述史立论。③

目前看来，文化主管部门建档、档案馆建档、公共图书馆建档和其他机构建档，体现了《非遗法》的要求，形成了文化主管部门主导、多部门参与的合作机制，共同体现了服务公众文化需求的根本目标。

2.1.2.3 建档模式的特点

非遗建档已成为国内外非遗保护的重要辅助手段，在我国各级非遗管理部门有着直接的应用。这种模式具有以下优势：

（1）政策法规的支持

从联合国教科文组织《保护非遗公约》到我国的《非遗法》，从我国国务院办公厅发布的《关于加强我国非物质文化遗产保护工作的意见》到全国各地方发布的非遗保护条例，从非遗保护的法律法规到文化与非遗发展的宏观规划，国际和国内的诸多政策法规都强调要对非遗建档保护，包括了对非遗项目建档、非遗代表性

---

① 张文峰. 大理非遗传承人作品走进图书馆 [N]. 中国文化报，2013-05-10（1）：7.

② 覃美娟. 非物质文化遗产档案式保护研究——兼论广西少数民族非物质文化遗产的档案式保护 [D]. 南宁：广西民族大学，2007：11-12.

③ 中国新闻网. 中国传承人口述史研究所成立 冯骥才：给非遗建档案 [EB/OL]. [2015-07-30]. http://www.chinanews.com/cul/2015/06-17/7349562.shtml.

传承人建档等多方面规定。政策法规的支持体现了国家对非遗建档的重视。

（2）深厚的理论依据

首先，非遗与档案在属性上联系密切。档案是人们在各项社会活动中形成的有保存价值的历史记录，是人类历史行为的再现。非遗来源于社会实践，是人类活动的产物。二者均以人类为创造主体，同与人类社会实践活动息息相关，都具有原始性、真实性、社会性、历史性等特点。其次，非遗建档保护与信息学、档案学的基本理论有着契合之处。在信息学中，知识包含显性知识和隐性知识两种基本类型，实现隐性知识显性化是其重要理论内容。非遗是无形的，非遗资源建设要将无形的非遗有形化，非遗建档可以参考隐性知识显性化的相关理论。档案学和档案管理学的理论知识较为系统，且在档案管理学中也涉及对不同类型的专门档案的管理理论，在某种程度上，非遗档案可以视为一种专门档案，可借鉴艺术档案管理的理论知识。可见，非遗建档保护有着较为深厚的理论依据①。

（3）较强的实践操作性

档案管理的系统性和成熟性保证了非遗建档具有较强的实践操作性。档案的载体材料多样，既有传统纸质材料，又有胶片、光盘、磁盘、缩微等新型记录载体，档案本身承载的内容也涵盖了社会生活的各个方面，因此从形式到内容，非遗建档都能较好地记录和保存内容丰富、形式多变的非遗资源。经过多年的实践探索，我国的档案管理工作已经积累了丰富的经验，形成了系统有序的建档流程。档案管理本身是一项实践性强的业务工作，工作体系完备，非遗档案虽属新界定的专门档案，其建档要求、管理方式、技术手段等均可借鉴一般档案管理经验，实际操作难度不大。

（4）特殊的资源价值

档案是历史原貌和社会记忆的真实记录，原始记录性是档案的

101

---

① 储蕾. 非物质文化遗产档案式保护研究［D］. 苏州大学，2012：12-18.

本质属性，非遗档案记录了非遗本身各个阶段的信息成果以及反映其管理与保护工作全过程的所有记录成果，将非物质形态的文化资源固化成物质再现，保障了非遗资源信息的真实性和可靠性。因此，非遗档案具有档案的凭证价值和参考价值，既增强了非遗的可信程度，又对非遗资源的开发利用、非遗的保护工作有着重要的借鉴意义和推动作用。随着全国范围内非遗保护、非遗普查工作的开展，丰富的非遗资源得到了科学的保护和挖掘，为非遗建档奠定了坚实的基础。这些建档的非遗是重要的社会记忆，将非遗档案与国家、民族、社会、家庭的历史记忆有机联结在一起，使得非遗资源的文化内涵得以彰显，社会记忆价值得到认可和重视。

虽然非遗建档模式具有很突出的优点，但也存在着不足，主要体现在：由于参与建档的主体多，导致非遗档案资源分散、缺乏集中统一管理，影响了非遗的传播和利用。

2.1.3　建库模式

数据库一般指一个基于某种数据模型存贮起来的、为某个特定组织的多种应用服务，并具有尽可能小的冗余度的相互关联的数据集合①。它是计算机技术与信息检索技术相结合的产物，是信息组织的一种重要形式。作为 20 世纪 60 年代末发展起来的一门信息管理技术，数据库技术是计算机处理与存储数据最有效、最成功的技术，也已成为信息资源开发、管理和服务的重要手段。20 世纪 80—90 年代开始，我国图书馆、档案馆等信息管理机构开始各类数据库的建设工作，尤其是在进入 21 世纪之后，随着信息化建设的推进，数据库建设逐渐发展成为政府、企业以及信息管理机构开展信息化建设的重要方式。建设非物质遗产数据库对非遗保护工作重要而不可或缺②，同时也是非遗档案资源建设的重要方面。

---

①　马锦忠，等．数据库系统概论 [M]．南京：南京大学出版社，1995：2.
②　宋立堂．非物质文化遗产资料数据库的建设和研究 [J]．图书情报工作，2013（S1）：84.

2.1.3.1 建库模式的内涵

建库模式是指在非遗信息资源建设实践中形成的，借助数据库技术对非遗信息资源进行采集、处理、存储和利用，建立各种类型的非遗数据库的科学方法和操作规程。非遗数据库建设在非遗信息资源建设中发挥举足轻重的作用。当前，非遗数据库已经成为非遗信息资源建设的主流组织形式，是适应当今技术现状和管理需求的最佳形式。采用数据库形式来管理非遗信息资源，能够有效地拓展信息记录能力、获得强大的信息组织和管理能力，能够为非遗管理活动提供强大的基础保障作用，因此，非遗数据库建设也已成为国家开展非遗数字化保护体系的重要组成部分。非遗资源数据库建设是实施非遗信息化和保存非遗的最终工作之一，是实现非遗信息资源集成共享、统一管理、高效检索和利用的重要内容。①

在我国非遗建档工作中，以非遗数据库建设为主的非遗数字化采集工作是非遗信息化建设的首要任务。数字化技术为非遗的保护提供了许多全新的采集记录手段，包括图文扫描、立体扫描、全息拍摄、数字摄影、运动捕捉等。通过数字化采集和储存技术，不仅可以把一些非遗的档案资料如手稿、音乐、照片、影像、艺术图片等编辑转化为数字化格式，保存于数字磁盘、光盘等物质介质中，而且还可以利用多媒体网络数据库来存储和管理，使它们完整有序、便于检索，这能够整体提升对非遗保护的水平②。在国家非遗数字化采集以及数据库建设的趋势中，除国家级总体非遗数据以外，各地方、各少数民族也根据本区域的特点研发建设省、市级非遗数据库，并在此基础上建成了大量非遗专题数据库。

2.1.3.2 建库模式的实践

非遗建库模式既是技术的产物，也是政策法规使然。从全国范

---

① 柳霞. 非物质文化遗产资源数据库的建设 [J]. 东岳论丛，2008，29（6）：196.

② 黄永林，谈国新. 中国非物质文化遗产数字化保护与开发研究 [J]. 华中师范大学学报（人文社会科学版），2012，51（2）：49.

围看，也是一场自上而下的非遗保护运动。

（1）政策法规要求和宏观规划

首先，在政策法规层面，自2003年《保护非遗公约》签署之后，各缔约国政府、社区、群体以及非政府组织纷纷采取措施保护非遗，建立数据库也成为其中一种重要措施。我国从中央到地方发布的非遗保护法律法规以及地方政策都强调要建立非遗数据库。例如，2005年国务院办公厅发布的《关于加强我国非物质文化遗产保护工作的意见》中就指出"要运用文字、录音、录像、数字化多媒体等多种方式，对非遗进行真实、系统和全面的积累，建立档案和数据库"。此后，宁夏、江苏、新疆等地出台的非遗保护条例中也都明确要求建立非遗数据库。2011年通过的《非遗法》用法律的形式规定了"文化主管部门应当全面了解非遗有关情况，建立非遗档案及相关数据库"。

其次，在规划层面，"将非遗保护工作纳入国民经济和社会发展整体规划，纳入文化发展纲要，制定非遗保护规划"成为非遗保护政策法规的必然要求。如《关于加强我国非物质文化遗产保护工作的意见》中就规定："地方各级政府要加强领导，将保护工作列入重要工作议程，纳入国民经济和社会发展整体规划，纳入文化发展纲要。加强非遗保护的法律法规建设，及时研究制定有关政策措施。要制定非遗保护规划，明确保护范围、保护措施和目标"。《江苏省非物质文化遗产保护条例》规定"省人民政府文化主管部门会同有关部门编制全省非遗保护规划，报省人民政府批准后组织实施。市、县人民政府文化主管部门会同有关部门根据省非遗保护规划，结合当地实际，编制本行政区域非遗保护规划，报同级人民政府批准后组织实施，并报上一级文化主管部门备案"。此外，《非遗法》中规定"县级以上人民政府应当将非遗保护、保存工作纳入本级国民经济和社会发展规划，并将保护、保存经费列入本级财政预算"。

在规划的具体制定方面，主要包括两种方式，一是将非遗保护纳入国家文化改革发展规划当中，囊括建立非遗数据库的具体规划。如《文化部"十二五"时期文化改革发展规划》在"加强非遗保护"的规划中指出"要完成非遗数据库和网站建设,建成覆盖全国的数字化保护系统平台"。同时将"非遗数字化保护和传播工程"纳入文化遗产重点保护工程:制定非遗数字化保护工程统一标准,做好普查资料的整理录入,建设非遗普查资源库、项目库、专题数据库、研究资料库、公众数据库①。《湖北省"十二五"时期文化改革发展规划纲要》在加强文化遗产保护的重点文化遗产保护工程中就包括了"建立湖北省非遗数据库"②。

二是制定专门的非遗保护规划,在规划当中纳入详细的数据库建设规划。这种方式,主要包括省级和市级的非遗保护(发展)规划。在省级方面,如《海南省非物质文化遗产保护规划(2012—2015年)》指出非遗保护工作的主要任务之一就是建立系统全面的非遗档案和数据库。在建设非遗数据库方面:2013年前建成黎族传统纺染织绣技艺数据库;2014年前建成海南省非遗数据库;2015年前完成市县非遗数据库建设,实现全省建库联网③。《贵州省非物质文化遗产保护发展规划(2014—2020年)》专门部署的非遗保护八大"重点任务"中第一项任务便是"开展非遗资源深度调查,建设数据库。强调把深度调查和数据库建设结合起来,对非遗资源进行文字、图片、音频、视频资料数据全程、全景式收集整理。把调查成果转化到数据库及网络共享平台,创建全省非遗普及教学、创作表演、发展研究、文化创意研发一体化的资源平台"④。

---

① 人民网.《文化部"十二五"时期文化改革发展规划》全文[EO/BL].[2015-07-23]. http://culture.people.com.cn/GB/87423/17857491.html.

② 财政部.湖北省"十二五"时期文化改革发展规划纲要[EO/BL].[2015-07-23].http://hb.mof.gov.cn/lanmudaohang/zhengcefagui/201206/t20120628_662958.html.

③ 海南省政府.海南省非物质文化遗产保护规划[EO/BL].[2015-07-23]. http://www.hainan.gov.cn/hn/zwgk/jhzj/hyzygh/201211/t20121120_798701.html.

④ 贵州民族报.非遗保护的"贵州经验"探索:写在《贵州省非物质文化遗产保护发展规划(2014—2020年)》出台之际[EO/BL].[2015-07-23]. http://www.cssn.cn/mzx/llzc/201406/t20140613_1210003.shtml.

在市一级,《杭州市非物质文化遗产保护发展规划纲要
(2006—2010 年)》指出要创建杭州市非遗保护档案和信息数据库
及网站,搞好数据库的硬件、软件建设及建库工作,设计开发数据
库管理系统软件、信息发布系统软件和地理信息系统软件,以
"杭州市非遗保护资料库"为依托,构建以电脑、电视机为终端的
杭州市非遗保护专业网,使之成为非遗保护信息交流的重要窗口。
结合各社区(乡镇)文化信息资源共享工程,建立集工作平台、
宣传教育和检索服务等诸多功能于一体的,逐步覆盖全市非遗保护
工作的数字网络,为文化建设和非遗保护提供良好的信息共享环
境①。《南京市非物质文化遗产保护规划(2011—2015 年)》在
规划第一阶段(2011—2013 年)重点工作中包括"开展非遗数
据库基础建设与试点工作,筹建数字化保护基础平台",第二阶
段(2014—2015 年)要完善数据库建设及非遗数字化保护机
制②。

(2)建库模式的四种实践形式

数据库作为非遗信息化建设的坚实后盾以及非遗数字化保护的
重要内容,受到了各级文化主管部门、公益性文化机构以及部分科
研机构的重视。在实践当中,非遗数据库建设主要表现为四种主要
形式,即政府文化主管部门主导、图书馆主导、档案馆主导和其他
机构主导。

①政府文化主管部门主导的非遗数据库建设。

香港康乐及文化事务署在 2009 年委聘香港科技大学华南研究
中心进行全港非遗普查,搜集研究资料和数据,编制非遗清单,并
于 2014 年依托香港公共图书馆多媒体资讯系统建设了囊括其 480

---

① 杭州市文广新局.杭州市非物质文化遗产保护发展规划纲要 [EO/BL].
[2015-07-23]. http://www.hzwh.gov.cn/syfz/whsy/ggwhzc/200611/t20061114_
55886.html.

② 南京日报.南京市非物质文化遗产保护规划(摘要)(组图)[EO/
BL]. [2015-07-23]. http://news.163.com/11/0610/09/7668635Q00014AED.
html.

个项目的香港非遗资料库①。

2003 年，我国非遗数据库的建设与规划工作就已开始。2003年启动的中华民族民间文化保护工程就明确了中华民族民间文化保护工程的 10 项工作原则和实施内容，包括：运用文字、录音、录像、数字化多媒体等现代科技手段，对珍贵、濒危失传并具有历史价值的非遗进行真实、系统和全面的记录，建立档案和数据库②。随后，在国家和地方各级文化主管部门的非遗信息化建设规划中，非遗数据库作为非遗信息化建设的核心工具也都得到了广泛的重视。为贯彻落实国务院办公厅《关于加强我国非物质文化遗产保护工作的意见》，2005 年 6 月，中国艺术研究院成立了"中国艺术研究院非遗数据库管理中心"，旨在根据文化部非遗保护工作计划部署和要求，建设中国非遗数据库及电子管理系统，运用现代高科技数字化的手段对各种非遗信息进行分类管理和安全存储③。2008年 11 月，为全面普及数据库知识、提高各地非遗数据收集和数据建设水平，文化部还专门举办了"中国非遗数据库建设培训班"。2010 年文化部启动"中国非遗数字化保护工程"，围绕非遗档案的数字化采集、资源数据库建设和数字化标准规范草案制定三方面开展工作，该项目成为文化部"十二五"时期文化改革发展规划项目④。

按照文化部的总体规划，国家非遗数据库是由一个数据库群构成，其中有非遗普查资源数据库、非遗项目资源数据库、非遗专题

① Hong Kong Public Libraries. Multimedia Information System［EO/BL］.［2015-07-23］. https：//sc. lcsd. gov. hk/TuniS/mmis. hkpl. gov. hk/ich.

② 中国文化报. 中国民族民间文化保护工程实施方案［EO/BL］.［2015-07-23］. http：//www. chinesefolklore. org. cn/ChinaFolkloreSociety/xscz/040520-bhf. htm.

③ 文化部. 中国艺术研究院非物质文化遗产数据库管理中心［EO/BL］.［2015-07-23］. http：//topics. gmw. cn/2011-02/28/content_1659473. htm.

④ "中国非物质文化遗产数字化保护工程（一期）"项目研讨会在京召开——渭南市人民政府［EB/OL］.［2012-12-14］. http：//top. weinan. gov. cn/fwzwhyc/bhdt/15139. htm.

资源数据库、科研库和公众库等。截至 2013 年 10 月底，国家非遗数据库存储资源信息总量达 16.6TB①。

除国家级总体非遗数据系统以外，各地方也根据本区域的特点研发建设省、市级非遗数据库系统，已经形成了大量非遗专题数据库。

2006 年，湖北宜昌率先开始建立非遗资源数据库，存入视频素材达 2.5TB，图片近 5000 张、文字数据约 2G，各县市数据量近 1.8T②，按照音乐、舞蹈、美术、文学等 10 多个项目、50 多个门类进行分类保存，到 2009 年基本建成，截至 2013 年年底，其非遗资源总库存量包括视频素材 12.5TB、图片数据 500G、文字材料 2G③。

2008 年，四川省成都市建成非遗普查数据库，创建非遗项目 120 余个，填写电子表格近千张，录入文字 25 万字，以及大量图片和影像资料④。

2009 年，在内蒙古非遗中心主导下内蒙古鄂尔多斯市建成包含文字、图片、视频形式的非遗档案数据库，现录入非遗资料 116 项，纸质档案 162 卷，电子数据 42G⑤。

2011 年，由全国格萨尔工作领导小组办公室、西北民族大学格萨尔研究院、果洛州"格萨尔艺人之家"共同承担的全国"格萨尔数据库-果洛分库"建设项目启动。该项目主要内容是对果洛地区的格萨尔艺人进行普查、登记、建档和命名，并参照国际先进

① 丁岩. 吹响非遗数字化保护工作的时代号角 [N]. 中国文化报，2013-12-11 (3).

② 保护地方艺术 宜昌建立非物质文化遗产数据库_艺廊漫步更多_中国经济网——国家经济门户 [EB/OL]. [2012-12-14]. http://www.ce.cn/kjwh/ylmb/ylgd/200607/03/t20060703_7594920.shtml.

③ 夏静. 让丰富非遗资源成为社会共享文化财富——湖北省宜昌市探索非物质文化遗产保护传承新途径 [N]. [2013-10-02] (3): 1.

④ 蔡宇. 成都建成非物遗产普查数据库 [N]. [2008-02-24] (6): 1.

⑤ 李明波. 我市"非遗"档案数据库基本建成 [EB/OL]. [2015-07-20]. http://www.ordoswhxw.gov.cn/XXGK/TZGG/200911/t20091124_94935.html.

工作模式，建立数据化档案库，在本土文化生态系统中实施抢救性的保护措施；运用录音、录像、摄影等手段，有重点地对在档的艺人演唱进行跟踪，对说唱文本进行科学的记录，进而形成比较完整的史诗说唱资料库等①。

②图书馆主导的非遗数据库建设。

公共图书馆在保护和保存地方文化资源方面有特殊作用和重要地位，且拥有文献、人才和技术方面的优势。因此，近年来，越来越多的公共图书馆将非遗文献资源建设以及数据库建设纳入自建资源建设当中。另外，在全国文化信息资源共享工程的推进下，也有部分公共图书馆承建或维护地方非遗特色数据库。2014 年，徐晨辰、肖希明对国内 55 个省级及省会城市公共图书馆的调查发现，已有 31 个图书馆根据地方特色、馆藏资源特点建设了与非遗主题相关的数据库②。

在图书馆主导的非遗数据库建设中，通常包括五种形式：①自建非遗专题数据库，如吉林省非遗数据库③、湖南非遗数据库④；②在城市记忆类数据库中包含的部分非遗资源，如首都图书馆的"北京记忆"数据库⑤、厦门图书馆的"厦门记忆"数据库⑥等；③针对某一特定项目而建的数据库，如天津图书馆的"津门曲艺"

① 全国"格萨尔数据库-果洛分库"建设项目正式启动——中国共产党新闻——人民网-全国哲学社会科学规划办公室网站 [EB/OL]. [2015-07-20]. http：//www. npopss-cn. gov. cn/GB/219506/219507/16265116. html.

② 徐晨辰，肖希明. 公共图书馆非物质文化遗产资源建设现状研究 [J]. 新世纪图书馆，2014 (11)：58.

③ 吉林省政府. 吉林省非物质文化遗产数据库 [EB/OL]. [2015-07-20]. http：//222. 161. 207. 53：81/tpi/WebSearch_FY/Index. aspx.

④ 湖南省政府. 湖南非物质文化遗产资源库 [EB/OL]. [2015-07-20]. http：//220. 168. 54. 213：9080/was5/Web/search？channelid = 23746&templet = hnfy2011/hnfy. jsp.

⑤ 首都图书馆. 北京记忆 [EB/OL]. [2015-07-20]. http：//www. bjmem. com/bjm/.

⑥ 厦门图书馆. 厦门记忆 [EB/OL]. [2015-07-20]. http：//www. xmlib. net/.

数据库①和"天津民俗"数据库②、吉林省图书馆的"二人转数据库"③和"萨满文化数据库"④等;④包含部分非遗内容的文化数据库,这一类型中大部分资源挂靠全国文化信息共享工程而建,如桂林图书馆"刘三姐文化"数据库⑤、郑州市图书馆"商都文化"数据库⑥等;⑤挂靠全国文化信息资源共享工程而建的非遗专题数据库,如深圳市非遗数据库⑦、陕西省非遗数据库⑧等;⑥图书馆与其他机构共建的非遗专题数据库,如西安图书馆与西安非遗保护中心共建的西安非遗数据库⑨、天津图书馆与天津古籍保护中心共建的天津非遗数据库⑩等。

③档案馆主导的非遗数据库建设。

当前,档案馆主导建设的非遗数据库数量并不多,但随着档案部门在非遗保护工作中参与度的提升,档案馆主导的非遗数据库将会逐渐增加。档案馆主导的非遗数据库建设,主要是档案馆根据自身档案资源建设需要,将收集、征集到的非遗档案资源进行进一步

① 天津图书馆.津门曲艺[EB/OL].[2015-07-20].http://www.tjwh.gov.cn/yswt/ysbl/dfqy/difangquyi.htm.

② 天津文化信息网.天津民俗[EB/OL].[2015-07-20].http://www.tjwh.gov.cn/shwh/mjwh/minsu/index.htm.

③ 吉林省图书馆.吉林省二人转数据库[EB/OL].[2015-07-20].http://222.161.207.53:81/tpi/WebSearch_ERZ/Index.aspx.

④ 吉林省图书馆.吉林省萨满文化数据库[EB/OL].[2015-07-20].http://222.161.207.53:81/tpi/WebSearch_SM/Index.aspx.

⑤ 桂林图书馆."刘三姐文化"数据库[EB/OL].[2015-07-20].http://www.gll-gx.org.cn/liusanjie/.

⑥ 郑州市图书馆."商都文化"数据库[EB/OL].[2015-07-20].http://www.zzldcn.cn/Panoramic/Index.aspx.

⑦ 深圳市图书馆.深圳市非遗数据库[EB/OL].[2015-07-20].http://www.szln.gov.cn/szmemory/szfy.jsp.

⑧ 陕西省图书馆.陕西省非遗数据库[EB/OL].[2015-07-20].http://www.shawh.org.cn/feiwuzhi/index.htm.

⑨ 西安图书馆与西安非遗保护中心.西安非遗数据库[EB/OL].[2015-07-20].http://113.140.9.218/feiyi/.

⑩ 天津图书馆与天津古籍保护中心.天津非遗数据库[EB/OL].[2015-07-20].http://www.tjl.tj.cn/ArticleChannel.aspx?ChannelID=378.

开发，建立档案数据库。例如，2008 年，江苏省太仓市档案馆将过去收集到的非遗文字、图片音像和实物资料 500 多件，通过扫描制作成电子文档，初步建立起非遗档案专题数据库①。2012 年，福建省龙岩市档案馆也注意加强同当地文艺团体和民间艺人的沟通与合作，广泛征集具有闽西特色的非遗项目相关资料，如山歌剧、木偶戏、采茶灯等，通过科学的整理与分类，初步建立起市级非遗档案和专题数据库②。2013 年，太原市档案馆将太原市涉及民间文学、传统手工技艺、传统医药、民间舞蹈、曲艺、民俗等 10 大类 99 项的非遗名录进行系统收集，并建立了档案数据库③。此外，南京市秦淮区档案馆也建立了秦淮非物质文化特色遗产档案数据库④。

④其他机构主导的非遗数据库建设。

目前，除政府文化主管部门、图书馆和档案馆之外，一些科研机构和企业也积极参与到非遗数据库建设当中。

2008 年，佳能（中国）明确了"影像公益"的战略方向，即凭借佳能在影像技术方面的专业优势来开展公益项目，自 2009 年开始相继启动针对羌族、苗族、白族、傣族、彝族非遗数字化保护项目，用摄影、摄像技术对少数民族文化艺术表现形式及其传承人进行全方位数据采集和记录，建成国内第一套完整、系统和深度记录少数民族非遗形态的影像数据库，将其捐赠给中国非遗保护机构研究、传承，并在大型文化场馆进行展览传播，面向公众普及非遗文化⑤。2008 年 10 月，贵州文化艺术研究所启动"中国苗族刺绣

① 陈妙生，陆英.太仓市加强非物质文化遗产档案工作的探索与思考 [J].档案与建设，2009（2）：58-59.

② 林永忠.福建龙岩市档案局（馆）建立全市非物质文化遗产档案和专题数据库 [J].兰台世界，2012（25）：56.

③ 罗玉洁.太原市档案局（馆）建立非物质文化遗产名录数据库 [J].兰台世界，2013（13）：7.

④ http://www.dajs.gov.cn/art/2015/7/29/art_1229_69771.html.

⑤ 佳能（中国）有限公司.佳能（中国）企业社会责任报告 2013-2014 [R].［2015-07-20］.http://www.canon.com.cn/corp/csr/images/Canon-（China）-CSR-Report2013-2014.pdf.

艺术数据库"项目。该数据库是国内首个运用现代数字技术全面、系统、完整地采集收录全国范围内不同地域苗族支系刺绣工艺的国家数据库①。2009年6月,"天津大学中国非遗保护数据中心"在天津大学冯骥才文学艺术研究院成立,该中心运用数字化手段,对现存的约数百万字的文字资料、数十万张图片、数千小时的录音资料和上千小时的影像资源进行数字化保存,并投入300万元建立起数据库②。2011年12月,黑龙江省在哈尔滨市成立"赫哲族说唱艺术伊玛堪研究中心"。该中心启动伊玛堪数字化工程,将过去采录的伊玛堪音像资料进行数字化转换,搜集整理国内外伊玛堪研究资料,建立完备的伊玛堪数据库③。此外,还有中国美术学院艺术设计学系建设的浙江省非遗(民间美术与工艺类)数据库④、福客民俗网建设的中国非遗名录数据库系统⑤等,再次证明多主体参与非遗数据库建设以及非遗档案资源建设已经成为既定事实。

在国外,同样有此类型的非遗数据库建设方式。例如,为了加强亚太地区各国在非遗方面的交流与合作,促进非遗区域性数字化开发与保护,日本亚太文化中心(Asia-Pacific Cultural Centre for UNESCO, ACCU)对其组织的所有非遗活动与项目都进行了详细的记录,并将其整理为包括文档、音频、视频等形式在内的数字化研究成果,建立了亚太非遗数据库(Asia-Pacific Database on

① 我国将建立"中国苗族刺绣艺术数据库"保护苗绣_资讯中心_博宝艺术网 [EB/OL]. [2012-12-15]. http://news.artxun.com/cixiu-1546-7725348. shtml.

② 天津大学建成首家非物质文化遗产保护数据中心模式的实践科研发展——中国教育和科研计算机网 CERNET [EB/OL]. [2012-12-14]. http://www.edu.cn/gao_xiao_zi_xun_1091/20090615/t20090615_384111.shtml.

③ 黑龙江成立赫哲族说唱艺术伊玛堪研究中心-新华书画-新华网 [EB/OL]. [2012-12-15]. http://news.xinhuanet.com/shuhua/2011-12/17/c_122437829.htm.

④ 中国美术学院艺术设计学系. 浙江省非物质文化遗产(民间美术与工艺类)数据库 [EB/OL]. [2015-07-20]. http://gmzjfysjk.com/.

⑤ 福客民俗网. 中国非遗名录数据库系统 [EB/OL]. [2015-07-20]. http://fy.folkw.com/.

Intangible Cultural Heritage)①。印度艺术和文化遗产国民托管组织
(The Indian National Trust for Art and Cultural Heritage , INTACH)
的非遗部门一直致力于非遗的研究和建档工作。2015年，其承担
了"印度非遗研究和建档现状资料数据库"项目，旨在收集全印
度个人、政府组织、政府资助自治机构、非政府组织、图书馆和学
术机构中有关非遗的已经或尚未出版的资料，建立数据库②。

2.1.3.3　建库模式的特点

数据库技术解决了计算机信息处理过程中大量数据如何有效地
组织和存储的问题，它对于在数据库系统中减少数据存储冗余、实
现数据共享、保障数据安全以及高效地检索数据和处理数据具有重
要意义。运用数据库技术建立非遗数据库是解决海量增长的非遗普
查、建档等信息资源组织和存储问题的最佳方式，也是我国非遗资
源信息化建设的重要手段。具体说来，非遗建库模式有以下四个方
面的优势。

（1）政策法规的支持

自国务院办公厅发布《关于加强我国非物质文化遗产保护工
作的意见》之后，各地方发布的非遗保护条例中也都做了相应的
规定。我国从中央到地方发布的非遗保护法律法规以及地方政策当
中都强调要建立非遗数据库，并且在2011年通过的《非遗法》中
用法律的形式规定建立非遗数据库。可见，建设非遗数据库是我国
政策法规的明确要求。此外，在国家文化部以及地方文化主管部门
制定的文化改革发展规划或者地方文化主管部门制定的非遗保护规
划当中，也纳入了数据库建设规划。

---

①　日本亚太文化中心．亚太非物质文化遗产数据库［EB/OL］．［2015-
07-20］．http：//www.accu.or.jp/ich/en/．

②　Database on the Status of Intangible Cultural Heritage Research and
Documentation in India［EB/OL］．［2015-07-20］．http：//intangibleheritage.intach.
org/database-on-the-status-of-intangible-cultural-heritage-research-and-documentation-in-
india/．

（2）成熟的技术保障

产生于 20 世纪 60 年代的数据库技术，经历了第一代层次和网状数据库系统到第二代关系数据库系统再到第三代面向对象型数据库系统，发展至今在理论研究和系统开发方面都已相当成熟，并且随着计算机应用领域的不断扩展，各种新技术的发展，数据库技术与网络通信技术、人工智能技术、并行计算技术等互相渗透，涌现出分布式数据库系统、并行数据库系统、多媒体数据库系统、知识库系统和主动数据库系统等多种类型的数据库系统①。尤其是在信息技术高速发展的今天，数据库技术的应用可以说是深入到了各个领域，在信息管理领域的应用最为广泛。图书馆和档案馆作为重要的信息管理机构，随着信息化建设的推进，数据库技术在它们当中的应用越来越广泛，已成为重要的信息管理工具②。

（3）良好的资源基础

当前，我国已经基本形成国家、省（直辖市、自治区）、市、县（区）四级"非遗"名录体系。拥有海量的非遗本体资源，截至 2015 年 9 月，我国已有国家级非遗代表性项目名录共计 1525 项（包括 153 项国家级非遗代表性扩展项目名录），而入选联合国教科文组织非遗名录（含"急需保护名录"）的项目已达 39 个，目前中国已成为世界级非遗总数世界第一的国家。2005 年至 2009 年的全国第一次非遗普查，留下了数量惊人的非遗档案资源，收集了一大批具有历史、文化和科学价值的珍贵实物和资料。其中，收集珍贵实物和资料 26 万多件，普查的文字记录量达 8.9 亿字，录音记录 7.2 万小时，录像记录 13 万小时，拍摄图片 408 万张③。除此之外，各地方文化主管部门，图书馆、档案馆、文化馆等机构，学术科研机构以及其他社会组织、传承人等都保存着大量的非遗信

114

① 曹文平，闫金梅．数据库综述 ［J］．科技管理研究，2006，26（9）：237.

② 魏建琳．数据库技术在图书馆的应用及互操作实现研究 ［J］．情报杂志，2006，25（8）：71.

③ 陈彬斌．非遗保护将进入数字化时代 ［N］．中国文化报，2011-12-06（1）.

息资源。总的来说，随着全国范围内的普查、搜集、建档工作的持续进行，将会为非遗数据库的建设奠定更加坚实的资源基础。

（4）一定的平台支撑

①非遗数字化工程的数据库管理系统。2010年文化部提出将"非遗数字化保护工程"纳入"十二五"规划。此工程是一项非遗与信息技术相结合的文化信息化创新工程，按"十二五"规划分阶段实施。中国艺术研究院受文化部委托，承担工程的建设任务，中国艺术研究院中国非遗数字化保护中心负责具体实施。工程建设目标中明确要构建统一规范的非遗数字化保护标准体系，建立一个类别齐全、内容丰富的中国非遗资源数据库群，其中有非遗普查资源数据库、非遗项目资源数据库、非遗专题资源数据库、科研库和公众库等。2011年正式启动的"非遗数字化保护工程"，现已建成"非遗普查资源数据库""非遗项目资源数据库""非遗专题资源数据库""非遗数字化保护管理系统"。

②全国文化信息资源共享工程的非遗数据库平台。全国文化信息资源共享工程（以下简称"文化共享工程"）是2002年起，由文化部、财政部共同组织实施的一项国家重大文化惠民工程。它应用现代信息技术，将中华优秀文化信息资源进行数字化加工与整合，通过互联网、卫星、电视、手机、移动硬盘、光盘等多种方式，依托各级公共图书馆、文化馆（站）等公共文化设施，在全国范围内实现共建共享。截至2011年底，我国已建成1个国家中心，33个省级分中心（覆盖率达100%），2840个县级支中心（覆盖率达99%），28595个乡镇基层服务点（覆盖率达83%），60.2万个村基层服务点（覆盖率达99%），累计服务超过11.2亿人次①。数字资源建设是文化共享工程的核心，是公共数字文化建设的战略性、基础性工作，是公共文化服务体系建设的重要内容。截至2011年年底，文化共享工程数字资源建设总量已达136.4TB，

115

---

① 国家数字文化网．全国文化信息资源共享工程介绍［EB/OL］. ［2014-08-28］．http：//www.ndcnc.gov.cn/gongcheng/jieshao/201212/t20121212 _495375.htm.

整合制作优秀特色专题资源库 207 个。到 2015 年，文化共享工程数字资源总量将达 530TB①。非遗资源是文化共享工程公共数字文化建设的重要内容，是各个分中心建设地方特色文化资源的核心内容②，在实践中已经取得了一定的成果。非遗资源纳入全国文化共享工程实践的推进，将对非遗数据库建设起到重要作用。

③数字图书馆推广工程的非遗数据库平台。2011 年，文化部、财政部共同推出 "数字图书馆推广工程"。这是继全国文化信息资源共享工程、公共电子阅览室建设计划后，启动的又一个重要的数字文化建设工程。数字图书馆推广工程将建设分布式公共文化资源库群，搭建以各级数字图书馆为节点的数字图书馆虚拟网。该工程通过数字图书馆专用网络将国家图书馆和各级公共图书馆的特色数字馆藏与一批普适性商业数字资源同各地共享，打造图书馆界的一站式服务平台。该平台资源包括 160 余万册中外文图书，2500 余场视频讲座和地方戏曲、10 万余首古典音乐等资源类型，总量达到 140TB③。该工程的地方馆特色资源库中就包括了 "地方馆非遗资源" 数据库④。

尽管建库模式具有不少优点，但由于建库的主体分属不同系统，造成在建库模式的实践当中存在以下困难：数据库建设分属不同的机构，导致建库质量参差不齐且难以保证，同时，具有广泛联系的非遗项目或代表性传承人的档案有时候存在内容重复、关联性难以实现，以及知识产权方面的纠纷，数据库利用困难且效果欠佳

① 文化部，财政部．关于进一步加强公共数字文化建设的指导意见 [EB/OL]．[2014-08-28]．http：//www. mof. gov. cn/zhengwuxinxi/zhengcefabu/ 201112/t20111209_614350. htm.

② 周小璞．2013 年第 4 次网络培训：非物质文化遗产与文化共享工程 [EB/OL]．[2014-08-28]．http：//www. ndcnc. gov. cn/peixun/courseware/2013_ 04_fwzwhyc/link_view.

③ 国家图书馆．网络书香过大年 [EB/OL]．[2015-07-20]．http：// www. ndlib. cn/2015wlsxgdn/szzy/dfgtszy/.

④ 国家数字图书馆．非物质文化遗产资源 [EB/OL]．[2015-07-20]． http：//mylib. nlc. gov. cn/Web/guest/zhengjifeiwuzhiyichan.

的情形也依然存在。

2.1.4 建站模式

网站（Website）是指在互联网上，根据一定的规则，使用 HTML 等工具制作的用于展示特定内容的相关网页的集合①。网站是一种现代化的通信工具，人们可以通过网站来发布资讯、通过网页浏览获取所需信息或者享受网络服务。随着信息技术和互联网的发展，文本、图像、声音、视频、动画以及 3D 技术都可以在网站平台得到呈现，同时动态网页技术的应用，使得在线交流、在线互动、电子邮件等动态服务形式也得到广泛运用，加之网络具有覆盖面广、信息传递快等特点，网站已经成为各行各业信息交流与共享的重要信息平台。在非遗领域，网站成为了解非遗信息化建设状况的重要窗口之一，非遗建站也成为非遗资源建设的一种重要模式。

2.1.4.1 建站模式的内涵

非遗建站模式是指通过网站建设来整合非遗信息资源的一种思维方法和操作规程。通过将数字化的非遗资源和其他相关的非遗信息进行系统的整合，借助互联网网站平台进行展示与交流互动，实现对非遗信息资源的科学组织和有效利用。在该模式中，非遗资源的数字化是非遗网站建设的基础，非遗信息的整合与共享是非遗网站建设的目的。网络在时间和空间上传递信息便捷的优势，使得网站成为当今社会公众吸收信息的重要来源，非遗网站有助于社会公众深入了解非遗，促进非遗保护工作的开展，有利于提高社会的非遗保护意识。

按照信息组织与运用的方式，非遗网站一般可分为政务型（非数据库型）网站和数据库型网站。由于数据库型网站的中心是

117

---

① 百度百科．网站［EB/OL］．［2015-08-01］．http：//baike. baidu. com/link？url＝w-l5im5-YK6Ut3YnNB0iCOD5IYjykuiKVNyZYdZYtyOb7sO-D7tVn4igPDld2I_Yeg-IIkSOyxBNPwHxSM45wq-EXUkvjuA_DHj-JA8WcLS.

数据库的建设而非网站综合展示，因此本节探讨的非遗建站模式主要是非数据库型的政务型网站建设，而非前文所述的非遗数据库建设模式。按照网站主办单位的性质，非遗网站可分为以下几种类型：①政府机构类网站，由政府职能部门主办，以非遗保护和非遗信息宣传为主旨的综合性网站，如"中国非物质文化遗产保护网·中国非物质文化遗产数字博物馆"以及各省、市级的网站等；②文化事业机构类网站，学校、科研单位、图书馆、档案馆、博物馆等开设的网站，如中国非物质文化遗产保护与研究网、成都非遗数字博物馆网站等；③企业类网站，企业对非遗商业性开发的一种途径，如非物质文化网、中国非遗传承网等；④其他类网站，公益组织、志愿团体或个人建立的宣传网站，如56非遗网等①。除了以上独立型非遗网站外，非遗建站模式还有一种形式，即一些文化主管部门设置的非遗栏目，档案馆、公共图书馆、文化局等文化主管部门网站虽不是开展非遗保护的专门性非遗网站，然而其中有些网站上设有非遗栏目，简单介绍非遗动态、非遗名录、非遗政策法规等内容，但可观性不强②。

在我国，非遗网站主要以各级各地的政府机构类网站为主，这些网站是当地非遗保护中心普及非遗知识、开展非遗保护宣传和非遗申报工作的重要平台。总体而言，非遗网站的核心内容包括三大部分：一是非遗保护工作的动态，包括非遗保护的政策规章、各地非遗保护工作的新闻动态、各类通知公告等；二是非遗名录及代表性传承人的介绍及非遗成果展示，如非遗普查成果介绍、各级非遗项目名录公布、特色非遗成果展示等；三是非遗相关研究与观点的共享，如专家解读、学术理论等③。网站的核心内容正好反映在网站的板块设置上，诸如"组织机构""政策法

118

---

① 常艳丽. 非物质文化遗产网站的网络影响力分析［J］. 现代情报，2013，33（9）：90-94.

② 金银琴. 非物质文化遗产数字化保护建设现状与思考——以浙江省为例［J］. 科技情报开发与经济，2015（7）：139.

③ 阙跃平. 论行政保护情景下的非物质文化遗产网站构建［J］. 文化学刊，2011（6）：122.

规""工作动态""遗产名录""传承人"等栏目是非遗网站的常见构成板块。

2.1.4.2 建站模式的实践

（1）政策法规要求与宏观规划

首先，在政策法规方面，面对非遗信息化数字化发展的现实需求，建设非遗网站、加强网络宣传成为我国中央和地方非遗保护法规条例的重要内容之一。2005年，国务院办公厅出台的《关于加强我国非物质文化遗产保护工作的意见》中强调，"鼓励和支持新闻出版、广播电视、互联网等媒体对非遗及其保护工作进行宣传展示，普及保护知识"①。与之同时颁布的《国家级非物质文化遗产代表作申报评定暂行办法》中也指出"利用节日活动、展览、观摩、培训、专业性研讨等形式，通过大众传媒和互联网的宣传，加深公众对非遗的了解和认识"②。各省、市为贯彻落实中央政策要求，纷纷制定了本区域的非遗保护条例或实施意见，其中也不乏非遗网站建设的规定，如陕西省于2006年颁布的《陕西省人民政府关于贯彻落实国务院通知精神加强文化遗产保护工作的实施意见》中，提到非遗保护的总体目标包括"到2010年，编制《陕西省文化遗产分布地图集》，基本建立陕西文化遗产资料库、网络服务平台和数据库"，强调要逐步实现保护工作的科学化、规范化、网络化和法制化③。

其次，在规划方面，国家文化发展规划和部分地方非遗保护发展规划都涉及了非遗网站建设的相关要求。在国家文化部层面，2012年颁布的《文化部"十二五"时期文化改革发展规划》指明了加强非遗保护规划要求，包括将"非遗数字化保护和传播工程"

119

---

① 国务院办公厅. 关于加强我国非物质文化遗产保护工作的意见［Z］.

② 国务院办公厅. 关于加强我国非物质文化遗产保护工作的意见［Z］.

③ 陕西省政府. 陕西省人民政府关于贯彻落实国务院通知精神加强文化遗产保护工作的实施意见［EB/OL］.［2015-08-02］. http：//www. zgfy. org/contentRead. asp？classid＝72&cmsid＝13431.

纳入文化遗产重点保护工程中,以及"要完成非遗数据库和网站建设,建成覆盖全国的数字化保护系统平台"①。在此规划带动下,接踵而至的《文化部"十二五"文化科技发展规划》中也提到要"推动文化资源数字化、信息化和网络化进程"。

较之国家层面的规划,各省市的非遗保护相关规划对非遗网站建设有更具体、明确的阐述。如在省级层面,《贵州省非物质文化遗产保护发展规划(2014—2020 年)》中的非遗保护任务,包括"把非遗调查成果转化到数据库及网络共享平台,创建全省非遗普及教学、创作表演、发展研究、文化创意研发一体化的资源平台"②。在市级层面,《南京市非物质文化遗产保护规划(2011—2015 年)》在规划第一、二阶段的重点工作中提到要筹建并完善"南京市非物质文化遗产网",推进文化资源共享③。《汕尾市非物质文化遗产(民间文化艺术)保护发展规划(2008—2013 年)》在"构建非遗宣传推广体系"规划中,明确指出要"建立汕尾非遗保护网站,打造我市民族民间艺术的形象、活动和品牌,普及非遗及其保护知识"。④ 在区级层面,《余杭区"十二五"时期非物质文化遗产保护发展规划(2011—2015 年)》中鲜明指出要加强非遗网站建设,"完成区非遗网站改版更新工作,充分发挥非遗网站在促进保护传承和联系传承人、保护工作者、保护志愿者等方面的桥梁作用"⑤。

---

① 文化部.文化部"十二五"时期文化改革发展规划 [EB/OL]. [2015-08-02]. http://culture.people.com.cn/GB/87423/17857491.html.

② 贵州省政府.贵州省非物质文化遗产保护发展规划(2014—2020 年)[EB/OL]. [2015-08-02]. http://www.cssn.cn/mzx/llzc/201406/t20140613_1210003.shtml.

③ 南京市政府.南京市非物质文化遗产保护规划(2011—2015 年)[EB/OL]. [2015-08-02]. http://www.naupd.com/?a=view&p=9&r=113.

④ 汕尾市人民政府.汕尾市非物质文化遗产(民间文化艺术)保护发展规划(2008—2013 年). http://www.66test.com/Content/1809762_1.html.

⑤ 余杭区政府.余杭区"十二五"时期非物质文化遗产保护发展规划(2011—2015 年)[EB/OL]. [2015-08-02]. http://www.yuhang.gov.cn/zwgk/bumen/I001/gkjh/fzghjjd/201207/t20120702_416992.html.

此外，国外同样也有关于非遗网站建设相关的政策制度。自2003 年联合国教科文组织批准文化遗产保护和限价公约以来，网上数字档案馆的文化遗产的馆藏和名录激增，各个国家因地制宜出台了关于网络文化遗产资源管理的不同政策。例如，苏格兰政策规定，苏格兰非遗网站站点是基于一个 Wiki 类型的平台，而不是在一个数据库中，并且是一种协作参与模式。网站有三种内容搜索方式，分别是免费搜索方式、级别分类搜索方式和地点与时间指数搜索方式。该网站可以通过社交网站和协作平台得到进一步推广，尤其是 Twitter、Facebook 和 YouTube。在法国的有关政策中，指出了网络上可以获得的非遗名录种类，其中一种是库存名录，由一系列 PDF 文件组成，每个文件都包含来自一个数据库或网络的信息，并可以链接到线上数字非遗资源①。

（2）建站模式的实践形式

在《保护非遗公约》的引导下，世界各国都大力推进本国非遗保护工作，顺应全球信息化发展潮流，各国也建立了一些与非遗保护和非遗资源共享相关的网站。

一方面，官方网站建设有序开展，例如，法国遗产方向的民俗学代表团网（The Website of the Ethnology Mission of the Heritage Direction），瑞士的 Cioff 网站——民间艺术节日和民间艺术传统国际组织委员会（The Website of CIOFF Switzerland-International Council of Organizations of Folklore Festivals and Folk Arts Traditional）在多年前创立了一个瑞士非遗名录②。

另一方面，非官方网站中也有颇具社会影响力的非遗资源共享网站。其中，世界上最大的视频网站 YouTube，将网络视频共享作为一种保护非遗的非官方方式。在该视频共享网站中，用户可以上

①　Artese M T, Gagliardi I. Cataloging Intangible Cultural Heritage on the Web ［M］//Progress in Cultural Heritage Preservation. Springer Berlin Heidelberg, 2012: 677-678.

②　Severo M, Venturini T. Intangible Cultural Heritage Webs: Comparing National Networks with Digital Methods ［J］. New Media & Society, 2015: 9-12.

传视频，观看视频，还可以实现线上讨论，让用户成为视频文件整理的策划者。目前，网站用户已上传了无数表演艺术视频，如加勒比海舞蹈视频。网站非遗视频共享，是公众在不知不觉中采取的一种非遗保护行动，共同维护世界表演艺术遗产①。

在国内，我国大多数省、市的非遗保护中心都建立了专门的非遗网站，以推动非遗保护工作的顺利开展和广泛宣传，其他文化事业、企业等组织或社会公众也对非遗网站建设给予了一定程度的关注和支持。在实践当中，非遗网站建设主要有政府机构类网站、文化事业单位类网站、企业类网站和其他类网站四种表现形式。

①政府机构类网站。

截至 2014 年 9 月 25 日，自 2006 年首个国家级非遗专门网站开通以来，我国已经建成了"中国非遗数字博物馆"等 3 个国家级非遗网站，浙江、上海、江苏等 23 个省（自治区、直辖市）级非遗网站，中山、宁波、苏州等 24 个市（州）级非遗网站以及安溪、吴江等 8 个区（县）级非遗网站，形成了国家—省—市—县四级非遗网站建设体系。

2006 年 6 月，我国非遗保护首个国家级门户网站"中国非物质文化遗产网·中国非物质文化遗产数字博物馆"正式开通，拉开了全国范围内非遗门户网站建设的序幕。该网站旨在搭建中国非遗保护、传承、研究的网络平台，推广传播国内外非遗领域的相关知识与信息，宣传我国非遗保护工作的政策法规，充分利用全社会资源，挖掘各地区各民族丰富的非遗资源，调动社会公众的非遗保护参与意识，促进非遗保护工作的顺利开展。

在省级网站中，上海非遗网和浙江省非遗网是非遗网站建设的优秀代表。例如，上海非遗网有中文简体、中文繁体、英文 3 个版本，非遗名录检索提供类别、体系、区域、年代 4 种检索途径，检索结果以地图或列表形式呈现，互动交流栏目设置了非遗展馆参观申请、非遗拼图游戏、非遗论坛，视听之窗有网上剧场和非遗大讲

---

① Pietrobruno S. Cultural Research and Intangible Heritage ［J］. Culture Unbound：Journal of Current Cultural Research，2009，1 （1）：240-241.

堂两类视频，这些形式都优于其他网站，美中不足的是论坛虽建立但没有帖子，视频的数量也不多①。

除了综合性的非遗门户网站外，政府机构也设立了一些具有民族特色的非遗网站。如2011年，延边朝鲜族自治州汪清县开通了"中国朝鲜族农乐舞"网站，网站设有新闻动态、农乐舞简介、视频欣赏等多个栏目，全面、系统地介绍农乐舞保护、传承和发展情况，同时向社会公众公布朝鲜族农乐舞的最新演出动态。该网站的建设有利于加强朝鲜族农乐舞的宣传，提高社会公众对农乐舞的保护意识②。

②文化事业单位类网站、企业类网站和其他类网站。

在非遗网站建设的实践中，虽然文化事业单位类、企业类等非政府类网站在数量、体系等方面不及政府机构类网站，但它们能发挥各自不同建设主体的优势，为非遗信息资源建设贡献力量，对社会公众有着一定的影响力。

在文化事业单位类网站中，由中山大学非遗研究中心创办的"中国非物质文化遗产保护与研究网"于2012年年底正式上线，该网站以"中国非遗保护与研究数据库"为基础，在法规文件、代表作、传承人、专家库、研究成果等方面有丰富的资源，目标人群是对非遗有兴趣的普通大众、文化管理部门、学术研究者等，其网络影响力较高，被多个政府类网站链接③。

在企业类网站中，成立于2011年3月的艺驿网，隶属于北京桂艺通网络科技有限公司，是国内最大的关于非遗类的非官方网站。现在网站集非遗资讯、论坛、传承人介绍、非遗精品展示、非遗影像集成、社区、商城于一体，已经成为传承人与非遗爱好者交

①　常艳丽.非物质文化遗产网站的网络影响力分析［J］.现代情报，2013，33（9）：93.

②　延边政务信息网.汪清开通"中国朝鲜族农乐舞"网站［EB/OL］.［2015-08-02］.http：//www.ybnews.cn/news/time/201106/122823.html.

③　中山大学非物质文化遗产研究中心.中国非物质文化遗产保护与研究网-历史沿革［EB/OL］.［2015-08-02］.http：//cich.sysu.cn/gjfybh/index.html.

流及获取资讯的重要平台，同时成为非遗艺术品收藏和投资的必备
参考①。

此外由个人创办的56非遗网，也是一个值得关注的非政府类
非遗网站。56非遗网的全称是"56个民族非物质文化遗产博物馆
网"，展示的是创办人管祥麟先生自1983年至今，通过田野考察方
式，深入55个民族（除台湾高山族）收集的丰富民间文化遗产，
网站包含了服饰馆、民居馆、雕塑馆、剪纸馆、年画馆、消亡馆、
图录馆、视听馆、文献馆、特展馆等众多非遗馆，丰富的馆藏民族
文化瑰宝，显示了人类历史与民间艺术发展的多样性②。

2.1.4.3　建站模式的特点

利用网站发布信息是信息流通与传递的重要渠道，也是大众接
受信息最为广泛的方式之一。因此，非遗建站模式具有很大的优
点，主要体现在：

（1）信息传递快，影响范围广，实现信息的双向流动

信息传递速度快、覆盖范围广泛是网络的重要特点，同时这也
成为非遗网站信息资源建设的优势。互联网是公认的信息高速公
路，网络信息传递既高速又便捷。非遗网站作为非遗信息资源交
流、传播的一种重要渠道，使非遗信息借助网络优势得以广泛传
播、吸收和利用。非遗建站模式的发展，拓宽了非遗信息传播的广
度和深度，面向所有的互联网用户，受众人数巨大，社会影响力较
大。非遗网站借助网络新媒介，突破了传统平面媒介单向信息流动
的传播方式，以一种开放性、互动性的方式提高了非遗信息接收者
的主动性，在一定程度上赋予了社会公众对非遗信息的反馈权利。

（2）综合运用多项现代信息技术，信息资源展示方式多样

网站建设模式，充分体现了现代信息技术的综合应用，展示了

---

① 艺驿网．关于我们［EB/OL］．［2015-08-02］．http：//www. 789179.
com/about. php? do＝us.

② 56非遗网．馆长致辞［EB/OL］．［2015-08-02］．http：//www. 56ich.
com/article-233-1. html.

互联网在信息资源组织方面的优势。非遗网站建设前期采集并整合了大量的数字化非遗信息资源，从普通的非遗文字资源到非遗图像、音频、视频等多媒体资源，资源类型多种多样。建成后的非遗网站在网页构成形式上，除了普通静态网页外，还包括数据冗余度小、资源集成的网络数据库，以及可视化强、立体效果显著的数字博物馆等动态网页资源形式。在将数字化非遗信息资源加入非遗网站建设过程中，广泛采用了虚拟现实技术、三维图形图像技术、计算机网络技术、立体显示系统、互动娱乐技术，以及特种视效技术，将现实存在的非遗文本、实物资料以三维立体的方式完整呈现于网络上，将死板、枯燥的非遗档案变成鲜活的模型，引领着公众进入可参与交互式的新环境①。

（3）资源基础良好，资源集中共享性强

首先，网站建设的非遗资源基础良好，拥有海量的非遗本体资源和丰富的数据库资源。非遗本体资源数字化即可成为非遗网站的信息来源，建成的非遗数据库则可直接应用到非遗网站的资源展示和检索中。在国家政策和各地非遗实践的推动下，我国的国家—省（直辖市、自治区）—市—县（区）四级非遗名录体系已经基本形成，民间文学、民间音乐、民间舞蹈、传统戏剧、曲艺、杂技与竞技、民间美术、传统手工技艺、传统医药、民俗十大类非遗项目数量庞大，入选联合国教科文组织非遗名录（含"急需保护名录"）的项目也达 30 多个，中国已成为世界级非遗总数世界第一的国家。全国各地方的政府机构或其他组织与个人，也通过非遗资源的普查或田野调查积累了大量非遗资源，整合建设了许多实用的非遗数据库。丰富的非遗本体资源和数据库资源为非遗网站的建设奠定了良好的资源基础。

其次，非遗资源集中共享性强。非遗网站的建设，突破了时间和空间的限制，使得非遗信息资源在互联网所及的广泛区域内便捷传播，同时网络环境下，非遗网站也成为非遗信息资源虚拟集成和

125

---

① 戴旸. 基于群体智慧的非物质文化遗产档案管理研究［D］. 武汉：武汉大学，2013.

共享的重要桥梁。非遗网站实现了非遗网络信息资源的高效组织，成为了解非遗信息化建设状况的重要窗口，为社会公众深入了解非物质文化提供了重要平台。非遗网站信息资源的高度集中，为建立信息检索机制打下了良好的基础，有利于信息的进一步传播和共享。

通过对我国非遗建站的实践进展和各类网站的现实运行状况进行考察，发现非遗网站建设在以下方面存在问题：网站设计存在同质化现象，网站资源整合范畴较窄且零散，往往缺乏完整性和系统性①，网站功能尤其是交互性、检索功能方面存在缺陷。

2.1.5　建馆模式

20 世纪 90 年代，随着信息与通信技术（Information and Communication Technology，ICT）的发展，数字化技术在国内外兴起并被运用到文化遗产保护中，1992 年，联合国教科文组织（UNESCO）启动"世界记忆"（Memory of the World）工程，推动了世界范围内的文化遗产数字化保护。1999 年，欧盟开启了"内容创作启动计划"多国合作项目，以文化遗产的数字化保护为基本内容②。随后世界多国积极利用数字化技术对珍贵文物进行保护，如美国斯坦福大学、华盛顿大学与 Cyberware 公司合作的数字化米开朗基罗项目；美国芝加哥大学、加拿大西安大略大学的 Sulman 木乃伊工程；日本奥兹大学对日本奥兹地区的活态文化遗产"狮子舞"的数字化保护工程等③，都是利用数字化技术保护文化遗产的成功探索。

数字化技术在文化遗产保护工作中对于非遗保护的作用尤其明显，由于非遗具有活态性、空间性、时间性等特点，很多如节日风

---

① 姜雷．非物质文化遗产网站建设现状及对策［J］．农业图书情报学刊，2011，23（2）：63.
② 林毅红．基于数字化技术视角下的非物质文化遗产保护研究［J］．民族艺术研究，2005（5）：116.
③ 彭冬梅，潘鲁生，孙守迁．数字化保护——物质、非物质文化遗产保护的新手段［J］．美术研究，2006（1）：17.

俗、口头遗产、工艺技艺的非遗仅靠传统的文字记载、口头传输方式难以全面再现其特点、使之得到有效保护和传承。而将数字信息技术应用于非遗的抢救与保护，主要从以下几个方面进行：利用数字化采集和存储技术完整地保护非遗；利用数字化复原和再现技术为非遗有效传承提供支撑，包括 3D 数字动画技术、虚拟现实技术等；利用数字化展示与传播技术提供非遗共享平台，其中颇具代表性的数字博物馆，就是借助多媒体集成、数字摄影、知识建模等技术建立起来的包括文字、声音、图像、视频及知识在内的数字化系统，并通过整合借助通信技术进行传播共享，打破时空限制，成为现代技术条件下的非遗保护和利用平台；利用虚拟现实技术为非遗的利用提供空间，通过产业经营转化为文化生产力，形成规模经济效益，从而调动民众保护发展非遗的积极性①，以此实现对非遗的有效保护、传承与发扬。

正是数字化技术的迅猛发展，特别是数字化复原和再现技术及虚拟现实技术的出现和广泛应用，开启了博物馆信息化的大门，博物馆不再只是文物等实体对象的存储场所，而成为以文物为中心的知识库②。随之而广泛出现在博物馆以及信息科学研究的相关文献当中的概念如虚拟博物馆（Virtual Museum）、电子博物馆（Electronic Museum）、数字博物馆（Digital Museum）、线上博物馆（On-line Museum）、超媒体博物馆（Hypermedia Museum）、网络博物馆（Web Museum）、赛博博物馆（Cyberspace Museum）等，虽然表述上有所差异，但都包含汇集了在线访问馆藏的所有数字化博物馆信息资源集合③，是数字化技术发展的产物，具有收藏实物、

---

① 黄永林，谈国新. 中国非物质文化遗产数字化保护与开发研究［J］.华中师范大学学报：人文社会科学版，2012，51（2）：50-51.

② Schweibenz W. The "Virtual Museum"：New Perspectives for Museums to Present Objects and Information Using the Internet as a Knowledge Base and Communication System［C］. ISI. 1998：188.

③ Schweibenz W. The "Virtual Museum"：New Perspectives for Museums to Present Objects and Information Using the Internet as a Knowledge Base and Communication System［C］. ISI. 1998：189.

科学研究和社会教育等功能和属性。同时，应该看到，数字化技术在博物馆中的运用使博物馆的非遗保护工作更有效，数字博物馆充分借助数字化技术将非遗资源进行整合，借助网络提供更大的利用平台，借助动画、音频、视频等技术使具有活态性的非遗资源得到动态保护和传承。凭借着这些优势，数字博物馆已成为信息时代下新型的非遗保护利用平台和场所。

最早建立数字博物馆的是美国。美国国会图书馆于 1990 年开始推动 "American Memory" 计划，将馆内的文献、手稿、照片、录音等藏品进行数字化储存和提供利用，打造出一个数字化展示平台。欧洲也很重视数字博物馆的建设工作，2002 年，欧盟投入7000 万欧元为图书馆、博物馆和档案馆搭建统一平台，改善馆内文化遗产的管理利用状况，利用这些经费投入，英国伦敦国家艺廊、大英博物馆等纷纷将宫廷手稿等文物数字化，提供给全球学者进行历史研究。我国 1996 年启动的国家数字图书馆工程是我国文化遗产数字化保护的开端，推动了数字博物馆的建设。随后，从1998 年 "数字故宫" 的建设到北京民俗数字博物馆、北京中医药数字博物馆的上线，再到成都非遗数字博物馆的成功建立，利用现代信息技术对博物馆藏品的文字、图像、声音、影像和科学数据等多媒体信息进行收集和数字化处理，是文化遗产的保护、研究、开发和利用在新形势下的产物。这种建设模式使公众随时随地访问博物馆成为可能，拉近了公众与博物馆之间的距离，也为博物馆信息学研究提供了更多途径①②，为非遗资源保护传承提供了一种有效的模式。

---

① Patias P, Chrysanthou Y, Sylaiou S, et al. The Development of an E-museum for Contemporary Arts [C]. Conference on Virtual Systems and Multimedia. 2008: 20.

② Razali S, Noor N L M, Adnan W A W. Structuring the Social Subsystem Components of the Community Based E-Museum Framework [M]. Online Communities and Social Computing. Springer Berlin Heidelberg, 2009: 108.

2.1.5.1 建馆模式的内涵

非遗是一个民族或地区内文化精华的重要载体，是世代相传的精神财富，具有重要的文化价值、科学价值、社会价值、历史价值。通过博物馆、图书馆和档案馆等机构对非遗资源的收藏与开发，人们有更多机会了解感受这些非物质文化财富，使其所蕴含的多元文化得到有效的保护和传承，因此这些机构已成为非遗保护的重要场所和展示的重要窗口。而在保护及传承方式上，这些机构很早之前就通过纸张记载、磁带和光盘刻录等形式对非遗进行记录，但这些资料有其弊端，长久保存难度大，如复制画面损伤、录像带老化、声音失真、纸张变黄褪色等，因此寻求更有效的方式对馆藏非遗进行保护尤为迫切。

建馆模式是基于数字技术和信息技术进行非遗数字化保存、保护以及展示和传播而形成的一种依托数字博物馆、数字图书馆甚至数字档案馆等平台的非遗信息资源建设模式。它是一种"理论—实践型"的非遗资源建设模式，即首先在理论研究中提出，并逐渐在实践中尝试和实现。一般而言，非遗建馆模式中的"馆"主要集中在非遗数字博物馆上，已经形成了一定的实践基础。尽管有人倡导建立非遗数字档案馆、非遗数字图书馆，但实践中尚未真正地开始形成。

建馆模式是在数字化背景下提出的，是解决之前非遗保护方式落后问题的有效途径，这一模式下的数字博物馆建设成就最为突出，并已成为进行非遗资源数字化保护最重要的平台。与普通博物馆不同，数字博物馆不仅仅是静态藏品的展示，更是将一些民间工艺制作过程的历史流变、工艺存在的文化状态、民间艺人档案、民间艺术传播方式、制作工艺、原材料以及民间生活方式等成千上万种文化艺术的全过程进行数字化转换后存入数据库网络，是以活态文化的方式展示各种民族民间非物质文化的具体内容和艺术精髓①。数字博物馆模式首先利用数字化技术对海量的非遗资源进行

① 黄永林，谈国新. 中国非物质文化遗产数字化保护与开发研究［J］. 华中师范大学学报：人文社会科学版，2012，51（2）：51.

129

储存，弥补了传统储存方式的不足；其次通过网络进行展示打破了时空限制，使人们能够在任何时间任何地点了解非遗资源相关信息；再次，能够向公众提供非遗保护进展和工作动态，汇集了有关政策法规和研究成果，推动非遗的保护、研究、挖掘、利用等①。该模式是实现对无形非遗进行馆藏、展示及开发的最佳途径。

在数字博物馆建设方面，我国于 2006 年 6 月正式开通了第一个专业性的非遗国家级门户网站"中国非物质文化遗产网·中国非物质文化遗产数字博物馆"（www. ihchina. cn），人们可以通过网络点击来了解世界和我国非遗的情况。除国家级数字博物馆以外，各地方、各少数民族也根据本区域的特点研发相应的数字博物馆，形成了一批具有地方特色、民族特色的数字博物馆，其中"成都非遗数字博物馆"（www. ichchengdu. cn/immaterial/nav. aspx）就是一个典型的例子，该数字博物馆利用网络链接将四川地区的非遗进行了梳理，其中包括川剧、蜀绣、蜀锦、古琴、成都漆艺、皮影等13 个非遗项目，每一种都通过文字、图片、视频三种方式来展示，而每一种手工艺或传统习俗的展现几乎都处于数据化的状态，有相关文物的图片、文字简介、动态视频，还有当前相关的新闻、评论等，大大增强了展示的效果。广东、新疆、江西等省都利用数字化、网络化技术建立非遗数字博物馆，对本省特色非遗资源进行保护。少数民族数字博物馆如羌族文化数字博物馆、黎族纺染织绣工艺数字博物馆等通过数字化形式宣传了民族文化，对抢救濒危非遗具有重要作用。还有专题性的数字博物馆如中医药数字博物馆，从不同侧面勾画出华夏五千年中医药发展历史的主体脉络，以图带文，大量运用图片、动漫、漫画、视频等形式展示和介绍中医学的实施步骤，如针灸、气功、推拿和拔罐等传统疗法，对于保护中医药这一中国传统技艺意义重大。

本书认为，真正意义上的数字博物馆，与当前人们所言数字博物馆、数字图书馆有一定差别，它不单是对实体博物馆职能的扩

---

① 徐国联. 非物质文化遗产资源保护的信息化建设 [J]. 计算机工程应用技术，2012 (4)：141.

展，还应该倾注于展品的数字化存储、多媒体虚拟展示以及强大的搜索功能，围绕工艺涵盖的各项内容将信息进行解读和展示，以使足不出户的观众浏览网站时就像遨游在一个真实的博物馆，即前面提到的采用数字博物馆通用的 3D、视频、三维动画等多媒体技术。中国中医药数字博物馆就是一个很好的虚拟主题展示，该馆以图带文，大量运用图片、动漫、漫画、视频等形式展示和介绍中医，展示的图片近 1000 张，动漫 60 个，漫画 280 个，视频 40 个，形象地介绍和展示了各种中医传统疗法，是真正意义上的数字博物馆，是非遗资源建设中值得借鉴的模式。因此，不应单从主导者角度和传统博物馆角度考量建馆模式，建馆模式主要是指建立真正意义上的数字博物馆。

2.1.5.2 建馆模式的实践

数字博物馆作为非遗数字化保护的重要内容，近年来受到了越来越多的关注和重视。目前在实践当中，非遗数字博物馆建设主要包括综合性非遗数字博物馆、专题性非遗数字博物馆和少数民族非遗数字博物馆三种形式。

（1）综合性非遗数字博物馆

2001 年 7 月 16 日，故宫数字博物馆网站开通，网上故宫内容利用了多媒体数据库，标志着我国第一个真正意义上的数字博物馆诞生。该馆将故宫博物院中因为空间限制未展出的文化遗产及一些诸如风俗、礼制等以无形文化遗产通过网络向公众展出。馆内运用导航技术、动画技术动态地进行参观导览，对于古代风俗等通过多媒体技术设置"时空漫游"，让人身临其境感受传统的节气、风俗、礼制等①。

2004 年 5 月，北京市科学技术协会与北京大学信息管理系合作的科学与艺术数字博物馆开通。该馆是首个无实体博物馆支撑的网上虚拟博物馆，十分重视数字化技术的运用，在对一些非遗资源

131

---

① 故宫博物院. 故宫数字博物馆［EB/OL］.［2015-07-20］. http：//www. dpm. org. cn/index1024768. html.

整合的基础上，通过数字化手段，以文字、图片、动画、片段视频以及互动游戏等介绍非遗中蕴含的科学与艺术，巧妙地将"人文"和"科技"两个方面结合起来，体现科学与艺术的紧密联系，挖掘出非遗资源的科学文化价值，如馆内"娱乐艺术"板块中的"四川变脸"通过视频详细介绍了变脸方法和难易程度，以及各种变脸的使用情景等，并从艺术角度对其进行赏析①。

2005 年，由北京科学技术协会与中国传媒大学北京民族博物馆合作的北京民俗数字博物馆开通。这也是一家没有实体博物馆支撑的网上虚拟博物馆，主要介绍与老北京民俗相关的文化，其中通过动画形式对北京四合院、北京老胡同、民风民俗、特色节日等非遗进行了详细介绍②。

2006 年，受文化部的委托，中国艺术研究院首次承担中国非遗数字博物馆的研究与建设工作，建立起第一个非遗国家级门户网站"中国非物质文化遗产网·中国非物质文化遗产数字博物馆"（www. ihchina. cn）。此数字博物馆内主要包括非遗有关法规文件、联合国名录、国家名录以及传承人等，将地方数字博物馆内的非遗资源进行综合展示，是目前国内最具权威性的非遗数字博物馆，也为其他数字博物馆的建设提供了指导。

在地方的综合性数字博物馆建设中，比较突出的是 2006 年 4 月 6 日成都图书馆主导建立的"蜀风雅韵——成都非物质文化遗产数字博物馆"，这是成都地区资源最全、信息量最大、专业化程度最高的非遗资源中心。"蜀风雅韵"下设国际名录、国家名录、省级名录、市级名录共 56 项非遗，以"文、图、音、影"四种形式立体展现其内容。③ 该博物馆创造了多个国内第一，它是国内第

① 北京市科协与北京大学信息管理系. 科学与艺术数字博物馆 [EB/OL]. [2015-07-20]. tp：//e-museum. beijingmuseum. gov. cn/col/col4096/index. html.

② 北京科协，中国传媒大学北京民族博物馆. 北京民俗数字博物馆 [EB/OL]. [2015-07-20]. tp：//www. digital-museum. com. cn/.

③ 方廷玉. 独创的北京中医药数字博物馆英文版，数字博物馆研究与实践 2009 [M]. 北京：中国传媒大学出版社，2009.

一家以"非遗保护"为主题的地区性数字博物馆，也是第一家免费开放的非遗专题网站，同时更是第一家完整保存并建立相关名录体系的公共图书馆非遗档案数据库。该博物馆有着极为丰富的资料，其中条目总量达到 35000 余条，网站数字化容量达 35.5GB，原始素材数据库容量共约 1000GB①。该馆是首屈一指的地方非遗保护交流平台，是图书馆保护非遗的大胆尝试，也是成都图书馆为巴蜀文化走向世界贡献的力量②。

此外，各地方建立综合性非遗数字博物馆的步伐也逐步加快，如广东省非遗数字博物馆（www.gdwh.com.cn/wsfyg）、新疆非物质文化遗产数字博物馆（在建）（www.dmxj.org）、江西省非物质文化遗产数字博物馆（www.jxfysjk.com）都对本省市特色的民间文学、传统音乐、舞蹈、戏剧、美术、医药、民俗等多个方面的非遗资源进行全面数字化展示，内容丰富，展示形式新颖，对很多技艺的展示同时采用图片、音频、视频，多角度、全方位地展示了非遗的风貌和特点。

2009 年 5 月，海南旅游数字博物馆（www.haihainan.com）开通。这是首家通过旅游视角进行非遗展出和宣传的数字博物馆，馆内除了一些常规旅游地的介绍，还有专门的"非物质文化遗产馆"板块，对海南省各级非遗进行了介绍，并从旅游视角发掘其价值③。

（2）专题性非遗数字博物馆

除了综合性非遗数字博物馆对地区内多方面非遗资源进行全面展示，建立专题性的非遗数字博物馆对某一非遗进行专门性的介绍展示也是一大趋势，并已取得了一些成果。目前较有代表性的专题

---

① "蜀风雅韵——成都非物质文化遗产数字博物馆"获文化部创新奖让非物质文化遗产"活"起来——川剧频道［EB/OL］.［2014-12-14］. http：//scopera.newssc.org/system/2009/11/16/012429054.shtml.

② 成都图书馆.成都非物质文化遗产数字博物馆［EB/OL］.［2015-07-20］.www.ichchengdu.cn/.

③ 华洋创融.海南旅游数字博物馆［EB/OL］.［2015-07-20］.http：//www.haihainan.com.

性数字博物馆主要有医药方面的北京中医药数字博物馆、戏曲方面
的皮影数字博物馆，音乐方面的中国民族音乐博物馆，都是对某一
种特定艺术形式的详尽介绍。

　　北京市中医管理局启动了"北京中医药数字博物馆"建设项
目，这是国内第一家全面介绍中医药文化发展史的数字博物馆。该
项目于 2003 年正式立项，经过诸多专家的齐心合力，2003 年 9 月
23 日，北京中医药数字博物馆正式开通运行，它是集数字展示、
科学普及、教育和研究于一体的中医药知识平台、教育平台和服务
平台。该馆从国际交流馆、中药馆、名医馆、宫廷医学馆、医疗
馆、教育馆、科技馆、养生保健馆及神农百草园等中医中的 12 个
专题对中国传统医药术进行介绍，在介绍方式上运用大量图片、动
漫、漫画、视频等形式展示和介绍中医，展示的图片近 1000 张，
动漫 60 个，漫画 280 个，视频 40 个，形象地介绍和展示了针灸、
气功、推拿和拔罐等传统疗法，对于弘扬中华民族博大精深的中医
药科学具有重大意义。①

　　2007 年，在教育部的高度重视与大力支持下，"皮影数字博物
馆"项目得以在"中国大学数字博物馆建设工程（二期）"中立
项。本项目以中国美术学院皮影艺术博物馆为依托，通过图文、影
音和动画等形式展现作为物质文化遗产的皮影和作为非遗的皮影
戏；充分利用现代信息技术，对皮影领域的相关资料进行数字化采
集、管理并实现永久保存。力求将学术与科普、知识性与趣味性有
机结合，从而建立起一个内容完备、资料翔实、界面友好、检索方
便的专题性科普网站，并使之具备良好的可扩展性，通过后续建
设，逐步发展为一个内容丰富的资源型网站②。该馆以作为物质文
化遗产的皮影和作为非遗的皮影戏为资源基础，建设了各类相关数

---

　　①　方廷玉. 独创的北京中医药数字博物馆英文版，数字博物馆研究与
实践 ［M］. 中国传媒大学出版社，2009.

　　②　教育部科技司. 皮影数字博物馆简介 ［EB/OL］. ［2015-07-20］.
http：//digitalmuseum. zju. edu. cn 　/front. do? methede ＝ showTheme&oid ＝
8a8691a629916f65012991b395d30006&schoolid ＝ 7&ytype ＝ 3.

据库，包括：皮影图片数据库、皮影音频数据库、皮影表演视频数据库、皮影影卷数据库、皮影道具数据库、皮影口述历史数据库、皮影艺人数据库、皮影文献数据库以及皮影网站导航等①。据统计，馆内收藏了来自全国具有较高价值的皮影文物 20 万余件。从明代、清代到近现代各个时期、各个地区、各种风格的皮影均有，对于中国皮影艺术的弘扬意义重大。

中国民族音乐博物馆由无锡市人民政府、中国音乐学院、中国艺术研究院三家共建，无锡日报报业集团承建，其数字博物馆以时代为序，用呈示重要音乐文物的方式，对古代中国音乐各个时段的重要音乐现象给予介绍；也包括对近现代主要是无锡地方民乐的呈现，如江南丝竹、无锡民歌、道教音乐、无锡说唱等；同时对于这些非遗资源的传承人也有具体介绍，包括了阿炳、刘天华、杨荫浏、王莘、钱仁康等近 30 位享誉国内外的现代音乐家；还有对纳入世界级"非遗"中的中国音乐、戏曲有关内容的展呈，涵盖了昆曲、古琴艺术、木卡姆艺术、侗族大歌、西安鼓乐等；最后对传统音乐的载体即中国民族乐器进行展览。通过图片加文字的形式展出了馆藏品 574 样、969 件，其中乐器 174 种、468 件，还有丰富的书籍文稿、影音资料及图片、场景等，内容丰富、形式多样，基本反映了中国民乐的发展史，是目前国内唯一一家综合性民族音乐博物馆②。

除了上述专题性数字博物馆之外，还有中国印刷博物馆、北京空竹博物馆、中国工艺美术馆等都是为某一个特定非遗建立的专题性数字博物馆，对于这一特定非遗的传承、发扬具有重要作用。

（3）少数民族非遗数字博物馆

少数民族作为中华民族多元文化的重要组成部分，在发展过程中形成了大量珍贵的民族特色非遗，对其进行数字化保护对于弘扬

135

---

① 彭建波.谈面向非物质文化遗产的特色资源建设——以皮影数字博物馆为例 [J].图书馆工作与研究，2012（5）：34.

② 无锡市人民政府、中国音乐学院、中国艺术研究院.中国民族音乐博物馆 [EB/OL].［2015-07-20］.http：//www.wxrb.com/node/museum/.

少数民族风俗习惯、特色文化具有重要作用，基于此，已建立了一批旨在保护少数民族非遗的数字博物馆。

2008 年 7 月，羌族文化数字博物馆开通，这是一个不断丰富更新的网上展示平台，用不同的专题展现羌族古老悠久的历史文明与丰富多彩的文化遗产，以及当代的文化遗产保护。数字博物馆展示羌族文化相关的图片、影像等多媒体资料，并汇集与羌族文化相关的学位论文、专题报道、新闻等信息，是"5·12 大地震"对羌族文化破坏之后落实党中央灾后重建、抢救保护羌族非遗的重要举措，对于宣传羌族文化、抢救保护羌族非遗具有重要作用。①

2010 年 7 月，重庆开通少数民族传统文化数字博物馆，通过这个平台展示渝东南少数民族歌曲、民风民俗、民族舞蹈等传统文化。市民宗委对其官方网站设备进行了更新，购置专业视频播放软件，实现了《重庆民族文化典藏》3000 张精美图片和 122 个视频在线分期展播，将传承久远的少数民族优秀文化在互联网上广泛传播，扩大了少数民族文化的影响。该馆在全国率先实现了对省域少数民族传统文化大规模、全方位的数字记录与展现②，使少数民族传统文化保护成果在互联网、数字多媒体平台上实现资源共享，对探索保护和传承少数民族传统文化有着重要意义③。

此外广西民族博物馆、锡伯族博物馆等也都是通过数字化技术建立起对本地区少数民族传统文化进行展览的重要平台，是人们了解少数民族珍贵非遗资源的重要窗口。

2.1.5.3 建馆模式的特点

建馆模式是在数字化技术下对非遗资源的新型保护方式，对于非遗资源从采集到展出的各个流程都具有重要作用，具体而言，主

---

① 光明日报.羌族文化数字博物馆网上开通［EB/OL］.［2015-07-20］. http：//www.gmw.cn/01gmrb/2008-07/25/content_810265.htm.

② 重庆开通少数民族传统文化数字博物馆_网易新闻中心［EB/OL］. ［2012-12-14］.http：//news.163.com/10/0718/14/6BSMLOPI000146BC.html.

③ 新华网.重庆开通少数民族传统文化数字博物馆［EB/OL］.［2015-07-20］.http：//news.xinhuanet.com/tech/2010-07/18/c_12345232.htm.

要包括以下方面优点：

（1）利于非遗的保护传承

非遗具有种类多、数量大、无形性、动态性的特点，一些"制作工艺"类非遗涉及多个动态流程，传统节日涉及特定的时节和风俗，这些特点无疑增加了非遗保护的难度，仅对其涉及的实物进行保护是远远不够的。数字博物馆通过对展品及展示空间的信息数字化，包括对与之有关的文字、图片、音频、视频、动画资料采集与归纳，形成馆藏非遗资源的数据资源库，使非遗信息的记录、保存更完备、更多样、更丰富，实现了文化资源的充分整合。这种数字化保存不仅仅是对原有馆藏资源的整理归纳，更是对非遗进行抢救保护的过程。如成都非物质文化遗产数字博物馆（www. ichchengdu. cn/immaterial/nav. aspx）中对于川剧这一非遗的保存就主要借助影像技术进行，由于川剧的表演涉及了多个流程，包括固定的表演方式、特有的艺术手段等，以及川剧老艺术家的经验总结等都是川剧进行传承时不可或缺的重要因素，包含大量的资料。传统的博物馆难以容纳如此多的资料，但是依托网络平台建立的数字博物馆，开设了动态的川剧表演栏目，用影像直观地再现川剧这种艺术形态的真实面貌和精髓，利于川剧的保护和传承。

（2）便于公众对非遗的利用

首先，数字博物馆借助网络而打破了时间与空间的限制，摆脱了传统意义上博物馆所必需的建筑、陈列、参观时间等条件的束缚，任何人在任何时间、任何地点都能从网上方便获得需要的信息，使海量存储的文化资源得到最大限度的展示、利用和共享，能够方便快速高效地满足广大用户的需求，成为现代技术条件下适合于大众传播的一种新的应用平台①。首先，与传统博物馆相比，以前需要大修土木来扩展馆藏空间进行非遗展示，现在只需要增加页面即可，以前一些易损坏而被藏起来无法展示的非遗现在得以重见天日，改变了很多因为时空限制而"养在深闺人未识"的非遗利

---

① 杨海波. 数字技术与山东非物质文化遗产保护［J］. 山东社会科学，2009（1）：156.

用状况；其次，数字博物馆的非遗展现方式具有直观性，所展示的非遗容易被识别，通过影像技术表现具体的画面、声音、内容和主题，综合运用画面的表现元素和镜头造型功能，展示非遗方方面面的信息①，将一些混合模拟场景进行协调展示，一些环境漫游物品进行选择展示，为手工艺进行流程标注，使利用过程复杂，利用难度较大的非遗真实、直观地展现出来，通过网络，观众只需要点击鼠标，传统博物馆中的展品便可清晰展示在眼前；最后，在利用方式上，公众的自主性增强，数字博物馆改变了以往参观者的被动地位，其页面和栏目的设置具有条理性，并提供了强大的搜索引擎，观众可根据自己的需要查询相关信息，操作方便。很多数字博物馆内设置了留言板、自主点击平台等栏目，加强了与公众的互动性，可根据公众的建议，了解公众的浏览需求、浏览习惯等，对馆藏非遗资源进行合理的组织调整，便于公众利用，整个过程中公众占据了主体地位，也使非遗的作用得到有效发挥。

（3）拓展非遗保护的领域

与传统博物馆的静态展示不同，数字博物馆将非遗的保护扩展到活态文化的层面，借助数字技术特别是虚拟的三维动画技术，对有关非遗的制作工艺进行多角度、生动的演示，从而对非遗的民艺品类、传播方式、制作工艺、民艺品原材料、民间生活方式等进行全面展示，这是传统的博物馆所难以做到的②。以北京中医药数字博物馆为例，馆内对于针灸这一具有中国特色的特殊疗法进行了动态性的详尽介绍，当我们进入数字博物馆后，只需点击鼠标就能够看到人体的经脉、动态的血液循环图及针灸的具体穴位和步骤，效果直观，便于理解。此外利用视频技术设置"数字专家与中医"栏目，由专家直接讲解针灸相关知识，加深了人们对非遗的了解，促进了非遗的传播。

---

① 孙璐. 浅析非物质文化遗产的数字化传承 [J]. 传媒观察，2012（2）：40.

② 杨海波. 数字技术与山东非物质文化遗产保护 [J]. 山东社会科学，2009（1）：156.

（4）增强教育传播功能

数字博物馆是一个重要的宣传窗口，能及时向公众提供有关非遗保护的进展情况和工作动态，同时还能及时公布有关法律法规的最新研究成果。通过网络进行的远程教育对象不再是学生，而是所有的浏览者，从互联网上了解博物馆的资源和信息而不仅仅是限于室内的展览；提供交互式的学习，有固定的授课时间，使学习者既可以浏览，还可以下载；另外网络所加强的馆际间交流，使不同非遗数字博物馆能够相互借鉴学习。

建设名副其实的非遗数字博物馆首先要解决两大挑战：一是技术层面的，二是管理层面的。在技术层面，数字博物馆涉及的技术领域非常宽，需要把海量数据存储、网络技术、虚拟现实、图形图像检索处理等方面的技术突破作为支撑；在管理层面，数字博物馆将在数据采集、存储、传输、展示等各阶段，遇到一系列诸如工作组织管理、知识产权、安全等尚待解决的管理问题①。此外，数字博物馆的建设还处于起步发展阶段，不论是技术应用还是组织管理都存在不少缺陷。建设经验不足、建设水平低，重复性建设造成资源的浪费，建设技术未能与时俱进，难以提供更优质服务，建设成本高缺乏资金等问题较突出，是目前阻碍非遗数字博物馆进一步发展的原因。

2.2　我国非遗档案资源建设模式的分析

我国非遗档案资源建设起源很早，但政策引导下的大规模非遗档案资源建设则源于 21 世纪初文化部发起的全国非遗普查。从这个角度看，我国非遗档案资源建设是采用一种政策导向、自上而下的方式。为了更清楚地调查我国非遗档案资源建设的现状，笔者率领研究团队，从 2013 年暑假开始，前后 5 次到陕西、浙江、湖南、

---

① 陈刚，祝孔强. 数字博物馆及其相关问题分析［J］. 智能建筑与城市信息，2004（6）：32.

安徽、湖北、内蒙古等地进行调研，先后走访了上述省、自治区的文化厅（非遗处）、非遗保护中心和部分市级文化局、文化馆、档案馆、博物馆，前后访问的机构 40 多家，通过调查分析，形成了当前我国非遗档案管理的总体印象。应该承认，在政策的引导下，我国非遗档案资源建设采取了普查、建档、网站建设等多种模式，是一种自上而下的非遗档案资源建设复合模式。

2.2.1 我国非遗档案资源建设的复合模式

我国非遗档案资源建设模式是一种政策导向的复合模式，即综合了国内外非遗档案资源建设的多种模式而形成的一种复合模式。这种模式的形成，归根到底是政策法规导向所致。

2.2.1.1 复合模式形成的政策依据

非遗是非遗档案工作的前提，也是非遗档案工作的归宿①。我国通过文本、资料的形式传承非遗的历史，最早可追溯至西周时期，包括《诗经·国风》《乐府诗集》《山海经》等一些流传至今的珍贵典籍，都可认为是我国非遗建档保护的早期成果。在全球非遗保护运动中，建档保护，即在保护与传承非遗这一基本目标的指导下，立足于非遗、非遗活动以及非遗保护活动相关资料的充分调查和搜集，运用文字记述、拍照、录音、录像等手段，将其固化至一定载体，以供保管、利用和传承的活动②，是非遗保护工作的一个重要方面，也是执行国家政策法规的结果。

在全球保护非遗环境下，我国非遗建档保护主要分为三个阶段：2001—2003 年的启动阶段，通过启动"中国人类口头和非物质遗产"的认证、抢救、保护和研究工程开始提倡和引导非遗保

---

① 何永斌. 谈非物质文化遗产档案工作中的几对关系 [J]. 北京档案，2009（6）：23.

② 李珊珊，周耀林，戴旸. 非物质文化遗产信息资源档案式管理的瓶颈与突破 [J]. 信息资源管理学报，2011（3）：73.

护；2004—2005年的启蒙阶段，通过了《保护非遗公约》，又陆续颁布了相关意见和办法，并于2005年文化部组织开展第一批国家级非遗名录的申报评审工作，极大地加快了非遗保护工作的进程；2006年以后即非遗保护的深入阶段，非遗保护与管理的相关法规、传承人保护法规陆续出台，对于非遗保护的概念、特征、保护措施以及价值认同都有了深层次的进展。在这个发展过程中，与非遗档案资源建设相关的法律法规经历了从地方到中央再到地方的历程，对于推动国家非遗保护政策的形成具有重要作用，为推动全国非遗档案资源建设提供了政策保障。

2000年，我国首部非遗专门性法律法规——《云南省民间传统文化条例》正式颁布，此后，贵州省（2002）、福建省（2004）、广西壮族自治区（2005）、宁夏回族自治区（2006）、江苏省（2006）、浙江省（2007）、江西省（2007）、新疆维吾尔自治区（2008）也相继出台了保护当地非遗的相关条例。这些非遗保护的地方法规的颁布与实施直接推动了国家层面的非遗保护法规的形成。

在国家层面上，2003年11月，经全国教科文卫委员会起草提交全国人民代表大会常务委员会审议的《中华人民共和国民族民间传统文化保护法（草案）》为全国性非遗保护法律的制定做了前期准备。在"非遗"正式成为我国民族民间文化统一称谓后，2004年8月，全国人民代表大会在原有《中华人民共和国民族民间传统文化保护法（草案）》的基础上提出了《非遗法（草案）》，并将其列入全国人大立法规划中。2005年3月，国务院办公厅颁布了《关于加强我国非物质文化遗产保护工作的意见》及其附件《国家级非物质文化遗产代表作申报评定暂行办法》，成为指导和规范我国非遗保护工作的指导性文件。同时，为有力支持和补充上述两部法规的实施，2006年，财务部和文化部共同出台了《国家非物质文化遗产保护专项资金管理暂行办法》，文化部制定了《国家级非物质文化遗产保护与管理暂行办法》；2007年，又相继出台《关于加强老字号非物质文化遗产保护工作的通知》（商务部和文化部）、《关于印发中国非物质文化遗产标志管理办法的通知》（文化部）；2008年，出台了《国家级非物质文化遗产项目代表性传承人认定与管理暂行办法》（文化部）。2011 年 6 月 1 日，十一届全国人大常委会第十九次会议审议通过的《非遗法》正式实施，我国非遗保护工作正式进入有法可依的阶段。

传承人的保护是非遗保护尤为重要的内容。陕西省 2007 年率先出台了《陕西省非物质文化遗产项目代表性传承人认定与管理暂行办法》①，随后 2008 年《国家级非物质文化遗产项目代表性传承人认定与管理暂行办法》出台，地方上，省、直辖市级的安徽（2008）、山西（2008）、宁夏回族自治区（2008）、海南（2009）、湖南（2009）、上海（2009）、福建（2010）、广东（2014）等以及县、区级的湖南安仁县（2010）、浙江黄岩区（2013）、安徽凤阳县（2014）、贵州黎平县（2014）等也相继出台非遗项目代表性传承人认定与管理的法律法规。

鉴于国内非遗保护法律法规的不断成熟，文化部非物质文化遗产司出版了《非物质文化遗产保护法律法规资料汇编》。该汇编包含 7 个部分内容②：第一部分法律及其相关文件；第二部分国务院法规及其相关文件；第三部分有关部委规章及其相关文件；第四部分文化部规章及其相关文件；第五部分人大颁布的地方性法规及其相关文件；第六部分地方规章及其相关文件；第七部分国际公约及其相关文件。该汇编系统地介绍了国内外非遗保护的法律成果，为非遗保护工作提供了指导。

笔者深入研读相关法规条文，兹将与非遗建档相关的条文罗列出来，见表 2-1③。从上述法律法规条文可以看到，非遗建档作为共识，在上述法律法规尤其是 2004 年以后制定的法规中有着明确的规定，这不仅反映了联合国教科文组织《保护非遗公约》中建档条款的规定，也是国内外早期非遗保护工作经验的总结，为非遗

---

①　关于印发《陕西省非物质文化遗产项目代表性传承人认定与管理暂行办法》的通知（陕文发〔2007〕6 号）［Z］.

②　文化部非物质文化遗产司. 非物质文化遗产保护法律法规资料汇编［M］. 北京：文艺出版社，2013.

③　戴旸. 基于群体智慧的非物质文化遗产档案管理研究［D］. 武汉：武汉大学，2013：77-79.

档案建设和管理工作提供了制度保障。

表 2-1　　　　　　　我国非遗建档的相关法律法规条文

序号	法规名称	颁布时间	相关内容	
			条款	具体内容
1	云南省民族民间传统文化保护条例	2000 年5 月	第二章第十二条	对于收集到的重要的民族民间传统文化资料，有关单位应当进行必要的整理、规定，根据需要选编出版。重要的民族民间传统文化资料、实物，应当采用电子音像等先进技术长期保存
2	贵州省民族民间文化保护条例	2002 年7 月	第二章第十条	县级以上人民政府文化、民族宗教实物等部门对于整理、搜集的民族民间文化资料，应当进行系统的整理、归档，逐步建立信息查询系统。重要的民族民间文化资料、实物应当长期保存
3	福建省民族民间文化保护条例	2004 年9 月	第二章第八条	县级以上地方人民政府文化主管部门应当对本行政区域内的民族民间文化进行普查、确认、登记、立档，加强挖掘、整理、研究工作，弘扬优秀的民族民间文化
4	广西壮族自治区民族民间传统文化条例	2005 年4 月	第二章第十一条	县级以上人民政府文化主管部门应当组织本行政区域内民族民间传统文化的普查、搜集、整理和研究工作，建立民族民间传统文化保护档案
5	关于加强我国非物质文化遗产保护工作的意见	2005 年3 月	第三部分	……要运用文字、录音、录像、数字化多媒体等多种方式，对非遗进行真实、系统和全面的积累，建立档案和数据库

143

续表

序号	法规名称	颁布时间	相关内容	
			条款	具体内容
6	国家级非物质文化遗产代表作申报评定暂行办法	2005 年3 月	第七条	建档：通过搜集、记录、分类、编目等方式，为申报项目建立完整的档案
7	国家级非物质文化遗产保护与管理暂行办法	2006 年10 月	第八条	全面收集该项目的实物、资料，并登记、整理、建档
8	国家级非物质文化遗产项目代表性传承人认定与管理暂行办法	2008 年5 月	第十一条	国家级非遗项目保护单位应采取文字、图片、录音、录像等方式，全面记录该项目代表性传承人掌握的非遗表现形式、技艺和知识等，有计划地征集并报告代表性传承人的代表作品，建立有关档案
			第十五条	国务院文化主管部门应当建立国家级非遗项目代表性传承人档案
9	宁夏回族自治区非物质文化遗产保护条例	2006 年7 月	第二章第十二条	文化主管部门应当采用录音、录像、拍照、文字记录、数字化多媒体、实物收集等方法建立非遗档案和数据库。自治区文化主管部门应当指导和协助市、县（市、区）文化主管部门做好非遗的档案建立和代表作名录的编列工作

续表

序号	法规名称	颁布时间	相关内容	
			条款	具体内容
10	江苏省非物质文化遗产保护条例	2006年9月	第二章第十条	县级以上地方人民政府应当组织文化主管部门及其他有关部门对本行政区域内的非遗进行普查、确认、登记，运用文字、录音、录像、数字化多媒体等方式，对非遗进行真实、系统和全面的记录。 县级以上地方人民政府文化主管部门应当建立非遗档案及相关数据库，可以公布的，应当及时公布
11	新疆维吾尔自治区非物质文化遗产保护条例	2008年1月	第二章第十条	县级以上人民政府应当组织文化主管部门及其他有关部门对本行政区域内的非遗进行普查、调查，了解和掌握非遗资源的种类、数量、分布状况、保护现状及存在问题，运用文字、录音、录像、数字化多媒体等方式，对非遗进行真实、系统和全面记录，并建立非遗档案和相关数据库
12	安徽省省级非物质文化遗产项目代表性传承人认定与管理暂行办法	2008年12月	第十条	省级非遗项目保护单位应采取文字、图片、录音、录像等方式，全面记录该项目代表性传承人掌握的非遗表现形式、技艺和知识等，有计划地征集并保管代表性传承人代表作品，建立有关档案

145

续表

序号	法规名称	颁布时间	相关内容	
			条款	具体内容
13	重庆市非物质文化遗产项目代表性传承人认定与管理暂行办法	2008 年 8 月	第十一条	市级以上非遗项目保护单位应采取文字、图片、录音、录像等方式，全面记录该项目代表性传承人掌握的非遗表现形式、技艺和知识等，有计划地征集并保管代表性传承人的代表作品，建立有关档案
14	上海市非物质文化遗产项目代表性传承人认定与管理暂行办法	2009 年 4 月	第十六条	上海市非遗项目保护单位应采取文字、图片、录音、录像等方式，全面记录上海市非遗项目代表性传承人掌握的非遗表现形式、技艺和相关知识等，有计划地征集并保管其代表作品，建立专门档案
15	河北省省级非物质文化遗产项目代表性传承人认定与管理暂行办法	2009 年 12 月	第十一条	各级文化主管部门和省级非遗项目保护单位应采取文字、图片、录音、录像等方式，全面记录省级非遗项目代表性传承人掌握的非遗表现形式、技艺和知识等，有计划地征集并保管代表性传承人的代表作品，建立有关档案
16	福建省非物质文化遗产项目代表性传承人认定与管理暂行办法	2010 年 4 月	第十九条	各级文化主管部门和非遗保护中心应采取文字、图片、录音、录像等方式，全面记录传承人所掌握的非遗的表现形式、技艺、技能和知识等资料，建立本区域内省级非遗项目代表性传承人档案

续表

序号	法规名称	颁布时间	相关内容	
			条款	具体内容
17	非遗法	2011年6月	第二章第十二条	文化主管部门和其他有关部门进行非遗调查，应当对非遗予以认定、记录、建档，建立健全调查信息共享机制。 文化主管部门和其他有关部门进行非遗调查，应当收集属于非遗组成部分的代表性实物，整理调查工作中取得的资料，并妥善保存，防止损毁、流失。其他有关部门取得的实物图片、资料复制件，应当汇交给同级文化主管部门
18	湖北省非物质文化遗产条例	2012年9月	第一章第四条	对非物质文化遗产应当采取认定、记录、建档等措施予以保存，对体现中华民族优秀传统文化，具有历史、文学、艺术、科学价值的非物质文化遗产应当采取传承、传播等措施予以保护
19	江苏省非物质文化遗产保护条例	2013年4月	第九条	非物质文化遗产调查应当运用文字、录音、录像、数字化多媒体等方式，对非物质文化遗产进行真实、系统和全面的记录，建立非物质文化遗产档案和相关数据库。除依法应当保密的外，非物质文化遗产档案及相关数据信息应当公开，便于公众查阅

从表 2-1 可以看出，我国非遗档案资源建设立法的政策内容大致分为以下几个方面：非遗普查和记录、非遗收集和保管、非遗资

源建档、非遗传承人建档、非遗数据库建设。这些方面的政策为我国非遗档案资源建设乃至非遗保护实践提供了依据，同时也形成了多种实践活动齐头并进，为非遗档案资源建设复合模式的形成提供了政策支持。

2.2.2 复合模式的体现

非遗档案资源建设的业务综合化是指我国当前的非遗资源建设并非采取某种单一的模式，而是采取了普查模式、建库模式、建站模式、建库模式、建馆模式（详见第 2 章）等多种模式的结合，形成了一种基于非遗档案资源建设多种模式相结合的复合模式。这种业务复合模式主要体现在：

2.2.2.1 非遗资源普查

非遗普查是做好非遗档案资源建设的一项基础性工作，要统一部署、有序进行。通过开展对非遗的现状调查，有利于全面了解和掌握全国各地、各民族非遗资源的种类、数量、分布状况、生存环境、保护现状、存在问题等各方面的情况。在普查的同时，也要重视运用文字、录音、录像、数字化多媒体等各种方式，对非遗进行真实、系统和全面的记录，以便为非遗资源建设的后期工作提供参考资料和理论依据。例如，《中国民族民间文化保护工程实施方案》提出"对民族民间传统文化进行全面普查、确认、登记"，要求做到"全面普查，摸清家底"。2005 年《文化部办公厅关于开展非物质文化遗产普查工作的通知》颁布实施以后，全国范围的普查工作得到了落实，摸清了全国非遗的数量，并建立了各级各类的非遗项目和传承人档案。

非遗普查属于非遗登录-普查模式，在我国经历了三个主要阶段（详见本章第 1 节），从 2010 年至今，是非遗普查完善阶段。在全国非遗普查的引导下，各地区继续加强非遗普查工作，并树立颁布相关法律法规，建设普查数据库等，保证普查工作的有序实施。《非遗法》的出台明确规定了普查制度，指出普查工作是非遗保护的一项基础工作，为非遗普查提供了全国性的法律依据。并于2012 年底完成《普查信息数字化采集》《采集方案编写规范》《数字资源采集实施规范》《数字资源著录规则》的制定，保障国家层面非遗采集的统筹规划和统一的标准规范。各个地方依据上述规范，进行了非遗的普查工作。例如，2012 年重庆颁布《重庆市非物质文化遗产条例》，以此为依据，重庆市普查出的非遗项目共计 10 大门类，4110 项①。

在普查过程中，各地为保证普查工作的有序进行，都相应采取了因地制宜的措施。从 2005 年起，山东省通过加强机构建设，推进普查资料的规范化。在普查队伍上，一方面抓培训，举办近 400 期（次）非遗培训班，有效提高了普查队伍综合素质和专业能力；另一方面，积极引进高层次非遗专业人才，并充分发挥社会各界专家作用，县级以上都建立了专家委会或专家小组，并聘请大批离职退休的文艺工作者协助非遗保护工作。在制度规范上，2008 年山东省文化厅结合《普查手册》的规定，制定了《山东省非物质文化遗产普查验收标准》，规定了普查成果的验收要求。山西省为规避各地由于经济发展水平差异导致的非遗保护工作认识深浅不一的情况，采取了由点到面的"三步走"方针，即首先确定一个具有典型意义的试点县，省保护中心通过配合其普查工作总结出一套完整的普查经验和方法；其次，在全省 11 个市中各选一个县推行此方法，并加以完善；最后，形成可指导全省各县的普查范本。江苏省则动员社会力量进行全面普查，即充分利用报纸、广播、电视、网站等媒体优势，并通过设立咨询处、公布热线电话以及发放调查表、召开座谈会等形式宣传普查工作，提高公众的参与意识。常熟市便通过开通普查"寻宝热线"，收集到市民提供的信息 100 余条，并充分利用高校人才资源和民间团体力量开展普查工作，先后有 400 多人参加调查，访问千余人，包括 500 多位民间艺人，得到 2000 多分钟的录像。宁夏则通过普查与保护并举的措施，实现遗普查工作的实施。首先，从 2007 年起，宁夏结合普查，对民间艺

149

① 新浪网. 非遗条例实施两年半 全市普查项目 4110 项［EB/OL］.［2015-06-10］. http：//news. sina. com. cn/o/2015-06-10/025931932405. shtml.

人进行调查登记，对 40 余位自治区县级以上非遗项目代表性传承人进行抢救性录音行动，完成总时长约 1600 分钟的录像资料；其次，以代表人为核心，选择建立了 20 个传承基地，并将非遗引进校园，实现传统艺术与学校教育的结合；同时，通过开展非遗展示和表演活动推动普查工作；最后，整编出一批普查成果①。

通过全国范围内的非遗普查工作，我国目前已确定四批国家级非遗名录，部分省市已经公布第五批省市级非遗名录。2005 年年初，国务院印发的《关于加强我国非物质文化遗产保护工作的意见》要求通过制定评审标准和科学认定，建立"国家+省+市+县"的 4 级保护体系，其附件《国家级非物质文化遗产代表作申报评定暂行办法》对非遗的申报、评定作了较详细的要求，为加强非遗的研究、认定保存和传播提供了规范化、科学化的参考机制。同年 6 月，文化部下发了《关于申报第一批国家级非物质文化遗产代表作的通知》，正式启动建设非遗国家级名录工程。2006 年 5 月，公布了第一批国家级非遗名录，共 518 项②；2008 年 6 月公布了第二批国家级非遗名录和第一批国家级非遗扩展项目名录，分别为 510 项和 147 项③；2011 年 5 月公布第三批国家级非遗名录和非遗名录扩展项目名录，分别为 191 项和 164 项④；2014 年 11 月公布第四批国家级非遗代表性项目名录和非遗名录扩展项目名录，都为 153 项⑤。除此之外，各省、直辖市、自治区也相继建立非遗保

---

① 林理."非遗"普查 看看他们怎么做 [EB/OL]. [2008-11-30]. http：//epaper. ccdy. cn/html/2008-11-30/content_20711. htm.

② 中央政府门户网站. 国务院关于公布第一批国家级非物质文化遗产名录的通知（国发 [2006] 18 号）[Z].

③ 中央政府门户网站. 国务院关于公布第二批国家级非物质文化遗产名录和第一批国家级非物质文化遗产扩展项目名录的通知（国发〔2008〕19 号）[Z].

④ 中央政府门户网站. 国务院关于公布第三批国家级非物质文化遗产名录的通知（国发 [2011] 14 号）[Z].

⑤ 国务院关于公布第四批国家级非物质文化遗产代表性项目名录的通知（国发 [2014] 59 号）[Z].

护名录，并逐步向市、县扩展，以江苏省为例，江苏省已先后批准命名了三批省级非遗名录，共 298 项，市级非遗名录 1424 项，县级 2773 项①。截至 2014 年上半年，拥有非遗名录 4675 项②，非遗保护的 4 级名录体系基本覆盖。

2.2.2.2　非遗建档

在非遗资源建设过程中，要注重对非遗本身及非遗名录、代表性项目、传承人等相关资料的收集，经各级政府授权的有关单位还可制定相应的征集制度进行非遗资料的征集工作。对于收集到的资料，有关单位应采取有效措施予以妥善保管，防止珍贵的非遗实物和资料流出境外。例如，《关于加强我国非物质文化遗产保护工作的意见》规定，"经各级政府授权的有关单位可以征集非遗实物、资料，并予以妥善保管"，这是非遗建档的基本依据之一（见本章第 1 节）。非遗档案记录了非遗本身各个阶段的信息成果以及反映其管理与保护工作的全过程的所有记录成果，将非物质形态的文化资源固化成物质再现，保障了非遗资源信息的真实性和可靠性。因此，非遗档案具有档案的凭证价值和参考价值，既增强了非遗的可信程度，又对非遗资源的开发利用、非遗的保护工作有着重要的借鉴意义和推动作用。同时档案的社会记忆属性，将非遗档案与国家、民族、社会、家庭的历史记忆有机联结在一起，使得非遗资源的文化内涵得以彰显，社会记忆价值得到认可和重视。

非遗建档主要体现在非遗项目建档和非遗传承人建档两个方面：

非遗项目建档方面，主要是通过非遗资源的普查，运用文字、录音、录像、数字化多媒体等各种方式，对非遗进行真实、系统和全面的记录，并为非遗建立完整、全面的档案。此外，非遗代表作申报单位应为其申报的项目建立完整的档案，非遗项目保护单位应

151

① 江苏 "非物质文化遗产" 列全国首位 ［EB/OL］. ［2012-12-14］. http：//news. sina. com. cn/o/2012-12-14/145425813856. shtml.

② 王琦. 民盟江苏省委提案建言 让江苏非物质文化遗产 "活过来" ［EB/OL］. ［2015-01-28］. http：//js. ifeng. com/news/detail_2015_01/28/3492025_0. shtml.

为代表性传承人建立相关的档案。例如，《国家级非物质文化遗产代表作申报评定暂行办法》强调"通过搜集、记录、分类、编目等方式，为申报项目建立完整的档案"。

非遗传承人建档方面，主要是建立非遗传承人档案，是指为非遗传承人建立的档案，记录和反映传承人的基本情况、学习与实践经历、传承非遗的活动状况和传承状态、持有该项目的认定和管理情况①。非遗传承人建档的法规政策体现在两个层面：一是非遗保护的综合性法规中有部分条款提到建立传承人档案，例如《中华人民共和国非物质文化遗产保护法》第三十一条指出非遗传承人应当"妥善保存相关的实物、资料"；二是专门的非遗传承人建档政策，如文化部出台的《国家级非物质文化遗产项目代表性传承人认定与管理暂行办法》明确要求"国家级非物质文化遗产项目保护单位应有计划地征集并保管代表性传承人的代表作品，建立有关档案"。

2.2.2.3 非遗档案资源建库

非遗档案资源建库也就是非遗档案资源建库模式（见本章第1节）。非遗数据库的建设是保存非遗档案，实现非遗档案资源信息化的工作之一，在实现非遗档案统一管理、高效检索、集成共享等方面具有重要作用。当前我国非遗档案数据库建设主要是围绕非遗档案目录数据库、多媒体数据库、传承人数据库和专题数据库展开。在普查基础上，还应做好非物质遗产及其代表作名录、保护项目、传承人等的数据库的建立，初步建立起适应社会发展、满足工作需要、兼顾各地实际、提供公共服务的数据库群和全国、省、市、县四级非遗保护信息化管理工作平台。这个方面的政策主要体现在《文化部"十二五"时期文化改革发展规划》中。该规划提出，"征集并妥善保管相关珍贵实物和资料，建立档案和数据库"。

非遗档案目录数据库立足于非遗名录体系，整合和及时更新国内申报的非遗资料，提供便捷的信息查询。当前由福客网技术支持

152

---

① 周耀林，戴旸，程齐凯．非物质文化遗产档案管理理论与实践[M]．武汉：武汉大学出版社，2013：67.

构建的中国非遗名录数据库，按照地区、非遗类别和非遗等级分别统计非遗名录，并及时更新申遗动态，从总体上展示了国内非遗保护进程。非遗档案多媒体数据库则充分利用现代技术和网络系统，将以单一、静态的文字描述形式存在的非遗资料以动态的，集文字、图像、音频、视频等多种方式于一体的方式展现出来，使利用者能全面了解和研究非遗档案，有助于其直观、真实地感受非遗的艺术魅力。非遗传承人数据库，则是专门针对传承人，通过录音、录像等多种方式采集和详细记录传承人个人的基本资料、传承项目，从而帮助我们全面、及时地获取传承人的生存状态以及传承的非遗项目的存续情况。中国艺术研究院组织的"中国民间工艺美术传承人口述史数据库筹建"目前已完成近百人的采访和数据收集，数据库也已搭建，部分非遗传承人以及传承动态已录入到数据库中，使用者可通过数据库直观地感受传承人情况。非遗档案专题数据库较之于综合性的非遗档案专题数据库具有针对性强、地域特色突出的特点，优秀的非遗档案专题数据库，既具有多媒体数据库的特点，能够提供用户多个检索途径以及丰富的展示方式，同时也可突出其专业特色。当前我国建成的非遗档案数据库有中国荣昌陶艺文献专题数据库、山西戏剧文物文献数据库、楚雄彝族文献专题数据库、伏羲文化文献专题数据库等，在反映某个民族、地区的非遗特色方面能够突出重点、彰显特色。

第一次全国性非遗普查结束后，留下大量的非遗材料有待整理，在技术的推动下，对非遗档案资源的数字化建设成为必然选择。2005年，中国艺术研究院成立"中国艺术研究院非遗数据库管理中心"，希望建立中国非遗数据库及电子管理系统，对各种非遗信息分类管理和安全存储；2006年湖北省宜昌市率先建立非遗数据库，存储图片近5000张，视频2.5T以及文字数据2G，各县市数据量近1.8T①；2007年，昆明市基于非遗档案普查、收集工作，制定非遗档案分类表，对文本数据进行数字化转录、存储；

---

① 保护地方艺术 宜昌建立非物质文化遗产数据库_艺廊漫步更多_中国经济网-国家经济门户［EB/OL］.［2014-12-14］. http：//www.ce.cn/kjwh/ylmb/ylgd/200607/03/t20060703_7594920.shtml.

2008 年四川成都市建成非遗普查数据库，创建非遗项目 120 多个，录入文字近 25 万，电子表格近千张①；同年，江苏太仓市完成了 500 多件非遗文字、图片、音像等资料的扫描②，初步建设非遗档案专题数据库；2009 年，天津大学冯骥才文学艺术研究院成立"天津大学中国非遗保护数据中心"，完成对已存的数百万文字材料、几十万张图片资料和上千小时的录音、影像资料的数字化建设③；同年，内蒙古鄂尔多斯市完成对 116 项非遗资料、162 卷纸质档案的数字化，并建设非遗数据库。

在地方非遗档案数字化建设的推动下，2010 年文化部提出将"非遗数字化保护工程"纳入"十二五"规划，2011 年，此项目正式启动，中国艺术研究院承担起此工程的建设任务，中国艺术研究院中国非遗数字化保护中心则负责具体实施。截至 2013 年年底，在标准体系上，完成非遗数字化基础标准 3 个（《术语和图符》《数字资源信息分类与编码》《数字资源核心元数据》），民间文学类、传统戏剧类、传统美术类、传统技艺类中的民居营造技艺业务标准 4 个（《普查信息数字化采集》《采集方案编写规范》《数字资源采集实施规范》《数字资源著录规则》）④ 和"六大门类数字化保护标准（草案）"，基本建成统一的非遗数字化保护标准体系。在非遗档案数字化基础上，当前已建成非遗普查资源数据库、非遗项目资源数据库、非遗专题资源数据库和非遗数字化保护管理系统，存储信息总量达 16.6TB⑤。为加快数字化进程，决定采取由点到面的方法，综合考虑地方数字化工作经验、人员队伍建设和硬

---

① 成都建成非物遗产普查数据库_新闻中心_新浪网［EB/OL］.［2014-12-14］. http：//news. sina. com. cn/c/2008-02-24/043013464128s. shtml.

② 陈妙生，陆英. 太仓市加强非物质文化遗产档案工作的探索与思考［J］. 档案与建设，2009（2）：58-59.

③ 天津大学建成首家非物质文化遗产保护数据中心模式的实践科研发展模式的实践中国教育和科研计算机网 CERNET［EB/OL］.［2014-12-14］. http：//www. edu. cn/gao_xiao_zi_xun_1091/20090615/t20090615_384111. shtml.

④ 丁岩. 吹响非遗数字化保护工作的时代号角［EB/OL］.［2014-12-11］. http：//epaper. ccdy. cn/html/2013-12/11/content_113351. htm.

⑤《中国非物质文化遗产保护发展报告（2014）》发布［EB/OL］.［2014-11-02］. http：//politics. gmw. cn/2014-11/02/content_13732693. htm.

件设施配置等因素，将辽宁、江苏、河南、福建、云南、山东、安徽、贵州、湖北、广东10个省以及大连市、湖南省湘西土家族苗族自治州和西藏自治区昌都市，共计13个地区作为首批试点单位，试点国家级非遗项目33项，涉及非遗十大门类。当前已为各试点省市非遗中心和项目单位安装了非遗数字化管理软件，下发使用手册和标准规范范文，并进行技术培训①。

2.2.2.4 非遗数字博物馆

非遗数字博物馆就是非遗档案资源建设的"建馆模式"（见本章第1节）。我国的数字博物馆经历了"博物馆数字化""博物馆上网"到"数字博物馆"的历程。应该说，数字博物馆的发展带动了非遗数字博物馆的建设，推动了非遗档案资源与博物馆在数字化环境下的结合。

1997年，我国非遗博物馆建设的比较典型的有中国乃至亚洲第一座生态博物馆——梭嘎生态博物馆，以展示梭嘎苗族的原始文化习俗为主。

2004年建设的中国第一座瑶族生态博物馆，广西第一座生态博物馆——白裤瑶生态博物馆，以展示白裤瑶民的民风民俗为主。同年，"北京中医药数字博物馆"启动，设有10大中医药类别，分别对中药的发展史、传统药方、制药工艺以及珍贵医学作品进行数字化展示。

2006年，"北京数字博物馆"上线，囊括了北京戏曲博物馆、北京工艺美术博物馆、北京东韵民族艺术博物馆等多个非遗博物馆，尽显非遗魅力。

2006年，"中国非遗数字博物馆"实时更新非遗保护动态，详尽介绍非遗法规，按照传承人和国家名录体系采集与收录相关非遗材料进行系统展示。

2008年我国首个少数民族数字博物馆——"羌族文化数字博

155

---

① 丁岩. 吹响非遗数字化保护工作的时代号角 [EB/OL]. [2014-12-11]. http：//epaper.ccdy.cn/html/2013-12/11/content_113351.htm.

物馆"正式开通，用八个板块以丰富的图片、文字史料以及相关学术论文、新闻动态和专题报道，展现出羌族丰富多彩的非遗文化。

2009 年完全依靠民间力量建设而成的专题博物馆——中国曲艺非遗博物馆，以展示北京述评、北京情书、梅花大鼓、连珠快书等曲艺非遗保护项目为主。

2010 年建设的第一家少数民族非遗展览馆——图们朝鲜族非遗馆，以展示朝鲜民族民间文艺文化为主。同年，开通重庆少数民族传统文化数字博物馆，率先实现对省域少数民族传统文化全方位、规模化的数字展示。除此之外，山西、成都、常州、新疆、江西等各地也陆续开始筹建非遗数字档案馆，让封闭、分散的非遗档案变成鲜活的图片、模型。

大型非遗数字博物馆以建成非遗实体博物馆或非遗实体展示中心的形式进行展示，为非遗档案资源的长期展示、利用提供了基础平台。

2.2.2.5 非遗档案资源网站

非遗档案资源网站展示其实就是非遗建站模式（见本章第 1 节）。非遗网站是互联网时代推动非遗档案资源利用和服务的重要途径，与非遗资源数据库的建设相辅，当前已涵盖了非遗保护组织机构、法规文件、国家名录、普查申报地区、申报资料档案、新闻动态等内容。

据统计，现已建成国家级非遗专业网站 5 个，省（直辖市、自治区）级专业网站 26 个，市（州）级专业网站 23 个，县级 7 个，逐步建成覆盖全国各地的非遗网络体系，见表 2-2。非遗网站的建设和运营推动了非遗档案资源的利用和服务，如中国非遗保护成果展览网上展馆，按照综合版块、地方版块和展馆内外分别展示了非遗保护中的图片、视频、文字等档案资料，充分利用了非遗档案资源，传播非遗文化。

表2-2　　　　　　　　　　我国各级非遗网站统计①

级别	数量	网 站 名 称
国家级	5	非物质文化遗产·中国非物质文化遗产数字博物馆、中国非物质文化遗产网、中国非物质文化遗产保护成果展览网上展馆、56个民族非物质文化遗产博物馆网、中国非物质文化遗产保护与研究网
省（自治区、直辖市）级	26	浙江省非物质文化遗产网、河北非物质文化遗产保护网、上海非物质文化遗产网、北京市非物质文化遗产保护中心、山西省非物质文化遗产保护中心、新疆非物质文化遗产保护研究中心网、湖北非物质文化遗产网、河南非物质文化遗产信息网、湖南非物质文化遗产网、福建非遗网·福建省非物质文化遗产保护中心、云南非物质文化遗产保护网、宁夏非物质文化遗产保护网、陕西省非物质文化遗产网、重庆非物质文化保护中心、四川非物质文化遗产网、吉林非物质文化遗产网、内蒙古非物质文化遗产保护中心、海南非物质文化遗产网、江西非物质文化遗产网、江苏非物质文化遗产网、广东非遗网、安徽非物质文化遗产网、辽宁非物质文化遗产保护、山东省非物质文化遗产保护中心、贵州非物质文化遗产网、天津市非物质文化遗产网
市（州）级	23	天津市河西区非物质文化遗产、北京宣武区非遗保护、宁波非物质文化遗产网、嘉兴市非物质文化遗产网、中山市非物质文化遗产、广州市非物质文化遗产保护中心、深圳市非物质文化遗产网、苏州非物质文化遗产信息网、江门市非物质文化遗产保护网、潍坊非物质文化遗产保护网、潮州非物质文化遗产信息网、潮阳民艺·潮阳非物质文化遗产网、延边非物质文化遗产网、连云港非物质文化遗产网、凉山非遗网、镇江非遗网、常熟非物质文化遗产网、禹州市非物质文化遗产保护中心、楚雄州非遗网、三明市非物质文化遗产网、长沙非物质文化遗产网、泉州非遗网络展示馆、成都市非物质文化遗产保护中心

157

---

① 李珊珊，周耀林，戴旸. 非物质文化遗产信息资源档案式管理的瓶颈与突破［J］. 信息资源管理学报，2011（3）：74.

级别	数量	网 站 名 称
县级	7	安溪非物质文化遗产网、潮安县非物质文化遗产保护网、邵阳县非物质文化遗产网、中国绍兴柯桥非遗网、中国湖州德清非遗网、嘉善非物质文化遗产网、鄞州区非物质文化遗产网

注：本表统计更新于 2016 年 6 月 20 日。

2.2.2.6　非遗档案资源的展览

《非遗法》的第四章第三十二条、第三十五条以及第三十六条明确规定了县级以上人民政府应当结合实际情况，采取有效措施，组织文化主管部门和其他有关部门宣传、展示非遗代表性项目；国家鼓励和支持公民法人和其他组织依法设立非遗展示场地和传承场所，展示和传承非遗代表性项目。非遗档案展示即政府、社会组织机构或个人，通过大量文本、照片、录音、录像或实物以及现场演示等形式将非遗档案资源展示在社会公众面前，从而达到宣传非遗成果，弘扬优秀民族文化的作用。非遗档案展示，形式上包括单纯文本式展览，以及文本、声音、视频等多种形式相结合的动态展示；时间上可区分为短期的非遗档案展览和常规化档案展示；展览目的上可分为仅为宣传展示非遗、提高公众非遗保护意识的公益性非遗档案展览，以及融入大量现场演示，注重非遗产业化运作和非遗项目市场价值的市场化非遗档案展览。

公益性非遗档案展览的主体一般是政府机构、非遗保护单位、文化事业机构，如档案馆、文化馆、艺术馆等，其目的是通过让公众深入接触、体验非遗，从而提高公众的非遗保护意识，提高非遗知名度。其可分为短期展览和长期展览。

短期的非遗档案展览是在前期非遗普查、建档工作的基础上展开的。2006 年 1 月，在中国国家博物馆，文化部主办了"中国非物质文化遗产保护成果展"，这是我国政府第一次举办全面反映非遗保护成果的大规模展览①；2007 年，在中华世纪坛，由文化部和中国艺术研究院中国非遗保护中心共同举办的"中国非物质文化遗产专题展"，采用实物、展板和现场制作等多种方式全方位地展现了中国的木版年画、民间剪纸艺术、皮影艺术、木偶艺术和传统染织技艺等文化魅力②；2010 年，在首都博物馆，由文化部民族民间文艺发展中心首都博物馆主办的中国非遗数字化成果以"中国民族民间文艺集成志书"为核心，围绕数字典藏和数字展示，展示出多种非遗数字化成果③。除了非遗档案的短期展览外，还有非遗档案的长期展览，后者在生态博物馆里开展（参见前文）。

此外，市场化的非遗档案展览是对非遗档案的一种生产性保护，试图通过市场经济的内在驱动力向非遗注入保护和传承动力，既能在市场竞争中取得经济效益，亦能实现宣传展示非遗档案的公益性目的，其形式主要有非遗博览会、非遗节和文化产业博览会（以下简称"文博会"）。严格地说，这种展览会大大超过了非遗档案展的范围，但其中仍然有不少属于是非遗档案的范畴，因此有必要在此提及。

全国已形成"东部一会、西部一节"（"东部一会"指的是中国·济南非遗博览会，"西部一节"指的是中国·成都国际非遗节）交替举办，循环推进的良好格局④。

文化部和山东省人民政府分别在 2010 年、2012 年、2014 年联合举办中国非遗博览会，第一届博览会参观人数 65 万多人次，各参展摊位销售总额达 1196 余万元，来自全国各地的 505 个项目现

---

① 非物质文化遗产保护成果展今日在京启幕［EB/OL］.［2006-02-12］. http：//culture. people. com. cn/GB/22219/4095763. html.

② 中国非物质文化遗产专题展［EB/OL］.［2007-06-08］. http：// www. worldartmuseum. cn/content/596/2646_1. shtml.

③ 中国非遗数字化成果展首博开幕［EB/OL］.［2010-06-15］. http：// www. 21nowart. com/portal. php？ mod＝view&aid＝187458.

④ 陈建. 非物质文化遗产档案展览研究［D］. 山东：山东大学，2011：25.

场签约，签约额达 432 亿元①；第二届博览会共吸引全国 767 个非遗项目参展，第一天达成合作签约项目 135 个，协议资金总额 442.6 亿元②；第三届博览会有近 700 个项目和 500 多位传承人进行展示表演，项目签约总额达 409 亿元③。三届博览会都通过非遗档案展览以生产性保护的形式使非遗保护融入大众生活当中。

成都举办的"中国非遗节"，仅第四届非遗节参加国家和地区达 107 个，为历届之最，并以"生产性保护"为主题，推出非遗工艺美术精品展、非遗衍生创意产品展销和全国工艺品艺术博览会等专题展，希望运用市场手段，推动非遗的生产性保护④。

文博会的内容涉及较广，包括报业、出版发行、文化旅游等多项领域，其中非遗领域是文博会的重要板块之一。当前国内主要的文博会包括云南文博会、山东文博会、北京文博会以及深圳国际文博会，各博览会在举办过程中都会专门设有非遗展示馆或某一非遗项目展示馆。以山东文博会为例，2014 年举办的第五届文博会专门设立了文化艺术展区，主要展示国家级和省级非遗产品以及各类工艺美术作品，邀请非遗传承人现场技艺展演，包括面塑艺术大师刘玉超、微雕艺术大师张军、烙画大师丛志强、鲁绣代表人物宋爱华等数十位民间艺术大师，此次文博会历时 4 天，参观人数达 140 万，文化产品现场交易额近 35 亿元⑤。由此可见，文博会对非遗融入市场，实现生产性保护具有积极作用。

---

① 陈建. 非物质文化遗产档案展览研究 [D]. 山东：山东大学，2011：26.

② 枣庄非博会达成 135 个签约项目 总金额超 400 亿 [EB/OL]. [2012-09-08]. http：//news. iqilu. com/shandong/yaowen/2012/0908/1317259. shtml.

③ 第三届中国非物质文化遗产博览会闭幕成果丰硕 [EB/OL]. [2014-10-14]. http：//travel. 163. com/14/1014/15/A8HDNNAD00063JSA. html.

④ 第四届国际非遗节引来 80 国家 诸多亮点凸显成都魅力 [EB/OL]. [2013-05-28]. http：//scnews. newssc. org/system/2013/05/28/013786572. shtml.

⑤ 第五届山东文博会闭幕 现场交易额近 35 亿元 [EB/OL]. [2014-08-31]. http：//www. sccif. com/five/zxbd/201408/t20140831_10941004. htm.

2.2.2.7 非遗档案出版

《中华人民共和国档案法实施办法》第三章第十四条规定，既是文物、图书资料又是档案的，档案馆可以与博物馆、图书馆、纪念馆等单位相互交换重复件、复制件或者目录，联合举办展览，共同编辑出版有关史料或者进行史料研究。对收集、整理的非遗档案进行编研工作，推出各种类型的出版物，既能深入挖掘非遗的特质和文化内涵，向公众突出其独特的文化魅力，提高社会的非遗保护意识，又能为相关文化研究活动提供可靠、系统的材料储备，促进相关产业发展，是非遗档案资源建设的一项重要途径。根据编研目的不同，我国对非遗档案资源的编研主要集中于以下两个方面：

（1）非遗档案汇编，介绍和传承非遗成果

非遗档案是对非遗活动的历史面貌和历史进程的完整记录，因此通过整合非遗档案能够完整地反映非遗的活动进程，反映非遗的分布情况、文化面貌、历史渊源，为非遗传承提供科学依据和文化支撑。2004 年出版的，由全国政协昆室组织编辑的《中国昆曲精选剧目曲谱大成》，集中收集了 70 部昆曲优秀精选剧目的演出本、唱腔曲谱和配乐等，是对昆曲艺术资料的汇编，反映了昆曲的保存状况和文化内涵。2009 年历时 30 年编撰完成的"十套中国民族民间文艺集成志书"（分别为《中国民间歌曲集成》《中国戏曲音乐集成》《中国曲艺音乐集成》《中国民族民间器乐曲集成》《中国民族民间舞蹈集成》《中国歌谣集成》《中国民间故事集成》《中国谚语集成》《中国曲艺志》《中国戏曲志》）被誉为中国文化史上的"文化长城"，共 400 册，有 5 亿字，298 部省卷，系统介绍了民间文艺成果，为非遗保护和传承奠定基础。被列入"国家十一五重点图书出版规划"的《中国文化遗产大辞典》已于 2009 年出版，该词典收录了从 1961 年至 2009 年国务院公布的 2351 处全国重点文物保护单位、107 座国家历史文化名城、80 个国家历史文化名镇（村）、187 处国家重点风景名胜区以及国务院首批公布的

161

10 大类 518 项国家级非遗①，实现对非遗的深度挖掘，展现出我国非遗保护面貌。2014 年，由山东友谊出版社承担出版的《非物质文化遗产记忆档案》（当前已出版《齐鲁非物质文化遗产丛书》（10 卷）、《山东省省级非物质文化遗产代表性传承人》（2 卷）、《山东省省级非物质文化遗产项目图典》（2 卷）、《山东地方戏丛书》（15 卷））② 正式推出，该书是从我国上千种世界级和国家级非遗中精选出的具有代表性和影响力的作品，包括传统美术、技艺、民俗等多个门类，对展现非遗成果，满足读者的多元化需求起到重要作用。

（2）非遗档案分析，考证和还原非遗文化

非遗档案作为非遗活动的原始记录材料，其原始记录性是区别于其他记录形式的本质属性，也是非遗档案能够作为考证非遗成果，还原历史面貌的根本原因。2014 年，涡阳县的《老子传说》即通过收集、挖掘相关的历史典籍、文物资料以及口述档案证实了《史记》中所记载的老子的出生地楚国苦县即安徽涡阳，解决了历史一大难题。同样，湖南侗族学者林河，出版了达 20 余万字的论著《九歌与沅湘民俗》，比较考证了屈原的《九歌》和沅湘地区的民俗，通过查找许多鲜为人知的民俗资料，证实了流传在沅湘地区的巫歌巫舞，是屈原《九歌》的活化石，提出《九歌》即《神歌》的论断，解决了文学史上一直存在的一个难题，被学者称为"打开楚辞宝库的一把金钥匙"。③

同时，通过对非遗档案的整合分析，能够帮助还原非遗原貌，拯救濒危非遗。作为戏曲的活化石，京剧的"鼻祖"——青阳腔随着世事变迁，艺人的相继去世，逐渐面临后继无人的困境。20

① 百度百科. 中国文化遗产词典［EB/OL］［2016-01-12］. http：// baike. baidu. com/link？url = l4rXCtp86YYHgNfp9Q2WVVUjec34WloAMXtcrO6XRs3 uZNS6vvOeipehLZ3KazOGgrLR2eR0fUbMilswsELpTK.

② 于国鹏.《非物质文化遗产记忆档案》推出［EB/OL］.［2014-03-07］. http：//paper. dzwww. com/dzrb/content/20140307/Articel15003MT. htm.

③ 赵林林. 非物质文化遗产档案资源的管理、开发与利用［D］. 山东：山东大学，2007：41.

世纪 80 年代，湖口县文化馆馆长刘春江意识到问题所在，组织鲜有的青阳腔继承人殷武焕先后访问 300 位老艺人，搜集青阳腔手抄剧目 131 个，曲牌 448 首，单折戏与杂出戏 64 个，音乐资料 50 多本，音响资料 110 多个小时，拍摄老艺人和青阳腔业余剧团剧照及各类资料 1000 余幅，青阳腔脸谱 46 个，是全国保存最完整、最丰富的青阳腔档案资料，为青阳腔的技艺再现与还原以及长期传承奠定了基础。

通过上述政策导向、非遗综合业务两个方面的阐释表明，我国现有的非遗档案资源建设模式，其实是一种复合模式。这种复合模式，克服了单一模式不足（详见 2.1 节），为非遗档案的全面展示、利用提供了基础，为非遗的传承提供了条件。

2.2.3 非遗档案资源建设复合模式的特点

正如前文所言，不同非遗档案资源建设模式的起步时期不尽相同，也显示出不同的优缺点，见表 2-3。

表 2-3　　　　　非遗档案资源建设相关模式的比较

比较点 \ 模式	登录-普查模式	建档模式	建库模式	建站模式	建馆模式
相同点	拥有相关政策法规的支持				
	取得一定的实践探索成果				
	非遗资源建设标准不一				
不同点 资源建设经验	较丰富	较丰富	较丰富	不足	不足
实践实施难度	较大	较小	较小	较小	较大
信息技术运用	要求较低	要求较低	要求高	要求高	要求高
资源利用传播	效果佳	效果更弱	效果更弱	效果佳	效果佳
建设人才情况	耗人力	有基础	相对缺乏	相对缺乏	相对缺乏
公众参与互动	参与度高	参与度低	参与度低	互动较多	互动较多

模式 比较点	登录-普查 模式	建档模式	建库模式	建站模式	建馆模式
总结	五种模式各具优劣，建馆模式处于起步阶段，普查模式耗人力、实施较困难，建库与建站模式需更多关注建设人才培养与技术运用，建档模式的经验、人才、操作基础较好，值得进一步探索、完善				

不难看到，上述非遗档案资源建设相关的模式，既有宏观模式，也有微观模式；既有管理模式，也有技术模式；既有专业建设模式，也有大众参与模式。既有相同点，也存在不同之处。我国非遗档案资源建设复合模式，目的就是吸收各种模式的优点，在借鉴各种不同模式不同点的基础上，形成特色鲜明、优势互补的一种模式，简言之，就是非遗的登录-普查模式、建档模式、建库模式、建站模式和建馆模式这五种主要模式的系统化、整体化。这种复合模式拥有五种主要非遗档案资源建设模式的共同之处：都拥有相关政策法规的支持、取得一定的实践探索成果的优势，也都存在资源建设标准不一的缺陷。

（1）拥有相关政策法规的支持

早在 2003 年，联合国教科文组织就审议通过《保护非遗公约》，提倡各国加强对非遗的立法保护，非遗普查、非遗建档等非遗资源建设方式得到了国际范围内的关注。我国非遗资源建设的政策随着非遗资源建设工作的开展不断推进，逐步形成了非遗资源建设层次分明、结构完善、内容丰富、具有较强专业性和适应性的政策体系。从政策涉及的内容来看，非遗资源的普查、记录、保管、抢救、名录建设、档案建设、数据库建设、网站建设、数字博物馆建设等非遗资源建设工作的各个方面的内容都有所涉及，这些政策法规为登录-普查模式、建档模式、建库模式、建站模式和建馆模式的非遗资源建设模式提供了必要的法制保障，近年来非遗建档和非遗数据库建设方面的政策法规尤为突出，如《关于加强我国非物质文化遗产保护工作的意见》提出"要运用文字、录音、录像、数字化多媒体等各种方式，对非物质文化遗产进行真实、系统和全面的记录，建立档案和数据库"。

（2）取得一定的实践探索成果

从登录-普查模式看，在全国范围内，截至目前进行了三次大规模的非遗普查，各地已形成加强机构建设、试点工作等多种各具特色的普查方法；从建档模式看，非遗资源建档实践已形成文化主管部门建档、档案馆建档、公共图书馆建档和其他机构建档等多种方式，非遗口述档案资源颇受重视；从建库模式看，实践中形成了政府文化主管部门主导、图书馆主导、档案馆主导、其他机构主导四种建设形式，截至 2013 年 10 月底国家非遗数据库存储资源信息总量达 16.6T①；从建站模式看，非遗网站建设主要有政府机构类网站、文化事业单位类网站、企业类网站和其他类网站四种表现形式，形成了国家—省—市—县四级非遗网站建设体系；从建馆模式看，既有综合性非遗数字博物馆和专题性非遗数字博物馆，也有少数民族非遗数字博物馆，可从文字、图片、动漫、漫画、视频等多种方式多方位、立体化展示非遗资源。整体看来，也就是从非遗档案资源建设复合模式看，则都是一种实践探索，这种探索仍然在进行中。

（3）非遗资源建设标准不一

非遗资源建设质量的好坏与资源建设是否规范密切相关，从现状分析发现，五种非遗档案资源建设模式在不同层面上都存在着资源建设标准不一的问题。在登录-普查模式中，非遗项目申报标准不一，规范性差；在建档模式中，各地非遗建档标准体系缺乏；在建库模式中，非遗数据库建设标准规范缺失，且严重滞后；在建站模式中，非遗网站搭建时的功能实现、体系分类等不够规范，质量标准缺乏；在建馆模式中，不仅目前国内技术较落后，且建设标准难一致。非遗资源建设标准不一，不利于非遗资源的整合、共享和长期建设。

165

---

① 丁岩. 吹响非遗数字化保护工作的时代号角［N］.中国文化报，2013-12-11（3）.

当然，五种非遗资源建设模式各有所长，亦各有所短，他们在非遗资源的调查、收集、组织、呈现等方面各有特点，通过对登录-普查模式、建档模式、建库模式、建站模式和建馆模式这五种模式优缺点的比较分析，可发现五种模式在资源建设经验、实践实施难度、信息技术运用、资源利用传播、建设人才情况和公众参与互动等方面的优劣势有所不同。

（1）资源建设经验方面

登录-普查模式、建档模式和建库模式的实践起步较早，累积的资源建设经验较为丰富，而建站模式和建馆模式的实践探索时间较短，经验较为不足。一方面，我国早于1955年就开始第一次全国民族调查，1979年又开展了"十部中国民族民间文艺集成志书"的编纂及其普查研究工作，非遗资源普查在早期实践中积累了经验。联合国教科文组织于1989年通过的《保护民间创作建议案》中首提建立非遗档案，2003年《保护非遗公约》签署后，非遗建档、建立数据库成为非遗保护的重要举措。我国于2003年启动的中华民族民间文化保护工程，也重视对非遗资源建立档案和数据库，且我国档案事业起步早，档案建设工作经验丰富，借鉴相关经验，非遗建档的开展也更加有序、规范。另一方面，非遗网站和非遗数字博物馆的建设起步较晚，2006年我国非遗保护首个国家级门户网站"中国非物质文化遗网·中国非物质文化遗产数字博物馆"才正式开通，目前非遗建馆尚处于起步阶段，经验不足。

（2）实践实施难度方面

建档模式、建库模式和建站模式的实施难度相对更小，登录-普查模式和建馆模式的实际落实难度更大。首先综观前三种模式，非遗建档模式具有较强的实践操作性，它得益于我国的档案管理工作已形成的系统有序的建档流程，非遗建档可借鉴一般档案管理的建档要求、管理方式、技术手段等，实际操作难度不大；非遗建库模式既拥有成熟的技术保障，又具有一定的平台支撑，虽存在建库质量参差不齐的缺点，但基础建设难度一般；非遗网站建设在基本框架构建、基础平台建设方面的实际操作并不难，其与普通网站的构建并无太大区别，只是在网站功能、资源等方面需深入探讨。相比之下，普查-登录模式在开展全国性非遗普查时，受到的限制因素多，且工作量大，资源筛选也极其不易。非遗数字博物馆、数字图书馆的建设是一项复杂的工程，建设成本高，周期长，资金缺乏，落实难度也较高。

（3）信息技术运用方面

非遗建库模式、建站模式和建馆模式对信息技术运用多，技术要求高，而登录-普查模式与建档模式的信息技术要求相对较低。非遗数据库、非遗网站和非遗数字博物馆的搭建离不开信息技术和互联网技术的支持，多样化的数据库技术是非遗资源信息化建设的重要技术保障，分布式数据库系统、并行数据库系统、多媒体数据库系统、知识库系统等多种类型的数据库系统在非遗资源信息化建设中可起到重要作用。尤其是非遗网站与非遗数字博物馆对信息资源多样化呈现技术要求高，需综合运用多项现代信息技术，如虚拟现实技术、三维图形图像技术、立体显示系统、互动娱乐技术、数字化采集和储存技术、人机交互技术、特种视效技术等。相较而言，登录-普查模式和建档模式虽然也涉及了一定的数字化与数据库的技术应用，但其在实体资源建设方面的操作要求较多，对信息技术的要求相对较低。

（4）资源利用传播方面

登录-普查模式、建站模式和建馆模式的资源利用与传播效果更佳，建库模式和建档模式在非遗资源利用、非遗信息传播方面的成效更弱一些。非遗普查工作是一项全国性、深入民间的基础性资源调查方式，因其面向范围广、调查涉及面全，利于在群众中宣传非遗保护的意义，普查成果也可惠及全国，能及时发现问题，提出濒危遗产保护对策。非遗建站和非遗建馆，信息资源展示方式多样，信息传递快，影响范围广，利于公众对非遗的利用，教育传播功能增强。另一方面，由于非遗数据库建设质量参差不齐，数据库信息不全，类型单一，无法满足公众的需求，因此数据库利用效果欠佳。而非遗建档中存在着"重申报，轻传承"的不良意识，再加上档案保管期限、查档手续等方面的限制，非遗档案资源与信息尚未得到充分的利用与传播。

167

（5）建设人才情况方面

建库模式、建站模式和建馆模式的非遗资源建设人才较为缺乏，登录-普查模式对人才的专业素质要求较低，但由于工作量大，人力需求大，建档模式的工作中，基本具备所需专业人才，对人才的需求度相对较低。由于对信息技术的高要求和强依赖，非遗数据库、非遗网站和非遗数字博物馆的建设人才除了要拥有非遗相关知识，更要对 IT 知识有所掌握，甚至需要数字化、信息化方面的技术专家，因此其对懂文化、通管理、精技术的复合型文化人才的需求更甚。非遗普查与登录工作耗时长，工作量大，人力成本较高。非遗建档工作有其人力、人才基础，相关文化管理部门和档案管理机构自身拥有所需的专业人才队伍，近年来也与时俱进，不断吸纳、培养信息技术人才，因此开展非遗档案资源建设时，人才供给需求相对较低。

（6）公众参与互动等方面

登录-普查模式、建站模式、建馆模式的公众参与资源建设、公众互动情况更佳，建档模式、建库模式的群众互动性更差一些。非遗普查工作深入民间，尤其需要非遗传承人的积极参与，在非遗资源建设过程中，民众的力量得到了良好发掘。非遗网站、非遗数字博物馆提供了更多样化的资源利用途径，在一定程度上改变了以往公众利用资源时作为参观者的被动地位，增强公众自主性，但也存在一些徒有其表的互动栏目设置，互动功能落实是关键。而非遗建档与非遗建库更多依靠专业工作者，社会公众参与度低，资源传播与提供利用时，公众的互动与反馈也较为有限。

2.2.4 非遗档案资源建设复合模式的不足

我国非遗档案资源建设复合模式的形成，根本目的是为了克服单一模式的不足，通过多种单一模式的综合，相互补充，形成合力，从而从多个层面实行非遗档案资源建设。即使如此，由于非遗档案资源建设时间短，形成的复合模式也不可避免地存在这样或那样的问题。总体看来，我国非遗档案资源建设复合模式存在着不足。这些不足主要体现在：

2.2.4.1 建设主体分工有欠明确

20 世纪 80 年代，文化部、国家民委发起了《十套中国民族民间文艺集成志书》的编纂工作，这是我国由政府倡导的首次大规模系统性的非遗建档保护工程，开启了政府倡导、主导非遗建档工作的进程。随后，国家先后出台了相关法规对参与非遗保护的主体进行界定。例如，《非遗法》规定，"文化主管部门和其他有关部门进行非遗调查，应对非遗予以认定、记录、建档，建立健全调查信息共享机制"，"文化主管部门应当全面了解非遗有关情况，建立非遗档案及相关数据库"。这些规定确立了我国非遗档案资源管理由文化主管部门负责、多元主体共同参与的基本格局。显然，多元主体参与共同保护非遗是必要的，也是世界各国保护非遗的基本经验的总结。然而，多元主体参与的机制却给非遗建档以及非遗档案管理带来了一定弊端。

首先，政府部门包办的模式造成非遗保护和非遗档案"原汁原味"的丢失。在肯定文化主管部门为主体、多个部门参与非遗保护中的积极作用的同时必须认识到，政府部门"包办"管理非遗项目的做法在很大程度上是出于非遗保护和地方经济发展的双重目的，但在执行过程中，由于"文化搭台、经济唱戏"的影响，非遗逐渐脱离原有的成长土壤，丧失"本土性"，成为政府拉动经济的"名牌"。例如，在民俗活动、民间节庆中，一些地方政府在给非遗项目加大投入力度的同时，也不同程度上让节日、风俗远离群众，偏离传统的文化底蕴。政府部门在很多情况下是以"外来者"和"闯入者"① 的身份参与非遗档案资料的普查和收集，始终与原汁原味的非遗档案存在隔阂，并非真正了解非遗，即使以积极的姿态投入非遗保护中，仍不可避免破坏非遗原生态环境，导致非遗档案的遗漏和错失。

169

---

① 周良兵. 促进 DV 参与非物质文化遗产保护的策略研究［D］. 金华：浙江师范大学，2010：27.

其次，多元主体分工不够明确。由我国非遗资源的分散性和价值多元性的特点决定了非遗档案资源建设主体的多元化，除了文化主管部门，还囊括非遗保护中心、各级档案机构、传承人、博物馆、艺术馆以及非遗研究机构和爱好者等相关机构或个人，在非遗档案资源建设中具有不同的作用。其中，非遗保护中心作为政府部门成立的从事非遗保护的专门机构，与非遗档案的形成机构和个人有密切的联系，在非遗普查和管理中能收集大量档案资源，资源优势明显。各级档案机构是档案资源建设与管理的专门机构，在非遗建档方面具有专业优势。博物馆、艺术馆等在非遗档案资源建设中具有管理优势和技术优势，在保护、修复、抢救以及宣传非遗方面能够起到重要作用。非遗传承人是非遗的"活"载体，非遗档案作为其传承非遗的重要材料，通常会涉及知识产权问题。将传承人纳入非遗档案资源建设主体，既能有效维护传承人的合法权益，又能高效地运用档案资源实现非遗的传承和创新。非遗的研究机构和爱好者则是扮演协助者的身份，他们或收藏大量的非遗档案资源，或可提供非遗档案的收集线索。由此可见，各主体在非遗保护中都有不可或缺的特殊职责，然而，在具体实践过程中，一方面政府的包办使一些应由社会主体负责的档案资源建设业务由政府部门率先完成，社会主体成为单纯的辅助部门，既损害了其参与档案资源建设的积极性，又导致资源浪费。另一方面，我国当前非遗档案资源建设的具体工作是在政府和文化主管部门的统一部署下逐步推进，多元的社会主体参与档案资源建设主要是参考和遵从政府部门的方针政策，趋于模式化和同质化的档案管理方式不能发挥主体的优势和特长。同时，非遗档案资源建设多元主体协同管理机制的缺失导致各主体各行其是，缺乏交流和协作，直接造成非遗档案建设工作无序、效率低下、资源交叉重叠，影响档案资源建设进程。

最后，在上述主体中，部分主体的功能不能有效发挥，其中档案部门及社会公众的主体缺位尤为突出。档案部门作为专业的档案管理机构，其在非遗档案资源建设中的作用显而易见，然而缺乏政策的支持，档案馆的主体功能的发挥心有余而力不足。1989 年联合国教科文组织颁布的非遗领域第一份官方文件——《保护民间创作建议案》中便对档案部门在非遗保护和非遗档案资源建设中的地位和作用给予认同，然而，在 2003 年颁布的《保护非遗公约》中档案部门的作用却未被提及和强调，在 2011 年我国颁布的《非遗法》亦将档案部门的作用模糊化，笼统地涵盖于"其他相关部门"中，档案机构的主体作用明显被排斥在外。在现实的实践中，虽然档案部门极力参与到非遗档案资源建设工作中，但由于非遗档案的分散性，采集的困难性，保存主体尚未统一，档案机构收藏的非遗档案并不乐观，资源的缺失亦导致其对档案资源建设力不从心。同样的问题，在社会公众方面亦比较突出。2007—2015 年四次非遗名录建设中共有 1986 位民间艺人被认定为国家级代表性非遗项目传承人，他们在后期的非遗档案资源收集、保存中都发挥重要作用，但是这相对于庞大的非遗项目，力量仍十分有限，仍有大量非遗传承人未被发现或者被排除在名录之外，许多了解非遗状况的公众也处于无处发声的状态，所以当公众沦为旁观者而不是参与者，非遗档案资源建设便成为官方事业，必然会导致大量非遗项目被忽视。

2.2.4.2 建设对象界定有欠全面

在非遗档案资源的内容范围上，正如上文提出的，虽然从大范围上普遍认同非遗档案资源既要关注非遗档案资源本身又需要囊括其所承载的非遗资源，聚焦在非遗项目和非遗代表性传承人两个层面，但目前还处于初步阶段，对其的认识仍是模糊的，同时对于非遗档案资源本身，目前国内仍有狭义和广义之争。

非遗资源本身来源广泛、种类多样、数量繁多，涵盖口述表达、民俗活动、传统技艺、音乐戏曲等多种文化形式，决定了非遗档案的形式亦丰富繁多，这必然对非遗档案资源的管理带来挑战。同时非遗的分散性同样给非遗档案资源的收集提出挑战，非遗档案资源建设需要经历收集、分类、整理、鉴定、保管、检索、编研、利用等多个阶段，在国内尚无统一的管理方案，决定了非遗档案管理的标准化、统一化仍十分困难。此外，非遗档案的建设同单纯的文书档案的管理存在区别，非遗档案管理主体的多样性决定了在保

171

证非遗档案全宗内部档案文件之间的必然联系同时，全宗与全宗之间，单个非遗项目档案之间，或者非遗传承人档案之间的关系是彼此独立的，然而由于国内、国外实践经验的缺乏，对收集到的档案如何分类、如何科学划分全宗仍处于试验阶段。

尤其是对非遗档案资源数字化方面，虽然我国已在非遗档案数字化建设方面取得一定的成就，但是尚无统一的非遗数字化、信息化标准，势必造成未来各地的非遗档案数据库难以兼容。目前国内非遗档案数字化项目主要参考的仍是国际标准，例如，2003年国家艺术研究院和联合国教科文组织共同开展的，对保存的2万小时音响音像档案进行数字化的"濒危音响档案数字化项目"采用的标准是国际音响音像档案联合会（International Association of Sound and Audivies Archives，IASA）制定的TC-03标准①。同时由于经济发展差异，部分地区的非遗项目虽然众多，但普查和数字化实施困难。以塔里木盆地为例，其数字化建设从20世纪80年代开始，但是目前为止数字化工作仍停留在扫描、拍摄、录入等初级阶段，人力、物力、财力的匮乏直接导致非遗档案数字化建设急需的设备不能跟上计算机技术和网络技术日新月异的步伐②。

2.2.4.3 建设方法实施有欠科学

我国现有的非遗档案资源建设方法很多，从复合模式中的表现来看，普查、建库等都是其表现形式，但非遗档案资源仍然存在整理和管理失当问题，对网络环境下非遗档案资源建设的方法缺乏考虑。总体看来，现有的非遗档案建设方法存在如下不足：

第一，系统非遗档案管理条例、法规制度尚未形成。作为《保护非遗公约》的缔约国之一，我国十分尊重和借鉴联合国教科文组织非遗档案管理的经验和方法，因此我国非遗档案管理法规制

---

① 徐涟. 为了2万小时的"历史音声"［N］. 中国文化报，2004-09-09（1）.

② 许辉，杨洁明. 换塔里盆地非遗档案盒数字化建设研究［J］. 塔里木大学学报，2015（27）：43.

度的建设受国际国内相关法规的影响较大。例如，在对待档案馆作为非遗档案管理的权利主体的问题上，《保护非遗公约》并未明确提及，在我国法律法规中也相应未给予明确界定，只是提出了我国非遗档案管理实施"以政府为主导，多元主体共同参与"的管理体系，除了政府部门，其他的各保护主体的责、权、利都未能加以明确，阻碍了非遗档案资源建设工作。同时非遗管理政策中财政政策的缺失也将进一步阻碍各主体开展非遗档案资源建设的进度。因此法规体系未能因地制宜，明确权责，是阻碍非遗档案资源建设的重要因素。

第二，非遗档案资源分类方法非常缺乏。对非遗档案的整理，如果按照传统的档案管理方法分类，则需注意遵循非遗资料的特性。按照分级保护的原则对非遗档案分类的方法，在实际操作中并不可行。以非遗名录申报为例，要求国家级非遗名录的申报应在省级非遗名录中遴选产生，省级非遗名录的申报应在市级非遗名录中遴选产生，以此类推。因此，在非遗档案的归档过程中，不同级别的项目会产生许多重复的资料，这就造成了材料的重复管理。① 由此，目前各地形成了以非遗项目为主线进行独立归档，将某一非遗项目以卷的形式进行归档的方法成为非遗归档的主流方法，即"依项建档""依人建档"以及"一项一档（卷）""一人一档（卷）"②。然而在现实的操作中仍困难重重，一方面，民间文化的消亡速度十分快，非遗的抢救工作迫在眉睫，所以目前主张的是非遗归档工作能紧跟抢救步伐，做到发现一项，记录一项，归档一项。但是，非遗档案的复杂、零乱性让这种期望难以实现。另一方面，"依项建档""依人建档"都要求将某一非遗项目在申报、保护、传承等方面的相关材料，无论文字、音频、图片还是录像形式都全部纳入该卷，如此形式多样，来源广泛的非遗材料在后续划分

173

① 陈睿睿. 海量非遗资料亟待科学归档［EB/OL］.［2014-02-17］. http：//epaper. ccdy. cn/html/2014-02/17/content_118160. htm.

② 周耀林，程齐凯. 论基于群体智慧的非物质文化遗产档案管理体制的创新［J］. 信息资源管理学报，2011（2）：60.

上难度较大，各部门基本是按照所藏非遗档案资源的特性自行分类。如此标准不一的划分方法并不利于后期非遗档案资源共建共享目标的实现。

第三，非遗档案资源建设流程有待规范化。我国现行的非遗档案管理流程从整体上是"收集—整理—利用"的粗放模式，但对每一具体流程深入剖析时，各流程还需要进一步划分，非遗档案资源建设还应囊括对非遗资料的筛选、分类、鉴定、保管等多个环节。从具体的实践来看，这些环节存在缺失和操作不规范等问题。环节缺失的主要体现是：在我国非遗普查结束后获得大量的非遗档案资源，由于缺少筛选、鉴定等重要环节，造成我国各地的非遗档案资源质量参差不齐以及保管上的人力、物力和财力的浪费。此外，非遗档案分类环节的缺失，造成我国的非遗档案表现为以多媒体为主、多种载体形式并存的格局①，为后期档案资源的统一管理造成困难。流程操作不规范主要体现在：我国形成的由政府、文化主管部门、公共文化机构、非政府组织等构建的从上到下的"金字塔"式结构，以及"政府主导、社会参与"的横跨国家、省、市、县四级的管理体系为代表的非遗档案资源建设体制并没有形成统一的流程操作规范。各部门都因具体职能的不同，采取不同的执行和操作规范，加之各部门之间缺乏有效的沟通、交流，由此形成了部门职能主导流程操作，而非具体流程选择职能部门的流程操作方法，导致在实际工作中非遗档案资源建设存在事倍功半的现象。综合而言，以非遗档案资源建设流程操作方面，缺乏对非遗档案本身的质量控制环节，会导致非遗档案资源建设的整体效果无法提升。

综上所述，我国非遗档案资源建设复合模式形成的过程中，以非遗档案资源建设的主体、客体和方法考虑，仍存在不足之处。因此，在信息环境下，如何完善目前已经形成的非遗档案资源建设复合模式，是需要进一步考虑的问题。

---

① 周耀林，程齐凯.论基于群体智慧的非物质文化遗产档案管理体制的创新［J］.信息资源管理学报，2011（2）：60.

2.2.4.4 建设环境有欠考虑

21 世纪以来，伴随着信息技术的快速发展，网络逐渐成为公众工作、学习、娱乐、交流的重要场所。据 CNNIC 的统计，截至 2015 年 12 月，中国网民规模达 6.88 亿，互联网普及率达到 50.3%，半数中国人已接入互联网。同时，移动互联网塑造了全新的社会生活形态，"互联网+"行动计划不断助力各行各业创新发展，加上云计算、大数据的兴起，使得互联网对于整体社会的影响已进入到新的阶段。

在网络环境，尤其是 Web2.0 的推动下，群体协作、群体合作、众包、众筹等形式成为可能。因此，如何利用网络环境进行非遗档案资源建设已经成为我国非遗保护主管部门需要考虑的重要问题。纵观我国非遗档案资源建设的已有模式，非遗普查、建档等工作深入民间，尤其需要非遗传承人的积极参与，在非遗档案资源建设过程中，需要充分调动社会公众尤其是非遗传承人的积极性。然而，尽管我国目前在非遗数字化保护以及非遗信息化建设方面均开展了一些工作，但从目前已经建立起来的官方与非官方非遗网站、非遗保护论坛、非遗数字博物馆等网络平台来看，主要存在两个方面的问题：一方面平台互动性较差，公众参与度低；另一方面，大多数平台停留在非遗信息的展示与传播，忽视公众对非遗档案资源建设的影响。

首先，网络平台交互性差。在我国非遗网站平台中，设有"在线沟通""互动论坛""媒体评论"等板块的网站较少，在小部分设有互动栏目的网站中，互动栏目也没有得到有效使用，鲜有公众参与其中，久而久之，这些互动栏目越发得不到重视，网站活跃度低。我国非遗保护工作遵循"政府主导，社会参与"的原则，然而现实当中公众的参与度和参与意识均较弱。网站是一个信息交流共享的平台，建设者与参与者间的信息沟通应该是双向互动的，而不是建设者上演单向信息传播的独角戏。

其次，检索功能比较单一。由于网络数据库与数据库之间的共享性差，无法实现跨库检索，要在一个网站的大平台下实现数据库

175

群的整合有较大难度，从而使得网站非遗项目的展示与检索功能单一，基本只能达到对网站内部信息进行检索的效果①。

再次，忽视公众对非遗档案资源建设的影响。互联网的普及，尤其是 Web 2.0 的产生与应用，使公众参与获得新的生命力。从严格意义上说，Web2.0 不仅仅是一项技术，更是一种理念，它的兴起可以说是互联网的一个革命与升级。同传统以门户网站等技术为代表，强调内容的组织与提供的 Web1.0 相比，Web2.0 更重视用户自服务的能力与质量，它以承认广大用户在互联网中的主导地位为前提，鼓励用户的广泛参与、良性互动，在确保网络资源高度共享的同时，也最大限度地维持用户自身的个性化特征。正如我国学者胡延平所描述的 "Web1.0 是自上而下的，而 Web2.0 是自下而上的"②。然而，Web2.0 在我国非遗网站建设当中往往被忽视，至今国内没有任何一家机构或个人主办的与非遗相关的网络平台能够实现利用公众力量开展资源建设，公众对非遗档案资源建设的影响同样被忽视。

总而言之，国内外非遗档案资源建设相关模式多种多样。我国非遗档案资源建设，在政策的导向下，形成了一种复合模式。这种模式既有优点也存在不足，主要表现在非遗档案资源建设的主体、客体、方法以及环境方面。因此，如何吸取以往各种相关模式的优点，克服现有的非遗档案资源建设复合模式的不足，进而形成非遗档案资源建设的新模式，是学界和业界都需要认真研究的问题。

近年来，学界也在上述模式的基础上进行了新的探讨。例如，针对当前文化主管部门为主体、多部门合作建档的现状，周耀林、程齐凯提出了 "基于群体智慧的非遗档案管理模式"③。这种模式，将现有的由政府部门、文化管理部门单独开展非遗档案资源建

① 董永梅. 关于非物质文化遗产资源数据库建设的思考 [J]. 图书馆工作与研究，2012（9）：43.
② 胡延平. 跨越数字鸿沟——面对第二次现代化的危机与挑战 [M]. 北京：社会科学文献出版社，2002：11.
③ 周耀林，程齐凯. 论基于群体智慧的非物质文化遗产档案管理体制的创新 [J]. 信息资源管理学报，2011（2）：62.

设的模式，转变为政府部门、文化管理部门、档案部门引导，社会民众参加，从而形成合力，推动非遗档案资源建设。非遗档案资源建设中如何形成群体智慧，尤其是，如何结合现有的网络环境，梳理政府、档案部门、公众的关系，在构建三者结合的平台的同时阐释其理论，仍需做进一步系统的研究。

3 非遗档案资源建设模式创新的动力与诉求

"动力"是指力量的来源，主要运用于机械类和管理类，在现实生活中亦指行动力，即目标或结果有多大的吸引力促使个体实施行动①。既然已有的非遗档案资源建设复合模式存在一定不足，难以满足当前网络环境下非遗档案资源建设主体、非遗档案资源建设客体、非遗档案资源建设方法以及外部环境变化的需求，就有必要创新非遗档案资源建设模式。这种非遗档案资源建设模式的创新，需要一定的动力支持，因此，分析非遗档案资源建设模式创新的动力，是创新非遗档案资源建设模式的基础和理论前提。只有弄清楚非遗档案资源建设创新的动力，才能进一认识非遗档案资源建设模式创新的主要方面，为新模式的建立与形成指明方向。

3.1 非遗档案资源建设模式创新的影响因素

概而言之，非遗档案资源建设模式创新的影响因素可以分为内部影响因素和外部影响因素。其中，内部因素是模式创新动力产生

---

① 百度百科 . 动力的含义 [EB/OL]. [2015-03-20]. http：//baike. baidu. com/view/48912. htm#3.

和发展的根本因素，外部因素则是促进和强化模式创新动力的重要因素。

3.1.1 内部影响因素

推动非遗档案资源建设模式创新的内部影响因素是指直接促成动力产生的各种因素，主要源于非遗档案资源建设本身。

（1）非遗档案资源自身价值实现的需求

档案作为社会记忆的承载体，具有原始记录性、知识性、信息性、政治性、文化性、社会性、教育性、价值性等特点。而档案价值是不可能自动实现的，只有广泛地为广大公众所接触、所使用，充分地满足广大公众的需求，才能发挥其价值。从档案角度考察，非遗档案资源具有独特性。非遗档案是社会的原始记录，再现非遗各个阶段的原貌，既能真切还原非遗的形成过程，又具有开发利用价值。从资源角度考察，非遗档案资源又具有分散性和珍贵性。良好的非遗档案资源建设模式既能调动社会各界力量收集分散的非遗档案，又能形成统一的整理方案，维护非遗档案资源价值。由此可见，形成良好的非遗档案资源建设模式能够实现非遗档案资源价值最大化。具体来讲，一方面，非遗档案资源只有在良好的模式指导下才能被快捷、高效地收集、整合和利用，既能避免资源缺失，又能防止人、财、物的浪费。另一方面，非遗档案资源需要优质的模式来充分实现利用价值，非遗档案作为重要的公共文化资源，却常常被束之高阁，因此，具有良好流动性是非遗档案资源建设模式的基本要求。

（2）非遗档案资源管理体制创新的要求

从非遗建档多主体参与的现实情况看，档案部门在非遗档案资源建设中的主体地位并未得到应有的重视。首先，在管理体制方面，非遗由文化主管部门主管，非遗档案资源建设工作也是由文化主管部门进行统筹推进，档案部门参与存在着体制方面的桎梏①。

179

---

① 周耀林，程齐凯．论基于群体智慧的非物质文化遗产档案管理体制的创新［J］．信息资源管理学报，2011（2）：61-62.

其次，与档案部门的思想观念也不无关系。档案部门部分工作人员已经意识到非遗建档的重要性，但出于对现有管理体制的考虑，加之或多或少存有"多一事不如少一事"的想法，在非遗建档管理与非遗信息服务方面并没有采取更多行动。这种情况直接导致档案部门在非遗档案资源建设过程中参与度较低。因此，创新非遗档案资源管理体制，是档案部门、文化主管部门都需要认真研究的问题。

正如前文分析的那样，非遗档案资源建设存在多个主体具有合理性。这不仅是相关法规的规定，也是非遗档案资源管理的现实要求。事实上，仅仅依靠单一机构或者个人是无法完成非遗档案资源的收集、整理、鉴定等各项工作的。不同主体在工作的各个环节有着不同的作用，即使在同一工作环节下各个主体也有着各自的优势和不足①，因此，促使多个主体之间协同发展，需要从宏观层面保证非遗档案资源建设，并使之达到最优目标，这也是创新非遗档案资源建设模式时需要考虑的重要方面。

3.1.2 外部影响因素

外部影响因素是推动非遗档案资源建设动力形成必不可少的因素。外部因素很多，主要包括非遗档案资源建设意识、科学技术、政策法规以及相关行业推动四个方面。

（1）非遗档案资源建设意识的推动

从纵向看，非遗档案资源建设意识的提升，推动非遗档案资源建设的逐步深入。随着非遗档案信息化建设进程的加快，从初期各地的简单搜查和分散保存，到如今在宏观法规政策体系指导下所形成的体系化的普查和整理方案，非遗档案资源建设初具成效，如形成大量的非遗出版物，各地逐步推进非遗数据库、非遗网站的建设。丰富的非遗档案资源建设成果表明非遗档案资源建设已从简单的规划逐步转化为系统化的实践。在后续阶段，随着经济、技术的

---

① 周耀林，程齐凯. 论基于群体智慧的非物质文化遗产档案管理体制的创新 [J]. 信息资源管理学报，2011（2）：61-62.

发展，这种意识还将推动非遗档案资源建设克服缺陷和不足，形成更合理的建设模式。

从横向看，非遗档案资源建设在社会公众的参与下，已不仅仅是政府的事情，而是全民共同的责任。公众利用便携式照相设备等采集非遗，通过网络或新媒体发布，也是一种参与非遗档案资源建设工作的表现。公众整体素质的提升以及现代科技的发展对非遗档案资源管理提出更高的要求，公众谋求通过建立完善的非遗档案资源建设模式，充分发挥非遗档案资源作为精神食粮的作用，满足其文化需求。

（2）科学技术发展的支持

与现代技术的结合是非遗档案资源建设发展的必然。互联网技术、物联网技术、云计算技术、Web2.0 等都为非遗档案资源建设提供了技术支持。互联网技术打破了时空隔阂，拉近了人与人之间的距离，将人与非遗档案资源相联系；物联网技术通过采用 RFID 等技术将物与物、物与人联系起来；云计算技术通过超大的云存储平台，能有效解决非遗档案资源的存储问题；Web2.0 以"用户为中心"的理念，使用户可产生、传播、获取和利用档案资源，实现用户与非遗档案资源建设的互动。

科学技术的支持可改善非遗档案资源建设主体体系。众所周知，非遗扎根于民间，公众的参与度在非遗保护中占据举足轻重的地位。在被科学技术包围的时代，公众可利用各种终端设备实现与非遗档案资源随时随地的互动，人们可以通过博客、Wiki、电子邮件、即时通信等网络应用，高效地传递信息，交互意见，展开协作。因此科学技术的发展推动了公众主体职能的发挥。

同时，科学技术推动了非遗档案资源建设的深入。以 Web2.0 为例，它可充分调动社会公众的力量，实现对大量隐藏在民间的非遗资源的收集、整理和宣传利用。例如，2000 年云南省社科院白玛山地文化研究中心启动的"乡村影像计划"① 即通过鼓励当地

181

① 我院多位学者参加"乡村之眼：第三届人类学纪录影像论坛"［EB/OL］.［2016-01-25］. http：//www. sky. yn. gov. cn/dtxx/csdt/6416440345945516053.

居民利用各种影像设备记录本地区的文化变迁，并通过 Web2.0 深化对非遗档案资源的收集，既可以通过用户自身实地收集和在线收集，保证非遗资料的真实性和新颖性，也可通过管理员在线收集，保证非遗资料的完整性和有序性。在非遗档案资源建设宣传方面，社交媒体可综合实现非遗档案资源的展示、体验以及服务，充分发挥其应有的文化价值。非遗档案资源建设的深入发展需要科学技术的支持，科学技术的日新月异也要求非遗档案资源建设的变革来顺应时代发展潮流。

（3）相关法规体系的保障

我国从中央到地方都出台了非遗保护相关法律法规，以加强非遗档案资源建设。在《非遗法》颁布之前，国家层面出台了《中华人民共和国民族民间传统文化保护法》《关于加强我国非物质文化遗产保护工作的意见》《国家非物质文化遗产保护专项资金管理暂行办法》《国家级非物质文化遗产项目代表性传承人认定与管理暂行办法》等。2011 年，《非遗法》出台，我国非遗保护正式进入有法可依阶段。截至目前，国家和地方层面对非遗项目的认可、非遗代表性传承人的遴选及其利益保护等，都进行了比较系统的规定，为非遗档案资源建设提供了必要的保障。

（4）相关行业发展的带动

从图书馆到博物馆、艺术馆等文化事业机构都非常重视资源建设。以图书馆数据库为例，各种各样的数据库、特色数字资源库都是图书馆进行资源建设的结果。这种情况对于档案系统有着很大的影响。从 2003 年实行"金档工程"后，档案系统通过数字化推动档案数据库建设，仅吉林市档案馆 2009 年在数字化的同时建成的数据库就超过 50 个，大大推动了该馆档案资源建设。数字时代，各行各业都在积极开展信息化建设，开发各类信息资源，这极大地推动了非遗档案资源建设。同样地，非遗建档、非遗建档保护与数字化保护，都是非遗保护的重要手段，其结果就是大量非遗档案资源的不断积累，由此带动了非遗档案资源建设的发展。

3.2 非遗档案资源建设模式创新的动力分析

非遗建档和非遗档案管理活动是一个动态的过程，多主体的介入使得这个过程变得复杂，形成了一个动态的复杂体系，这个体系的发展依赖于动力。因此，对于动力的分析，包括动力主体、动力类型、动力组成与特征，有助于分析非遗档案管理体系的发展，并通过引导或约束动力的大小、方向进一步推进非遗档案资源建设活动的开展。

3.2.1 模式创新的动力主体

《非遗法》及相关的政策法规指明了我国非遗档案资源建设主体的多元化。现在看来，众多主体共同参与非遗档案资源建设，目的在于通过了解各主体的优势与特长，使其在胜任和擅长的领域内发挥作用，进而凝聚并激发不同主体的智慧，通过群策群力共同推进非遗档案资源建设的发展。但是，非遗档案资源作为公共文化资源，其自身数量庞杂，碎片化现象严重，使得群体参与往往会将原本复杂的工作更加无序化，因此，构建非遗档案资源建设模式时，需要对不同的主体进行统筹，使其有效发挥职能，促进各动力有效地形成合力。归纳起来，非遗档案资源建设的动力主体包括：行政主体，参与主体和权利主体。其中，行政主体是非遗档案资源建设的权力分配机构和部门，参与主体主要是参与非遗档案资源建设的机构，而权利主体则是社会公众，也是非遗档案资源建设成果的判断者。

（1）行政主体

政府及其文化主管部门是非遗档案资源建设动力的行政主体。首先，《非遗法》对于县级以上政府在非遗保护中的作用进行了明确的规定。政府作为整个社会的管理者，需要在考虑公众需求的前提下，对权利进行分配，以满足公众对非遗档案资源的需求。随着公众自主意识的不断觉醒，他们对非遗档案资源的利用需求随着社会的发展日益显现，政府要做好服务工作，维护社会文化的持续发展，就必须重视这些需求。其次，多元化主体在参与非遗档案资源建设的过程中，需要行政主体加以领导，并对其进行管理，对其权利进行协调，能够发挥其在整个社会系统中的作用，保证其功能有效施展，充分满足公众的需求。政府作为行政主体可以通过宏观的组织、指导和支持，利用激励手段和政策导向两种手段形成动力，对非遗档案资源管理主体的实践活动进行引导，从而实现动力之间的相互配合。

（2）参与主体

《非遗法》及相关的政策法规赋予了参与非遗档案资源建设的主体，既有文化主管部门，也有图书馆、教育部门、新闻媒体、非政府组织乃至个人，他们是动力系统的参与主体，直接致力于非遗档案资源的管理，对动力的形成具有直接影响。这些机构在职能上也有所分工，涵盖了非遗档案资源收集、整理、保管、编研、公开利用等工作，最终目的是有序地整理非遗档案资源，并逐步引导非遗档案资源流向公众，满足公众利用非遗档案资源的各种需求。具体而言，文化主管部门主管非遗档案资源建设，在各种主体中占有非常重要的作用；各种公共文化机构中，文化馆、美术馆等机构，承担着展示非遗、传播文化的功能；档案馆、图书馆和博物馆等机构，在文物及文献资源的保存方面具有一定的经验，并适用于非遗档案资源的长期保存、规范管理、积累完善等方面；新闻媒体通过自身的宣传平台和多样的宣传手段，拓展公众了解非遗档案资源的渠道；高校则可以凭借其自身的人才优势与学术优势，参与到非遗档案资源的整合、研究以及相关人才的培养中。动力的发展依赖于包括公众在内的不同主体在非遗档案资源建设中积累的优势，充分发挥各自职能作用，互相协调，进而促进动力在形成合力的过程中相互推动、相互协作，并能随着外部环境的变化而进行有效的调节。

（3）权利主体

公众是非遗档案资源建设动力系统的权利主体，也是非遗档案资源的利用者。公众是一个完整的、相互联系而又不可分割的群体，是在社会文化生活的各种活动中利用非遗档案资源的个体和团体。一方面，法律规定我国公民依法享有档案使用权；另一方面，非遗档案资源作为公共文化资源，形成于民间，而其发展也需要依赖于民间。因此，非遗档案资源需要为公众所了解，决定其能够便捷地为公众利用，同时，连接公众与非遗档案资源之间的渠道也应当保持畅通，赋予公众对非遗档案资源建设成果进行判断的权利。公众不仅仅是权利主体，随着非遗档案资源建设的不断深化，逐渐参与到非遗档案资源建设的实践过程中，这进一步拉近了公众与非遗档案资源间的距离，并使得公众在一定程度上对于非遗档案资源建设有着更大的决定权。

3.2.2 模式创新的动力类型

非遗档案资源建设的动力是多样的，按照不同的标准可以划分为不同的类型。根据动力形成的原因，划分为内生动力和外生动力；根据动力对事物运动与发展作用的层次程度，划分为表层动力和深层动力。

（1）内生动力与外生动力

内生动力是事物的发展过程中，在事物内部产生的能够导致事物运动与发展状态变化的力量。而外生动力则是来自于事物外部，能够导致事物运动与变化的力量。

在非遗档案资源建设模式的形成与发展过程中，内生动力是指非遗档案资源建设过程中涉及的各个主体之间相互作用而产生的驱动力；外生动力是指国际环境、国内相关行业对非遗档案资源建设发展所产生的影响力。两种动力中，内生动力直接作用于非遗档案资源建设中，并对档案资源建设的形成、发展产生影响，因此，它是一种直接动力；外生动力则需要通过一定的条件转化为内生动力，才能发挥作用并影响非遗档案资源建设的发展，由于这种作用

185

是间接发生的，故称为间接动力。

（2）表层动力与深层动力

表层动力作用于事物表面，在较低层次上改变事物运动或发展的状态，对事物的作用有限，通过时间的发展和由表及里的传递方式，其进一步发展为深层动力。深层动力是对事物的发展产生持久、深厚影响的力量。

非遗档案资源建设的深层动力在于公众自我意识的觉醒以及对于传统、历史的追溯。这一需求是推动当前非遗档案资源建设体系发展的根本动力，是保证体系建设不断推进的基础，而表层动力代表当前已有的管理方法以及技术手段、国内标准建设和实践过程层面所产生的需求。这两者相互作用，共同决定了非遗档案资源建设的发展趋势。

显然，当前我国非遗档案资源建设模式创新的动力是一种综合表现，是上述内生动力与外生动力、表层动力和深层动力的有效结合。其中，内生动力是根本的，外生动力起着重要的推动作用；外生动力、表层动力在短时间内发挥着明显效果，经过一定时间后会转化为深层动力、内生动力。

3.2.3 模式创新的动力组成

周耀林、程齐凯通过对非遗档案资源建设实践中各主体的需求进行分析，提出物质回报、爱、荣誉、职责是四种重要的动力，推动非遗档案资源建设的发展①。这是群体智慧模型应用的结果，侧重于物质回报和精神享受两个层面的动因，针对的是非遗档案资源建设的主体，难以代表现有环境下更广泛的非遗资源建设的动力。例如，技术发展所带来的影响及其在非遗档案资源中大规模的实践应用，是上述四种动力难以概述的。因此，从前文提及的非遗档案资源建设内生动力与外生动力、表层动力和深层动力的视角看，需

186

---

① 周耀林，程齐凯. 论基于群体智慧的非物质文化遗产档案管理体制的创新 [J]. 信息资源管理学报，2011（2）：64.

要以非遗档案资源建设模式为重点，重新审视各种动力的表现。当前情况下，外生动力、表层动力占主要地位，起着主要作用主要体现为：

（1）文化推动力

文化推动力是指人们以价值为中心、以创新为目标，经过人们交往活动整合而构成的力量①。文化推动力来源于人们自我意识的觉醒以及对于历史和传统的追溯，随着社会的不断发展，民主观念的日益深入，人们渴望认识自身文化、表达自身文化的意愿不断产生。同时，生活的改善、科技的进步也赋予了人们足够的能力探求与保存自身的传统历史与文化，所以我国的非遗档案资源建设从本质上看是围绕着如何完整的对非遗进行保存，如何为文化遗产的传承提供稳定的环境等问题进行展开的。可以说，自我意识的觉醒以及对历史和传统的追溯是推动非遗档案资源信息建设的基础。

随着经济的发展、生活质量的提升以及人们知识储备的丰富，社会公众倾向于更高层次的文化消费，并主动进行文化选择，由此加深了社会对非遗资源的需求，同样作为非遗档案资源建设参与主体的各类文化机构则通过提供资源满足公众对文化的需求，获得精神与物质回报的同时，满足实现自身价值的需求，并推动了非遗档案资源建设的进一步发展。而作为管理客体，非遗档案资源本质是传统文化的产物，文化自身所具有的激励、引导、凝聚作用能影响公众的观念、行为，公众对非遗档案资源的重视能强化文化对公众的作用，这些作用又反过来加深了公众对非遗资源的需求，从而推动非遗档案资源建设模式的优化。

在文化推动力的发展过程中和建设需求力的不断影响下，逐渐衍生出两种动力：

一是文化消费力。根据恩格尔定律，随着人们收入的提高，人们更加注重生活质量以及在精神方面的需求提高②。社会公众对于

187

---

① 谷国锋．区域经济发展的动力系统研究［M］．长春：东北师范大学出版社，2008：247.

② 姜宁，赵邦著．文化消费的影响因素研究——以长三角地区为例［J］．南京大学学报：哲学·人文科学·社会科学，2015（5）：27.

文化的需求提升了公众对非遗资源的文化消费力，文化消费的增长促进了资金的回笼，加快资金的周转①，并提升对非遗档案资源管理主体的激励，推动群体智慧对于非遗档案资源开发与利用，从而带动非遗档案资源建设的发展。

二是文化传承力。文化的传承既依赖于非遗传承人，也依赖于社会公众。随着社会文化需求的增强，对传承行为物质和精神的激励日渐增长，而文化传承的技术难度则不断降低，非遗传承人基于自我价值实现的目的，传承非遗文化资源的意愿不断增强，并愿意运用自身能力参与到非遗保存与推广当中。公众对非遗资源的传承体现在其参与度不断加深，对于非遗文化的认同使其从以往被动的受众转变为主动的接收者和资源的利用者，最终以传承者的身份参与到非遗资源的推广活动中，进而促进非遗档案资源建设，这是在构建非遗档案资源建设模式过程中必须考虑的。

（2）技术发展动力

技术发展动力是指当前多媒体以及数字化技术水平不断提高对我国非遗档案资源建设发展所产生的推动作用。

一方面，技术的发展体现在非遗资源信息化的进步，非遗信息化是运用信息技术和管理手段，通过文字、录音、录像等方式将面临失传的曲艺、工艺、礼仪、民俗等遗产记录并保存下来，用物质的形式来展现无形的遗产②。随着信息技术的发展，非遗信息化逐渐对以下非遗资源管理环节产生了影响，包括非遗普查和登录、非遗数据库建设、非遗网站建设、非遗博物馆建设等（详见第2.1节）。显然，非遗档案资源建设模式的构建，不能忽视技术发展带来的影响。

另一方面，随着互联网的发展，人与信息之间通过泛在的网络实现了无缝连接③，信息的无缝对接为非遗档案资源存储以及非遗

---

① 陈华光. 文化市场的繁荣和管理浅议 [J]. 艺术百家, 1995（1）：73.

② 覃凤琴. 从"非物质"到"外化物质再现"——非物质文化遗产档案式保护及其价值考察 [J]. 山西档案, 2007（5）：22.

③ 朱玉媛, 柳丽, 吴佳鑫. 论新信息环境下档案行业的发展 [J]. 档案学研究, 2011（2）：11.

档案资源传播提供平台，而人与信息的"无缝连接"为非遗档案资源与公众接触提供了新的渠道，促进公众进一步了解非遗档案资源的内容和保存状况，这一点主要体现在泛在网络的建设方面。1990年，施乐实验室的计算机科学家马克·威瑟尔（Mark Weiser）首次提出"泛在计算"（Ubiquitous Computing）的概念，指出未来的计算模式将是泛在的，用户拥有的计算设备将嵌入其生活空间中，协同地、不可见地为用户提供计算、通信服务。其后，日本、韩国于2004年分别提出了U-Japan和U-Korea计划，为公众建设无所不在的"泛在网络"。紧随其后，欧盟提出"环境感知智能"（Ambient Intelligence）、北美提出"普适计算"（Pervasive Computing）、新加坡发布"下一代I-Hub"计划、中国提出"感知中国"战略等，全球掀起了一股构建"泛在网络"的热潮，把建立无所不在的"泛在信息社会"作为各国信息化建设的重点之一。此后至今，信息技术不断发展，处在信息环境之下，利用各类智能终端设备，利用"无所不在""无所不包""无所不能"的网络结构，使人能在任何时间（Anytime）、任何地点（Anywhere）与任何人（Anyone）、任何物（Anything）进行顺畅通信。泛在环境的存在，必将影响到非遗档案资源建设。

技术的发展预示着非遗档案资源建设者可以选择多种载体以及多种形式开展采集活动，这在提高非遗档案资源收集工作效率的同时，预示着非遗档案资源建设正在向多维化发展，技术的选择也关乎管理方式的变化以及资源分配优化等问题，会推动档案资源建设进程。

（3）政策牵引力

政策牵引力的本质是一种规范性牵引动力，体现在对不同主体，不同法规、标准的导向力和约束力。其中，导向力是由主体在制定相关的政策与标准时体现出来的前瞻性所赋予的，而约束力的形成往往源于主体在自己权限范围内、有效统筹区域内通过建立基础性规范以提高非遗档案资源建设水平及效率的过程，它们的共同作用体现为政策牵引力。非遗档案资源建设的政策牵引力主要表现在两个方面：

189

第一，通过标准制定引导非遗档案资源建设活动。标准层面，不同省份针对自身非遗资源特点对管理技术的采纳、管理流程的规范制定相应标准。标准连接了法规要求和实践行为，决定规范力的实际效果。依据标准的作用方式，可将其分为两类，其一是直接标准，即直接可用于非遗档案资源管理的标准，包括 2012 年年底至今相继制定的非遗数字资源信息分类编码以及元数据方面的 3 个基础标准和非遗数字资源普查、采集、著录方面的 4 个业务标准，以及 2013 年底制定的"六大门类数字化保护标准（草案）"①；其二是间接标准，是非遗档案资源管理活动中需要借鉴的相关领域的标准，例如，在档案信息资源管理方面的《纸质档案数字化技术规范》《数字化产品定义数据通则》《电子文件光盘存储归档与档案管理要求》《电子文件长期保存格式需求》《电子文件归档与管理规范》《长期保存的电子文档文件格式》《GB/T18894-2002 电子文件归档与管理规范》《GB/T20530-2006 文献档案资料数字化工作导则》《DA/T47-2009 版式电子文件长期保存格式需求》等，对非遗数字资源长期保存的管理、载体和格式的选择均有一定的参考作用②。国际上，与非遗保护相关的规范通过在非遗保护领域较为先进国家的实践验证与反馈修订，其可行性较高，作为非遗保护规范之一的国际非遗档案资源标准体系代表着当前较为先进的理念以及技术，对未来非遗档案资源建设工作开展也有一定的指引作用，因此对我国非遗档案资源建设标准建设形成一定的参考作用。

　　第二，通过政策制定为开展非遗档案资源建设活动提供基础，使发展不均衡的要素之间缩小差距，并能对非遗档案资源建设中各主体以及管理流程、信息建设发展趋势进行调控；此外，相关政策的制定可以成为技术选择的依据，只有当技术符合实践发展需要，技术使用的目标与规范的期望相一致的时候，才能保证有针对性的

---

　　①　《中国非物质文化遗产保护发展报告（2014）》发布［EB/OL］.［2015-05-30］. http：//politics. gmw. cn/2014-11/02/content_13732693. htm.

　　②　戴旸，李财富. 我国非物质文化遗产建档标准体系的若干思考［J］. 档案学研究，2014（5）：36.

引入技术，进而提升资源的配置效率，同时利用相应的技术引导和推动相应的非遗档案资源建设实践进程。2005年《国务院办公厅关于加强我国非遗保护工作的意见》、2006年《国家级非遗保护与管理暂行办法》、2008年《国家级非遗项目代表性传承人认定与管理暂行办法》、2011年《非遗法》等法规、意见的颁布，在规范力形成过程中起着主导作用，决定规范力的方向。

由法规和标准共同构成的政策体系是保证规范性动力不断发展的根本，直接推动规范性动力的发展，是政策推动力中的直接动力和中坚力量。

（4）建设需求力

建设需求力是非遗保护和传承的现实需求对于非遗档案资源建设的推动力。一方面，保护和传承非遗，促使其发展更加全球化，是保护和保存本民族特色文化的必然。为此，国家从上而下形成了非遗档案资源建设浪潮。从全局出发，国家层面通过政策对地方层面的非遗档案资源建设发挥导向作用；地方层面的非遗档案资源建设，包括方法的选择、标准的制定、技术的采纳等，会依据国家层面的要求进行自我规范，并在实践中进一步完善。例如，我国2002年启动文化信息资源共享工程，该工程应用现代信息技术，将中华优秀文化信息资源进行数字化加工与整合，依托各级公共图书馆、文化馆（站）等公共文化设施，在全国范围内实现共建共享，并在建设过程中，逐渐形成了国家—省—市（县）—镇—村的多级信息网络建设体系①，在国家统筹下，各个分中心建设地方特色文化资源。

另一方面，在建设过程中，通过物质激励和精神激励相结合的手段，使得参与非遗档案资源建设的各主体获得物质和精神上的激励，极大地激励了参与者实现自身价值、推动民族文化进步与繁荣。同时，激励也是突破参与者之间共享非遗信息与知识的障碍，

----

① 国家数字文化网. 全国文化信息资源共享工程介绍［EB/OL］.［2014-08-28］. http：//www. ndcnc. gov. cn/gongcheng/jieshao/201212/t20121212_495375. htm.

营造良好协作氛围的重要保证。清晰、明确、平等、公平的激励手段，在强化公众参与动机的同时，也会极大催生和强化参与者共享知识与信息的意愿，使其抛弃一切顾虑与避忌，愿意和乐于使自己的私有资本成为大众所共有的文化资源。从这种角度上看，这种激励作用推动文化机构对于管理方法与技术的完善，从而使其在非遗档案资源建设的过程中，保持其发展速度快于实践活动的发展速度，因此现实需求会对非遗档案资源建设的发展产生一定的拉动作用，进而促进非遗档案资源信息建设的发展。

综合以上两方面，非遗档案资源建设需求力的最终落实来源于公众。公众在非遗档案资源建设过程中获得的激励、成就，也包括对本民族文化的热爱。因此，构建非遗档案资源建设模式时，公众是不可忽视的重要因素。公众参与的热情是保证非遗档案资源建设模式形成的关键，同时，公众与其他主体（文化机构、博物馆、档案馆等）构成一定的协作关系，采取一定的方法、手段等对非遗档案资源进行有效的建设，也是构建非遗档案资源建设模式不可忽视的重要方面。

3.2.4 模式创新的动力特征

通过前文对非遗档案资源建设模式创新的动力主体、动力组成的分析，发现非遗档案资源建设模式创新具有如下特征：

（1）主体多元

非遗档案资源建设模式的创新需要以政府文化主管部门为主导，对非遗档案资源建设进行统筹设计，同时要充分发挥公共文化机构的优势，借助其力量，尤其是调动非遗传承人和社会公众的积极参与。非遗传承人在从事非遗保护与传承活动中，留下了大量珍贵档案记录和音像资料，需要纳入档案资源建设的范畴。社会公众在学习、旅游等活动中接触到非遗，通过手机等数字设备随时随地记录，也形成了部分关于非遗项目或传承人的音视频资料，同样可以进行收集归档。从更加广泛的角度来说，实际工作中非遗档案资源建设的主体尽管具有不确定性，但都属于公众的范畴。按照参与时间长短，公众进一步区分为短期参与的公众和长期参与的公众。尽管不同个体参与到非遗档案资源建设中的目标、目的存在差异，但个体的差异性不会影响整体目标的实现。因此，多种主体的参与，要最大限度地实现优势互补，共同推进非遗档案资源建设模式的创新。

（2）开放合作

在非遗档案管理活动中，非遗档案资源建设模式创新涉及的多元主体所产生的合力存在正效应和负效应。理想的效果是正效应大于负效应，尤其是在公众参与后，公众在认识自我、表达自我、对传统进行追溯的意愿的作用下，使非遗档案资源建设吸纳了来自不同环境下的法规、技术等方面的动力，通过吸纳不同来源的动力进而扩大其自身的影响力以及所涵盖的群体范围，而新群体的需求又进一步提高了已有动力的要求，从而对动力进行强化。另一方面积极吸纳社会个体关注并参与到非遗档案资源建设中，促进不同环境下动力的相互配合与影响，才能为短期参与过渡到长期参与提供动力支持，促进循环的形成并推动框架的构建。因此，从这个角度来看，非遗档案资源建设模式的创新应该是在一个开放的环境中或平台上进行模式的构建，充分调动社会各方面力量。

（3）技术驱动

非遗的记录、建档与传播经历一个发展过程。20 世纪 50 年代，非遗建档主要是笔录、录音、照相的方式，其传播范围小，往往只能在非遗档案形成单位利用。进入 21 世纪后，非遗档案不断增长，形成了大量的档案资料，录音、录像成为主体。这些非遗档案资源可以通过建库、网站等多种形式进行传播，尤其是，如何利用 Web2.0，包括微信、微博等的交互功能，使非遗档案资源形成单位和公众进行充分的交流，这不仅需要在非遗档案建设模式中得以体现，而且需要在技术驱动的环境下做好各项宣传工作。因此，在非遗档案资源建设模式的创新当中，必须坚持技术导向、依靠新技术的驱动。

（4）动态发展

组成非遗档案资源建设创新动力的各种力量或因素不是一成不变的，均具有动态性的特征，由此，动力的大小会随着时间和空间的变化而变化。例如，内生性动力可以随着非遗档案资源建设而不断积累，而外生性动力在建设过程中不断内化。因此，内生性动力以及外生性动力都是随着非遗档案资源建设进程不断发展而不断进行强弱变化的，也影响着群体智慧下非遗档案资源建设的动力机制的运转方向。因此，在构建其动力系统时，我们要注重其动态性的特点，注意各动力的变化，协调各子系统间的制约平衡关系，只有如此才能保证整个动力机制长效稳定运作。

（5）长效机制

文化推动力、技术发展力、政策牵引力、建设需求力四种主要力量形成合力，推动着非遗档案资源建设模式的形成。文化推动、技术发展以及政策制定三方面作为主体动力，其发展共同推进了非遗档案资源建设及其模式创新的动力机制的构建，从而带动非遗档案资源建设。随着基于传承目的的非遗档案资源建设的完善，非遗档案资源对其所在环境的文化、技术和政策产生变革，这又进一步通过激励的形式，优化非遗档案资源建设模式的文化、技术、政策环境，促进各体系间动力的合成，推进动力机制的发展，形成良性循环。而随着发展的不断深化，通过系统中内部矛盾力的调节作用，保证了动力之间的相互配合，从而促进动力机制长效、稳定的推进，同时推动非遗档案管理模式的长效发展，满足各个主体的利益需求。

综上所述，非遗档案资源建设模式创新的动力是一个由多股力量合成的体系，在这个体系内具有关联、冲突以及相互影响的不同力量及其产生的驱动力共同构成了体系本身，而在这个体系内，影响动力的各类因子会随所处环境不同而发生变化。因此，如何充分认识非遗档案资源建设模式创新的动力，形成一个尊重多元主体参与、充分利用技术平台、公正处理各方权益、保持长效发展的模式，是非遗档案管理模式创新动力运行的基本目标。

3.3　非遗档案资源建设模式创新的诉求

"模式是一种重要的科学操作与科学思维的方法。它是为解决特定的问题，在一定的抽象、简化、假设条件下，再现原型客体的某种本质特性；它是作为中介，从而更好地认识和改造原型客体、构建新型客体的一种科学方法。"① 面对目前我国非遗档案资源建设复合模式存在的不足（见第2.2节），探索一种覆盖面广、内容全面、操作科学、针对性强、覆盖面广的非遗档案资源建设新模式，能够指导非遗档案资源从形成到利用的全过程，为当前的实践工作提供有益的参考。

鉴于对时代发展的新要求和非遗资源的特殊性，以及当前我国非遗档案资源建设现状的考察，笔者发现，非遗档案资源建设对传统的档案资源建设工作而言，面临着档案资源建设领域拓展的新考验和新时期档案资源建设工作的新环境、新要求，无论是非遗档案资源建设的主体与客体情况，还是非遗档案资源建设的方法、环境，都对传统的档案资源建设工作提出了新诉求。

3.3.1　基于建设主体的模式创新诉求

正如前文所述，我国非遗档案资源建设模式多样，成绩显著，但现有的非遗档案资源建设复合模式也存在瓶颈（详见第2章）。如何突破这些瓶颈，形成科学的非遗档案资源建设模式，保证我国非遗档案管理工作顺利进行，笔者认为需要着力以下五个方面的改革：

第一，正视我国非遗档案资源建设模式方面存在的问题，树立切实可行的管理目标，即根据非遗档案资源建设的规律，坚持以传统非遗档案资源和数字档案资源的建设相结合，结合非遗档案资源

195

---

① 查有梁. 什么是模式论？[J]. 社会科学研究，1994（2）：90.

建设的实际，开展非遗档案资源建设的流程再造，推动非遗档案资源建设的科学化管理。

第二，充分发挥多元主体的优势。科学认识和正确界定文化主管部门、民间组织、档案部门、公共文化机构、新闻媒体、社会公众等在非遗档案资源建设方面的作用；建设合理的协作机制，在非遗档案资源建设过程中，各主体的相互依赖关系只有通过合适的协调机制才能实现最优效用。

第三，注重宏观调控和优化布局。由于形成主体和保管主体的多元性，非遗档案资源存在布局分散的问题，集中统一的管理方式并不适合非遗档案资源，因此若要维护非遗档案的完整性和共享性，必须实现宏观控制和优化布局。

第四，正视档案机构在非遗档案资源建设中的作用，充分发挥档案机构作为专业、高效、规范的非遗档案资源建设机构，在业务指导、标准制定等方面具有的重要指导作用。

第五，建立公众参与的非遗档案资源建设平台，让群众成为非遗档案资源建设各项工作的参与者。毕竟，非遗的形成来自公众，公众（哪怕只是一部分公众），既是非遗的产生者，也是非遗的传承人。非遗档案资源建设、管理和利用需要依靠他们，也就是需要引入公众力量。

当前我国的非遗档案管理机制存在政府部门包办、多元主体分工不明确、档案部门及社会公众主体缺位等弊端，正如戴旸所言"群体参与是我国非遗建档的应然形式，政府主导是我国非遗建档的实然局面，在实践中实然形式同应然形式偏离"①。非遗档案资源建设的主体既有社会主体，又有社会力量，且这些多元主体在档案工作的专业性、非遗传承性方面存在区别。因此，笔者认为，新的非遗档案资源建设模式在主体层面的诉求体现在专业人士与非专业人士的结合、非遗传承人与非遗非传承人的结合。

---

① 戴旸. 应然与实然：对我国非物质文化遗产建档主体的思考［J］. 档案学通讯，2014（4）：82.

（1）专业人士与非专业人士的结合

经过多年的理论研究和实践探索，我国的档案管理工作已经积累了丰富的经验，各级档案机构在档案资源建设方面也培养了许多专业人才。非遗档案资源建设模式的基本立足点在于非遗建档，因此非遗档案资源建设离不开档案建设的专业人士。档案专业人士既包括有着丰富档案管理经验和较强实践能力的档案工作人员，也包括具备系统档案知识的专家、学者。档案工作人员是"实践出真知"的专业人员，在非遗抢救、保护工作中占据很重要的地位，在非遗档案资源建设过程中，他们起到带头引领作用，以专业、规范的档案建设操作流程和方式，科学地组织非遗档案资源，挖掘非遗档案资源的价值。专家、学者都是高阶层知识人才，他们能够以不同的研究视角挖掘非遗档案，增强非遗项目的生命力，丰富非遗档案资源的内涵与外延①。非遗档案资源建设工作应该与专家、学者交流沟通，有助于探索出更高效、先进的建设举措。

非遗保护中心、各级档案机构、博物馆、艺术馆、传承人、非遗研究者和爱好者等都与非遗档案资源建设有着或多或少的关联，开展非遗档案资源建设除了需要档案专业人士这支主力军外，也离不开非遗爱好者、文化机构人员、媒体工作者、社会普通公众等非专业人士的鼎力支持和积极参与。非遗资源的分散性和非遗资源建设主体的多元性让非专业人士的参与价值更加明显，非专业人士中不乏关注非遗、了解非遗的人，他们或许不具备档案专业的知识，但他们凭借自有的、不同层面的知识结构和不同层次的管理能力也能为非遗档案资源的建设贡献力量。

专业人士与非专业人士相结合，能够在保证非遗档案资源建设专业性的同时，增添多样化思维，借鉴多领域方法。

（2）非遗传承人与非遗非传承人的结合

非遗保护的核心在于传承，非遗传承人掌握和承载了非遗的知识和记忆，既是非遗的知识宝库，又是非遗活动承继的线索所在，

197

---

① 史星辰. 我国非物质文化遗产档案管理研究 [D]. 合肥：安徽大学，2013：34.

同时还是非物质文化的代表性人物①。非遗传承人的特殊性质决定了其在非遗档案资源建设中占有重要的地位。一方面，在资源建设的实践中，建立非遗传承人档案成为资源建设不可或缺的内容。另一方面，非遗口述档案、非遗本体档案等的资源建设工作需要非遗传承人的积极配合，且事实上，出于对非遗的热爱与弘扬非遗之愿，非遗传承人会自觉、主动参与到非遗档案资源建设中。

非遗与群众生活密切相关，是各族人民世代相承的各种传统文化表现形式和文化空间。因此，即使不是非遗传承人，原生地域的公众对本民族的非遗也甚为了解，他们所提供的信息将更加原汁原味，积极吸纳非遗非传承人为非遗档案资源建设出力出策，能够提升非遗档案资源建设质量。

总之，非遗是全民族的文化财富，公众的广泛失语已成为当前非遗保护、非遗档案管理过程中面临的一个非常棘手的问题，让"专业人士与非专业人士共同参与、非遗传承人与非遗非传承人相结合"成为非遗档案资源建设现实的一大诉求。这样可尽量避免群众基础的丧失，使建立起来的部分非遗档案更加原汁原味。

3.3.2 基于建设客体的模式创新诉求

非遗档案资源建设的客体，即非遗档案资源，是非遗实体档案资源与非遗档案信息资源的集合体，在新时代的非遗档案资源建设中，非遗档案信息资源是我们重点探讨的内容。关于非遗档案资源的客体组成，一般认为，非遗档案资源主要包括非遗项目档案、非遗传承人档案两种类型，但也有不同的划分，例如包括项目、历史、工作、传承人四大板块②等。按照非遗档案类型分类，非遗档案资源主要划分为非遗本体档案信息资源、申报与保护工作中形成

198

---

① 周耀林，戴旸，程齐凯.非物质文化遗产档案管理理论与实践［M］.武汉：武汉大学出版社，2013.

② 何永斌.谈非物质文化遗产档案资源建设的几个问题［J］.兰台世界，2008（20）：22.

的档案信息资源和传承人档案信息资源。

当下我国非遗档案资源建设在建设对象方面面临着非遗保存分散、档案数据标准不一、资源规范化管理困难等严峻形势，在探讨实际有效的科学模式时，非遗档案资源的整合与规范化建设问题毋庸置疑成为资源建设客体层面的现实诉求。笔者认为，非遗档案资源建设在客体层面有着宏观规范与微观规范相结合、实体整合与信息整合相结合的需求。

（1）宏观规范与微观规范相结合

非遗档案资源标准不一、管理不规范等问题是非遗档案资源建设面临的一大难题，实践工作迫切需要一种基于建设对象的资源建设模式，能够从横向到纵向、从宏观到微观建成一种有序、规范的管理机制。

宏观规范是指在进行非遗档案资源建设过程中，非遗资源的采集、分类体系设置、数据库建设要求、档案流转、数字档案长期保存等要有一个整体的规划和标准，可以说是一种总体协调机制的宏观把握。微观规范则主要指在面对具体的非遗本体档案资源、申报与保护工作中形成的非遗档案和非遗传承人的档案资源时，对待每一种类的非遗档案资源要有统一、与资源特色相符的整理原则和规范，使民间文学、民间音乐、曲艺、杂技与竞技、民俗等十类非遗资源得到合理组织与开发利用。

（2）实体整合与信息整合相结合

当前非遗档案资源分散严重、开发深度不够、利用效率不高，这些现实状况凸显了非遗档案资源整合的必要性。非遗档案资源整合的主要任务是将从各种渠道收集到的非遗档案资源，经过加工整理、有序排列、化零为整，通过统一的平台或系统进行管理，以便提供利用服务。

非遗档案资源包括非遗实体档案资源和非遗档案信息资源，借鉴档案资源整合的方式，非遗档案资源整合也应实现实体整合与信息整合。非遗档案实体资源以传统档案类型为主，包含了纸质档案、实物档案等多种形式。原有组织体系下的非遗档案存在"条块分割"的现象，探讨非遗档案资源建设模式，自然要通过采用一定的实体整合方法，实现多种类型非遗档案实体资源科学有序的存储与利用。而信息整合是实现非遗档案资源客体中信息资源协调管理、共建共享的必然要求，也是搭建非遗档案数据库、非遗档案信息资源共享平台的重要保障措施。实体整合与信息整合相结合，是非遗档案资源客体组织过程中的重要工作内容。

实现宏观规范与微观规范的结合，成为把握非遗档案资源的整体性、资源建设协同性、档案建设全程管理原则的重要诉求。实现非遗档案资源建设客体层面的实体整合与信息整合相结合、宏观规范与微观规范相结合，是非遗档案资源分布状况与建设现状的发展要求，是达成非遗档案资源建设目标的必然选择。

3.3.3 基于建设方法的模式创新诉求

非遗档案资源建设涵盖了非遗档案资源从形成到优化的全过程，加强非遗档案资源建设旨在通过广泛的收集（采集）、征集等手段，实现档案信息资源数量的增加和聚合，通过分类、鉴定、著录、整合、开发等手段实现非遗档案信息资源的有序化和质量的优化。在实践工作中推动非遗档案资源建设，尤其是非遗档案信息资源建设，需要从非遗普查与数字化记录、非遗资源建档、非遗档案数据库建设、非遗档案资源开发利用等方面开展工作。

在实际工作中，非遗档案资源建设出现了立法不明、分类不当、流程不畅等整理与管理失当的问题。随着档案信息化的发展，传统建档方式的不适应性也渐渐显现，能对数字档案资源进行有效管理和建设的现代建档方法成为实践工作的突出需求，而电子文件流转的在线方式与离线方式的结合也得到越来越多政府机构和档案机构的重视。因此，笔者认为，非遗档案资源建设模式的创新，在方法层面的诉求主要体现在传统建档方法与现代建档方法的结合，在线方法与离线方法的结合。

（1）传统建档方法与现代建档方法相结合

传统建档方法主要是针对传统档案类型，通过档案收集、整理、鉴定、保管等基本、规范流程建立档案的一种管理方式，它涵盖档案管理工作的基本内容，是建档工作长期实践形成的规范化、专业化档案资源管理方法。传统建档方法对纸质载体的档案管理十分有效，当然除了基本的实体档案管理，也涉及了简单的档案数字化建设。非遗建档是档案工作的内容延伸，非遗档案资源建设自然需要沿用传统建档方法，应注意的是，在传统建档方法中，档案的分类、全宗的设置是关键的整理环节，而我国非遗资源数量众多、来源分散、内容复杂、载体类型多样，在非遗建档工作中主要采用依"项"建档、依"人"建档的分类原则，而对于"项""人"之下非遗信息资源具体划分问题至今仍未达成一致意见①。

现代建档方法主要指档案管理的现代化，涉及档案管理的信息化与网络化、电子文件归档管理、数字档案馆建设等内容。现代建档方法更多关注的是运用计算机技术、信息存贮技术、数据库技术、多媒体技术、网络技术、数字档案馆技术等在档案信息资源收集、整理及长期保存方面的应用。信息技术的快速发展对非遗建档提出了时代的新诉求，在非遗档案资源建设过程中，运用现代建档方法，加强对非遗数字化资源、非遗档案电子资源的建设成为重要工作内容。

传统建档方法与现代建档方法的结合，是非遗档案资源建设继承传统又与时俱进的必然要求，有助于科学解决多载体、多种类、分散性的非遗档案资源的组织与开发问题。

（2）在线方法与离线方法相结合

随着档案管理现代化的不断发展，电子文件成为档案的主要信息来源，各地区的电子文件中心和数字档案馆逐渐建成、发展。按照电子文件来源和形成方式的不同，可以分为数据库文件、电子数据表、字处理文档、电子邮件、扫描图像、地理空间数字记录、数字照片、网站及其相关文档等类型②，由电子文件归档形成的电子

201

---

① 李姗姗，周耀林，戴旸. 非物质文化遗产信息资源档案式管理的瓶颈与突破 [J]. 信息资源管理学报，2011（3）：76.

② 刘家真，等. 电子文件管理——电子文件与证据保留 [M]. 北京：科学出版社，2009：39-41.

档案具有不同于一般档案的特殊属性，因此，在档案的收集、整理、保管、移交等环节中，在线管理方法与离线管理方法缺一不可。在线方法主要指借助电子文件管理系统或档案管理信息系统对文件、档案资源进行的规范化、系统性管理方式。离线方法主要指在信息系统之外，以实体档案载体对实体档案资源开展的全程管理或对数字化档案、电子档案开展的备份管理等方式。

电子档案与传统档案具有不同的归档时间、归档方式、保管方式以及查询利用方式①，而非遗档案资源由非遗实体档案资源和非遗档案信息资源组成，因此，在档案管理现代化发展趋势下，非遗档案资源建设需要探索档案管理在线方法与离线方法的结合，才能提高非遗档案资源建设的效率，增强非遗档案资源建设的安全性，使得非遗档案信息资源得以长期保存。在实际工作中，在线方式对非遗档案资源建设的模式诉求主要体现在非遗数据库的建设、非遗档案增量与存量，数字资源的归档、移交及开发利用等方面，离线方式则主要基于传统类型非遗档案资源的规范化建设以及非遗数字档案资源的备份保管。

在线方式与离线方式的结合，可推动非遗档案资源建设实现物理方式与逻辑方式的统一，是电子档案与传统档案资源协同建设的发展诉求。在非遗档案资源建设现状中暴露的资源分类不当、档案管理失当等弊端，是非遗档案资源建设工作对非遗资源特殊性与档案管理现代化不适应的表现，将传统建档方法与现代建档方法相结合、在线方法与离线方法相结合，科学对待电子档案与传统档案的差异性，成为实践工作的必然需求。

（3）专门标准与相关标准相结合

非遗档案资源建设离不开标准。说到底，非遗档案资源建设是通过技术手段将非遗项目和非遗传承人等相关的信息记录下来，这个过程离不开标准的支持。

非遗档案资源建设过程中，自 2011 年正式启动非遗数字化保

---

① 方芳，李书锦，姚路明．浅论电子档案与传统档案管理的差异和共性[J]．科技情报开发与经济，2011，21（2）：138-139.

护标准体系至今，《术语和图符》《数字资源信息分类与编码》《数字资源核心元数据》3 个基础标准以及《普查信息数字化采集》《采集方案编写规范》《数字资源采集实施规范》《数字资源著录规则》4 个民间文学类、传统戏剧类、传统美术类、传统技艺类中的民居营造技艺业务标准 7 项基本标准已经形成①。尽管如此，这些标准至今仍在小范围内进行试点，并未正式发布。目前，全国统一的非遗数据库还没有形成，各地已开始自行设计和实践，但由于数字化保护的分类标准不统一，造成未来各地数据库难以融合②。各个地方性的标准规范仍未被提上议事日程，导致出现相关标准规范的严重滞后以及大多数标准缺失现象。由于缺乏相应的强制性标准，非遗资源的保存方式各不相同，加之缺乏长期保存的意识，在存储载体、存储格式、存储环境等的选择上以及信息分类、元数据编制等方面都具有很大的随意性和不确定性，非遗资源长期保存方式有欠统一，对非遗资源的长期保存造成不利影响，长此以往，将会影响我国非遗资源的建设。因此，需要本着重点建设与全面建设相结合、近期建设与长远发展相结合、自主开发标准与借鉴吸收标准相结合的原则，形成非遗档案资源建设自身的标准③。

借鉴相关标准，也就是吸收相关行业的相关标准。通过"拿来主义"，对国际标准、国家标准和行业（地方）标准，如果适用于非遗资源长期保存，可直接采用，而对档案、图书馆、文物领域的标准，应以借鉴、参考为主，并适当加以补充和完善④。例如，信息资源长期保存国际标准《文件管理——电子文件长期保存要求》（ISO/PDTR 26102）、国家标准《文献管理——长期保存的电

---

①　丁岩.吹响非遗数字化保护工作的时代号角［N］.中国文化报，2013-12-11（3）.

②　陈彬斌.非遗保护将进入数字化时代［N］.中国文化报，2011-12-06（1）.

③　周耀林，李丛林.我国非物质文化遗产资源长期保存标准体系建设［J］.信息资源管理学报，2016（1）：40.

④　张美芳.档案安全标准体系构建的研究［J］.档案学研究，2010（4）：54-55.

子文档文件格式 第 1 部分：PDF1.4（PDF/A-1）的使用》（GB/T 23286.1-2009）、行业标准《版式电子文件长期保存格式需求》（DA/T 47-2009）等都对非遗资源长期保存具有指导作用。

通过前文分析不难看到，当前我国非遗档案资源建设在工作方式、工作内容、工作参与者等方面，产生了诸多的影响因素，体现出更广泛的发展空间，传统的档案资源建设模式已不足以适应非遗档案资源建设的新特点，非遗档案资源建设综合模式难以更好地指导非遗档案资源建设，为此，如何从非遗档案资源建设模式中的主体、客体和方法出发，将非遗档案资源建设的主体、客体、方法结合在一起形成一种新的模式，已成为目前非遗档案资源建设实践的模式诉求，是当前需要重点思考的问题。

3.3.4 基于技术环境的模式创新诉求

在全球非遗保护浪潮的推动下，以各国文化主管部门为首的非遗保护和管理体系已经形成。而图书馆、博物馆、档案馆等正致力于开展"信息化""数字化""网络化"建设的文化机构在非遗资源建设当中的作用也逐渐显现出来。然而，根据前文的分析，我们不难发现，多主体参与下的非遗档案资源建设也暴露出一些问题，一方面，非遗"普查""建档""建库"要求工作人员对非遗有相当的了解，而面对众多的非遗资源，尤其是位于民族地区（土著社区）的非遗资源，机构工作人员难以达到这一要求。另一方面，作为非遗档案资源建设主体的文化主管部门似乎忽视了当前技术环境尤其是 Web2.0 网络环境下非遗档案资源建设的新理念，忽视公众对非遗档案资源建设的影响。因此，笔者认为，非遗档案资源建设当中不能忽视社会公众的力量，应充分重视技术环境，尤其是利用 Web2.0 进行网络资源的传播与利用。

事实上，利用 Web2.0 已经不再是一件新鲜事。互联网的普及，尤其是 Web2.0 的兴起推动了互联网理念和思想的革新与再造。它打破了 Web1.0 时代由少数人自上而下集中管控的管理模式和交流形式，代之以自下而上大众参与和主导的扁平化组织形式。

让互联网成为草根民众参与创造、创新的平台，为群体智慧实践的开展创造了更好的条件。Web2.0 环境下，博物馆、档案馆、图书馆以及其他拥有"网上馆藏资源"的文化和遗产机构开始重视公众参与以及与社会公众的互动，尝试着将"标签""博客"等技术运用到网络资源建设管理当中，甚至大胆吸收公众参与到馆藏的"编目""描述"等传统核心工作当中。

以博物馆为例，20 世纪 90 年代末以来，博客软件、维基、播客软件、推荐系统、标签服务等应用的出现为虚拟社区用户在生成、组织、分享和发布内容方面进行协作创造了条件。21 世纪初，博物馆界开始尝试各类社会化软件的应用①。2008 年，Ramesh Srinivasan 等人提出了"博物馆 2.0"（Museum 2.0）的概念。他们指出，博物馆 2.0 并非一个简单的技术现象，其目标是创建一个利于多样化社区构建以及支持社区成员间进行社会交互的环境，通过 Web2.0 的应用鼓励社区用户参与到馆藏文物的编目、描述等"文献化"工作当中，以最终便于网络文物信息的存取②。2009 年，Suriyati Razali 等人提出了"基于社区的电子博物馆"（Community Based E-Museum）概念③，并阐述了基于 Wiki 技术的社交媒体工具在促进社区参与遗产知识共享和贡献当中的作用。他们将基于社区的电子博物馆定义为类似于拥有数字化文物知识库并且具有可视化能力的"Wiki 博物馆"，而这个知识库也成为博物馆数字馆藏的一部分④。2012 年，Silvia Rinne 还研究了由罗马尼亚人 Alex

① Simon N. Discourse in the Blogosphere：What Museums can Learn from Web 2.0 [J]. Museums & Social Issues, 2007, 2 (2)：257.

② Srinivasan R, Boast R, Furner J, et al. Digital Museums and Diverse Cultural Knowledges：Moving Past the Traditional Catalog [J]. The Information Society, 2009, 25 (4)：271.

③ Razali S, Noor N L M, Adnan W A W. Structuring the Social Subsystem Components of the Community Based E-Museum Framework [M]. Online Communities and Social Computing. Berlin Heidelberg：Springer, 2009：108.

④ Noor N L M, Razali S, Adnan W A W. Digital Cultural Heritage：Community Empowerment via Community-based e-museum [C]. Information Society (i-Society), 2010 International Conference on. IEEE, 2010：544.

Galmeanu 基于博客而建的虚拟博物馆——"摄影博物馆"（Museum of Photography），该博物馆证明了非正式机构建立虚拟博物馆来保存和展示文化遗产的成功，同时也证明了 Web2.0 在文化遗产保存和展示中的重要作用①。Jacob Jett 等人研究了文化遗产机构运用流行的网络服务（如 Flickr）来拓展其数字馆藏内容的方式，以及如何将评论和标签等用户生成内容传输到机构数据供应商②。2013 年，Goran Zlodi 和 Tomislav Ivanjko 将"众包"（Crowdsourcing）的概念引入文化遗产领域，他们指出，在文化遗产部门，"众包"意味着邀请社会公众进行标记、分类、转录、组织等任务，让数字文化遗产馆藏内容得以增值，通过大量研究，他们将文化机构众包分为六种类型：校正和转录任务、背景信息添加、补充馆藏、分类、合作策展、众筹③。

互联网技术的进步，尤其是 Web2.0 应用的成熟，为文化机构利用群体力量开展"数字化""信息化"建设提供了良好的契机。在这样一个大背景下，利用群体力量开展非遗档案资源建设，应该说是响应时代之需要，契合社会发展之步伐。人们完全可以通过电子邮件、即时通信、新闻组、博客、维基等网络应用，高效地传递信息，交互意见，相互协作，拓展非遗档案资源建设的来源和方式。

归根到底，非遗档案资源建设模式创新迫在眉睫。这种创新，既是当前网络环境的拉动、信息技术的发展所致，也是非遗档案资源建设过程中主体、客体、方法存在着不足决定的。因此，需要充分认识当前的技术环境，科学利用 Web2.0 搭建技术平台，在该平台上将非遗档案资源建设的主体、客体和方法进行有效的结合，从而实现非遗档案资源建设模式的创新。

---

① Rinne S. Cultural Heritage in Social Media：Museum of Photography [D]. Jyväskylä：University of Jyväskylä, 2012.

② Jett J, Senseney M, Palmer C L. Enhancing Cultural Heritage Collections by Supporting and Analyzing Participation in Flickr [C]. Proceedings of the American Society for Information Science & Technology, Baltimore, 2012：1.

③ Ivanjko T, Zlodi G. Crowdsourcing Digital Cultural Heritage [C]. INFuture2013：Information Governance, 2013：199-207.

4 非遗档案资源建设群体
智慧模式的构建

　　"群体智慧"的理论探索始于 19 世纪中叶西方掀起的"群体之中是否存在智慧""群体与精英，谁在推动历史"的问题之争。1907 年，Francis Galton 首次通过实验证明了群体在某些情况下可以产生出超越专家的智慧，这是西方关于群体智慧的首个研究成果，体现着群体智慧的研究转向和积极反思①。1910 年，昆虫学家 William Morton Wheeler 观测发现蚂蚁可以通过协作表现出一定的集体思维，构成了一个具有一定智能的集合，由此他称其为"超有机体"②，这是从生物学角度对群体智慧的最早认识。直至 20 世纪六七十年代，群体智慧的理论探索才开始兴起③，并一直活跃在生物学、社会学、大众行为学、计算机科学等领域④。

　　进入 21 世纪之后，管理维度的群体智慧研究全面展开，网络环境下群体智慧的内涵不断丰富，群体智慧的效能实现、技术支持和实际应用取得重要进展。2004 年，James Surowiecki 撰写并出版

207

---

① Galton，F. Vox Populi［J］. Nature，1907（75）：450-451.

② Wheeler W. M. The Ant-colony as an Organism ［J］. Journal of Morphology，1911，22（2）：309.

③ 戴旸，周磊. 国外"群体智慧"研究述评［J］. 图书情报知识，2014（2）：121.

④ Leimeister J M. Collective Intelligence ［J］. Business & Information Systems Engineering，2010，2（4）：245.

了 *The Wisdom of Crowds：Why the Many are Smarter Than the Few and how Collective Wisdom Shapes Business，Economies，Societies，and Nations* 一书，这是一部具有里程碑意义的著作，也是对"群体智慧"的高度肯定与褒奖，具有深刻的影响①，引起了国内外学界对群体智慧管理实践的广泛关注②。能否运用群体智慧理论构建我国非遗档案资源建设的"群体智慧模式"，实现我国非遗档案资源建设模式创新的要求，是本章需要回答的问题。

4.1 非遗档案资源建设群体智慧模式构建的依据

群体智慧模式，究其根源，是群体智慧理论发展的结果。当然，也是实践活动的必然。一方面，它研究实践当中产生的群体智慧现象，总结其特点，探索其实现机理。在某种程度上，正是群体智慧实践上的巨大成功促进了群体智慧理论研究的展开和推进。另一方面，通过新技术的研发以及新理念的引进，群体智慧的运用手段和实现方式得以丰富和完善，进而推动群体智慧实践的进展。非遗档案资源建设的"群体智慧模式"来源于群体智慧理论和实践两个层面。因此，有必要对群体智慧理论和实践进行系统的总结。

4.1.1 理论依据

在国内外群体智慧实践的推动下，群体智慧理论研究从社会学、计算机科学、管理学等多学科跟进，研究成果显著，已逐渐形

---

① 笔者注：此书在国内先后于 2007 年和 2010 年译为中文版。2007 年由中国社会科学出版社出版、孟永彪翻译的《百万大决定：世界是如何运作的?》以及在 2010 年由中信出版社出版、王宝泉翻译的《群体的智慧：如何做出最聪明的决策》。

② Leimeister J M. Collective Intelligence ［J］. Business & Information Systems Engineering，2010，2（4）：245.

成一定的理论体系和研究框架。从管理的角度看，众多的学者和专家已经运用定性和定量的方法，对群体智慧的基本概念、价值评估、效能实现、质量控制、技术支持和应用实践展开了全面的研究与探讨①。发展至今，群体智慧在计算机科学等领域有着重要的应用，开始表现为一种新型的管理模式和社会协作模式，得到管理学和社会学等学科研究者的重视。近年来，Thomas W. Malone、Eric Bonabeau 等人在实践总结的基础上，从管理、系统等层面提出了几种主要的群体智慧模型。这几种模型都是在实践的基础上提出，它们从不同角度描述了利用群体智慧的具体方式，对于群体智慧的研究无疑起到重要的作用。总而言之，系统、成熟的理论将为群体智慧应用于我国非遗档案资源建设奠定坚实的理论基础。

4.1.1.1　Malone 群体智慧管理模型

2010 年，麻省理工学院斯隆管理学院群体智慧研究中心以 Thomas W. Malone 为首的研究团队，在对近 250 个网络群体智慧模式研究的基础上，提出了群体智慧管理模型②③。该模型从四个维度来描述群体智慧，即："What is being done""Who is doing it""Why are they doing it""How is it being done"，并将其总结为"What"（目标）、"Who"（主体）、"Why"（动机）、"How"（策略）四个方面，见图 4-1。

（1）What

在 Malone 的群体智慧管理模型中，"What is being done"被认为是需要回答的第一个问题，他们将其界定为"目标"（Goal），而在应用群体智慧的任何一项管理任务中，群体智慧所要开展的工

209

---

① 戴旸，周磊 . 国外"群体智慧"研究述评［J］. 图书情报知识，2014（2）：121.

② Malone T W, Laubacher R, Dellarocas C. Harnessing Crowds：Mapping the Genome of Collective Intelligence［EB/OL］.（2009-02-03）［2015-08-10］. http：//papers. ssrn. com/sol3/papers. cfm？abstract_id=1381502.

③ Malone T W, Laubacher R, Dellarocas C. The Collective Intelligence Genome［J］. IEEE Engineering Management Review, 2010, 38（3）：20.

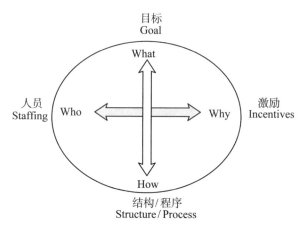

图 4-1　Malone 群体智慧管理经典框架图

作主要包括"创造"（Create）和"决策"（Decide）两种。"创造"意味着创建一些新的内容，可以是原创的，也可以是上传的一些共享中没有的内容，例如 Linux 系统开发过程中的一个新软件代码、Wikipedia 中的一则新条目等。"决策"则是指群体所执行的"二中取一"的评估和选择行为。对群体创意加以评估，判定哪个代码是科学的，哪个条目是正确的，哪个 T 恤设计是最受大众青睐的，进而选择或决定这个代码能否被纳入下一个即将发布的 Linux 新版本中，保留还是删除这一 Wiki 条目，或是将这一 T 恤设计付诸生产并出售，这些都属于"决策"。

　　（2）Who

　　"Who is doing it"是群体智慧管理模型中需要解答的第二个问题，同样涉及两个主要模块模式："管理层"（Hierarchy）和"群体"（Crowd）。"管理层"（Hierarchy）是原本就存在于传统层级组织体系中，由上级赋予组织和执行权力的特定的人或组织。"群体"（Crowd）则是管理行为或活动的承担者、管理过程的评价者、管理结果的选择及决策者。以 Linux 操作系统的设计为例，Linux 的创始人 Linus Torvalds 和他的助理人员就属于"管理层"，而提交 Linux 设计的大众群体则属于"群体"。"群体"中的任何个体都可以提交自己的设计，并有望被纳入 Linux 新版本中去，"管理层"则负责对群体提交的设计进行评估、筛选，并最终决定选择将哪一个纳入下一个发布的 Linux 新版本中去。

（3）Why

对"Why are they doing it"问题的解答，就是对群体参与动机、主要的激励因素和激励措施的探寻。人类社会中，人类参与行为或活动的动机，以及具体激励因素有很多，Malone 将其概括性地总结为"金钱"（Money）、"爱"（Love）、"荣誉"（Glory）三个方面。金钱（物质回报）是重要的动力因素，人们参与各种活动，获得物质回报是其主要目的之一，物质回报是吸引关注人群、提高工作效率的有效途径；爱，也是一个重要的动力因素，很多人参加活动，不追求任何回报，只是出于对这些活动的热爱，例如一些参与非遗保护工作的热心人士，往往不追求什么回报，无论名或利，只是因为热爱非遗，或者热爱家乡；荣誉或者认同感也构成了重要的动力，例如，参与开源软件开发的许多程序员，他们的工作大多数是得不到任何物质回报的，他们追求的只是荣誉以及在群体中的尊重和认同。

（4）How

在群体智慧管理模型中需要回答的最后一个问题，就是"How is it being done"。这个问题是实际工作中最为复杂的问题。Malone 将群体行为的内容总结为"创造"（Create）和"决策"（Decide）两大类，进而指出，对"How"的解答，不在于群体中的个体是否独立地做出贡献或决策，或是他们之间是否存在很大的依赖性，而在于究竟以何种形式或手段实现了"创造"与"决策"。

①"创造"（Create）。

"创造"（Create）的实现主要通过"收集"（Collective）和"协同合作"（Collaboration）两种方式。

"收集"主要是指群体中个体相互独立地创建并提交资源。YouTube 的视频创建、Digg 的新闻素材收集、eBird 中鸟类资源的发现，以及 Flickr 中的图片汇集与展示，都属于"收集"。除了创建和提交之外，"收集"还有一个重要的子类型，就是"竞争"

211

（Contest），这在 Threadless 和 InnoCentive 中有着较为显著的体现。通过收集获得的多项设计或对策，只有其中一个或是很少一部分好的设计创意或解决对策是有用的，Threadless 公司不会生产所有的 T 恤，InnoCentive 的客户也不需要大量的选择方案去解决他们的问题，他们只需要一个，或是少量的一些就可以了，此时，"竞争"就显得很有必要。

需要认识到的是，除了一般条件外，"收集"的实现需要一个先期的保证，即是这个活动能被分为很多个小块，从而能够由群体中的不同个体独立完成，如果这一条件不能满足，那么"收集"将无法实现，只能转而开展"协作"。

"协作"是指群体中的成员共同工作，共同创造，彼此之间存在一定依赖关系。前文提及的 Linux 和 Wikipedia 就是"协作"的最好例证。因为不同贡献者设计的模块，或编辑的条目之间存在着依赖性，所以对于 Linux 整体系统质量的提升，或是对同一篇 Wikipedia 文献编辑上的改变也是相互依赖的。"协作"方式的采用，需要建立在两个条件上：第一，没有合适的方式将大型的活动划分为单个模块，"收集"不可能实现；第二，已经有科学的方法去管理群体成员各自贡献。在实践中，各部分之间的依赖关系通常会涉及另一个模块，即"决策"。

②"决策"（Decide）。

对于"决策"，Malone 认为也有两种可能的形式，分别为"群体决策"（Group Decision）和"个人决策"（Individual Decision）。

群体决策是由群体成员输入、汇集在一起，形成的适用于整组的决定。当群体中的每个人都必须遵守同样的决定时，群体决策将是有用的。Threadless 的群体决策将带来最终设计的付诸生产和销售；Digg 的群体决策将会生成针对贡献者创建出的项目的词条排序；而市场预测则将个人意见在输入聚合后形成一个公开可见的估计值。群体决策也有几个重要的属类模块，分别为投票（Vote）、共识（Consensus）、平均（Average）和预测市场（Prediction Market）。

当广泛的赞同和群体的决策对群体管理来说并非必要，或者个

212

体观点大相径庭时，个人决策往往会更加合适。例如，对于YouTube 个体用户来说，决定看哪个视频的是他们自己，虽然可能会受到别人的建议或排名的影响，但他们并不需要盲目从众，看和别人一模一样的电影。个人决策也有两个属类模块，分别是"市场"（Markets）和"社交网络"（Social Network）

4.1.1.2　Bonabeau 群体智慧框架管理模型

英国 Icosystem 公司 CEO 兼首席科学家 Eric Bonabeau 认为群体智慧有利于制定出更好的决策，他强调 Web2.0 能使企业成为有史以来最大规模的"群体"。而需要探索的主要问题是新的工具和方法能否让群体改变制定决策的方式。

与 Malone 群体智慧模型当中的"创造"和"决策"相似，Bonabeau 指出解决问题同样包括两项主要任务，一是形成各种可能的解决方案（Generating Solutions），二是评价解决方案（Evaluating Different Alternatives）。然而，诸多人类的偏见都会对这两项任务造成消极影响，其中"形成解决方案"阶段的偏见主要包括自利偏见（Self-Serving Bias）、社会干预（Social Interference）、可用性偏见（Availability Bias）等七类，"评价"阶段的偏见主要包括线性思维偏见（Linearity Bias）、统计性偏见（Statistical Bias）、模式的依赖（Pattern Obsession）等七类。Bonabeau 通过实例的调查发现，群体智慧的运用可以有效缓和以上偏见造成的影响，例如，群体智慧提供多样化的观点可以阻止自利偏见以及信念固着。在此基础上，他于 2009 年提出了一个通用的群体智慧框架模型，以帮助企业评价如何使用决策 2.0（Decisions 2.0）工具解决问题和制定更好的决策①，见图 4-2。

对于企业而言，无论目标是形成解决方案还是评价解决方案，抑或是两者兼有，他们都需要考虑三种类型的方法来完成目标：扩大范围（Outreach）、累积聚合（Additive Aggregation）以及自组织

213

---

① Bonabeau E. Decisions 2.0: The Power of Collective Intelligence [J]. MIT Sloan management review, 2009, 50（2）: 45-52.

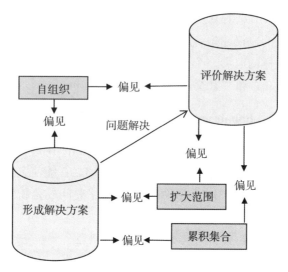

图 4-2　decision 2.0 框架

（Self-Organisation）。

（1）扩大范围（Outreach）

扩大范围是指在收集想法或者对其进行评估的时候，企业需要加入那些从未被纳入的人或团体。在组织内部要跨越层级和职能障碍，或者直接从组织外部获取帮助。扩大范围的作用就在于其增加了个体的数量，使群体成员多样性得以增强。开源软件的发展就是"庞大成员发挥作用"的一个最好例子。

（2）累积聚合（Additive Aggregation）

累积聚合是指企业可以通过无数的来源获取信息，然后执行某种均值运算。这个过程可以从传统决策群体整合数据，或者获取扩大范围之后更广泛的人的信息。最简单的例子就是概率论中的大数定律（Law of Large Numbers）的运用，例如，让一群人去估计一个罐子里的糖豆，然后采取他们答案的均值。当然，还有许多复杂的例子，如在信息、预测以及市场方面的应用。该方法运用的关键在于保持多样性和专业性之间的平衡。

（3）自组织（Self-Organisation）

自组织是指能够让群体成员进行交互并产生整体大于局部之和的机制①。自组织过程是自发产生的，它不由任何中介或系统内部或外部的子系统所主导或控制。Wikipedia、Digg 等就是通过交互来创造更多价值的典型例子。这些应用使人们能够通过增加或修改别的参与者的贡献来创造价值。但这类应用也存在危险，如果交互机制设计不合理，就无法产生良好效果。

运用群体智慧来提升决策制定质量，不仅仅要考虑以上三种方法，还要考虑控制（Control）、多样性对专业性（Diversity Versus Expertise）、参与（Engagement）、监管（Policing）以及知识产权（Intellectual Property）等问题。

4.1.1.3　Lykourentzou 群体智慧系统模型

希腊雅典国家技术大学电气与计算机工程学院的 Ioanna Lykourentzou 等人认为大规模的群体通过个体的协作可以产生更高阶的智慧、解决方案和创新。他们通过对 Wikipedia、Google 等案例的研究发现，其成功很大程度上归功于群体智慧系统的设计，而这些系统具有一些共同特征，如需要一定数量的用户通过一个社区，为了相似的目的，并通过不同的方式参与并分享自己的想法。通过对群体智慧系统共同特征的识别，他们建立了总体框架来描述系统的功能以及系统优化的基本问题②。

2009 年，他们提出了"群体智慧系统"（Collective Intelligence System），并将其定义为一个拥有一定规模人群的系统，系统当中所有人都代表他们个体利益，但是通过一定的技术促进，他们的群体行为目标和结果将是一个更高层次的智慧并使社区受益。该系统

215

---

① Bonabeau E, Meyer C. Swarm Intelligence：A Whole New Way to Think about Business［J］. Harvard business review, 2001, 79（5）：106-114.

② Lykourentzou I, Vergados D J, Loumos V. Collective Intelligence System Engineering［C］. Proceedings of the International Conference on Management of Emergent Digital EcoSystems, Lyon, France, 2009：134-140.

有两种类型：被动式群体智慧系统（Passive CI systems）和主动式群体智慧系统（Active CI systems）。在被动式群体智慧系统中，个体通常在没有系统存在的情况下起作用，他们的行为和行动呈现出不同的特征，因此只有在群体智慧系统提供专门的规则、提示和协调下才能更容易实现共同目标。主动式群体智慧系统中，群体行为并不预先存在，但它们会通过特定系统要求进行创建和协调，主动式群体智慧系统还可细分为协作式（Collaborative）、竞争式（Competitive）和协作竞争混合式（Hybrid）。

2010 年，Dimitrios J Vergados 和 Ioanna Lykourentzou 等人从工程学角度进一步阐述了用于网络社区的群体智慧系统框架，见图4-3。该框架包括三个部分：①人类社区；②机器智慧或系统引擎；③系统信息。首先，社区成员可为群体智慧系统提供机器智慧不具备的能力，包括判断、创新、知识资源贡献与目标设定等方面的能力。其次，社区成员努力使得群体智慧系统拥有了大量的信息，包括其执行的个体行为、制定的决策以及提出的解决方案。最后，系统引擎主要负责管理系统内的知识和信息资源。各种智能算法被运用到管理当中，去了解每一个社区成员的能力、识别系统当中需要与人类进行交互的区域，并综合分析与高效分配系统资源①。

受 Marko A Rodriguez 从神经科学出发提出的"群体智慧与个体智慧以及人脑功能并行建模策略"② 的启发，Ioanna Lykourentzou 等人指出群体智慧也可以通过相似的方式建模，个体提供的解决方案位于超皮质（hyper-cortex）的较低层次，更多通用的解决方案模式被存储在它的较高层次，社区用户就可以获取较高层次的通用层次群体智慧以找到他们所遇到问题的解决方案。基于这个结构，他们从工程学角度出发，阐述了群体智慧系统建模要

216

① Vergados D J, Lykourentzou I, Kapetanios E. A Resource Allocation Framework for Collective Intelligence System Engineering ［C］. Proceedings of the International Conference on Management of Emergent Digital EcoSystems. ACM New York, 2010: 182-188.

② Rodriguez M A. The Hyper-Cortex of Human Collective-Intelligence Systems ［EB/OL］. ［2015-08-10］. http: //arxiv. org/abs/cs/0506024.

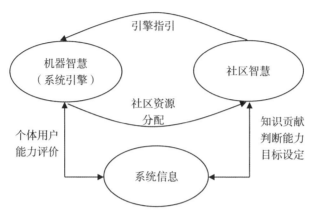

图 4-3　群体智慧系统通用框架

考虑的主要系统属性和功能，属性包括：①可能的个体行为集；②系统状态；③社区和个体目标。功能包括：①预期社区成员行为功能；②未来系统状态功能；③目标功能。此外，他们还指出系统设计和系统性能当中需要考虑的问题，包括：系统资源分配算法（Resource allocation algorithms）、系统临界点（Critical mass）、参与者的动机（Motivation）等问题，并阐述了群体智慧系统建模在实际中的具体应用，见表 4-1。

表 4-1　　　　　　　　不同类型群体智慧系统建模要素

群体智慧系统	Wikipedia	竞争性问题解决企业	车载网络协作系统
类型	主动式，协作	主动式，竞争	被动式
用户行为集	贡献知识	贡献点子	加速，间隔
系统状态	条目质量水平	收到的解决方案	车辆的间距
社区目标	高条目质量	最佳解决方案	最大限度减少交通拥堵，提高车辆网络的安全

217

续表

群体智慧系统	Wikipedia	竞争性问题解决企业	车载网络协作系统
个体目标	自我满足	金钱补偿	迅速达到自己的目的地，较低油耗，最大限度保障个人车辆安全

4.1.1.4　Georgi 群体智慧综合模型

2012 年，瑞士圣加仑大学信息管理学院的 Sandro Georgi 和 Reinhard Jung 在总结之前模型的基础上，构建了一个群体智慧综合模型，并进一步运用细粒度方法描述了群体智慧的特征，这些特征包括：协作形式、组织模式、决策制定流程等①，见表 4-2。

他们提出的模型将个体与群体进行了区分，同时，基本的群体智慧形式包括主动和被动两种。组织模式包括群体和层次结构（形成于专家和业余爱好者），协作形式包括合作、竞争以及两者的混合。利用群体智慧的方法包括：扩大范围、聚合和自组织。群体知道更多别的决策制定形式而个体不能，同时决策制定的流程包括分布式和分权式。激发人们参与的理由包括：金钱、荣誉、认知、爱以及分享知识的渴望。

表 4-2　　　群体智慧模型（包含特征及其对应的值）

目标
个体：取决于每一个人
社区：创造，决策
基本群体智慧形式

---

① Georgi S, Jung R. Collective Intelligence Model：How to Describe Collective Intelligence［M］//Advances in Collective Intelligence 2011. Berlin Heidelberg：Springer，2012：53-64.

续表

被动式系统，主动式系统
组织模式
群体、层次结构
协作形式
合作、竞争、征收（竞争的一种特例）、竞争与合作的混合式
利用群体智慧的方法
扩大范围、聚合、自组织
个体的专业背景
专家、业余爱好者
决策制定流程
群体：投票、达成共识、平均、市场预测
个体：市场、社交网络、最后投票
决策制定流程的形式
分布式、分权式

此外，他们还从任务目标（Objective of task）、贡献的大小（Size of contribution）、投入形式（Form of input）、产出形式（Form of output）以及利益相关者（Stakeholders）五个方面进一步描述了群体智慧的特征，见表4-3。

表4-3　　　　　　　　**群体智慧新特征**

特征	可能的值
任务的目标	创造知识、设计/描述产品或服务、实际产品。（或者说是：决定知识的正确性、最好的设计/描述、最合适的实际产品）
贡献的大小	范围从小到大
投入形式	知识、智力、原材料

219

续表

特征	可能的值
产出形式	物质产出、非物质产出
利益相关者	发起者、贡献者、受益者

上述四种主要的群体智慧理论，尽管理论的阐释存在着差异，但基本上涉及了协作、组织、流程、方法等层面，为建立非遗档案资源模式提供了依据。

4.1.2 实践依据

自古以来，无论是自然界还是人类社会都存在通过个体集聚成群来完成一件事以达到更好的结果和目标的现象，例如狼群捕猎驯鹿、人类发动战争以及生产流水线等。这些最普通的合作形式，让人们逐渐意识到群体力量的强大。在人类社会的进程中，人们有意或无意间将群体智慧应用于实践之中，出现了许多成功的案例。尤其是在信息技术的推动下，一个地区，甚至全世界范围内的超大规模群体智慧的实现成为可能。近年来，网络技术的发展，尤其是Web2.0 与平台的成熟，也让公众参与网络环境下大规模协作、创作成为可能，为群体智慧的实现提供了前所未有的机遇。

最近几年，国内学者将"群体智慧"理论引入非遗档案管理当中，结合我国非遗档案管理存在的问题与弊端，提出变革非遗档案管理体制的主张①②③。国外也开始了这个方面的实践探索。例如，印度的文化和遗产在线百科全书"Sahapedia"（http：//sahapedia. org/），苏格兰基于网络的非遗清单编制项目"ICH Scotland Wiki"

① 周耀林，程齐凯. 论基于群体智慧的非物质文化遗产档案管理体制的创新 [J]. 信息资源管理学报，2011（2）：59.

② 周耀林，戴旸，程齐凯. 非物质文化遗产档案管理理论与实践 [M]. 武汉：武汉大学出版社，2013：283-309.

③ 戴旸. 应然与实然：对我国非物质文化遗产建档主体的思考 [J]. 档案学通讯，2014（4）：85.

（http：//www.ichscotlandwiki.org/）以及韩国的非遗百科全书项目"Ichpedia"（http：//www.ichpedia.org/），这些实践项目的成功为非遗档案资源建设模式提供了依据。

4.1.2.1 群体智慧在网络环境的实践

Linux、Google、Wikipidia 等案例的成功，在很大程度上得益于信息化和网络化环境下的群体协作，它们的成功都证明了规模庞大、组织松散的群体也可以通过"电子化"和"网络化"一起工作并且取得惊人的效率。

Linux 是一个有着广泛影响的操作系统，在 PC 端和服务器都有着出色的表现。Linux 的核心模块最初由 Linus Torvalds 创作，他明智地将 Linux 的源码公开并号召全球的开发者共同开发完善。随着越来越多的人参与到这一工作中，Linux 日渐完善。Linux 的发展体现了群体智慧在软件开发行业的巨大效用，在 Linux 之后，还有很多项目也以社区的形式进行开发，如 Apache、MySQL 等，这些项目中许多都获得了巨大的成功。

Google 依据数百万人创建到网页的链接以及存在于整个网络的集体知识做出判断，它通过网页筛选开展网页排名，单独网页的价值通过大量的链接结构表示。当我们在搜索栏输入问题后，它便会生成惊人的智慧答案。

Wikipedia 无疑是最著名的群体智慧实践成功案例。它是一个语言、内容开放的网络百科全书计划，由来自全世界的贡献者协同创建，已成为世界第六大网站和最大的资料来源网站之一。Wikipedia 可由任何人在任何时间参与编写，通过群体智慧的方式增加和修改条目，得到的条目结果往往都具有较高的权威性。其成功显示了通过公众创造和修改信息这一举措的有效性。

2007 年，Web2.0[1]、人群计算（Human Computation）[2]、众包

221

---

[1] O'reilly T. What is Web 2.0：Design Patterns and Business Models for the Next Generation of Software ［J］. Communications & Strategies，2007（1）：18.

[2] Ahn V L. Human Computation ［D］. Pittsburgh：Carnegie Mellon University，2005.

（Crowdsourcing）①②、参与式网络（Participative Web）以及用户生成内容（User-created content）③ 等概念的兴起，以及 2008 年维基经济学（Wikinomics）④ 专著的问世，都推动了互联网思想和理念的全面升级，也让用户广泛参与互联网生活变得更加便利，使网络环境下大规模协作、创作成为可能。伴随这些新兴理念的出现，大批技术、平台不断涌现，为群体智慧的实现提供了前所未有的机遇。2010 年，Malone 等人就收集了将近 250 个基于网络的群体智慧应用案例⑤。

限于篇幅，笔者无法对群体智慧的实践一一加以描述。Facebook、Flickr、YouTube、Threadless、InnoCentive 等群体协作和群体决策平台的成功都体现出从"开源社区"到"开放平台"的转型，也说明依靠参与式的网络平台，可以让群体智慧在解决复杂问题、实现大规模协作等方面发挥出更大的作用。

4.1.2.2　群体智慧在文化遗产领域的实践

（1）基于 Wiki 的数字清单编制："ICH Scotland Wiki"

作为促进地区内博物馆和美术馆发展的组织，苏格兰博物馆与美术馆组织（Museums Galleries Scotland，MGS）从 2006 年起陆续收到关于"支持地方馆与非遗之间建立联系"的请求。在 2008年，MGS 与英国联合国教科文组织全国委员会、苏格兰艺术委员

---

① Howe J. The Rise of Crowdsourcing ［J］. Wired Magazine, 2006, 14（6）: 1-4.

② Howe J. Crowdsourcing: How the Power of the Crowd is Driving the Future of Business ［M］. New York: Random House, 2008: 1.

③ Vickery G, Wunsch-Vincent S. Participative Web and User-created Content: Web 2.0 Wikis and Social Networking ［M］. Paris: Organization for Economic Cooperation and Development（OECD）, 2007.

④ Tapscott D, Williams A D. Wikinomics: How Mass Collaboration Changes Everything ［M］. New York : Penguin Group, 2008.

⑤ Malone T W, Laubacher R, Dellarocas C. The Collective Intelligence Genome ［J］. IEEE Engineering Management Review, 2010, 38（3）: 22.

会委托爱丁堡龙比亚大学对苏格兰地区非遗展开调查和研究。随后，爱丁堡龙比亚大学在其提交的研究成果"苏格兰的非物质文化遗产——前进之路"（Intangible Cultural Heritage in Scotland——The Way Forward）中提出苏格兰非遗范围界定首先应编制非遗清单，并提出可以使用在线数据库（Wiki 格式）进行编制①。2008年，在英国艺术人文研究理事会基金资助下，MGS 进一步与该校就"如何使用 Wiki 方法创建一个在线清单"项目开展为期三年的合作开发。

尽管英国没有加入《保护非遗公约》，该项目在实施过程中仍然参照《保护非遗公约》的要求进行清单的编制。该项目通过公众提供用户生成内容将数据录入清单系统。2009 年，ICH Scotland Wiki 系统就初步建立，于 2011 年基本完成并移交给 MGS，由 MGS 团队对检索、浏览以及内容创建等方面进行更新和完善。该项目实施当中遇到的主要挑战是：如何完善 Wiki 的系统功能和文件配置以及如何让公众参与其非遗记录的创建。为此，他们增加了博客、Facebook 和 Twitter 等社交媒体的使用，并出版季刊。此外，爱丁堡龙比亚大学团队还实施了社区推广，通过参与到社区群体去创建记录。当前，该平台拥有三大功能板块：检索、地图、贡献。用户可以根据非遗类别以及所在地区进行浏览式检索，也可精确检索。注册之后，用户可以上传多种类型的资源，并对资源进行分类、描述和著录等操作②。

ICH Scotland Wiki 采取"自下而上"的基于社区的方法开展非遗数字清单的编制。通过数字清单的 Wiki 格式可以促进草根社区用户生成相关非遗信息内容，实现了苏格兰非遗实践的动态记录并对提升苏格兰非遗的总体认识有重要意义。该平台鼓励社区群体积

223

---

① McCleery A，Gunn L，et al. Scoping and Mapping Intangible Cultural Heritage in Scotland：final report ［R］. Museums Galleries Scotland，2008：30-31.

② Orr J. Supporting Identification and Documentation for Information Building ［EB/OL］. ［2015-08-10］. http：//ichcap. org/eng/ek/sub8/pdf_file/03/E02_2_Supporting_Identification_and_Documentation_for_the_Information_Building. pdf.

极创建清单记录，描述非遗实践并进行说明，是一种典型的协作模式。尽管其系统设计当中，对于群体智慧实现方式的考虑过于单一，但作为非遗档案资源建设群体智慧实践的早期尝试，为后人提供了重要思路。

（2）基于网络的非遗百科全书和档案馆："Ichpedia"

韩国在国际非遗保护领域具有较大影响力。2003 年《保护非遗公约》发布之后，韩国掀起一场新的非遗保护措施探索运动，并认识到"要想在数量和质量上拓展非遗名录，转变普查方法至关重要。新方法不仅需要扩大调查人员范围，同时需要研究数据采集技术"。2010 年，韩国文化遗产局启动了一项由政府资助的数字清单项目，其中一组研究人员尝试基于群体智慧理念和先进的信息技术研发新的非遗清单编制方法。研究人员在大量调查、田野工作以及研究的基础上，设计了 Ichpedia 系统平台。该平台目的包括：①利用现代信息技术实现最高效的数字非遗清单编制，记录和保存非遗的动态特征；②能够便于信息提供者和用户的交互，非遗社区、群体和个体能够作为信息提供者或者编辑者直接访问这个系统，这样的协作将让更多人认识到非遗的脆弱性，增加对非遗社区和个体的了解，找到更好的保护方法；③能够减少建立高质量数据库系统的经济负担；④希望基于免费且开放的数字平台和技术，为非遗记录和建档领域实现数字创新准备条件①。

Ichpedia 系统平台主要包括两个部分：清单系统和数字档案馆系统。清单系统通过简单快速的方式在不遗漏重要著录项目的基础上进行普查信息的记录。当拥有（或需要）更多信息的时候则需要使用数字非遗档案馆系统进行详细建档。因此，该系统平台也拥有两个数据库：清单数据库和档案资源库，两者是集成且互补的。系统基础数据库框架包括四个数据表组：Ichpedia 表、档案表、分

---

① Hahm H. Establishing and Managing Online database and Archives for ICH Safeguarding ［EB/OL］. ［2015-08-10］. http：//www.ichcap.org/eng/ek/sub8/pdf_file/03/E02_3_Establishing_and_Managing_Online_Databases_and_Archives.pdf.

类表和本体表。系统的应用程序和元数据都采用相关国际标准，以增加应用程序的规范性并实现国际共享，例如，档案表采用的是都柏林核心元数据标准。当前，该系统平台已经实现资源的创建、分类、保存、检索利用、统计、可视化等多种功能。截至 2014 年年底，已经有大约 30000 个非遗项目（元素）被收集和保存①。

Ichpedia 同样以"自下而上"的普查理念为指导，运用先进的信息技术进行设计，它不仅是一个基于网络的清单编制工程，也已成为一个综合性多媒体网络协作平台和数字档案馆平台。其优势在于允许动态和高效的清单编制流程以及档案资源建设与利用。系统采取横向和纵向组织相结合的方式，充分利用群体智慧的力量。例如，对一个项目进行详细建档时，普查人员在档案数据库中录入相关数据的同时，其他普查人员，如研究人员、专家、非遗社区、群体以及个体也可以直接录入数据。此外，非遗项目的本体由非遗专家、人类学家、民俗学家、计算机科学家以及贡献者自己合作建立。该平台利于社区成员、外部研究人员和政府人员等开展交流，进行决策，并为非遗保护措施的制定提供意见，可以说是一个成熟的基于群体智慧的非遗档案资源建设典型案例。

上述例子表明，群体智慧实践不仅在网络环境下得到了应用，与本课题密切相关的文化遗产领域也已产生了成功的案例。深入研究并推广这些应用，将其应用于非遗领域，对于非遗档案资源建设模式的形成具有非常实用的价值。应该说，群体智慧理论与实践的发展为非遗档案资源建设模式的形成提供了基础和依据。

4.2 非遗档案资源建设群体智慧模式构建的原则

群体存在智慧是毋庸置疑的，但一个群体能否产生智慧则具有

225

① Park S C. Ichpedia, A Case Study in Community Engagement in the Safeguarding of ICH Online ［J］. International Journal of Intangible Heritage, 2014, 9: 69-82.

不确定性，群体智慧的实现会受到诸如群体规模、群体成员的异质性、退出机制、群体凝聚力、信息与通信技术等因素的影响①。这些因素既有来自群体组织、构建、机制等方面的"内部因素"，也有来自技术、平台等方面的"外部因素"。而笔者认为，"内部因素"是影响群体智慧实现的基本要素。Surowiecki 在其著作当中指出了"群体智慧"超过"个体智慧"的四个条件②：①多样化的观点（Diversity of opinion），每个人都有一些私有信息，即使是对已知事实的反常解释；②独立性（Independence），人们的观点不受周围人的意见所左右；③分权（Decentralization），人们能进行专门研究并根据局部认知来判断；④集中化（Aggregation），一种使得个体判断转变为群体决策的机制。参考上述原则，构建非遗档案资源建设"群体智慧模式"时应遵循以下原则。

（1）群体参与原则

具有一定规模的群体，若其成员有着相似背景、共同价值取向和相近思维方式，这种"同质性"虽对群体的团结和管理有利，但不利于群体智慧的产生。当群体中的个体为了保持与绝大部分成员意见的一致，而不断修正自己的观点，那么这个群体就是愚昧和盲目的，因此，群体成员的多样性、群体参与是群体智慧产生的基本前提。

Francis Galton 早就指出，群体需要保持多样性，这种多样性体现为家庭背景、性别、种族、文化层次等个体特征的不同，围绕某一问题形成的多种观点，以及解决问题的不同对策三个层面。群体的多样性会增加群体创意的数量，丰富群体创意的类型，也使个体不会被优势群体或主流观点所牵制，从而更愿意说出自己真实的想法，进而在争论中涌现出更多智慧的火花③。Scott E Page 同样认

226

---

① 蔡萌生，陈绍军. 反思社会学视域下群体智慧影响因素研究［J］. 学术界，2012（4）：26-27.

② Surowiecki J. The Wisdom of Crowds：Why the Many are Smarter Than the Few and How Collective Wisdom Shapes Business, Economies, Societies, and Nations［M］. New York：Little Brown, 2004：11.

③ Galton, F. Vox Populi［J］. Nature, 1907（75）：450-451.

为对群体而言观点本身的多样化是很有价值的，多样化特征的团体更善于解决问题，拥有更高的智慧①。此外，不同类型个体所做的判断的汇集和平均，也会在很大程度上抵消少数个体判断的误差，进而提高群体智慧的科学性和准确性。

需要认识到的是，因群体多样性而产生的高质量的群体智慧，是以每个个体均占有一定信息量为前提的。群体规模大，但个体占有的信息量很低，一般难以形成高质量的群体；如果个体占有信息，不论这个信息是奇怪或是反常的，集合在一起总会激发出新的知识点，产生更多的智慧。此外，群体的"新人"或"新成员"对于群体智慧也有着积极的作用。Konstantinos V Katsikopoulos 和 Andrew J King 提出，新人在面对他们所不了解的新兴事物时，将会变得更加聪明，因此，不断吸收新兴个体加入群体之中，将更有利于群体智慧的产生②。新成员的作用就在于他们为群体所带来的多样性。因此，在非遗档案资源建设当中，应最大限度地激励不同职业、不同身份、不同知识背景的群体参与其中。

（2）分权协作原则

在传统的组织管理中，人们总是主张废除各自为政、自由分散的"采邑式"组织结构，建立起高度集中的集权化管理体制，从而避免"信息零散分布、无法实现共享和无法按时送达"等问题。但对群体智慧而言，类似蚁群和蜂群的分散、自组织的分权化管理，却被证明更有活力。Everett Stiles 曾以开源社区为例，证明一群互不相识和互不沟通的参与者，他们出于自身特定的动机或目的，从事着某一项整体工作的部分环节，这就是"分权"③。同自

① Page S E. The Difference: How the Power of Diversity Creates Better Groups, Firms, Schools, and Societies [M]. Princeton, New Jersey: Princeton University Press, 2008: 12.

② Katsikopoulos K V, King A J. Swarm Intelligence in Animal Groups: When can a Collective Out-Perform an Expert? [J]. Plos One, 2010, 11 (5): 1-2.

③ Stiles E, Cui X H. Workings of Collective Intelligence within Open Source Communities [M]. Berlin: Springer-Verlag Berlin, 2010: 282-289.

上而下的指挥和整体规划不同，群体智慧鼓励有着不同动机和不同目的的个体致力于同一问题的解决或同一工作的开展，权力不再集中于中央，每个个体都可以依据自己的理解，结合自己的认识做出决策。当前，社会科学界提出了社会网络，信息科学界将互联网誉为世界上最大的分散系统，这些同群体智慧的分权化有着异曲同工之效。

群体智慧的分权化是对个体隐性知识的发掘与调动，这种知识可以是一种经验、一种方法、一种规则或是一种认知，分权化的实现得益于专业化的发挥，而分权化反过来又能推动着专业化，它为个体提供了发声的空间与平台，让他们展示自己的知识和信息。在鼓励群体成员保持其独立性和专业化的同时，分权化也允许人们在一些活动上或解决问题时进行协作，但分权化的弱点在于无法确保系统中某一部分暴露出的有价值信息以自己的方式影响系统其他部分，这就需要在两个必备条件之间找到恰当的平衡点：既要使个体的知识全球化和对集体有用，也要允许它们绝对保持专业化和局部化特点。

（3）共建共享原则

Surowiecki 曾说"分权化是群体智慧的秘诀"，正因如此，蜂群才能找到丰富而优质的蜜源。但是，面对如此众多的蜜源，哪一处才是最佳的蜜源？这就需要一个主体在集中汇总信息的基础上做出判断。同样，在一个分权化的系统中，存在于每一个人手中的信息，该以何种手段进行汇聚、选择，进而显示出分权化系统的高明之处呢？这里同样需要一个集中性的手段或机制。可见，在鼓励和提倡高度个性化及分权化行动的同时，集中性仍是总结、提炼群体创意，进而形成群体智慧的关键和最终环节。

传统管理体制下，对分散的个体及其信息进行协调、聚合、汇总、筛选和选择，主要是通过权威个人或部门来实现。但对于群体智慧而言，这种方式的针对面、涉及范围仍是十分狭窄的。Howard Rheingold 指出，新一代移动通信技术（从手机到移动电脑）使得集体交流和协调彼此的活动变得更加容易，因此，基于互联网和 Web2.0 构建起来的交互平台和网络社区，无疑会成为集中群体智慧的良好虚拟空间。在此基础上，约定俗成的规则、共同的文化背景以及相似的爱好和价值取向，都会在无形中增加群体间的凝聚力和吸引力，使得协调和共享的活动变得更加容易。当前，基于共同的爱好而自发组织起来的趣缘群体就是一个很好的例证，他们出于对某一项事业，或是某一个事物的共同爱好，很自然地集中在一起，通过建立 QQ 群、百度贴吧、论坛等方式进行交流、讨论、分享、提出新的创意，并组织实施，这种自下而上发现问题、提出问题、解决问题和达成目标的自组织方式，不需要领导者，也不需遵循复杂的规定或算法，依据其特定的秩序，有条不紊地实现着管理、改进和优化。

中国互联网络信息中心（CNNIC）发布的第 37 次《中国互联网络发展状况统计报告》显示，截至 2015 年 12 月，中国网民规模达 6.88 亿，互联网普及率达到 50.3%。网民的上网设备正在向手机端集中，手机成为拉动网民规模增长的主要因素。截至 2015 年 12 月，我国手机网民规模达 6.20 亿，有 90.1% 的网民通过手机上网。只使用手机上网的网民达到 1.27 亿人，占整体网民规模的 18.5%①。面对如此庞大的网络群体，通过网络平台，运用群体智慧来实现非遗档案资源的共建共享，将会达到意想不到的效果。

📚 4.3 非遗档案资源建设群体智慧模式的形成

笔者借鉴群体智慧理论模型的思想，遵循以上几个原则，参考 Malone 群体智慧管理模型的基本框架，结合我国非遗档案资源建设的特点，构建我国非遗档案资源建设的"群体智慧模式"。

229

---

① CNNIC. CNNIC 发布第 37 次《中国互联网络发展状况统计报告》[EB/OL]. [2016-02-10]. http://www.cnnic.net.cn/gywm/xwzx/rdxw/2016/201601/t20160122_53283.htm.

4.3.1　群体智慧模式的主要模块

　　Malone 的群体智慧管理模型，为人类社会中群体智慧管理体系的构建提供了一个简单却又明确的设计蓝本，而其对模型中主要模块的认定与解释，也为人类提取群体智慧管理体系中关键及核心因素带来了很好的指导与启迪。构建非遗档案资源建设"群体智慧"管理模式同样需要以明确和认定 Malone 模型中的 "What" "Who" "Why" "How" 这四个模块为前提。在 Malone 模型的基础上，笔者结合我国非遗档案资源建设的实际需要，从建设目标（What）、建设主体（Who）、建设机制（Why）、建设方法（How）四个层面设计了非遗档案资源建设"群体智慧"管理模式的基本模块，见图 4-4。

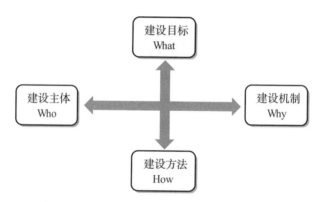

图 4-4　非遗档案资源建设群体智慧模式主要模块

　　（1）What

　　在建设目标（What）方面，基于群体智慧的非遗档案资源建设的主要目的是充分利用群体的智慧和力量来实现非遗档案资源的收集、鉴定、描述、分类、保存与传播利用，建立一个基于网络的非遗数字档案资源库、非遗知识库，最终实现非遗档案资源"数量的增加、质量的优化、利用的可视化和个性化"。

（2）Who

对于建设主体（Who）而言，基于群体智慧的非遗档案资源建设的主体主要分为管理主体和实施主体。管理主体就是非遗档案资源建设群体智慧系统平台的开发者或提供者，他们主要负责平台的搭建、组织管理与维护。我们认为管理主体可以由政府文化管理部门、公共文化事业机构、其他社会组织（如企业、民俗协会、非遗研究机构等），甚至个人（如非遗传承人、收藏家等）当中的任意一个主体来充当，也可以由多个主体共同充当。而实施主体就是社会公众群体（政府及文化机构人员、研究机构人员、传承人、其他资源拥有者、其他普通网民等），充分赋予社会公众参与非遗档案资源建设的主体地位，这本身也是设计与搭建非遗档案资源建设群体智慧系统平台的基本出发点。

（3）Why

基于群体智慧的非遗档案资源建设的机制（Why）是指确保群体智慧在非遗档案资源建设中充分发挥，并且对群体参与过程进行有效组织和质量控制的规则制度和方式方法等。其中最重要的当属激励机制，激励公众群体参与非遗档案资源建设具有一定难度，需要采取必要的措施进行引导。另外，信任机制、质量控制机制、知识产权保护机制也是该模式的重要组成。

（4）How

在 Malone 的群体智慧管理模型中，建设方法（How）常常被描述为群体的组成、结构和群体智慧的实现过程。在基于群体智慧的非遗档案资源建设当中，"How"模块应该是指非遗档案资源建设中群体智慧实现的方法，这种方法主要侧重于技术层面。要实现分布在不同地域的群体在不同的时间以各自方式开展非遗档案资源的建设，没有一个公共的、可信的平台或系统是不行的。

4.3.2 群体智慧模式的基本框架

基于上述认识，笔者从基于群体智慧的非遗档案资源建设"目标""主体""机制""方法"四个层面设计出非遗档案资源建

231

设"群体智慧"模式的基本框架，见图4-5。

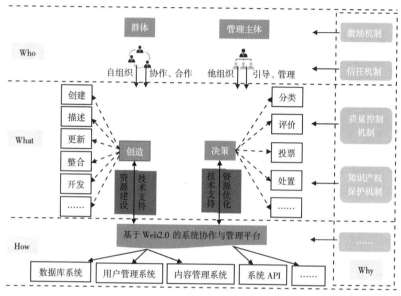

图 4-5 非遗档案资源建设群体智慧模式的基本框架图

图4-5勾勒出基于群体智慧的非遗档案资源建设的基本模型，同时也指明了群体智慧在非遗档案资源建设过程中的实现路径，当然，这些路径的解析同时也要从"主体"（Who）、"目的"（What）、"方法"（How）和"机制"（Why）四个层面展开，笔者将依据该顺序对框架主要模块的内涵及其实现做出简单的解析，从而为后续研究工作的开展作铺垫。

4.3.2.1 Who：群体智慧下非遗档案资源建设主体

世界范围内，非遗保护以及非遗建档由政府文化主管部门主导，图书馆、博物馆、档案馆等文化机构作为辅助性主体"主动或被动"地参与其中。在我国，非遗普查、建档、建库等非遗档案资源建设工作通常由文化部主导、规划，由各地文化主管部门具体实施，图书馆、博物馆以及档案馆等机构通常将非遗文献、档案资源建设作为其丰富馆藏资源建设的一种手段，开展以地方特色、民族特色等为主题的非遗档案资源建设工作。这是当下非遗档案资源建设的基本情况。然而，群体智慧模式下，群体参与的非遗档案资源建设在一定的管理主体安排下，要求在主体层面最大限度地确保由个体构成的社会公众群体参与到非遗档案资源建设当中，这是非遗档案资源建设群体智慧模式的基本要求。为此，需要厘清群体智慧模式下非遗档案资源建设的各个主体及其分工。

首先，必须明确非遗档案资源建设"群体智慧模式"下各参与主体的角色定位。

非遗建档主体多元化已经成为我国非遗管理和保护的现状。政府、文化主管部门、民间组织、档案部门、公共文化机构、新闻媒体、社会公众等机构和个人在非遗档案资源建设过程中如何进行定位，是群体智慧模式必须考虑的重点。

非遗档案资源建设一直以政府部门为主，在群体智慧模式下，这种管理体制仍然是不可动摇的。然而，在民间组织乃至社会公众参与非遗档案资源建设的情形下，管理主体在行使其权利的过程中，也需要考虑环境的变化。例如，本章第 1 节提及的"苏格兰的非物质文化遗产——前进之路"（Intangible Cultural Heritage in Scotland——The Way Forward）中，苏格兰的非遗清单通过网络环境使用在线数据库（Wiki 格式）进行编制①，为公众的参与提供了一个平台。这种情形下，管理主体既是平台的设计者、管理者以及平台内容的编辑者、审核者，也是相关平台维护和管理的重要执行者。管理主体应该承担系统基础平台的设计任务，监督系统的运行，提供一定的组织、引导和支持，协助群体智慧的最大限度发挥。需要注意的是，基于群体智慧的档案资源建设模式更强调群体智慧的作用，任何机构或者个人都不能阻碍群体智慧的发挥，否则本书创建的非遗档案资源建设模式就失去了意义，而与普通机构主

233

---

① McCleery A, Gunn L, et al. Scoping and Mapping Intangible cultural Heritage in Scotland：（Final report）［R］. Museums Galleries Scotland, 2008：30-31.

导的网络数据库建设无异。

既然有了平台，社会公众的参与就是顺理成章的事情。事实上，正如本章第 1 节提及的"ICH Scotland Wiki""Ichpedia"那样，公众是最为重要的参与者。公众，既有可能来自政府机构、文化机构、研究机构等相关专业性机构，也有可能来自热衷于文化以及非遗保护的企业、社会群体、民族地区（土著社区）等，在合适的环境（尤其指 Web2.0 环境）下，社会公众的聚合可以发挥巨大的智能。公众在生活中直接接触非遗，对所在地区的非遗有着深入的了解，熟悉其构成，发挥其非遗档案管理的主动性可以填补政府机构档案管理工作的盲点，修正档案管理工作中存在的错误；公众中不乏专业人士，这些专业人士的知识储备可以用于解决非遗档案管理中出现的各类难题；文化存在于公众之中，为公众所需，公众的价值判断对非遗项目的分级有着重要的价值。

其次，对于群体智慧实现方式，参与主体与实施主体都应发挥相应的作用。一般而言，自组织是群体智慧最常见的实现方式之一，它是指一个系统无须外界特定指令而自发或自主地从无序走向有序，形成结构性系统的过程。协同学创始人 Hermann Haken 认为，"如果一个体系在获得空间的、时间的或功能的结构过程中，没有外界的特定干涉，我们便说该体系是自组织的。这里'特定'一词是指，那种结构或功能并非外界强加给体系的，而且外界是以非特定的方式作用于体系的"①。按照传统自组织理论，自组织发生需要三大基本条件：开放性、远离平衡态和非线性。Web2.0 环境下网络信息体系是满足上述基本条件的②，同时 Web 2.0 环境中用户生成内容（User Generated Content，UGC）的自组织同样满足以上基本条件③。社会化标签、Wiki、博客、微博、虚拟社区等都

① 吴彤. 自组织方法论研究 [M]. 北京：清华大学出版社，2001：5-6.

② 徐佳宁. 基于 Web2.0 的网络信息自组织机制研究 [J]. 情报杂志，2009，28（6）：140.

③ 李鹏. Web2.0 环境中用户生成内容的自组织 [J]. 图书情报工作，2012，56（16）：122.

是 Web2.0 环境下，自组织实现的典型案例。

　　然而，基于我国非遗档案资源建设工作的复杂性以及多主体参与的现实，笔者认为，在群体自组织的基础上，应进行必要的他组织（Hetero-organization）。他组织是与自组织对应的概念，表示组织力来自系统外部，组织者不包括在组织内部。他组织与自组织是互补的，一切合理地生成、存在和延续的系统都是自组织与他组织的辩证统一。在两个系统中，上一层次的他组织须以下一层次的自组织为基础才能可靠地建立起来，下一层次的自组织须以上一层次的他组织为指导（至少是限定边界条件）才能有效地展开。没有整系统对分系统的他组织，没有上一层次对下一层次的他组织，系统的整体性便没有保障，子系统必然分崩离析，没有分系统和元素充分的自组织，系统必然失去活力，高层次他组织必然丧失现实的基础，导致系统僵化①。因此，管理主体要适当依靠利用叙词表、可视化软件、本体构建软件等充分吸收和引入社会网络分析和本体等他组织方法，以弥补自组织的不足，提高自组织的规范化和质量②。

4.3.2.2　What：群体智慧下非遗档案资源建设目标

　　对于群体智慧而言，"做什么"也就是群体智慧的"目标"主要包括创造和决策。创造意味着创建一些新的内容，可以是原创的，也可以是上传的一些共享中没有的内容，例如，程序开发中的一些代码片段、Wiki 中的一个条目等。决策意味着评估和选择，对已有的内容进行评价，选择更为合适的内容代替已有内容。而对于非遗档案资源建设的目标而言，主要是通过广泛的收集（采集）、征集等手段，实现档案资源数量的增加和聚合，通过分类、鉴定、著录、整合、开发等手段实现非遗档案资源的有序化和质量

235

---

① 苗东升. 自组织与他组织 [J]. 中国人民大学学报，1988，2（4）：67.

② 孙中秋，陈晓美，毕强. 知识自组织与他组织方法类比与融合研究 [J]. 数字图书馆论坛，2014（9）：19-20.

的优化。因此，笔者将基于群体智慧的非遗档案资源建设的目标界定为：实现非遗档案信息资源建设和资源的优化。围绕此目标的实现，主要有创造、决策两个方面的主要内容。

①创造：所有热爱非遗、有着强烈社会责任感和使命感的个体，都应该参与非遗档案信息资源的创造，参与者可以根据自己的认知经历、成长经验，或知识储备修改、补充和完善、更新现有的非遗档案信息，或是创建并描述新的非遗档案记录，对非遗档案信息进行一定的整合和开发等。具体来说，我国非遗档案资源建设工作起步不久，认知有限，收集的资料也不全面，因而建立起来的非遗档案存在很多疏漏或不完善的地方，需要参与者对其进行完善，如添加对某一项工艺的新说明，上传某个非遗活动的实况录影，介绍某位非遗技艺传承人，以补充当前资料的不全；同时，针对现行非遗档案中存在的失误，参与者也可以明确地指出，并对其予以修正和补充说明，以确保非遗档案的质量。

②决策：在基于群体智慧的非遗档案资源建设过程中，决策是对现有非遗档案，以及新建立的非遗档案从内容和价值上予以分类、评价、投票和处置等。主要体现在对非遗档案类别的判断、价值（真实性、有用性等）的认定，以及非遗档案存续的处置决策上。我国前期的非遗档案收集工作收集到大量非遗文本、图片和实物资料，而不得不承认的是，政府的全力推进，地方政府的积极响应，以及相关部门的参与，虽然形成一股抢救和保护非遗资料的热潮，但却仍然存在"良莠不齐""眉毛胡子一把抓"的现实状况，相关工作人员对非遗的不了解，使得他们无法对这些资料的价值加以评判，只能全盘接受，束之高阁。而群体力量的介入将会给非遗档案价值的鉴定提供很好的参考。不同来源、有着不同利益诉求的参与者，他们通过网络发表自己的看法，交换自己的意见，通过投票的方式对项目进行分级，这些意见和投票结果可以提交给主管机构处理，也可以在系统内直接应用，执行非遗项目分级工作。同时，用户在评判各种资料数据的基础上，还可以根据评价结果用价值更好的数据资料替换价值较差的数据资料。

4.3.2.3　How：群体智慧下非遗档案资源建设方法

一般来说，实现群体智慧的方法主要包括：扩大范围、聚合和自组织。前文笔者已经对自组织进行了阐述，在这里，我们将重点阐述扩大范围和聚合在基于群体智慧的档案资源建设模式实现当中的具体表现。扩大范围，换言之就是扩大公众群体在非遗档案资源建设中参与的广度和深度。前文我们阐述了群体智慧发挥作用的三个条件：成员多样性、群体的独立性以及分权性。而扩大范围就是前两个条件的具体体现。聚合，具体而言就是指参与者上传、共享各类非遗活动记录和知识，如上传非遗活动的声像资料，上传个人参与非遗活动的材料、上传工艺技术资料等。通过扩大范围功能可以提升非遗档案资源建设的来源和质量，通过聚合功能的使用，非遗档案项目可以快速、高效地收集相关信息。无论是扩大公众参与范围还是进行资源聚合，最终都表现为一种协作或合作的形式。它们都是多人协调进行非遗档案资源建设的形式，例如对于某项非遗项目内容的描述，参与者可以通过分工协作进行撰写工作。

要实现以上的各种方法和方式，最重要的是开发基于 Web2.0 的群体智慧系统，搭建群体智慧协作平台。当前日趋成熟和稳定的 Web2.0 也为系统或平台的构建，及群体参与构想的实现提供良好的技术支撑。总的说来，该系统平台需要具备非遗资源存储、管理、展示、协作、交互等基本功能，包括非遗资源数据库系统、内容管理系统、用户管理系统等系统支撑，以及便于用户群体智慧实现的各类应用程序接口等。具体而言，该系统的设计将以非遗档案资源建设与管理和群体智慧理论为指导，以 Web2.0 为主要实现手段，既要吸收传统档案管理系统中优越之处，如档案资源库的建设，也更要突出对个体力量的充分调动和最大限度的发挥。设计出的系统平台，首先应该是一个基于大众群体的网络自组织社区，通过 Blog、Wiki 和 Tag 等社会性软件与技术的引入，使得各用户主体之间通过自组织动态演化出一个非遗档案管理的虚拟社区，并进一步细分出各种主题社区，实现管理网络的细化和复杂化；其次，该系统也应该是一个基于用户主体贡献的资源共享平台，与传统的网络建设和资源管理相比，依托 Web2.0 实现的非遗档案资源建设应该是通过用户主体的建设与维护来实现的，用户主体既可以通过建立个人档案保留自己的私有资源，也可以通过分享公开自己的资源，从而使该系统成为一个资源共享的平台，利他主义和互惠机制则成为促进资源共享的动力机制；最后，本系统应该是一个基于用户主体协作的群体智慧充分发挥的空间，一系列社会性软件的运用有助于激发用户主体的群体智慧，通过用户的参与、编辑、分类、过滤和回答，实现非遗档案资源的社会性创造、组织、发现和转移，群体智慧是社会化的产物，依托互联网建设起来的本系统将为其产生和发展提供重要的协作基础。

4.3.2.4 Why：群体智慧下非遗档案资源建设机制

"群体"是该模式的核心与灵魂，因此，建设机制的确立，同样也是以"群体"为依据。大众群体在非遗档案管理工作中参与的，不同主体基于保护非遗这一共同目的而建立组群，个体或组群之间的资源共享、交流与互动等，种种的行为，都是以良好的信任关系为前提。群体对非遗档案管理前景的信任，个体之间的信任，组群之间的信任，都是管理活动开展并得以维持的心理保证。因此，信任，是个体或组群之间合作、共享、互惠、共赢意愿和行为产生的重要原因。

激励机制是 Malone 群体管理模型中的主要内容，也是非遗档案管理组织中不可缺少的重要元素。同信任机制一样，激励机制也是从管理主体——群体的角度，基于群体中个人的需求而提出的。群体，及群体中个体在非遗档案资源建设中的参与，需要一定的外在激励，这种激励可以是物质上的，也可以是精神上，不同参与阶段，参与主体有着不同的物质和心理需求，他们有着一定的社会责任感和公德心，这使得他们不会对非遗保护工作袖手旁观，但他们也渴望得到尊重、认可，也希望在适当的时候得到一定的奖励，这些都将成为他们参与的动力源泉和质量保证，为此，激励机制不可缺少。

质量控制机制是从管理和控制角度，基于群体在非遗档案管理中的参与效果而提出的，群体在非遗档案管理中的参与，主要体现在资源共享和参与管理两大方面，由此引出的资源信息质量和决策质量，将是决定群体参与非遗档案管理效果和实施必要性的重要因素。作为一个数量众多，彼此间存在着较大差异的主体群，想要保证良好的管理效果，并不是一件容易的事，因此，质量控制机制同样是必需的。

当然，除了上述三大机制外，知识产权保护机制以及标准规范、规章制度的制定和约束也同样是必要且重要的（详见第 8 章）。不难看到，实现非遗档案资源建设的"群体智慧模式"可以分解成多个模块，而落实和实施这些模块并真正地产生群体智慧并非是一蹴而就的。

5　非遗档案资源建设群体智慧模式的实现：主体层面

　　主体是管理实践能动的主导因素，它是管理活动的构成者，管理职能的履行者，更是管理本质的体现者①。非遗档案资源建设是国际非遗保护环境下的重要策略。在我国，非遗档案资源建设是一项由多种主体共同参与的事业。非遗档案资源建设"群体智慧模式"的主体具有多元性，政府部门、文化机构、非政府组织乃至公众都是非遗保护的主体。这种多元主体的参与共同保护非遗，是《非遗法》的规定，也是现实的需求，为非遗档案资源建设提供了保障。然而，多主体参与过程中，可能会造成职责不明、混乱无序等状况。因此，如何在群体智慧模式下，依据《非遗法》的规定，厘清各种不同主体的定位，分清不同主体的职责权利，这是实现非遗档案资源建设"群体智慧模式"考虑的关键问题之一。

5.1　政府

　　政府在非遗保护中的作用是值得肯定的。非遗保护中，官方是

---

①　余要火. 管理主体的系统思维［J］. 辩证学学报，1994（2）：68.

不可缺少的主导性角色①。丁永祥认为，政府作为民众的代表和社会的管理者，在制定非遗保护政策、筹集资金、组织人员等方面具有不可替代的作用，因此，相应的政府部门才是非遗保护的责任主体②。苑利提出，政府具有保护主体的职能③。概括起来，政府在非遗保护与传承的作用主要体现在：

（1）制定相关法律法规

2000年以来，在国际非遗建档理念的引导下，全国人大制定并通过了《非遗法》。一系列的行政法规，例如《关于加强我国非物质文化遗产保护工作的意见》（2005）、《国家级非物质文化遗产保护与管理暂行办法》（2006）也得以实施。行政规章，例如《云南省民族民间传统文化保护条例》（2000）、《江苏省非物质文化遗产保护条例》（2006）等相继在各地得以执行，由此形成了从中央到地方的法律法规保障体系。此外，文化部被确立为我国非遗建档的主管部门，联合国家发改委、教育部、国家民委等九部委建立的"非遗保护工作部际联席会议制度"负责具体领导、组织和工作④。

（2）提供非遗保护与传承保障

《非遗法》第六条规定，县级以上人民政府应当将非遗保护、保存工作纳入本级国民经济和社会发展规划，并将保护、保存经费列入本级财政预算。作为历史遗留的具有价值的非遗，其保护与传承在当代全球化、信息化、城镇化的冲击下发生了不可逆的变化，单靠个人（包括代表性传承人）的力量是不够的，最终需要政府的参与。非遗的普查、非遗信息化建设、非遗代表性传承人的津贴

① 赵德利. 主导·主脑·主体——非物质文化遗产保护中的角色定位[J]. 宝鸡文理学院学报，2006（1）：73.

② 丁永祥. 论非物质文化遗产保护的责任主体[J]. 广西师范学院学报，2008（4）：9.

③ 苑利. 非物质文化遗产保护主体研究[J]. 重庆文理学院学报（社会科学版），2009（3）：3.

④ 文化部部长在非遗保护工作部际联席会议[EB/OL]. http：//news. qq. com/a/20091126/002429. htm.

等，都需要政府进行合理的安排。只有政府的介入，非遗的保护与传承，包括其中涉及的非遗资源建设才能有保障。

（3）加大对非遗传承人的保护力度

2008年5月14日发出的《中华人民共和国文化部令》（第45号），颁布了《国家级非物质文化遗产项目代表性传承人认定与管理暂行办法》，其中第十二条规定："各级文化主管部门应对开展传习活动确有困难的国家级非遗项目代表性传承人予以支持。"支持的方式包括：第一，资助传承人的授徒传艺或教育培训活动；第二，提供必要的传习活动场所；第三，资助有关技艺资料的整理、出版；第四，提供展示、宣传及其他有利于项目传承的帮助。不可否认，近年来非遗保护工作确实取得了不少成绩：从2008年开始，中央财政对国家级代表性传承人提供每人每年8000元的传习补贴，而从2011年开始，金额提高到每人每年10000元；2011年《非遗法》正式颁布实施；同时各地相关部门积极调查整理非遗项目，每年都有不少收获；另外也有很多的非遗技艺开始走进学校，让广大师生都能够近距离的学习简单的非遗技艺。从以上可以看到，政府在非遗调查、非遗宣传乃至非遗立法方面，一直在努力，但是在非遗保护和继承方面，还需要进一步努力。

（4）协助举办民间大规模非遗展演活动

非遗的展演活动相对于其他非遗展现形式而言，具有规模盛大、影响广泛、参与程度高等特点，非遗展演活动是由当地民众按照传统规则与方式进行，政府要遵循"民间事民间办"的原则，给予充分的尊重①，但这并不代表非遗展演活动的顺利进行不需要行政力量的参与，政府部门仍需负责全局性的组织管理，不仅要提供交通、场地、秩序、治安等方面的支持和保障，还要直接在表演中安排活动。2008年2月20—23日，笔者与20余名民俗学同行应山西柳林县政府之邀到该地考察了元宵节活动。柳林县元宵节的时间为正月十三到正月十八，到了这个时候，整个柳林县城处处张灯

---

① 黄涛．近年来非物质文化遗产保护工作中政府角色的定位偏误与矫正［J］．文化遗产，2013（3）：13.

结彩、摆盘子会，人们全都来到街巷，赏灯、扭秧歌、看烟花、听演唱，县政府组织十几家单位在贯穿县城的小河水面上布置了二十几个二三层楼高的造型各异的巨大花灯①，这些政府组织的节庆活动与民间节庆活动分头进行，相辅相成，和谐地构成柳林县城元宵节欢庆活动的整体。

（5）建立本地并推荐国家级非遗代表性名录

《非遗法》第十八条规定，"省、自治区、直辖市人民政府建立地方非遗代表性项目名录"。国务院建立国家级非遗代表性名录，省级、市县级代表性非遗名录，则由当地政府建立。截至目前，除了被列入世界级非遗代表性名录的 39 项外，我国已经确立四批国家级非遗名录，部分省市已经公布第五批省市级非遗名录。

上述情况表明，政府主导非遗保护与传承的重要理由，除了政策优势外，还拥有政策和资金的优势资源②。

5.2 文化主管部门

非遗是一种重要的文化类型，由文化主管部门负责非遗的保护是理所当然的，国内外都是如此。在我国，《非遗法》第七条规定："国务院文化主管部门负责全国非遗的保护、保存工作；县级以上地方人民政府文化主管部门负责本行政区域内非遗的保护、保存工作。"该法第十三条关于非遗数据库建设，第二十二条、二十三条关于非遗代表性项目名录的评审与公示等，都强调了文化主管部门的作用。

事实上，我国非遗保护，包括非遗档案资源建设的主管机构是文化主管部门。本书第 2 章关于非遗档案资源建设的普查-登录模

243

---

① 黄涛. 开拓传统节日的现代性［J］. 河北大学学报（哲学社会科学版），2008（5）：43.

② 赵德利. 主导·主脑·主体——非物质文化遗产保护中的角色定位［J］. 宝鸡文理学院学报，2006（1）：73.

式、建档模式、建库模式、建馆模式等国内做法，以及该章第2节关于国内非遗档案资源建设复合模式，其实几乎全部或主要是在文化主管部门下完成的。总结起来，文化主管部门主管的非遗各项工作中，与非遗档案资源建设相关的主要包括：

（1）非遗档案资源建设的规划、实施与监督检查

各级政府进行非遗保护的规划，具体的落实仍然是在文化主管部门。文化部、文化厅（局）等文化主管部门一直在负责非遗代表性项目保护规划实施、监督检查。对于实施较好的单位进行表彰，对于实施较差或不够好的单位提出整改意见，从而有效地推动了非遗保护项目（包括非遗数字化、非遗普查等非遗档案资源建设项目）的开展。

（2）非遗档案资源建设工作的实施

非遗档案资源建设工作的实施主要包括非遗普查、非遗数据库建设、非遗代表性项目名录的评审与公布、支持非遗代表性传承人的传承活动等。

①组织非遗资源普查、建档与经费补贴。

2005年，文化部组织各地文化主管部门和基层组织，正式启动首次全国非遗资源普查工作，历时四年，共普查非遗项目56万余项，收集非遗实物2万多件，文字记录8.9亿字，录音记录7.2万小时，录像记录13万小时，图片408万张，为非遗建档的后续工作奠定了坚实的基础①，此次全国共普查非遗约87万项。截至2013年年底，国务院批准公布了三批国家级非遗1219项，中央财政投入非遗保护专项经费共计28.04亿元②。同年，政府建立由文化部、财政部等九部委组成的非遗保护工作部际联席会议制度；2006年，成立了由15个部委部门组成的国家文化遗产保护领导小组，以加强对全国文化遗产保护工作的领导；2009年3月4日，

244

---

① 中国首次非物质文化遗产普查基本结束［EB/OL］. http: //news. qq. com/a/20091126/002429. htm.

② 中国: 全国共普查非物质文化遗产约87万项［EB/OL］. http: //jjsx. china. com. cn/lm1575/2014/255733. htm.

文化部正式设立非遗司。同时，一些地方性的非遗建档工作也同步进行，如2009年陕西省开展的全省非遗普查工作，2010年辽宁省及沈阳市非遗保护中心联合采录小组对东北古建筑地仗技艺、新民民间故事、沈阳京剧等进行的采录建档①。

②非遗信息化建设。

在信息化浪潮的大力推动下，文化部自2006年以来，逐步建立了包括国家级、省级、地县级非遗网站和专题数据库以及图书馆、文化馆、博物馆乃至艺术研究所参与的非遗数字化网络服务体系②，并随后组织各地积极举办数据库建设培训班，全面提高非遗数字化保护工作和非遗数据库建设水平。

构建数据库是保护非遗最直接有效的手段和途径，笔者通过对目前国家级、省级行政区非遗网站的非遗信息化建库情况进行网络调研发现，截至2016年6月12日，自2006年首个国家级非遗专门网站开通以来，我国已经建成了中国非遗数字博物馆、中国非遗网、中国非遗保护成果展览网上展馆、中国非遗名录数据库系统4个国家级非遗网站。同时，30多个省（自治区、直辖市、特区）开通非遗网站，具体包括天津、重庆、上海、河北、山西、辽宁、吉林、黑龙江、江苏、浙江、安徽、福建、江西、山东、河南、湖北、湖南、广东、海南、四川、贵州、云南、陕西、宁夏、新疆、内蒙古、西藏等地，详见第7章第2节相关统计。

在国家级网站中，中国非遗网、中国非遗名录数据库系统开通非遗数据库，项目分类结构基本涵盖了民间文学数据库、民间音乐数据库、民间舞蹈数据库、传统戏剧数据库、曲艺数据库、杂技与竞技数据库、民间美术数据库、传统手工技艺数据库、传统医药数据库和民俗数据库共十大类。

除国家级非遗数据库系统以外，大约有1/3的省级行政区根据

---

① 辽宁全面采录非遗传承人技艺生活环境全面采录［EB/OL］.［2016-02-05］. http://news.163.com/10/0223/03/6065ONLK000120GR.html.

② 董永梅.关于非物质文化遗产资源数据库建设的思考［J］.图书馆工作与研究，2012（9）：43.

本区域的特点研发建设并形成了省、市级非遗名录数据库雏形，范围涉及天津、陕西、上海、辽宁、江苏、浙江、安徽、福建、四川、广东、湖北、内蒙古等地，只有天津、陕西、山西三地真正意义上建成非遗数据库并投入使用。2013 年，天津市非遗数据库正式投入运行，该数据库包括普查申报、项目管理、传承人管理、专家管理、资料管理、活动管理、查询检索 7 项内容。2015 年，陕西非遗数据库建成，数据库内容包括综述、法规文件、国家级保护项目、省级保护项目、传承人、论文专著及陕西非遗保护动态几大部分，目前数据库共有数据 5569 条，其中包括图片资料 1500 余张，视频资料 260 余部，整个数据库内容均向读者提供全文检索，读者可通过任意关键词进行检索，也可通过题名、责任者等检索入口进行组合检索①。此外，山西已建成山西省非遗数据库管理系统并投入使用，该数据库管理系统包括项目申报子系统、普查管理子系统、专家评审子系统、传承人信息系统、保护金管理系统、保护单位项目管理系统②。

此外，还有部分市（州）级非遗数据库。例如，2008 年，四川省成都市建成非遗普查数据库，创建非遗项目 120 余个，填写电子表格近千张，录入文字 25 万，以及大量图片和影像资料③。2013 年，中山市在广东省率先建成非遗数据库，数据库拥有非遗概况、项目资源库、传承人、传承基地、非遗展示馆、研究成果及多媒体出版物等多个一级栏目，每个栏目里包括了中山市各个非遗项目的相关信息④。

---

① 陕西地方文献收藏中心．陕西非物质文化遗产数据库［EB/OL］．［2016-06-12］．http：//www.sxlib.org.cn/difang/ztsjk/201506/t20150625_209650.htm.

② 周耀林，戴旸，程齐凯．非物质文化遗产档案管理理论与实践［M］．武汉：武汉大学出版社，2013：200.

③ 蔡宇．成都建成非物遗产普查数据库［N］．［2008-02-24］（6）：1.

④ 中山市非物质文化遗产．中山市非遗数据库建成并投入使用［EB/OL］．［2016-06-12］．http：//www.zssfeiyi.com/fygs/fyxwdt/201331/n4028112.html.

纵观全国非遗信息化建库现状，非遗保护信息化建设工作还处在初期，目前政府机构仍聚焦于以史料为主的静态的收集、整理工作，对于动态的非遗资源建设方面存在不足；已建或在建的数据库存在建设体系不完备、共享共建力度不够、功能导航单一等问题，这是笔者在今后的研究中需要考虑的问题。

5.3 相关机构

《非遗法》提及的参与非遗保护的组织部门很多。例如，其中第十一条规定，"县级以上人民政府其他有关部门可以对其工作领域内的非遗进行调查"，第十二条鼓励各个部门参与并建立共享机制，以及第三十五条提出的"图书馆、文化馆、博物馆、科技馆等公共文化机构和非遗学术研究机构、保护机构以及利用财政性资金举办的文艺表演团体、演出场所经营单位等，应当根据各自业务范围，开展非遗的整理、研究、学术交流和非遗代表性项目的宣传、展示"等，都是相关机构非遗档案资源建设业务工作的基本依据。由于涉及的机构众多，笔者以档案部门、图书馆、高等院校、非政府组织、新闻机构等为例进行说明。

5.3.1 档案部门

2011年颁布的《非遗法》明确了非遗保护工作的具体内容主要包括：调查、认定、记录、建档、保存、传承、传播等。非遗的建档、保存其实与档案部门有着密切的关联。北京市档案馆为老手艺人建档①等类似的报道屡见不鲜，是档案馆参与非遗档案资源建设的真实反映。

从理论上来讲，档案工作是"管理档案、开发档案信息资源，

---

① 北京市档案馆为老手艺人建档［EB/OL］.［2016-05-26］. http：//www.zgdazxw.com.cn/news/2016-07/07/content_148329.htm.

为社会提供档案信息服务等一系列工作"，并将档案工作的内容细分为"档案的收集、分类、编目、鉴定、保管、统计、检索、编研、外借、公布、咨询、利用等内容"①。从这个角度看，档案工作就是将零星的档案进行收集、整理、归档，使之从零散到有序的过程。这个过程的完成，档案部门要依靠专业的档案工作者，从这个角度看，相对于其他机构而言，档案部门作为建档以及档案管理、保存与利用方面的专业机构，具有更加成熟的经验。因此，指导非遗建档、非遗档案资源建设，由档案部门指导非遗档案的征集、接收、整理、保管和利用，是非遗档案资源建设的最佳路径。档案工作的很多业务工作环节与非遗保护工作的绝大部分具体内容，即非遗的调查、记录，非遗的建档、保存，非遗的传承、传播之间存在着高度契合的关系②。说到底，非遗建档是档案部门建档的一种，只是一种专门内容的建档而已。从这个角度看，档案部门推动非遗建档也是有据可依的。

实践方面，正是档案部门本身与非遗档案资源建设方面的千丝万缕的关系，很多档案部门实际上早已参与到非遗档案资源建设实践中。例如，南京云锦、金线金箔、金陵刻经、秦淮灯会是南京人耳熟能详的国家级"非遗"，江苏省档案馆已经为这四项非遗全部建立档案③。再如，云南省档案部门已经收集的少数民族档案包括：纳西族东巴文档案；佤族土司的实物档案；傣族的贝叶经、折叠经和绵纸经；白族家谱档案；拉祜族、基诺族、哈尼族的结绳、刻木记事和数豆计龄用的木、绳等④。这些档案的主要特点是实物所占比例较大，有利于我们真实地了解和还原古代历史，从而更好地进行研究。同时这些档案记载中所用文字也比较多样，所以我们

248

---

① 朱玉媛. 档案学基础 [M]. 武汉：武汉大学出版社，2008：69-70.

② 王巧玲，孙爱萍，陈文杰. 档案部门参与非遗保护工作的优势与劣势分析 [J]. 北京档案，2013（6）：11.

③ 张一. 从非物质文化遗产的传承与传播看非遗档案的开发利用 [J]. 北京档案，2013（1）：30.

④ 王巧玲，孙爱萍，陈文杰. 档案部门参与非遗保护工作的优势与劣势分析 [J]. 北京档案，2013（6）：12.

要做好文字研究和解读工作。

这种情形表明，在非遗档案资源建设乃至非遗保护领域，"文化主管部门承担主管之责"并非意味着它是非遗保护工作的唯一主体，档案部门已经开始了保护非遗的进程。档案在"为国存史、为党存档"的同时，也在为社会保留记忆、传承文化、提供信息，从而"有利于增强中华民族的文化认同，有利于维护国家统一和民族团结，有利于促进社会和谐和可持续发展"，实现档案工作的目标与我国非遗保护的最终目的一致。然而，在当前国内非遗管理体制下，非遗建档由文化主管部门主管是具有法律和政策依据的。这种情况下，如何在政府主导下协调档案部门与文化主管部门在非遗档案资源建设方面的关系，是学界和业界共同关注的问题。

档案部门参与非遗档案资源建设主要能够从事如下方面的工作：

（1）普查与收集非遗档案资料

当前，很多非遗文化处于消失的边缘境地，非物质文化是一种动态的、活态的文化形式，对它进行记录和捕捉的手段，相较于静态的物质文化来说也更加多样复杂，且大量的一手档案材料流落在民间，保管十分分散，所以，对于非遗档案的征集、管理很艰难，一些档案部门创新思维，积极探索非遗档案的收集方法。例如，昆明市档案馆将非遗档案作为征集整理的重点工作，结合工作实际，初步分析确立了开展抢救保护非遗档案的五项原则，即及时建档、真实完整、系统有序、分级保护及优化利用原则。及时建档原则是指及时为非遗项目建档和及时建立非遗传承（人）档案；真实完整原则是指非物质文化档案准确并能反映其全貌；系统有序原则是指对征集到的处于零乱状态的档案进行系统整理；分级保护原则是指将非遗档案按国家、省、市、县级四级进行分级管理；优化利用原则是指档案部门科学合理地利用收集整理的非遗档案，为社会各界提供信息介绍、咨询与利用服务①。

249

---

① 李蔚. 创新思维 积极探索档案资源整合新方法——非物质文化遗产档案征集与管理［J］. 云南档案，2011（2）：17.

档案部门在收集非遗档案资源方面，主要还表现在口述档案的收集。口述档案一词源于"口述历史"（Oral history），是"为开展研究利用而进行的，有计划地录音或逐字记录的采访结果"① 。第十一届国际档案大会正式将口述史、口头传说和口述资料（Oral Sources Archive）等术语规整为"口述档案"。总言之，口述档案是指可被视为对包括口述历史等在内的口述调查资料收集和整理成果的统称，是为研究利用而对个人进行有计划采访的结果，主要载体形式为纸质笔录和磁带、光盘等磁性光性介质记录。目前，档案部门一般采取三种方式收集口述档案：第一种，直接征集进馆已形成的口述档案，即对一些高等院校、历史研究机构、社会媒体等编写或制作的口述档案，采取复制、接受捐赠、购买的方式征集入馆；第二种，与相关单位进行联合采集，以发挥相关单位的专业优势，充分开发利用双方的资源；第三种，结合档案展览主题开展口述档案采集。

　　（2）整理非遗档案

　　档案整理是按照一定的规范对收集的档案进行科学分类、有序归档的过程。非遗档案整理最终是形成以项目、代表性传承人为全宗的档案②。尽管从整体上非遗分为十大类别，但在具体整理非遗档案的过程中，存在一定的灵活性。例如，涪陵档案馆在分类整理非遗档案时发现，根据分类标准的不同，非遗档案的类型也就不一样。根据涪陵非遗名录类型进行分类，可分成传统体育与杂技档案、民俗档案、民间音乐档案、传统医药档案、传统技艺档案以及民间文学档案六类，然而这六类中的每一类还包括很多个小的子类，这种分类虽清晰、方便利用，但各种载体形式的档案保存起来比较麻烦；然而按照载体形式进行分类的话，就将非遗档案分为纸质档案、实物档案、声像档案等，这种方式利于档案部门的妥善保

---

　　① ［美］埃文斯，等编著. 英汉法荷德意俄西档案术语词典［M］. 丁文进等编译. 档案出版社，1988：71.

　　② 周耀林，戴旸，程齐凯，等. 非物质文化遗产档案管理理论与实践［M］. 武汉：武汉大学出版社，2013.

管，但分割了整个项目，也不便于开发利用。涪陵档案馆工作人员在实践中认识到这两种方法的优劣，在整理中灵活运用，针对不同的用途进行不同的分类。

再以太仓市非遗档案整理工作为例。太仓市档案馆对各种"非遗"项目档案的整理，按照专门档案构成的一般要求进行分类管理，妥善保存原始草稿、原生态录音、录像、照片、电子文件等资料。结合实际，明确非遗档案的归档时间，确保档案的齐全完整。通过各级各部门的共同努力，逐步建立健全归档制度，可将非遗档案列入重要档案范围，作为珍贵档案对待，尤其是对于实物档案和一些特殊材料的非遗档案，要存放在特藏室，采取特殊技术方法进行保管。此外，太仓档案馆还针对不同载体形式的非遗档案，进行相应的保护与管理，利用现代科技手段，对演唱的曲目进行录像、录音、记谱工作，并摄制成 DVD 光盘永久保存。对非遗进行记录和整理，建立包括文字、声音、图像、实物等多方面的档案资料库。为妥善保存和管理好非遗档案，对非遗传承人进行登记造册，并对其生活状况、艺术成就等情况进行建档。对于实物档案不便于长期永久保存的，转换成电子档案，并定期检查和复制。

（3）开展非遗档案数字化，建设非遗数据库

2006 年 5 月，文化部副部长周和平在关于中国文化遗产保护状况的新闻发布会上指出："文化部正会同有关部门……建立保护档案，采取多种形式把这些档案建立起来，用文字、图像、多媒体等多种手段来完善有关档案……"① 在文化主管部门的号召下，江苏省太仓市、广东省中山市、广西壮族自治区南宁市的档案部门积极与当地文化主管部门开展协作，在非遗档案的征集、整理以及网站、数据库的建设上取得不菲的成绩，江西省艺术档案馆建成并开

251

---

① 赵林林. 非物质文化遗产档案资源的管理、开发与利用［D］. 济南：山东大学，2007.

通 "江西省非物质文化遗产保护网"①。非物质遗产数据库建设主要包括非遗档案目录数据库建设、非遗档案多媒体数据库建设、非遗档案专题数据库建设以及非遗档案传承人数据库建设四个方面。档案部门一般通过三种方式参与：第一种是合作建设，文化部为建设主体，档案部门为辅；第二种是备份非遗数据库，将已建设好的非遗数据库备份于档案部门；第三种就是自建非遗数据库。

（4）制定非遗建档标准

标准是对重复事物所做的规定。目前，从全国非遗档案管理的现状出发，相关标准比较缺乏。为此，如何建立相关的标准，学界也达成了共识。

自 2011 年正式启动非遗数字化保护至今，《术语和图符》《数字资源信息分类与编码》《数字资源核心元数据》3 个基础标准以及《普查信息数字化采集》《采集方案编写规范》《数字资源采集实施规范》《数字资源著录规则》4 个民间文学类、传统戏剧类、传统美术类、传统技艺类中的民居营造技艺业务标准等 7 项基本标准已经形成②。从实践工作出发，上述标准仍无法满足非遗档案管理工作的需求。以非遗档案资源长期保存为例，需要采取重点建设与全面建设相结合、近期建设与长远发展相结合、自主开发标准与借鉴吸收标准相结合的原则。形成非遗资源长期保存标准体系，是指非遗资源长期保存的直接标准和相关标准，按照其内在联系而形成的相对完善的科学有机整体。直接标准是指与非遗资源长期保存直接相关，具有专门指导作用的标准，主要包括非遗资源长期保存管理标准和技术标准两大类。相关标准是指非遗资源长期保存过程中采用或采纳其他标准体系中的标准。其中，"内在联系" 是指非遗资源长期保存标准之间相互协调统一，衔接搭配，互为补充，各有重点而又不失联系。"科学有机整体" 则是指非遗资源长期保存

252

---

① 魏学宏. 非物质文化遗产保护的信息化建设——以甘肃省非物质文化遗产保护为例 [J]. 辽宁医学院学报（社会科学版），2009（2）：67.

② 丁岩. 吹响非遗数字化保护工作的时代号角 [N]. 中国文化报，2013-12-11（3）：1.

标准体系并不是大量标准的简单叠加，而是具有紧密联系的有机整体①。

（5）开展非遗档案展览

近几年，很多档案机构开辟了非遗档案陈列室，新建的文化机构场馆设计有宽敞明亮的展览大厅，举办了各种类型的、丰富多彩的非遗档案展览。非遗档案展览以其丰富多样的表现手段、立体科学的展陈方式、生动形象的展陈效果等优势著称，堪称非遗档案"固态活化"的绝佳实践②。2010 年世博会期间，贵州省档案局与上海市档案局联合举办了"黔姿百态——贵州省国家级非物质文化遗产档案展"，早在 2008 年，贵州省档案馆就已收集了 40 余处国家级非遗档案史料，并在当时举办了"贵州省国家级非物质文化遗产档案展"，为了在沪办展的成功，贵州省档案馆加大对国家级非遗档案资料的征集与收集力度，其中就包括台江县人民政府副县长李碧云捐赠的珍贵的苗族服饰及 42 张照片档案。经专家认真梳理，将展览分成了"地方戏曲演绎传奇""音乐舞蹈绚丽多姿""传统技艺原汁原味""节庆习俗源远流长"四大版块，展览吸引了很多中外游客以及小学生的参观，此次展览不仅促进了非遗档案资源的建设，提高了民众的非遗保护意识，而且对档案工作由被动转向主动，档案部门由后台走向前台，具有重要的意义③。

5.3.2 图书馆

联合国教科文组织与 IFLA 联合颁布的《公共图书馆服务发展指南》专门指出："公共图书馆应该是地方社区收集、保护和推广各种地方文化的非常重要的机构"，"在那些口述传统是一种非常

253

---

① 周耀林，李丛林．我国非物质文化遗产资源长期保存标准体系建设．信息资源管理学报，2016（1）：38-43.

② 王云庆，陈建．非物质文化遗产档案展览研究［J］．档案学通讯，2012（4）：37.

③ 周端敏，欧阳峰．用心打造"黔姿百态"——记贵州省国家级非物质文化遗产档案展［J］．中国档案，2011（2）：72-73.

重要的交流方式的地方，公共图书馆必须鼓励支持其继续发展"①。文化部《全国公共图书馆事业发展"十二五"规划》也要求"加快推进公共图书馆对普通古籍、珍本善本、民国文献、少数民族文献、非遗等传统文化资源的采集、保存、保护工作"，"充分发挥公共图书馆保护民族典籍，传承中华文化的重要作用"②。笔者搜索发现，安徽省、河南省、河北省等 13 个省区市出台的地方非物质文化遗产保护条例中，均提到了发挥图书馆在非遗资源保护与开发中的特色功能，根据自己的业务范围，开展非遗的收藏、保管或者展示活动，利用互联网等媒体加强非遗的保护与宣传。

图书馆与非遗档案资源建设具有关联性，这体现在：

（1）图书馆本身具备保存非遗文献信息的基本职能

图书馆作为一个文化机构，具备文献信息整序、传递信息、文献收集和保存、开发智力、进行社会教育等职能，非遗是一种特殊的社会文献信息，是人们世代相传的伟大精神财富，图书馆具备对这种特殊事物进行搜集、保存、整序和传递的能力，它的保护与传承也需要图书馆的参与。

（2）图书馆工作的经验与方法适用于非遗文献信息的管理

首先，图书馆长年在文献的采集、整理、编目与加工以及保存传承等方面积累了相对系统的、科学的实践经验，图书馆工作的有序性、有效性也有利于开展对一些非遗文献的抢救和保护；其次，图书馆拥有专业能力较强的工作人员，能为抢救、保护和弘扬非遗提供可靠的人力保障；再次，图书馆网络和其他高科技的应用能为非遗的保护提供有效的技术保障；最后，图书馆完善的管理制度能为保护工作提供制度保障。

（3）图书馆的学术性为非遗档案知识的传播提供可靠的平台

相对于档案馆、博物馆等文化机构而言，其在传播知识和弘扬

---

① 联合国教育，科学及文化组织，国际图联. 公共图书馆服务发展指南 [M]. 上海：上海科学技术文献出版社，2002：10.

② 文化部. 文化部关于印发《全国公共图书馆事业发展"十二五"规划》的通知 [EB/OL]. http：//www. gov. cn/gongbao/content/2013/content_2404725. htm.

文化方面，更具有优势。首先，图书馆的信息来源相对可靠，获取更为便捷，学术氛围较为浓厚，学术交流频繁；其次，图书馆信息资源的公共性在现代技术的支持下更是得到完美体现，人们可以借助网络平台及其他科技手段更快、更新、更全面地了解和利用非遗。因此，图书馆能成为非遗传播的有效服务平台①。

正是因为图书馆与非遗档案资源建设的关联性，所以，图书馆可以从如下方面参与非遗档案资源的建设：

（1）收集整理非遗档案文献资料

非遗文献资料是指与非遗项目有关的记载资料，它是一种特殊的地方文献，非遗文献反映了某个地区、民族或者某一群体的文化创造，是体现地方人文特色与文化特质的重要依据和历史见证，具有鲜明的地域特色性与文化独创性。在整理和保存非遗文献资料方面，各地图书馆也有着各自的实践经验，浙江磐安县图书馆将调查到的七百多个非遗类项目，按艺术形式将之分为表演艺术类、造型艺术类、民风民俗类和文物古迹类，在对非遗文献整理过程中，按以上的艺术形式分类进行保存。在保存非遗文献方面，磐山县图书馆采取三种方式：第一，建立非遗文献专柜，即把非遗文献从普通的地方文献中鉴定提炼出来，另外建立专柜或专室加以妥善保存；第二，设立专案，对所有收集整理的非遗项目进行逐一登记，登记内容包括项目名称、收集人、形式、图片、音像、音频等附加材料，以及其在专柜中的位置；第三，重点项目重点保存，即在保存非遗文献时，要有主次和重点的意识，对国家级、省级、市级的重点项目要重点保存，资料和介绍要更加翔实、细化，也可以考虑设立国家级、省级、市级保护项目专柜②。浙江衢州市图书馆则凭借其专业优势，根据不同类别非遗的特点，对本地非遗进行分门别类地整理：关于方言、口头文学类非遗资料，借助图书馆馆藏书籍的

255

① 胡怀莲. 公共图书馆参与非物质文化遗产保护的角色辨析［J］. 四川图书馆学报，2013（2）：43.

② 周梅玲. 非物质文化遗产文献的收集整理［J］. 浙江档案，2011（11）：43.

记载，结合口述访谈资料，通过录音、录像等方式记录其表现过程，再上传到数据库；关于传统表演类非遗资料，图书馆工作人员要通过具体特征进行识别记录，力求保存的相对完整性；关于民俗类非遗资料，记录时要特别注重对构成民俗活动的文化要素的背景挖掘。

高校图书馆作为学校的文化信息中心，在文献分类、编目、索引、古籍文献整理保护等方面拥有一整套相对成熟的信息处理技术，为非遗的有序化保存和管理提供了很好的借鉴，同时，高校图书馆拥有文化信息资源文献化的采集设备和传统载体资源的数字转换所需要的音频视频设备，通过采用相应的记录手段、记录方式、记录符号，将那些重要的未知领域的信息知识形成文献①。据调查，我国民族高校图书馆重视特色馆藏建设，基本上建有本馆的特色资源，形成了自己的馆藏特色优势，如大连民族学院图书馆的各民族风情视频资源，湖北民族学院图书馆的土家族风情、土家族礼俗及相关图片、音频、视频资源等。在非遗特色数据库建设方面，有中南民族大学图书馆的女书文化特色数据库和大连民族学院图书馆的红山诸文化研究②。

（2）建设非遗数据库

非遗数据库是我国非遗保护工作中档案资料和信息资源收集、管理、利用的主要手段和主流趋势，非遗数据库就是充分利用数字技术对非遗进行学术分类、信息化存储，建立科学管理数据的仓库；将普查、申报过程中获取的文字、录音、录像、数字化多媒体资料及实物，在计算机数据系统中保存下来，真实、系统、全面地记录中国非遗的现实状况③。徐军华等在 2014 年 12 月至 2015 年 2 月期间，对我国大陆地区 31 个省级公共图书馆非遗数据库的建设

---

① 胡怀莲. 高校图书馆参与非遗保护的优势及措施［J］. 大舞台，2012（6）：288.

② 冯云，杨玉麟，孔繁秀，等. 非物质文化遗产保护视野下的民族高校图书馆特色馆藏建设［J］. 新世纪图书馆，2013（10）：53.

③ 杨红. 档案部门与非物质文化遗产数据库建设［J］. 北京档案，2011（3）：22.

情况进行了调研，结果发现 31 个省级公共图书馆专门建设有 "非遗资源库" 的有 14 个，占总调研馆的 45.16%①，将近一半的比例表明，图书馆建设非遗资源库已是大势所趋。吉林省图书馆非遗数据库以国家非遗名录资源数据库系统为开发导向，根据国家级别标准将项目统一划分为十大类：传统戏剧、杂技与竞技、曲艺、民间音乐、民间文学、民间舞蹈、民间美术、传统医药、传统手工技艺、民俗，其中朝鲜族农乐舞还被联合国教科文组织列入《人类非物质文化遗产代表作名录》，成为我国三十九个列入《人类非物质文化遗产代表作名录》中唯一的舞蹈类项目。

（3）传播和宣传非遗档案文化与知识

图书馆拥有数量庞大的读者群，他们通过主动或图书馆员帮助的方式自由获取知识，把图书馆看作终身学习场所，这无疑给图书馆宣传和弘扬非遗文化带来了极大的便利。图书馆要依托遍布于各省、市、县的公共图书馆形成覆盖全国的网络系统，进行文化资源全国共享。同时，随着数字化技术、现代通信技术和网络技术的飞速发展，图书馆将采集的非遗文献资料建立特色数据库和专题网站，利用网络技术打造生动逼真的虚拟环境，使每个非物质文化项目都通过文字简介、静态图片、动态视频等方式展示，让读者与非物质文化之间实现互动，同时通过专题讲座、专题研究论坛、专题展览等活动，激发读者的非遗保护热情，通过文化符号来弘扬民族精神，培养全民族成员的文化自觉与文化自豪感，为宣传和弘扬非遗开拓了广阔的表现空间和多元化的形式。

尽管上述是以图书馆为例，但反映了包括图书馆、文化馆、博物馆、科技馆在内的公共文化机构在非遗档案资源建设中的角色定位。限于篇幅，笔者不再一一进行说明。

257

---

① 徐军华，刘灿姣，等. 我国省级公共图书馆非物质文化遗产数据库建设的调研与分析 [J]. 图书馆，2016（2）：29.

5.3.3 高等院校

《非遗法》第三十四条规定，"学校应当按照国务院教育主管部门的规定，开展相关的非遗教育"。这表明，学校包括高等院校参与非遗档案资源建设具有一定的必要性。

高等院校参与到非物质文化建档和非遗档案管理中，是一种双赢的行为。首先，高校具有多学科科研优势，通过教学相长、教研相长，将非遗建档与非遗档案管理形成的文学知识、文化知识、文明知识等进行有效的传承，让成果与学生直接见面，便于非遗的传承与保护。其次，相对于其他社会保护机构，高校参与非遗建档与非遗档案管理的利益化程度较低，研究者的素质较高，在面对利益诱惑的时候能够以中立的身份客观公正地参与非遗的普查、挖掘、整理和研究①。再次，鉴于非遗的地方性、民族性特点，一些非遗项目因为其实用性强、使用范围广，一直都是高校的热门专业，甚至有以非遗项目之名专设的高校，例如中医及部分戏曲、技艺等，如果科目设置得当、教学有方、研究有道，不但可以对地方非遗的保护和传承起到积极作用，甚至可以成为地方高校特别是高职院校的独有特色专业，实现非遗保护传承与地方高校专业设置的双赢。

正是因为如此，不少高等院校设立了非遗研究中心。以湖北省为例，湖北省于 2013 年设立了首批 16 个非遗研究中心②，其中高等院校包括武汉大学、华中师范大学、武汉理工大学、中南民族大学、武汉纺织大学、湖北大学、武汉体育学院、武汉音乐学院、湖北美术学院、湖北师范学院、三峡大学、长江大学、湖北民族学院、黄冈师范学院、江汉大学 15 所高校和湖北省社会科学院，高校占据了 93.75%，这是一个侧影，体现了高校在非遗研究方面的

258

---

① 张泰城，龚奎林．高校保护与传承非物质文化遗产的优势与路径探究 [J]．江苏高教，2012（6）：36．
② 长江商报．湖北省成立首批 16 个非遗研究中心 [EB/OL]．[2015-08-10]．http://www.changjiangtimes.com/2013/11/461059.html.

参与度。

目前已建立"非遗"中心的部分高校和研究机构颇多①。整体看来，全国高校中，有专门的非遗类高校，包括中国戏曲学院等，尽管名称中不含非遗，但其专业设置与内容教学都是传统的非遗类型。也有高等院校设立非遗或类似专业的，例如，浙江师范大学开设非遗本科专业已有5年多，该校同时还开设有民俗学专业研究生班，浙江传媒学院和杭州师范大学计划设立非遗本科专业，中国美术学院设立了文化遗产专业本科，温州大学设立了民俗学研究生课程，浙江艺术职业学院开设了非遗专科专业，中山大学的非遗类相关专业主要构建在中文系，具体开设非遗学硕士、博士学科。

总体看来，高等院校参与非遗保护路径主要体现在培养非遗专门人才，高校的档案馆、图书馆参与非遗档案管理，以及专家为非遗建档提供指导。

5.3.4 非政府组织

非政府组织（Nongovernmental Organization，简称 NGO）一词来源于国外，原来是指在国际事务中担任重要角色的非正式机构，如国际红十字会等。关于非政府组织的理解，是指除政府之外的其他所有社会公共组织，这些社会公共组织具备公共性、民主性、开放性和社会价值导向等特征。近年来，我国非政府组织茁壮成长，已初步形成了门类齐全、层次不同、覆盖广泛的社会组织体系。从实践上来看，近年来，在社会救助、环境保护、扶贫开发、地震、海啸等自然灾害救援以及体育盛会、公益活动等诸多社会公共领域，非政府组织都扮演了重要的角色，并与政府形成了良好的互动关系，从而实现共治、共发展，在一定程度上弥补了政府的不足。近些年来，非政府组织热衷于成为民众利益诉求的代表，成为民众与政府之间的关系纽带。社会的良性、健康发展需要国家权力、市

259

---

① 中华人民共和国文化部网站．"非遗学科建设渐成气候"［EB/OL］．［2015-08-10］．http：//www.ccnt.gov.cn/xwzx/whbzhxw/t20070404_36446.htm.

场经济和公民社会三者之间的相互制约，相互促进。非政府组织作为这三种社会结构的一种社会组织形态，对于缓和社会冲突，促进社会和谐发挥了积极作用①。

2011年6月1日起施行的《非遗法》第九条指出：国家鼓励和支持公民、法人和其他组织参与非遗保护工作。该法第十四条规定：公民、法人和其他组织可以依法进行非遗调查。这就在法律层面上保障了非政府组织等民间力量更好地进行非遗保护工作。同年7月，民政部表示，将对社会福利类、公益慈善类、社会服务类社会组织，履行登记管理和业务主管一体化职能，这意味着这三类非政府组织将可直接登记，改变之前的双重管理门槛，这种降低非政府门槛的措施将为其大规模发展提供政策支持，同时也意味着，非政府组织参与非遗保护（包括非遗建档与非遗档案管理）具有法律和政策依据。

非政府组织参与非遗档案资源建设具有如下优越性：

（1）非政府组织的特性适合保护工作

美国霍普金斯大学教授萨拉蒙（Lester M. Salmon）认为非营利性、正规性、民间性、志愿性、自治性、公益性是非政府组织的特征，我国学者俞可平也提出了关于非政府组织的特征，即：非官方性、独立性、自愿性。笔者认为，非政府组织具备很多特征，但其非营利性和公益性是最为显著的特征，非政府组织有其特定的组织目标、服务与活动领域，不以获取利润作为目标，具有鲜明的公益性。且非政府组织是由社会成员志愿参加而组成的，对其成员不具有强制性。正是因为这些特征，使其能够在保护的过程中不会单单只衡量非遗的经济价值，相反更在乎其非经济价值，从遗产的根本属性入手，以相对客观的态度参与到非遗档案的保护与建设工作中，并且很多非政府组织置身于当地文化生态环境当中，耳濡目染，自然对当地文化遗产的认识理解更为深刻，在维护或恢复其适宜生存的民间社会文化环境方面更能发挥作用，这是非遗得以原汁

---

① 胡海. 我国的非政府组织与群体性事件治理 [J]. 湖南大学学报，2011（4）：45.

原味传承的重要保证①。

（2）非政府组织具有一定的专业水平

非政府组织并非一群"乌合之众"，而是具有一定的专业化水平的。非遗的保护并非一项任何人都能够胜任的工作，是有一定的技术要求，必须按照非遗特有的传承与发展规律来操作。非政府组织成员的相当部分是由专业知识丰富的研究学者或非遗传承人组成的，他们无论是在理论层面还是实际操作层面都有一定的话语权，可以有效地保护非遗的物化形式、原生环境等多个方面，同时也会减少外来人员盲目保护而造成的张冠李戴、移花接木的损失，在相对稳定的外界环境下实现非遗的自主传承与发展。

（3）非政府组织贴近民众

自非政府组织发展以来，因其非官方性，以及在某种程度上代表了民众的心声，与民众打下了友好的坚实基础，也与民众有着天然的联系优势。对于那些普通民众成员较多的非政府组织，会在非遗保护当地拥有更佳的地理优势和人缘优势，这些优势会使得其在调研以及开展各种相关活动时更具号召力和更高的响应程度。此外，由于非正式组织的成员多以个人兴趣爱好志愿参与组织活动，有一定的自我追求，又具有保护当地文化的强烈使命感和责任心，因此不以获得报酬为主要目的，自然会减少非遗保护的经费开支和人力消耗，真正做到投资少效果好。

在我国，非政府组织一般包括社会团体、民办非企业单位和基金会。其中，社会团体是志愿性组织；民办非企业单位是从事教育、科技、文化、卫生等方面社会服务的实体性组织；基金会是利用捐赠资产从事公益事业的财团组织②。随着非遗保护活动的相继开展，以及人们保护意识的逐步提高，越来越多的人参与到非遗保护的工作中。根据媒体的相关报道，近年来，由大专院校、企业、

261

---

① 曹莎. 非政府组织在非物质文化遗产保护中的现状探析 [J]. 山东省农业管理干部学院学报，2012（2）：111.

② 张笃勤. 从非物质文化遗产特点看民间文化组织参与的重要性 [J]. 学习与实践，2005（7）：44.

个人等发起成立的文化遗产保护机构正越来越多地体现出普通公民的文化自觉意识，像北京文化遗产保护中心、中国华夏文化遗产基金会、深圳松禾基金会、甘肃兰州大学文化行者等都属于此类非政府性质的民间文保组织①。

从非遗参与度看，部分组织已经参与了非遗的保护工作。笔者以拾穗者民间文化工作群为例，能够从中看到非政府组织参与非遗保护和非遗档案资源建设的基本情况。

拾穗者民间文化工作群（以下简称"拾穗者"）是湖北襄阳一批热爱文化的各阶层人士组成的，致力于民间文化、地域文化和汉水文化的整理、研究、保护和传播工作的志愿者团队。拾穗者成立于2005年1月，由李秀桦等三个素不相识的非遗爱好者共同创办。本着自愿加入的原则，奉行志愿奉献的精神，以"回到田野、守望故乡"为核心理念，形成了一个相对稳定、相对严密的民间文化志愿者团队，致力于本土文化、汉水文化的整理、研究、保护和传播。现任召集人为邓粮，现有成员15人，来自机关、学校、企事业单位。

拾穗者通过团队的努力，将南漳古山寨搬上《中国国家地理》，并通过该杂志用6页的篇幅，图文并茂地介绍了南漳古山寨②。2005年，拾穗者最早的创办人李秀桦被南漳古山寨的美景所震撼，立即给《中国国家地理》杂志社发去一封想做南漳古山寨专题的电子邮件。在得到该杂志社的同意后，他先后五次到南漳的山寨拍摄图片和收集资料，并发表了轰动一时的系列专题。从内容上看，拾穗者所做的工作包括两个部分：其一是有形的建筑遗产，包括"拾穗者们"通过不懈努力发现的数量众多的，以石城墙、石房屋为主件而构成的山寨，尤其是具有鲜明特色的春秋寨、

① 非遗保护NGO［EB/OL］．文化月刊遗产杂志，文化遗产网，http://www.cuhcri.com/a/sd/2011/0921/4304 _4.html.

② 襄阳政府网．《中国国家地理》报道南漳古山寨［EB/OL］．［2015-8-11］．http://www.xf.gov.cn/know/lsxyzy/lssp/201207/t20120718 _ 321888.shtml.

卧牛寨、青龙寨。这些山寨被批准为"省级重点文物保护单位"，卧牛山寨被建设部《中国城市网》总编辑罗亚蒙研究员评价为"全国乃至整个亚洲规模最大的古山寨"。其二是非遗，主要体现在薛坪镇陈家老屋古法造纸术。当时，拾穗者将这一"活化石"用文字记录下来发表在《南方周末》上，受到了很多读者的关注与喜爱。第二次，李秀桦带着准备好的脚本，重游陈家老屋，用摄像机将陈氏家族古法造纸的工艺全部记录下来，之后按照东京JVC录影节的要求，将录影资料剪辑成主要反映土法造纸工艺以及介绍造纸艺人的11分钟短片《漳源纸事》。这个短片在第29届东京JVC录影节中脱颖而出，一举获得优秀作品奖。该作品记录了从事土法造纸的陈氏家族几代人的变迁，从陈氏家族的纸农陈忠莲用自家造的火纸换日用品后返回漳河开始，以及生发造纸工艺的真实记录，例如毛竹、打碓、抄纸、扦纸、送纸上山，以物易物的镜头，体现了非遗的风韵。

拾穗者得到了广泛的社会认同，他们担负着"拣拾散落在荆襄大地、汉水流域的文化遗珠"的历史重任，他们"艰难而快乐的文化行走，采访，记录，测量，田野调查；摄影，摄像，素描，多重记录；发现，考证，研究，撰写成果"①。拾穗者在文化遗产保护（包括非遗保护）方面的工作具有标本价值。虽然政府在文化遗产保护方面的作用不可替代，但非政府组织有能力也有责任记录、保护地域文化遗产。非遗首先是属于特定群体的，家乡情结使民间组织能够做好这项工作。目前，我国虽有一些民间组织和个人在从事非遗保护工作，但有较多成熟作品的组织、个人仍然相对较少，中国非政府组织参与非遗保护方面所做的工作还远远不够，从整体上看，非政府组织不发达，非政府组织参与非遗保护还不够广泛和深入，这是当前我国非遗保护的弱项。随着今后非政府组织在管理、申报、准入方面的逐渐放开，非营利组织在参与非遗建档与

263

① 刘爱河. 行走田野 八年守望——记湖北襄阳拾穗者民间文化工作群[EB/OL]. [2016-06-11]. http://www.ccrnews.com.cn/index.php/Zhuanlanzhuankan/content/id/44037.html.

非遗档案管理乃至非遗保护方面将有更大的施展空间。

5.3.5 新闻媒体

　　《非遗法》第四章第三十四条中明确规定："新闻媒体应当开展非遗代表性项目的宣传，普及非遗知识。"新闻媒体具有强大的宣传平台和多形式的宣传方式，在非遗保护中占据重要一席。在全球一体化不断推进，人们生活节奏逐步变快的今天，特别是在非遗面临巨大冲击之时，新闻媒体的缺席，将很难唤起人类保护本国遗产的意识，新闻媒体的工作不仅要能够宣传非遗传承人，充分调动他们的积极性，还要进一步调动起整个社会的积极性，并让他们投身到非遗保护实践中来，从而使非遗保护变成全民族的自觉行动。正是因为很多媒体不遗余力地报道京剧进校园、"非遗"传承从群众抓起等新闻，并通过"非遗"艺术表演节目预告、赏析等方式，大力推广非遗文化与知识，呼吁大众欣赏，慢慢为这些濒危艺术培养了新的观众群，使它们作为一种"草根的力量"依然在顽强地生存着①。

　　新闻媒体对非遗档案资源建设的作用主要体现在记录、宣传和传播非遗档案资源方面。首先是记录非遗，通过记录形成了非遗档案资源。应该说，新闻媒体具有自身的优势，例如，报纸有着信息容量大的优势，利用此优势，可以就非遗的渊源、背景以及相关的知识开展一个详细的系列报道；影视媒体则可以利用其视听结合的优势发挥视觉冲击的力量，通过摄像机的镜头来表现具体画面、声音、内容和主题，综合运用画面的表现元素和镜头的造型功能，加深非遗在人们心目当中的印象，引发人们的保护欲望②。无论是纸质的记录还是影视媒体的记录，都是通过不同的方法、从不同侧面

----

① 王云. 非遗保护中的媒体介入 [J]. 传媒观察，2009 (10)：28.
② 徐岩. 发挥媒体在非物质文化遗产保护中的作用 [J]. 新闻爱好者，2012 (16)：174.

记录了非遗发生、发展乃至消亡的过程，也是非遗档案资源建设的重要方面。其次是宣传和传播非遗，也就是将收集、积累和系统化整理的非遗档案资源或档案信息通过一定的载体进行定向传播，从而到达目标受众，进而在受众中普及非遗，推动受众自觉接受和主动传承非遗。新闻媒体记录的非遗最终通过报纸、影视或网络等不同的途径进行发布，落脚于某一特殊类型的受众。这个过程就是非遗传播的过程。同时，通过介绍、评论，及时曝光破坏非遗的违法行为及事件，发挥舆论监督作用，对于非遗在保护传承中存在的问题，开展科学的、说理的分析和讨论，以明是非①，从而体现非遗档案资源的客观性。

凤凰卫视《口述历史》栏目开播于 2005 年，是第一档直接以"口述历史"命名的口述历史类电视栏目②。《口述历史》栏目也很好地体现了凤凰卫视的办台理念和受众定位，正是通过制作和播出类似《口述历史》的历史栏目，凤凰卫视找到了适合自己发展的话语空间和生存定位。特别要说明的是该栏目创办以来，坚持正确的舆论导向，严格遵守党的宣传纪律，只有已经定性的历史事件，才能被纳入选题的范围，但这样依然给人们带来很多感慨和感动。此外，2006 年，凤凰卫视专门开设非遗特别放送栏目，具体介绍有关古琴、长调、云锦、昆曲、春节等象征中华传统文化的意象。2013 年，凤凰卫视举办纪念保护"非遗"10 周年论坛，并呼吁当今世界重视日益严峻的文化危机，唤起对人类文化遗产进行捍卫的重要性与紧迫性③。新闻媒体在非遗档案资源建设的记录和传播过程中发挥了重大作用。

---

① 王淑玲. 新闻媒体应加强非物质文化遗产的宣传报道 [J]. 新闻知识，2011（9）：87.

② 乔丹. 凤凰卫视《口述历史》栏目的叙事研究 [J]. 大众文艺，2013（9）：181.

③ 凤凰网. 凤凰卫视举办纪念保护"非遗"10 周年论坛 [EB/OL]. [2016-06-12]. http://news.ifeng.com/mainland/detail_2013_10/16/30368617_0.shtml.

5.4 社会公众

《非遗法》第九条规定：国家鼓励和支持公民、法人和其他组织参与非遗保护工作；第十条规定：对在非遗保护工作中做出显著贡献的组织和个人，按照国家有关规定予以表彰、奖励；以及第二十条关于推荐非遗代表性名录的建议。可见，《非遗法》对于公众参与非遗保护工作是支持的。"保护工作"是一个大的概念范畴，非遗档案资源建设也是保护工作的一个重要方面，从这个角度上看，公众参与非遗档案资源建设是有法律依据的。事实上，公众参与非遗档案资源建设在国内外早已存在，主要体现在如下方面：

（1）公众参与的非遗档案资源的收集

非遗档案的收集进馆，是档案部门开始进行非遗档案管理的首要环节。许多档案部门采取主动搜集、征集、购买等方式将非遗档案收纳馆中，值得一提的是，非遗档案具有一定的分散性，很多珍贵的非遗档案藏于民间，民间公众参与非遗档案的收集必不可少。以加拿大纽芬兰和拉布拉多地区为例，当地的非遗早期只是零散保存于社区居民个人手中，在文化变革和大众媒体的冲击下，面临消失威胁。为了将零散的非遗资料集中化，当地有超过 160 个社会民间团体组织专门收集当地传统技艺和实践的音频、照片资料，同时当地文化重建部门在 2006 年 6 月任命的一个工作小组创立了网上非遗论坛，公众通过申请注册账号，在论坛中提出个人对非遗建档保护的看法和意见①。摩尔多瓦共和国在很早以前就开始广泛向社会公众收集当地的民间传说、民俗音乐、舞蹈等实体材料，并且将这些非遗的音频、视频、照片等资料保存于当地大学中，除了某些社会机构对公众力量的调动，公众也会自发参与到非遗建档的实践中去，当地大学生也会利用课余时间积极主动加入非遗实体化的

---

① Aboriginal Cultural Heritage Program ［EB/OL］. ［2015-12-26］. http：//www.tcr.gov.nl.ca/tcr/heritage/ACH_Pro-gram_Guidelines.pdf.

收集工作中，形成了大量珍贵的实践文本材料①。

（2）公众参与的非遗传承

传承是对民俗文化的传授与继承，是非遗保护的核心②。目前不少非遗保护中遇到的最大问题就是"后继无人"，然而，非遗是以人为载体的传统活态文化，它的形成与延续都需要传承人的积极参与，冯骥才说过："中国民间文化遗产就存活在这些杰出传承人的记忆和技艺里。代代相传是文化乃至文明传承的最重要的渠道，传承人是民间文化代代薪火相传的关键"。③ 非遗就在我们身边，非遗的传承人、非遗的主体就是我们广大的人民群众，尤其是非遗主要部分在民间，动员全社会形成一种高度的保护非遗的自觉意识，是非遗保护的一项长期主题和任务。日本民间存在大量非遗保护团体组织，自发地开展与非遗相关的各类活动，对非遗保护进行充分讨论、宣传展示。以日本传统歌舞为例，传统歌舞伎保存会定期举办研修发表会，对缺乏经验的年轻演员进行指导训练，传承技艺，同时注重对儿童、青年的教育培养，从非遗文化的基本知识的熏陶到非遗建档保护的各个环节，逐渐增强下一代对非遗的自发保护意识④。

（3）公众参与的非遗档案展示

非遗档案展示通过将存档的非遗档案以展览的方式面向公众，向公众展示非遗档案潜在的文化知识与保护价值，促进了公众在这方面的进一步了解，以潜移默化的形式提高了公众的保护意识，从而激起公众的积极参与，投身于非遗档案的收集与保护中来。2009

① The Intangible Cultural Heritage of the Republic of Moldova ［EB/OL］. http://www. patrimoniuimat-Erial. md/en /pagini / institutions-institutions-administrate-ich-database-moldova/archives.

② 张顺杰. 国外文化遗产保护公众参与及对中国的启示［J］. 法制与社会，2009（32）：233.

③ 中国民间文艺家协会. 中国民间文化杰出传承人调查、认定、命名工作手册［Z］. 中国民间文艺家协会，2005：11.

④ 戴旸，胡冰倩，冯丽. 国外公众参与非物质文化遗产建档实践及其借鉴［J］. 中州大学学报，2015（1）：90.

年里斯本将传统哀歌音乐法朵申请作为一项文化遗产，里斯本的公众自发组织基层协会开展音乐实践活动扩大法朵的影响力，对法朵进行更大范围和更深程度的宣传展示，增强公众对法朵的认同感。在活动期间对音乐内容进行记录，形成大量音频、视频、图片资料，这些珍贵的历史资料保存于里斯本法朵博物馆①。同样地，2011 年，马尔代夫成立遗产部门，并立即启动了非遗保护和宣传项目，特别重视从公众保护意识的培养出发，从宏观层面推动宣传工作的进程。社会民间组织、学校通过纪录片和讲座形式宣传非遗的重要作用以及如何恢复一些即将丢失的文化，传统表演、当地音乐在当地公众的推动下已经在世界范围内成为著名的旅游标志②。

（4）公众参与网络非遗档案资源建设

非遗档案资源建设是非遗档案工作的起点，也是非遗档案工作的终极目标，是实现非遗档案资源价值最大化和非遗档案资源共建共享的重要前提条件和坚实物质基础。"新公共管理运动"认为公众参与可以反映公众的需求和偏好，提高政府回应力，增加公共管理过程的透明度，提升公共决策的民主性③。因此，公众参与应贯穿于非遗档案资源建设的整个流程中。例如，1994 年，美国国会图书馆借互联网兴起契机，启动"美国记忆"工程，即文化遗产档案数据库资源建设项目，社会公众将有关印第安人历史、文化与民俗、宗教的照片、影像等汇集到项目资源建设中，之后"美国记忆"将超过 900 万件馆藏依照原始形态、主题、创建者、整理者/捐赠者四个主题组织成 100 多个资料集，用户可以根据自己的

---

① Portuguese American Journal［EB/OL］. http：// portuguese-american-journal. com/ado-worlds-intangible-cultural -heritage-unesco/.

② The Training Course for Safeguarding of Intangible Cultural Heritage 2011（final report）［EB/OL］. http：// www. irci. jp /assets/files /Participants Reports/ Maldives_Report. PDF.

③ 刘忠华. 公众参与——数字化档案馆建设的现实选择［J］. 办公室业务，2012（12）：100.

需求对这些资料集进行检索或浏览操作①。此外，网络非遗档案资源建设的最终目的是提供利用服务，在此过程中也离不开对公众利用需求的广泛调研和准确定位。在网络非遗档案资源建设过程中，社会公众、非遗爱好者、科研学者等社会群体自发地广泛参与到非遗档案资源的收集、传承、展示、开发利用等环节中。计算机技术、互联网技术的快速发展以及新媒体的广泛应用，为社会公众在更大范围、更高程度上参与网络非遗档案资源建设提供技术支撑和应用平台，非遗档案资源建设工作能够得到更加强有力的群众力量和群体智慧支持。

概括起来，各级政府、文化主管部门、档案部门、图书馆、文化馆、高等院校、非政府组织和公众等参与非遗档案资源建设都可以从《非遗法》中找到政策依据，由此形成了我国当前多元主体参与非遗档案资源建设乃至非遗保护的现状，这从主体角度反映了非遗档案资源建设模式中的群体智慧。需要注意的是，在非遗档案资源建设中，根据法规政策，各种主体逐渐活跃，因此需要明确不同主体在非遗档案资源建设中的作用。本章从政府、机构和公众三个层面对这些主体的作用进行了分析。特别需要强调的是，政府作为非遗档案资源建设的主体，在非遗保护中要做到"收放自如"：一方面，政府要有所作为，在非遗保护中提供资金的支持、宏观的掌控、政策的保障与支持等；另一方面，政府要释放更多的权力给其他主体，协调多元主体之间的关系，充分利用各主体在保护工作中的优势，相互协作，相互启迪，以激发出群体智慧，促使参与非遗档案管理的多元主体之间和谐发展、协同发展、可持续发展。除此之外，对于已经参与非遗档案资源建设的文化主管部门、档案部门、图书馆、文化馆、非政府组织乃至公众等多元主体，需要在《非遗法》和相关法规政策的指导下，在政府的统一协调和引导下，对不同机构和公众以及个人进行清楚准确的定位，担负其相应的责任、权利和义务，尤其是在非遗档案资源建设过程、管理和利

269

---

① 徐拥军，王薇. 美国、日本和台湾地区文化遗产档案数据库资源建设的经验借鉴 [J]. 档案学通讯，2013（5）：58-62.

用的各个环节，包括非遗档案资源的收集、整理、鉴定、保管、利用中充分发挥各自的优势和作用。只有这样，非遗档案资源建设"群体智慧模式"才能得以实现。

6 非遗档案资源建设群体智慧模式的实现：客体层面

非遗档案资源记录和保存着具有价值的非遗活动及其成果，是国家文化资源的重要组成部分，是民族的重要记忆和宝贵财富。非遗来源广泛性和内容丰富性决定了非遗档案来源的广泛性，由此增添了非遗档案管理的难度①。非遗档案资源客体，也就是非遗档案资源本身，既是非遗档案资源建设的对象，也是目标。

非遗档案资源建设过程中，由于非遗数量庞大，任何一个机构或个人都无法实现所有的非遗档案管理，而是通过不同的机构乃至个人采取分散的方式进行保管，由此带来非遗档案资源建设与利用服务的矛盾，即非遗档案资源的无序化、分散性与人们利用非遗档案资源建设要求有序化、集中化之间的矛盾。这个矛盾是非遗档案资源建设的桎梏，直接影响到非遗档案资源的利用。解决这个矛盾，就要求非遗档案资源的适度整合，即将分散、无序的非遗档案资源进行有效的整合。这既是实现非遗档案资源建设群体智慧模式的基本要求，也是实现非遗档案资源增值服务的主要任务。离开了一定范围或区域内的非遗档案资源的整合，非遗档案资源建设效率就会降低，群体智慧参与非遗档案资源建设就会落空，非遗档案资源的服务将难以实现。

271

---

① 周耀林，戴旸，程齐凯，等．非物质文化遗产档案管理理论与实践 [M]．武汉：武汉大学出版社，2013．

6.1 非遗档案资源整合的内涵与目标

6.1.1 非遗档案资源整合的内涵

整合是"通过整顿、协调重新组合"之意①。当代环境下，"整合"这一概念被广泛使用，例如：资源整合、信息整合、技术整合、资产整合等。

资源整合在企业中得到了应用，究其实质，是采取系统论的思维方式，通过组织和协调，将企业内部彼此相关但却彼此分离的职能，将企业外部既参与共同的使命又拥有独立经济利益的合作伙伴整合成一个为客户服务的系统，从而取得系统论所言的"1+1>2"的效果。不仅如此，资源整合在企业外的其他领域，例如信息管理领域也得到应用。在信息管理领域，资源整合一般是指用一定的方式和手段，对分散无序、相对独立的数字信息资源进行类聚、融合和重组，使其重新组成一个新的有机整体，形成一个效能更好、效率更高的新的数字资源体系②。

档案资源整合是信息整合的一个重要方面，学界从不同层面着眼，产生了多种界定方法。归纳起来，档案资源整合的主要观点有：一是国家层面的整合即国家档案资源整合，"主要是指在我国档案工作'统一领导，分级管理'体制下，通过整理与组合，使档案资源结构合理、配置优化，以适应经济全球化时代增强区域综合竞争力需要的社会系统工程"③；二是地区或行业范围内的整合，

272

---

① 中国社会科学院语言研究所词典编辑室. 现代汉语词典（第 5 版）[M]. 北京：商务印书馆，2009：1737.

② 何海燕. 战略管理 [M]. 北京：北京理工大学出版社，2009：14.

③ 戴志强. 国家档案资源整合的含义及其运作机制探讨 [J]. 档案学通讯，2003（2）：4.

即"对现有档案信息资源进行重组，在一定范围内形成档案信息跨区域、跨行业的有机联系，形成具有针对性服务的档案信息流"①；三是地方或部门层面的整合，是"指将本行政区域内属国家所有、对国家和社会具有长久保存价值的包括政治、经济、科技、文化等领域的档案资源进行科学整合，实行集中统一管理，最大限度地优化配置国家档案资源"②。上述三种观点具有典型性，表明档案资源整合蕴含的层次较多、内容较丰富，为非遗档案资源的整合奠定了基础。

　　基于上述认识，考虑到非遗档案资源的特性，非遗档案资源整合与一般的档案资源整合既存在共同点，也有不同之处。共同点体现在：非遗档案资源整合也是通过整理与组合，使档案资源结构合理、配置优化，非遗档案资源整合也同样是一项系统工程。这是由非遗档案资源的属性决定的，毕竟非遗档案资源也是一种档案资源。不同之处表现在：首先，资源涵盖范围不同，由概念辨析（详见本文第1章第3节）可知，非遗档案资源包括普查档案、申遗档案、项目档案、传承人档案等，它只是整个国家档案资源体系中的一部分，档案内容主题更为明确；其次，资源来源不同，非遗档案资源并非全部保存在国家档案馆、公共档案机构等各级各类档案部门，来源更加分散，整合需涉及政府文化主管部门、档案部门以及图书馆、文化馆、博物馆、民俗馆等其他文化机构。

　　通过相关概念的层层剖析和对比分析，笔者认为，非遗档案资源整合是指以最大限度开发利用为出发点，将分散在全国各地、各个机构乃至个人手中的非遗档案资源以一定的方式进行分类整理、优化配置和科学保存，形成相对集中的非遗档案资源库，便于非遗档案资源的科学利用和价值实现。

273

---

① 刘怡芳. 对档案信息资源整合的思考［J］. 陕西档案，2008（5）：25.

② 黄衢征. 地方档案信息资源整合实施探讨［J］. 科技创新导报，2011（7）：244.

6.1.2 非遗档案资源整合的目标

整合是一个将零散要素组合在一起的过程，最终目的不是"整"，而在于"合"，即形成有价值、可利用、便于共享的非遗档案资源整体。厘清非遗档案资源整合的总体目标，有利于把握整合的方向，最终达到理想的整合效果。非遗档案资源整合的目标包括以下几部分：

一是构建纵向贯通、横向集成的非遗档案资源库，使多门类非遗档案能够自由聚集，形成内容丰富、互相联通的非遗档案资源库，形成涵盖全国非遗档案资源的信息网，防止出现非遗档案资源"孤岛"。

二是改进和提升非遗档案资源管理手段，促进各级各类管理部门之间的衔接、沟通、配合、协调，统一非遗档案资源的分类体系和分类方法，实现非遗档案资源管理和服务工作的高效、便捷，避免资源低水平、低层次重复建设。

三是加深对非遗档案资源的开发和利用，搭建非遗档案资源共享平台，为非遗申报、非遗利用、非遗保护与传承提供方便、快捷、准确的凭证和依据，实现非遗档案资源的统筹管理和社会共享。

总体而言，非遗档案资源整合目标是：激活档案资源的内在潜力，最大限度挖掘利用价值，发挥其社会和经济效益。

6.2 非遗档案资源整合的必要性与可行性

6.2.1 非遗档案资源整合的必要性

2011年起实施的《非遗法》，使非遗及其相关工作受到广泛关注。在非遗保护和开发的热潮下，多主体参与非遗档案资源建设已成既定事实（详见第5章），非遗类型的多样化也决定了非遗档案资源类型繁多，决定了我国非遗档案资源分布零散，以及非遗档案资源管理、利用实践的分散。目前，我国尚没有统一的非遗档案资源建设标准对此进行规范，多主体参与、各行其是的必然结果是非遗档案资源的分散性，因此，非遗档案资源的整合具有必要性。

6.2.1.1 非遗档案资源严重分散

当前非遗档案资源的严重分散状况决定了非遗档案资源整合的必要性。

首先，我国非遗资源种类繁多、总量颇丰，但是资源分布零散，民间文学、民间音乐、曲艺、杂技与竞技、民俗等十类非遗资源不均衡地分布在全国34个省、直辖市、自治区和香港、澳门行政特区。非遗档案资源的高度分散性使得非遗资源采集和建档的工作难度较大，非遗档案的管理也呈现出分散性特征。

其次，非遗产生并发展于民间，许多非遗资料分散保存在民间百姓手中，由于非遗保护热潮的兴起时间还不长，很多普通民众的非遗保护意识还很淡薄，非遗档案的流失、损毁事件仍在发生，民间散存非遗档案的收集整合尤为重要。

再次，我国非遗档案资源建设主体多元化，除了文化主管部门，还囊括非遗保护中心、各级档案机构、传承人、博物馆、艺术馆以及非遗研究机构和爱好者等相关机构或个人。各主体都掌握着不同数量的非遗档案资源，但是由于多元主体分工不明确，各主体各行其是，缺乏交流和协作，非遗档案资源保管分散，缺乏统筹管理，影响档案资源的建设进程。

6.2.1.2 非遗档案开发深度不够

我国非遗档案资源开发深度不够的现状也要求加强非遗档案资源的整合。

首先，对非遗保护与非遗档案资源建设的关系认识不清，影响了非遗档案资源的深度开发。将非遗档案资源建设仅仅视为非遗保护工作中的一项，未能形成全局性的眼光对待非遗档案建设工作，在非遗档案资源开发中流于表面，未能深入挖掘非遗档案资源的价值。同时对非遗档案的内涵未能完整认识，仅对现有的非遗材料或普查、申报等产生的材料作为归档对象，忽视了包含非遗的部分本体档案以及非遗传承人档案在内的活态非遗档案的采集和管理，由此造成非遗档案资源的不完整性，影响了对非遗传承人档案等活态非遗档案的深度开发。

其次，非遗档案资源建设标准与规范缺失，导致非遗档案资源开发质量与层次受限。到目前为止，我国尚未出台系统的非遗档案管理条例、法规制度，而且尚无统一的非遗档案资源建设标准规范。各部门因具体职能的不同，采取不同的执行和操作规范，导致在实际工作中，对非遗档案本身的质量控制环节把握不当，不同部门的非遗档案资源合作开发和资源共享时困难重重，整体的资源开发工作效果不能得到质的提升。尤其是在非遗档案资源数字化方面，缺乏统一的非遗数字化、信息化标准，势必造成未来各地的非遗档案数据库难以兼容。

再次，非遗档案资源开发投入不足也影响了非遗档案资源的有效开发。"根据《2014年中国信息资源产业发展报告》，我国信息资源产业地区间发展差异大，各地发展不均衡，部分地区政府部门对信息资源产业的政策资源投入不足。"① 一方面可能由于意识不到位，形成"重申报，轻开发"的现象，单纯将"非遗"项目的申报视为经济资源的开发利用，忽视了非遗档案资源在传承方面的开发利用价值，对于未进入非遗名录的非遗资源，由于无利可图，往往被束之高阁，投入不足，分散的档案资源不能有效整合。另一方面由于经济发展差异，部分地区的非遗项目虽然众多，但普查和数字化实施困难，有些地区的数字化工作仍停留在扫描、拍摄、录入等初级阶段，人力、物力、财力的匮乏直接导致非遗档案数字化建设的设备得不到有效供应。

---

① 冯惠玲. 重视"信息资源"的战略价值［N］. 人民日报，2014-10-23：005.

6.2.1.3 非遗档案资源利用效率不高

加强非遗档案资源整合也取决于非遗档案资源利用效率不高的现实问题。

首先，非遗档案管理机制不够健全影响了非遗档案资源的利用效率。其一，我国非遗档案资源管理形成了文化主管部门负责、多元主体共同参与的模式，在实际工作中往往产生政府部门包办的现象，造成"原汁原味"的非遗档案资源的丢失，非遗档案资源利用效果差强人意。其二，多元主体参与档案资源建设的方式趋于模式化和同质化，在开展非遗档案资源利用工作中，不能有效发挥主体的优势和特长。其三，非遗档案管理机制缺失导致各主体各行其是，非遗档案建设工作混乱无序、资源交叉重叠，各主体的自身档案资源利用效率低下，多主体的资源联合利用效果也大打折扣。

其次，非遗档案资源分类困难导致后续非遗档案资源共享共用程度不高。目前各地非遗建档以"依项建档""依人建档"以及"一项一档（卷）""一人一档（卷）"作为非遗归档的主流方法。然而在现实的操作中，包含文字、音频、图片、录像等多样形式、来源广泛的非遗材料在"依项建档""依人建档"下的后续划分上难度较大，各部门基本是按照所藏非遗档案资源的特性自行分类，如此标准不一的划分方法不利于后期非遗档案资源共建共享目标的实现。

最后，非遗档案数据库存在建设成效和利用效率的困境。一方面，由于非遗档案数据库建设时间不长，数据库本身质量较低、信息不全、类型单一，在学术、欣赏、查阅价值等方面，无法完全满足公众的多样化需求。另一方面，各机构自建的非遗档案数据库格式各不相同，非遗档案数据库平台建设也存在一定杂乱现象，加之部分非遗档案数据库的利用需要权限，非遗档案数据库整合共享困难，可利用资源范围有限，无法满足远程用户的利用需求。

6.2.2 非遗档案资源整合的可行性

"国内的研究表明，计算机及其网络的软硬件条件、数字化的档案信息、政策、管理、技术、标准、法规、人才、资金、社会大环境都与档案资源整合有着密切的关联，关系着档案资源整合的成败"。① 自 2002 年以来，全国文化信息资源共享工程、数字图书馆推广工程、非遗数字化保护工程和全国开放档案信息资源共享平台建设先后启动，极大地促进了我国信息资源共建共享和非遗信息资源建设进展。同时，伴随着 Web2.0、数据库技术和非遗数字化技术的进步以及广大群众在非遗档案建设与管理中得到更多重视，非遗档案资源整合拥有了更成熟的技术支撑和群众智慧支持，非遗档案资源整合在实际中是可行的。

6.2.2.1 资源共建共享的意愿

在当今信息化时代下，国家对实现全国范围内信息资源共建共享的意愿强烈，各类资源共建共享工程的推进，为非遗档案资源整合提供了数字化档案信息保障和资源整合平台体系支撑。

（1）全国文化信息资源共享工程和数字图书馆推广工程

全国文化信息资源共享工程自 2002 年起组织实施，它应用现代信息技术，将中华优秀文化信息资源进行数字化加工与整合，并依托各公共文化设施，借助互联网、电视等多样化方式在全国范围内实现共建共享。2011 年推出的"数字图书馆推广工程"计划建设分布式公共文化资源库群，搭建以各级数字图书馆为节点的数字图书馆虚拟网。该工程借助数字图书馆专用网络将公共图书馆的特色数字馆藏与部分商业数字资源同各地共享。非遗资源是文化共享工程公共数字文化建设的重要内容，数字图书馆推广工程的地方馆特色资源库建设也包括"地方馆非遗资源"数据库的建设，随着

278

---

① 李明娟，吴建华，沈芳. 数字时代档案资源整合的理论研究与实践模式评析 [J]. 档案与建设，2014 (5)：5.

全国文化信息资源共享工程和数字图书馆推广工程的推进，非遗数字化资源整合在很大程度上也得到了强化。

（2）非遗数字化保护工程

2011 年，非遗数字化保护工程启动，明确要构建统一规范的非遗数字化保护标准体系，建立一个类别齐全、内容丰富的中国非遗资源数据库群。目前我国的"国家—省—市—县"非遗数据库体系已初步建成，各地区在开展非遗资源普查和保护过程中也注重非遗数据库建设，在国家层面已建成"非遗普查资源数据库""非遗项目资源数据库""非遗专题资源数据库""非遗数字化保护管理系统"。

（3）全国开放档案信息资源共享平台建设

由国家档案局提出的"全国开放档案信息资源共享平台"的搭建工作自 2013 年起实施，各级档案馆需将经重新鉴定为可开放档案的目录及全文上传到平台上，真正实现档案信息社会共享，推动以服务为主导的档案信息化体系的实质性建立①。全国开放档案信息资源共享平台建设为非遗档案资源的整合提供了利用服务的平台支撑，极大增强了非遗档案资源共享的可能性和便捷性。

上述典型的文化资源共享工程的一个重要方面就是各种文化资源的整合。尽管这些工程不是针对非遗档案资源建设的，但对于非遗档案资源建设而言，它们为推进非遗档案资源的整合提供了参考。

6.2.2.2 信息技术的进步

非遗档案资源数字化、信息化建设已经成为当前非遗档案资源建设的重要内容。非遗档案资源的整合离不开数字技术、信息技术的基础支撑。21 世纪以来，互联网的普及和 Web2.0 的发展、数据库技术的不断成熟以及信息技术的进步，为非遗档案资源整合奠定了坚实的技术基础。

279

---

① 杨冬权. 在全国档案局长馆长会议上的讲话 [J]. 中国档案, 2013 (1): 20.

（1）数据库技术的不断成熟

数据库技术经历了三代数据库系统的发展改进，如今在理论研究和系统开发方面都已较为成熟，并且随着各种新技术的拓展，数据库技术与网络通信技术、人工智能技术、并行计算技术等互相渗透，涌现出分布式数据库系统、并行数据库系统、多媒体数据库系统、知识库系统和主动数据库系统等类型数据库系统①。如今，数据库技术在信息管理领域的应用十分广泛，非遗档案资源数据库的建设与应用有力地推动了非遗档案资源的建设与管理。

（2）Web2.0应用的不断拓展

互联网的普及，加强了人与人之间的远程互动，而Web2.0的出现，革新了互联网组织形式，以自下而上大众参与和主导的扁平化组织形式，实现广大网民的参与创造，有利于群体智慧的发挥与创新。Web2.0的发展，使得人们可以通过即时通信、博客、播客、维基、掘客等网络应用，快速传递与共享信息。"计算机、网络及信息技术的成熟是档案资源整合的技术基础"②，Web2.0的支撑对非遗档案资源的收集与展示起着积极的作用。利用Bookmark技术并结合Tag技术可以实现非遗资源在线收集的有序化，借助微信、微博、豆瓣等Web2.0工具可以加强非遗资源整合利用的交流互动与展示宣传。目前，NARA已经利用了Blog、Facebook、YouTube等20种社交媒体开展档案宣传工作，合作开发了众多应用项目，国内一些非遗网站和档案馆网站也利用Web2.0工具开展非遗宣传与展示③。

（3）非遗数字化保护技术的不断完善

随着现代化信息技术的飞快发展，虚拟现实技术、3D建模技术、数字博物馆技术的出现，使得非遗"数字化"记录和处理的

---

① 曹文平，闫金梅．数据库综述［J］．科技管理研究，2006，26（9）：237.

② 杨红仙．信息化背景下档案信息资源的整合与共享［D］．昆明：云南大学，2010.

③ 冯丽，戴旸．Web2.0技术下我国非物质文化遗产建档保护促进研究［J］．北京档案，2015（5）：24.

方式更加全面，不再局限于最初的拍照、采访、记录等简单方式。彭冬梅将当前的非遗数字化保护技术归为六类，包括文化遗产的数字化保存与存档、数字化虚拟博物馆、虚拟文化修复与复原及演变模拟技术、数字化图案与工艺品辅助设计系统、数字化故事编排与讲述技术和数字化舞蹈编排与声音驱动技术①。可见，当前非遗数字化保护技术较为成熟，为非遗档案资源的数字化建设提供了参考，同时也力证了非遗档案资源整合的可行性。

上述典型技术在非遗档案资源建设领域得到了广泛的应用，并得到了一致的认可，这为非遗档案资源整合奠定了技术基础。

6.2.2.3 公众力量的支持

公众是非遗的创造者与见证者，理应成为非遗档案建设与管理工作的参与者，以及非遗档案资源的利用者。非遗档案资源的整合离不开公众力量和群体智慧。近年来，公众在政策法规制定和实践探索中得到了更多的关注和重视，在一定程度上也增强了非遗档案资源整合的可行性。

（1）政策法规制定方面

近年来，在国内外非遗保护的相关法律法规中，均明确提出"鼓励社会公众参与"这一规定，为公众参与非遗档案建设提供了法律保障；同时，知识产权、著作权和隐私权方面相关的部分法律法规，也对非遗档案管理过程中传承人、公众个人权益的保护提供了法律指导②。

（2）非遗传承人建档方面

"当今一个重要的趋势是档案资源范围向公众扩展，这个变化可以使不同群体的身份认同从档案中获得帮助。为各类群体，特别是曾经被遗忘的边缘群体建立档案是 21 世纪国际档案界广泛关注

---

① 彭冬梅．面向剪纸艺术的非物质文化遗产数字化保护技术研究［D］.杭州：浙江大学计算机科学与技术学院，2008：33-40.

② 戴旸．基于群体智慧的非物质文化遗产档案管理研究［D］.武汉：武汉大学，2013.

的重要动向。"① 非遗传承人也曾经是"被遗忘的边缘群体"，加拿大图书和档案馆"国家档案发展计划"（NADP2006-2011）的目标之一是"增加代表性不足的种族文化团体在加拿大档案遗产中的代表性，并采取多种措施促进原住民、少数族裔档案的保存和利用。"② 非遗传承人和非遗传承人档案在档案建设中的价值受到更多的重视，有助于群众力量在非遗档案资源整合中发挥更大的作用。

（3）群众参与现实方面

在非遗档案资源建设过程中，非遗研究人员、非遗爱好者等广大社会群众和非遗项目传承人，出于对非遗的真心关注，自发参与到非遗档案资源的收集、开发利用等环节中。由于互联网的普及、Web2.0 的进步和多媒体技术的发展，有条件参与非遗档案资源建设与管理的群众越来越多，非遗档案资源整合工作能得到更强有力的群众力量和群体智慧支持。

可见，从公众角度出发，无论是从非遗的形成到传承，还是在此过程中的非遗档案资源建设，都存在着广泛的群众基础。因此，公众自觉地参与非遗档案资源建设也是必然之举。

6.3 非遗档案资源整合的原则

合理、正确的指导原则是提高效率、避免误区的必要前提。非遗档案资源整合应强调整体性、互补性、统一性，形成以需求为导向的特色鲜明的非遗档案资源库。

（1）整体性原则

非遗档案之间存在着千丝万缕的联系，在对其进行整合的过程

282

---

① 冯惠玲. 当代身份认同中的档案价值 [J]. 中国人民大学学报，2015（1）：96-103.

② Summative Evaluation of National Archival Development Program. Approved by LAC Evaluation Committee, November 23, 2010 [EB/OL]. [2015-8-6]. http://www.collectionscanada.gc.ca/obj/012014/f2/012014-297-e.pdf.

中，要处理好部门与部门之间的关系、不同整合方式之间的关系、资源整体和局部之间的关系等。整体性原则要求整合后的非遗档案资源是完整的，即实现各种资源间的无缝链接，注意资源之间的内在联系，而非生硬的拼凑。同时，整合后的非遗档案资源能够以文本、图像、视频等多种形式存在，信息表达从平面走向立体。整体性原则还要求非遗档案资源整合从全局出发，制定非遗档案资源整合整体规划方案，对全国非遗档案资源的优化配置进行总体决策，系统完备地反映非遗档案资源的基本情况和分布状况，使整合后的非遗档案资源体系形成互相联系的整体系统。

（2）互补性原则

非遗档案资源整合不是将各级各类管理部门的资源进行形式上的堆砌，而是有针对性地对不足之处进行补充，实现查漏补缺、优化互补。资源整合的定义中，也常将互补作为整合的目的而强化，"文化资源整合是以优化、分享、合作、共赢为宗旨，从地域、主题、价值等方面进行系统性组合和配置，以提供一个多价值多角度利用的资源体系，实现文化资源的互补和利益共享。"①互补性原则要求非遗档案资源整合应在全面调查分析资源现状的基础上进行，防止为追求整合后的总量而盲目收集、征集、接收、交换，增加库房的负担和资源存储的压力，整合的非遗档案资源不论是在内容上、数量上、体系上都应是对各自馆藏资源的补充。

（3）统一性原则

整合后的非遗档案资源要实现高效、快捷的利用，还必须有系统的规划和统一的规范，使整合后的非遗档案资源符合档案的内涵、特征、管理、利用等要求。非遗档案资源是历史、民俗、文化、信息等资源的综合，既有以纸质或实物形式存在的，也有以数字形式存在的，内容、类型均多样且复杂。如果缺乏系统规划和统一规范，整合后的档案资源将无法有效利用，尤其是涉及资源分类、主题标引、目录组织、档案著录、数字化存储、数据库的建立

283

---

① 陈留根，李丹丹．河南传统文化资源整合的原则和途径研究［J］．前沿，2013（1）：190.

等具体操作层面，统一性原则的重要性则愈发凸显。此外，建立统一的共享利用平台也需要系统规划和统一规范，每一种资源整合方法及其操作都要按照统一的标准进行，以便使整合后的档案资源能够在各数据库、各共享平台之间自由流动，使非遗档案资源利用平台持续有序、统一可用。

（4）特色化原则

非遗档案资源的整合要坚持特色化原则，有特色就有市场。鉴于非遗自身的特点，非遗档案资源本身就具有鲜明的个性色彩，各民族、各地区、各种类型的非遗都有其他民族或地区所无法复制的独特之处，每一类非遗都以独具地方特色的精神内涵及其相关的实物实体为主要存在形式，依靠特定的传承人一代代口耳相传，世世传承。我国非遗档案资源内容丰富、特色鲜明，地域特色、传承特色、技艺特色等都可以为整合提供思路。例如，以地域特色为整合原则，将"土生土长"的非遗档案资源经过系统梳理、挖掘整理后在本地推广，必定具有强生命力，能够形成地方特色品牌和文化名片。

（5）公众需求性原则

公众需求性原则的核心是要以公众为中心，从公众的需求出发，根据非遗档案资源的内容和公众对非遗档案资源的需求程度来整合，以公众需求带动非遗档案资源整合的有效性。社会公众是非遗档案资源产生的重要参与者，同时也是非遗档案资源整合的服务对象，他们既有可能来自政府机构、文化机构、研究机构等相关专业性机构，也有可能来自热衷于文化以及非遗保护的企业、社会群体、民族地区（土著社区）等。非遗档案资源整合的目的是为公众提供更好的资源利用和服务，因此，公众对非遗档案资源的利用需求决定着整合的方式、手段，换言之，公众在利用非遗档案资源的同时也在促成资源的整合。

6.4　非遗档案资源整合的方式

非遗档案资源整合的方式，简言之，是指采取某种技术、方法和形式实现分散非遗档案资源之间的有机整合。与非遗档案资源整合模式相比，非遗档案资源整合方式更加侧重于战术，而非遗档案资源整合模式则更侧重于战略。

非遗档案资源是档案资源的重要组成部分，因此，非遗档案资源整合方式的选择应借鉴当前档案资源整合的主要方式，这就有必要了解现有的档案资源整合方式，以此为基础，探讨非遗档案资源整合的方式。换言之，非遗档案资源整合毕竟归属于档案资源整合，因此，关于档案资源整合方式的成果具有一定的参考价值。为此，笔者对档案资源整合的方式进行了简要的归纳：

（1）针对不同对象的整合方式

在档案网站信息资源整合方式方面，王斌建议采取中间件技术跨库整合、元数据库整合、实体仓库整合和信息抽取整合等方式①，金凡提出面向信息资源、面向过程、面向用户三种方式②。在数字档案信息资源整合方式方面，金波建议建立区域性数字档案信息资源总库或国家数字档案信息资源总库③，唐艳芳建议以全国各级行政区划为准，多个数字档案馆联合组建省级、市级、县级等不同层次的区域性数据库④。在综合档案馆信息资源整合方式方面，王国振则建议基于"大档案"思维采用实体整合与信息整合相结合的方式⑤。

（2）针对不同环境的整合方式

在网络环境下，蒋冠将档案资源整合分为宏观层面、中观层面、微观层面，"就微观层面上看档案资源整合的实现形式就是构

① 王斌，吴建华．档案网站信息资源整合方法与方案［J］．档案学通讯，2010（1）：61．

② 金凡．档案网站资源整合的含义、策略与模式探析［J］．档案，2010（1）：12．

③ 金波．论数字档案信息资源建设［J］．档案学通讯，2013（5）：45．

④ 唐艳芳．数字档案馆档案信息服务平台的构建［J］．档案学研究，2006（5）：44．

⑤ 王国振．省级综合档案馆整合档案资源的思考［J］．中国档案，2010（9）：54．

建一个基于计算机网络环境的管理一体化，资源数字化，服务网络化的档案信息资源管理系统。"① 在云计算环境下，牛力等认为应从基础设施层、数据整合处理层、业务应用层、公共服务层四个层次整合，并提出搭建包括支撑云、业务云和公共云三个档案信息资源的"云服务"平台体系②。在大数据环境下，孟歆提出档案资源整合应树立"大档案观"，构建适应大数据要求的档案数字资源分析生态系统，加强档案数字资源整合的安全保障体系建设③。此外，在互联网环境下，有提高档案资源整合效果的策略探讨④。

（3）针对实际情况的灵活整合方式

王国振针对我国档案管理工作实际情况建议："以建立档案目录中心、已公开现行文件中心、电子文件中心探索跨区域、跨行业国家档案目录体系共建共享、专题档案库共建共享、信息资源共建共享模式等作为档案信息资源整合的重要形式。"⑤徐瑞鸿则认为，档案信息资源整合包括基础性整理与研究性整理，基础性整理是通过对档案的收集、整理、鉴定、编目建立检索体系使档案材料转化为"有秩序、有效用、有价值"的信息资源；而研究性整合则侧重于档案信息的编研工作，去粗取精、去伪存真、由表及里、由此及彼的研究性整理，以新形式来实现相关档案信息的整合和增值⑥。

综上所述，无论是针对不同对象的整合方式，还是针对不同环境的整合方式、针对实际情况的整合方式，档案资源整合可以简单

① 蒋冠．网络环境下档案信息资源整合研究［D］．湘潭：湘潭大学，2005：22.

② 牛力，韩小汀．云计算环境下的档案信息资源整合与服务模式研究［J］．档案学研究，2013（5）：26.

③ 孟歆．大数据时代档案数字资源整合的难点及对策分析［J］．山西档案，2015（1）：78.

④ 郑宇．论互联网环境下档案信息资源整合［J］．技术与市场，2015（7）：348.

⑤ 王国振．省级综合档案馆整合档案资源的思考［J］．中国档案，2010（9）：54.

⑥ 徐瑞鸿．档案信息资源整合研究［J］．兰台世界，2006（9）：21.

地概括为实体整合和内容（信息）整合两种主要方式。这两种整合方式对应档案资源两种存在形式，是档案信息资源整合必须采取的有效方法，为非遗档案资源整合方式的提出提供了借鉴。

借鉴档案资源整合的方式，结合非遗资源特征和非遗档案资源整合的目标，从整合的依据和对象看，非遗档案资源整合的方式主要分为非遗档案资源实体整合和非遗档案资源内容（信息）整合。这两种整合方式体现了非遗档案实体、非遗档案信息两种资源形式，也是目前非遗档案资源的存在形式。因此，深入探讨上述两种整合方式的具体应用，把握不同整合方式的适用情况和范围，有助于在非遗档案资源整合的实践中实现实体整合与内容（信息）整合的科学结合，落实非遗档案资源整合的整体性、互补性、统一性等原则，推动非遗档案资源整合的科学性、高效性和全面性。

6.4.1 非遗档案资源实体整合方式

非遗档案资源实体主要指承载着非遗档案信息的各种载体，包含了纸质档案、实物档案等多种形式。非遗档案资源实体整合旨在将分散保管在不同机构或个人的全部非遗档案实体，系统化有序化地集中保存在一个机构，再由该机构对非遗档案实体资源进行整合。这种整合方式符合档案工作集中统一管理的基本原则，要求从组织体制上改变原有非遗档案"条块分割"的现象，实现多种类型非遗档案实体资源的科学有序存储与利用。概括起来，非遗档案资源实体整合主要包括档案流向调控整合、档案目录整合和档案展览整合三种形式。

（1）非遗档案流向调控整合

"现有的档案资源整合模式基本上都是围绕本行政区域内专业档案的归属和流向问题进行档案资源的实体整合。"① 在进行非遗档案资源实体整合时，可以通过合理调控非遗档案的归属和流向实

---

① 曹航，杨智勇. 档案资源整合现状，困难与推进策略［J］. 档案学研究，2010（4）：29.

现实体资源的整合。

正如前文所言，我国非遗档案资源建设具有多元主体，文化主管部门、非遗保护中心、档案机构、传承人、博物馆、艺术馆以及非遗研究机构和公众等相关机构或个人都掌握了一定的非遗档案资源。如果要改变这种现状，首先要改变非遗档案的多头管理、分散保管，形成某一主导机构的集中统一管理，这就要求在众多主体中确定一个非遗档案存储主导机构，如各地的非遗保护中心或档案馆、图书馆等。在具体操作上，各主体的非遗档案实体资源在规范整理后统一移交给主导机构，由该机构统筹管理非遗实体档案，优化配置非遗档案资源，并对各移交主体的非遗档案整理鉴定等质量问题进行检查监督。

（2）非遗档案目录整合

非遗档案目录整合形式，是将非遗中心、图书馆、档案馆、博物馆、文化馆等机构馆藏的非遗藏品、非遗文献、非遗档案资源建立完整的目录和清单，然后，将各馆的非遗档案目录进行有效的整合。

在我国，各档案馆可通过对档案目录进行有机整合，拓展档案收集途径，大力优化和丰富馆藏。通过目录和清单对本机构的非遗档案实体资源进行梳理，通过各机构档案目录的汇总和整合，可以进一步开展各机构非遗档案实体资源的其他整合工作，也为后期建立交互共享式非遗档案目录数据库等信息整合方式奠定基础。

（3）非遗档案展览整合

非遗档案展览整合，是指博物馆、文化馆、档案馆等不同机构或不同级别的同一种机构，联合开发非遗档案资源，共同策划相关主题的非遗展览，按照一定规则系统地展示非遗档案资源或其复制品，实现某一主题或某一种类的非遗档案实体资源的整合开发的过程。

参照传统档案资源的展览形式，可以将非遗档案展览分为固定展览、巡回展览等形式①。在展览整合手段方面，非遗档案展览手

---

① 韩英，章军杰. 论非物质文化遗产的档案资源开发［J］. 档案学通讯，2011（5）：74.

段包括引入文化空间保护理念、善于借势并注重现场展演与制作、注重实体景观的再现、注重多样档案的综合展陈、现代科技的运用①。在展览整合内容方面，可以将特定主题的多类非遗档案实体进行综合展览，也可以根据非遗资源的种类，分别举办民间文学档案展、民间音乐与舞蹈档案展、传统戏剧档案展、曲艺档案展、民间美术档案展、传统手工技艺档案展、传统医药档案展、民俗档案展、杂技与竞技档案展等展览②。

上述三种非遗档案实体整合中，第一种关于非遗档案流向调控整合，涉及组织机构之间的关系。由于不同组织机构在非遗档案资源建设过程中存在利益关系的冲突，在没有理顺组织机构和利益关系的情况下，这种整合是无法实现的。第二种关于非遗档案目录整合，无论是纵向还是横向进行整合，都是可能的。第三种关于非遗档案展览整合，特定的行业内、一定的地域范围也是可行的。总体看来，完全实现非遗档案资源实体整合，现阶段是困难的，为此，有必要探索其它的整合方式。

6.4.2 非遗档案资源内容整合方式

非遗档案资源内容，也就是非遗档案信息，是指非遗档案实体所承载和包含的非遗信息。非遗档案资源内容信息整合是指根据"一站式"的档案服务需求，将信息内容紧密相关的各种非遗档案信息资源从不同全宗、不同部门或不同载体中提炼出来，通过重新组织与加工，化零散无序的数据为一个完整系统的非遗档案信息整体的整合方法。该整合方法能够大力推进非遗档案信息化建设，尤其是数字化、网络化建设，并通过建设非遗档案数据库、搭建非遗档案信息资源共享平台等方式，实现非遗档案信息资源的高度整

289

---

① 王云庆，陈建. 非物质文化遗产档案展览研究 [J]. 档案学通讯，2012（4）：36-39.

② 陈健. 非物质文化遗产档案展览研究 [D]. 济南：山东大学，2009：44-71.

合。事实上，正如前文所言，由于涉及不同机构和个人，非遗档案实体整合往往比较困难，因此，有必要通过非遗档案资源内容（信息）整合的方法，对非遗档案资源进行整合。

非遗档案资源内容整合主要有如下方式：宏观整合与微观整合、横向整合与纵向整合。

（1）宏观整合与微观整合

从整合层次和延伸范围看，非遗档案资源内容整合可以分为各级各类非遗档案建设主体间的整合和单个非遗档案建设主体机构内部整合两大类，两者分别形成了非遗档案资源内容整合的宏观整合方式和微观整合方式。

①宏观整合。非遗档案资源内容的宏观整合方式，是指对归属于不同地区、不同机构的非遗档案信息资源进行组织整理、加工再造，使得原本独立分散的非遗档案信息重新汇合，实现逐级逐层、囊括范围广、信息资源类型多样的非遗档案信息资源整合的过程与方式。

在实际运用中，宏观整合方式强调的是非遗档案资源建设与管理的协调机制。在整合层级方面，根据我国档案管理"统一领导、分级管理"的基本原则，非遗档案信息资源整合要注意坚持国家文化主管部门的统一领导，在国家级、省级、市级、县级不同层级的资源整合中注重分级管理，在各级非遗档案资源建设主导部门的统筹下开展因地制宜的非遗档案资源信息整合。在整合范围方面，根据非遗档案管理各主体的特点，可以采取"立足一个主体、联合多个主体"的信息资源整合协作模式，如依托档案机构，联合非遗保护中心、民间非遗组织、非遗传承人、公共文化机构等主体，通过非遗档案目录数据库、非遗数字化档案资源的集中与共享，将各主体的非遗档案信息资源集中到一个主导机构进行资源整合和深入开发利用，同时加强各主体间的合作与交流，充分发挥各主体的优势，共同参与到非遗档案资源的整合过程中。

②微观整合。非遗档案资源内容的微观整合方式，是指以归属相同的各类非遗档案信息资源为对象，按照统一的标准和规范，对其不同种类、不同时期或不同载体的非遗档案内容进行信息采集、

数据分类处理，实现特定范围内非遗档案信息有序化整合的过程与方式。

在实际运用中，微观整合方式强调的是单个非遗档案建设主体的非遗档案资源数字化、信息化以及相关资源管理系统的实现。不同级别的非遗档案资源内容微观整合主要包括三个方面：一是单个非遗档案管理主体机构内部不同种类的非遗档案信息资源的整合，主要指非遗项目档案资源、非遗申报与保护档案资源、非遗传承人档案资源等信息资源之间的整合；二是单个非遗档案管理主体机构内部不同时期的非遗档案信息资源的整合，主要是非遗传承不同阶段、非遗保护与申报的不同进展时期的非遗档案信息资源之间的整合；三是单个非遗档案管理主体机构内部不同存储形式的非遗档案信息资源的整合，主要指传统载体档案与新型载体档案以及数字化后的非遗档案信息之间的整合。

完整的非遗档案信息资源整合工程必须兼顾宏观整合与微观整合，实现宏观整合方式与微观整合方式的有机结合，以非遗档案信息编研、非遗档案数字化、非遗档案数据库、非遗档案信息网络平台等多种成果呈现方式，综合展现非遗档案资源内容整合的效果。

（2）横向整合与纵向整合

从整合的角度和方向看，非遗档案资源内容整合可以分为横向整合形式和纵向整合形式，二者主要以机构间的平行关系与上下级关系、不同特征的信息资源的并列关系与时间跨度关系为分类依据。

①横向整合。非遗档案资源内容横向整合是指无隶属关系的跨区域或跨部门的多方非遗档案管理主体之间，以协商一致的合作机制、资源管理制度与规范，进行非遗档案信息资源共建共享的整合，或是单一非遗档案管理主体内部对不同种类、不同信息形式的非遗档案信息资源进行整合的过程与方式。

非遗档案资源内容横向整合主要有四大类：一是同级各类非遗档案管理主体间的横向整合形式，即在前文所述"立足某一主体、联合多个主体"的协调机制下，对跨部门跨主体的非遗档案信息资源进行统筹规划；二是基于目录交换的跨行政区域的整合形式，

291

在保持原有非遗档案信息资源分布状态下，通过非遗档案目录交换共享、借助网络共建开放非遗档案目录服务平台等方式，实现跨区域主体机构间的非遗档案资源目录级的整合；三是单一非遗档案管理主体内部对不同类型的非遗档案信息资源进行归集整理，如对民间文学档案、民间音乐档案、民间舞蹈档案、传统戏剧档案、民俗档案等信息资源展开部分或全部的整合管理；四是单一非遗档案管理主体内部对不同载体形式的非遗档案信息资源进行整合，如纸质档案、实物档案、电子文件等的非遗档案信息的组织，或是音频格式、影像格式、电子文字格式等的非遗档案信息的重组。

②纵向整合。非遗档案资源内容纵向整合是指具有上下级隶属关系的非遗档案管理主体机构之间，以行政领导方式展开自上而下的非遗档案信息资源整合的统筹规划，或是单一非遗档案管理主体机构内部对不同时期和阶段的非遗档案信息进行跨时间的信息资源归集的过程与方式。

非遗档案资源内容纵向整合主要有两大类：一是单一非遗档案管理主体机构内部对不同时间段的非遗档案信息资源的跨越整合形式，如以非遗资源传承与发展的历程为整合要素，整合同一项目或同一主题的非遗档案，对该非遗资源形成的初期阶段、非遗发展与演变的中期阶段、非遗保护的重视阶段、非遗申报及其后期的管理阶段等不同阶段的非遗档案信息资源进行抽取、化零为整，确保时间维度上信息资源的高效梳理；二是跨层级的非遗档案管理主体机构间的纵向整合形式，按照整合的层级，又可细分为市县纵向整合、省市纵向整合、省市县纵向整合等形式，该整合形式突破了分级限制，有利于不同级别非遗档案管理机构的非遗档案信息资源的"一揽子"呈现与共享。

在非遗档案资源内容整合过程中，纵向整合是资源整合的基础形式，横向整合是资源整合的拓展要求，必须坚持横向整合与纵向整合的交叉结合，才能全方位、立体化地整合海量的非遗档案信息资源。

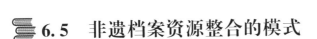

6.5 非遗档案资源整合的模式

相对于前文述及的非遗档案资源整合方式而言，非遗档案资源整合的模式更侧重策略，是非遗档案资源整合实践开展的关键之一。目前看来，学界和业界对这个问题尚缺乏研究，因此，借鉴信息资源整合模式，尤其是档案整合模式显得迫切和必要。

21世纪以来，档案资源整合已成为全国档案部门的重点工作之一。在档案资源整合的实践中，各地积极探索，因地制宜，涌现出一批各具特色和整合经验的典型模式，有力地推动了档案资源整合的开展。依据整合时间的先后顺序，档案资源、整合实践模式见表6-1。尽管有些档案资源整合并不完全称得上是模式，但都是各地实践的总结，佛山模式、深圳模式、广东模式等得到了国家档案局的肯定，为建立非遗档案资源整合模式提供了参考。

表 6-1　　　　　　　　　　档案资源整合实践模式

时间	实践模式	详　情
2000 年	佛山	佛山市顺德区将城建和房地产档案工作职能并入区档案馆①
2004 年	深圳	深圳市档案大厦挂"深圳市档案局""深圳市档案馆""深圳市城市建设档案馆""深圳市文档服务中心"四块牌子，将城建档案馆并入档案局，实行综合档案和城建档案的统一管理②

① 黎杰，张永钊. 促进国家档案资源体系建设的重要途径——广东省国家档案资源整合创新实践 [J]. 中国档案，2012（8）：35.

② 李国庆. 深圳城市档案管理的新格局 [J]. 中国档案，2004（8）：10.

续表

时间	实践模式	详　情
2005 年	青岛	青岛市档案局依托电子政务网，通过构建数字文件中心，实现电子公文收集、归档、存储、利用四同步，以此实现党政机关档案文件信息资源的整合与共享①
2005 年	绍兴	绍兴市档案局积极建设数字化档案室，实行文档一体化管理，建设绍兴市电子档案目录中心，建设全文数据库，构建照片、音频、视频数据库群，以整合区域内档案信息资源为手段，建设符合绍兴实际的数字化档案馆②
2005 年	广州南沙	广州市南沙区明确城建、房地产档案和各机关档案由区档案馆统一管理③
2006 年	天津泰达	通过整合利用内（档案信息）外（图书、情报）部文献资源，向公众提供更多的公共信息产品及各类公共数据库资源，构建公共档案馆和公共图书馆一体化管理模式，实现图书、情报、档案一体化管理④
2008 年	上海	上海市档案馆利用先进的计算机接口技术 XML，建立了标准数据接口，完成数据的汇总和转换，对市和区县两级涉及多操作系统、多数据库、多应用软件分布式多层次的档案信息资源进行有效整合，实现全市范围内网上档案信息资源共享⑤

---

①　邹杰，高菊梅. 依托电子政务网实现资源整合［N］. 中国档案报，2005-11-07（003）.

②　赵立，宋坚刚. 加大资源整合力度 推进档案信息化建设［N］. 中国档案报，2005-12-19（003）.

③　南沙档案与地方志［EB/OL］.［2015-08-13］. http：//www.gzns.gov.cn/dasz/.

④　黄丽萍，鲍晓梅，王维兰. 整合区域信息资源构建公共信息服务平台——天津开发区档案、图书、情报一体化管理模式分析［J］. 北京档案，2006（8）：26-27.

⑤　孙兆伟. 档案信息资源整合策略初探［A］. 中国文献影像技术协会、中国档案学会、台湾地区中华档案暨资讯，2007.

续表

时间	实践模式	详情
2008 年	长沙	长沙市借鉴国内外"文件中心"的做法：①逐步撤销实体档案室，在市直机关和全市非政府立档单位全面建立"数字档案馆室一体化管理系统"；②市、区县（市）档案馆切实为本级各单位提供文件与档案的收集、整理、归档、保管和利用等全程服务；③按照统一平台，统一标准，统一软件，分级建设的原则，依托市、区县（市）电子政务网络，依托市国家综合档案馆新馆，建成全市档案管理中心平台①
2010 年	广州	广州市音像资料馆由广州市电视台移交至广州市档案局（馆）管理，成为广州市档案局（馆）下属处级事业单位②
2010 年	上海闵行	上海闵行区倡议城建、房产、公安、环保、卫生等 10 多个专业主管部门，将其各自保管的专业档案集中到闵行区新建的档案保管中心保管，而档案所有权仍属各专业主管部门。在管理上，或由各专业主管部门派专人管理，或由综合档案馆代管③
2011 年	上海浦东	上海浦东新区档案管理体制整合，打破综合档案、城建档案自成体系的格局，城建档案信息管理中心承担的城市规划、土地、房产、建设等档案管理工作整合到区档案馆④

① 汤才友. 以档案信息化和管理模式改革为龙头 积极整合档案信息资源［J］. 档案时空，2008（12）：40.

② 付建华. 广州市音像档案资料馆移交我局［EB/OL］.［2015-08-13］. http：//www.gzdaj.gov.cn/gzdt/201005/t20100507_52083.htm.

③ 曹航，杨智勇. 档案资源整合的实践与深化策略［J］. 档案，2010（2）：12.

④ 张向东. 浦东新区档案管理体制整合创新实践与思考［J］. 上海档案，2011（4）：17.

6 非遗档案资源建设群体智慧模式的实现：客体层面

续表

时间	实践模式	详　　情
2011 年	安徽	把一个地区的各类档案特别是民生档案集中于国家综合档案馆保管①
2011 年	宁夏	宁夏回族自治区档案馆和银川市档案馆合建新馆，成为全国首家区、市合建档案馆②
2012 年	广东	广东省深圳、东莞、惠州三市以跨行政区域的馆际档案目录交换为突破口，建立了广东省第一个跨行政区域的档案目录中心③
2012 年	厦门	厦门市国土房产测绘档案管理中心下辖单位的档案纸质实体由各单位自行保管，而其数字化信息，全部导入到厦门市国土房产测绘档案信息数据库，通过档案管理系统供各单位相互利用，也可以通过档案利用窗口对外提供利用④
2013 年	石家庄	石家庄市国家档案馆将民生档案集中存放，专门建立了民生档案馆，为公众查阅提供全方位服务⑤
2014 年	江苏常州	常州市档案局将企业历史档案资源整合开发与文化产业有机结合，建成集全市企业档案保管利用、陈列展示于一体的"常州市档案博览中心"，抢救了 23 万多卷破产关闭企业档案⑥

① 于清华. 整合沈阳档案信息资源 努力建设数字沈阳［A］//沈阳市委、沈阳市人民政府. 第八届沈阳科学学术年会论文集. 沈阳市委、沈阳市人民政府，2011：3.

② 许岩. 整合公共信息资源探索建馆"宁夏模式"——全国首家区、市合建档案馆落成使用［J］. 中国档案，2011（7）：10.

③ 吴艺博. 我国档案信息资源整合实践探索行为研究［J］. 档案学研究，2012（4）：41.

④ 程厚林. 档案资源整合的思考——以厦门市国土房产测绘档案管理中心为例［A］. 福建省土地学会. 福建省土地学会 2012 年年会论文集［C］. 福建省土地学会，2012：5.

⑤ 张建伟. 石家庄市民生档案馆：让档案服务民生［J］. 中国档案，2013（9）：38.

⑥ 常州市档案局. 常州市企业档案资源整合开发取得突出成绩［J］. 档案与建设，2015（1）：93.

296

深入考察发现，档案资源整合主要通过如下途径实现：

一是基于机构方面的考虑，或者建立档案馆与档案馆之间、档案馆与其他机构之间的各种合作、协作、相互协调关系的，既有全国性的、自下而上的纵向整合，主要代表为在中央第一历史档案馆、中央第二历史档案馆和中央档案馆设置的全国明清、民国和革命历史三大档案资料目录中心，它们是由国家档案局统一规划建立的，主要面向全国各级档案馆采集中华人民共和国成立前三大不同历史时期的档案资料目录，并负责目录数据的整合与发布①。也有区域性的、平行市、区（县）之间的横向机构之间整合，主要代表为顺德、浦东、和县、深圳四种模式，前三种档案资源整合模式均为区县级的档案资源整合，而后一种是副省级市级的档案资源整合，四种横向整合均由国家档案资源属地集中统一管理②。

二是基于档案资源的角度，既有实体档案整合，例如，安徽、浦东、深圳等实践模式，其优势是为国家综合档案馆丰富了馆藏，优化了结构，利于提供"一站式"服务③。也有内容（信息）整合，例如，上海市档案局对下辖的县区档案资源的整合，其优势主要表现在可构建跨时空的档案资源共享空间，为社会化的"一站式"档案资源服务提供了可能，使档案资源开发的深度和广度达到极致④，并且侧重多种整合模式综合运用，整合时注重相互借鉴，各取所长。

此外，档案资源整合的实践推动国内外学术界对整合模式的研究。例如，牛力等从档案资源管理框架与内容整合两个层面对档案信息资源整合进行了探讨，并通过整合模式的构建提出档案"云

---

① 吴艺博. 我国档案信息资源整合实践探索行为研究［J］. 档案学研究，2012（4）：41.

② 吴艺博. 我国档案信息资源整合实践探索行为研究［J］. 档案学研究，2012（4）：41.

③ 李明娟，吴建华，沈芳. 数字时代档案资源整合的理论研究与实践模式评析［J］. 档案与建设，2014（5）：7.

④ 李明娟，吴建华，沈芳. 数字时代档案资源整合的理论研究与实践模式评析［J］. 档案与建设，2014（5）：7.

服务"平台①。周文泓通过梳理网络环境影响下的档案信息资源整合的背景与研究现状，提出 Web2.0 式的档案信息资源整合原则与模式②。也有学者对国外的档案资源整合模式进行了分析，例如，安小米等人在总结诸多国家数字档案资源整合与服务实践的基础上，将国外数字档案资源整合与服务模式分为面向历史研究的数字档案资源整合与服务工作网络构建、面向电子政务绩效改进的数字档案资源整合与服务档案系统构建、面向政府公共服务部能力可持续发展和全面提升的数字连续性计划、面向政府数字转型的嵌入式信息基础框架架构四种③。

非遗档案资源整合的最终目标在"合"，不在"整"，必须厘清非遗档案各类资源的内在关联，强化整合资源的内涵相关性，才有可能实现资源的高效集成。从非遗档案资源整合的对象出发，结合我国非遗档案资源建设的实践情况，可以将非遗档案资源整合模式分为基于非遗普查档案的整合模式、基于申遗档案的整合模式、基于非遗项目档案的整合模式和基于非遗代表性传承人档案的整合模式四大类。

6.5.1 基于普查档案的整合模式

非遗普查档案，是指由国家或各级地方文化主管部门组织的针对全国或本行政区域内的非遗资源进行全面性调查采录，并通过记录、分类、编目等方式，运用文字、图像、音像、数字化多媒体等手段形成的，具有保存价值的档案。基于普查档案的非遗档案资源整合模式，是以非遗普查档案为资源对象，将覆盖范围广、种类繁多、分散存储的非遗档案资源进行整合的模式。

① 牛力，韩小汀．云计算环境下的档案信息资源整合与服务模式研究 [J]．档案学研究，2013 (5)：26.

② 周文泓．Web2.0 式的档案信息资源整合原则与模式探析 [J]．档案学研究，2015 (1)：84.

③ 安小米，孙舒扬等．21 世纪的数字档案资源整合与服务国外研究及借鉴 [J]．档案学通讯，2014 (2)：47.

基于普查档案的整合模式主要有三种应用方式：

（1）编制普查档案目录与清单

从横向来看，可以编制非遗资源目录、重点抢救项目档案清单、分期保护项目档案清单等；从纵向来看，可以编制省级非遗档案清单、市级非遗档案清单、县级非遗档案清单等。同时可借助区域目录交换共享体系，实现跨区域的信息资源整合。

（2）建设非遗普查档案数据库

对普查所得的非遗档案进行数字化处理，通过整理编目、分类标引、建立索引等方式建设非遗档案数据库，综合型数据库或专题性数据库均可。例如，荣启在研究中指出，紧随非遗普查工作之后，要将非遗普查成果系统化、规范化、档案化，并建立非遗影像档案、非遗资料库以及民间艺人档案馆①。

（3）进行非遗普查档案信息编研

对非遗普查档案成果进行编撰研究，如《非遗普查成果档案汇编》《非遗分布地图集》《民俗志》等，该方法能够加深非遗档案资源整合的深度，也强化了非遗档案资源整合成果的传播利用。

基于普查档案的整合模式具有以下特点。首先，该模式的非遗档案资源来源有较强的法律法规和实践保障。近年来我国国家和地方颁布了许多非遗保护政策和法规条例，强调了对非遗资源进行普查并建档保护，全国性的非遗普查建档工作有序开展且初具成效，积累了大量的非遗普查档案资源。其次，该模式下的整合资源成果，有助于全面了解、掌握各地区各民族非遗的种类、数量、分布状况、生存环境、保护现状及存在问题，后期开发利用将更具深度和广度。再次，该模式是面向范围较广、囊括非遗档案内容多样的一种非遗档案资源整合模式，在一定程度上涵盖了后面三种模式的资源整合对象，如陶园和缪晓梅就指出，对于徐州琴书的档案式保护首先从普查开始，"拉网式"普查结束后进行登记建档，分别建

---

① 李荣启. 采取系统科学的有效方法 做好非物质文化遗产保护工作 [J]. 重庆社会科学，2006（4）：113.

立徐州琴书档案、徐州琴书申报过程档案和传承人档案①。但是，该模式下的档案资源整合较为宽泛化，资源整合的具体性和针对性较弱。

6.5.2 基于申遗档案的整合模式

申遗档案，是指记录申报国家、省、市、县四级非遗代表作名录工作及其保护活动过程与结果的档案。基于申遗档案的非遗档案资源整合模式，是以申遗档案为资源对象，将非遗申报与保护过程中的非遗档案资源进行整合的模式。

基于申遗档案的整合模式主要有三种应用方式：

（1）编制非遗代表作档案名录

一方面可以将国家、省、市、县四级非遗代表作名录的档案资料进行宏观整合，为国家四级非遗名录体系建设提供档案材料支撑。另一方面也可以将申遗档案按照十大类非遗资源划分，编制基于非遗类型的档案名录。

（2）进行申遗档案编研

对适合申报国家、省、市或县级保护名录的非遗，应加强其档案编研工作，形成高质量的项目申报书和辅助资料，为其成功申报创造条件②。

（3）开展申遗档案资源整合的横向与纵向交叉

概括而言，申遗档案主要由三大部分组成：一是申报单位通过各种途径收集到的，关于非遗项目的所有档案及资料；二是申报过程中形成的档案；三是申报成功后在该项目管理过程中形成的各种档案③。在同级的申遗档案资源整合过程中，既要注重来源于不同

---

① 陶园，缪晓梅．论"徐州琴书"的档案式保护策略［J］．兰台世界，2011（5）：33.

② 莫理生．论中山市非物质文化遗产的档案资源开发［J］．云南档案，2010（3）：5.

③ 孙展红．浅谈非物质文化遗产档案［J］．黑龙江档案，2009（3）：67.

机构的档案资源的横向整合，也要加强非遗申报前、中、后不同时期的档案资源的纵向整合，实现横向整合与纵向整合的有机统一。

基于申遗档案的整合模式体现了非遗档案资源整合在非遗申报与保护中的价值与作用，有助于完善我国四级非遗名录体系建设，但缺乏对于未列入非遗项目申报的非遗档案资源的整合。

6.5.3 基于非遗项目档案的整合模式

项目档案，即非遗本体档案，是指记录和反映非遗传承过程与结果的文字、录像等材料，以及作为活动媒介的实体档案等。基于项目档案的非遗档案资源整合模式，是以项目档案为资源对象，将记录非遗传承与演变情况的非遗档案资源进行整合的模式。

基于项目档案的整合模式主要有三种应用方式：

（1）举办非遗项目档案展览

非遗项目档案较为全面地反映了非遗本体资源的内涵与特色，可以通过举办非遗档案专题展览的形式加强不同类型、不同机构间非遗项目档案资源的整合，档案展览的方式包括固定展览、巡回展览、联合展览、网上展览等。

（2）非遗项目档案数据库整合

非遗项目档案数据库整合可围绕非遗档案目录数据库、非遗档案专题数据库、非遗档案多媒体数据库的建设展开①，实现对非遗项目档案的数字化内容和信息的统一管理、集成共享、长期保存。

（3）建设非遗项目档案网站

面向公众需求，建设非遗档案网站，将文字、图片等静态信息资源与视频、音频等动态多媒体信息资源科学排列组合，依托网站平台进行非遗档案信息资源的整合、展示并提供服务。王斌、吴建华提出了包括中间件技术跨库整合方法、元数据库方法、实体仓库方法和信息抽取方法的档案网站信息资源整合的方法，同时设计了

301

① 戴旸，周耀林．论非物质文化遗产档案信息化建设的原则与方法[J]．图书情报工作，2011（5）：73．

档案网站信息资源整合的四种方案：馆藏数字化档案、现行文件、特色档案和编研成果①。档案网站信息资源整合的方法和方案为非遗项目档案网站建设提供了有力参考。

基于非遗项目档案的整合模式是在非遗档案资源整合过程中，注重以非遗本体为档案资源整合单位，整合成果侧重反映了非遗本体传承、发展的过程与结果。非遗项目档案的整合在非遗档案资源整合工程中占有重要地位。要实现该模式的良好运行需要把握好非遗档案资源实体整合与信息整合的结合应用，尤其是面向非遗本体档案传承的不同阶段的纵向整合方式的灵活运用。但该模式对与非遗本体不相关的档案资源，如非遗保护过程中形成的档案资源等，整合力度较弱。

6.5.4　基于非遗代表性传承人档案的整合模式

非遗传承人档案，是指记录和反映非遗传承人的自然状况、文化背景，说明传承人传承非遗的活动状况、传承状态，以及在传承人认定和管理过程中形成的各种资料。一般地，非遗传承人档案内容，可以概括为以下五类②：①传承人信息；②与传承人相关的非遗信息；③传承人技艺信息、作品信息；④传承人作品；⑤相关机构对传承人或者非遗进行宣传、评价的资料、证书、奖品、声像材料等背景资料。基于传承人档案的非遗档案资源整合模式，是以非遗传承人档案为资源对象，将动态化的传承技艺档案和传承人情况档案等资源汇集整理的整合模式。

基于传承人档案的整合模式主要有三种应用方式：

（1）进行非遗传承人档案编纂

通过对非遗传承人档案编纂，整理出相关文献，可以使档案资

302

---

① 王斌，吴建华. 档案网站信息资源整合的方法与方案——"档案网站信息资源普查与整合研究"系列论文之二 [J]. 档案学通讯，2010（1）：61.

② 周耀林，戴旸，程齐凯，等. 非物质文化遗产档案管理理论与实践 [M]. 武汉：武汉大学出版社，2013.

源的整合价值得到更好体现，同时也有助于宣传非遗以及非遗传承人。非遗传承人档案编纂工作须遵循存真原则、整体性原则、效益原则和合法原则①。

（2）建立"非遗传承人档案网"

"非遗传承人档案网"的栏目设置和内容规整可以参考名人档案网站或家庭档案网站，它们与非遗传承人档案资源情况类似，均是以个人或家族为立卷单位，档案资源以个体为主，内容相对单纯。"非遗传承人档案网"除整合馆内现有传承人档案资源外，还可施行馆外整合，通过权限控制，实行前台登录注册、后台根据名录名单审核的模式，鼓励非遗传承人主动上传自身档案，展示综合魅力，宣传传承技艺。例如，由沈阳市家庭档案研究会建立的"家庭档案网"就是一个针对个体档案资源整合的公众平台，该网站已经拥有10万多注册用户，这些注册用户上传了大量的个性化原始记录，极大地丰富了沈阳家庭档案资源，通过访问该网站可以将沈阳知名人士的档案一览无余。

（3）传承人口述档案的数据库整合

口传心授是非遗传承的重要方式，在非遗传承人档案资源整合过程中，要注重传承人口述档案的整合，加强对口述影像档案、音频档案等的加工整理，依此建立口述档案专题数据库或多媒体数据库。

该模式在非遗档案资源整合过程中，能够对不同载体形式、不同时期的传承人档案资源展开高效的集成与开发，充分发挥微观整合方式的作用。同时以非遗传承人为关注主线，在一定程度上让群体智慧和群众力量得到科学体现和运用，使非遗档案资源整合成果更具亲民性和生活化气息。但与非遗传承人关联不密切的非遗档案资源得不到良好整合。

上述四种非遗档案资源整合模式各具特色，各有优缺点，因针对的非遗档案对象和范围不同，也各有适用范围。在开展非遗档案

---

① 周耀林，戴旸，程齐凯，等．非物质文化遗产档案管理理论与实践［M］．武汉：武汉大学出版社，2013．

资源整合工作中，应根据一定范围或区域非遗资源的特点和非遗档案建设需求，兼顾非遗档案实体资源整合和非遗档案信息资源整合，统筹考虑宏观整合与微观整合、横向整合与纵向整合，选择其中一种或多种模式，通过一定范围或区域非遗档案资源的整合，打破非遗档案资源垄断的桎梏，让整合的资源在群体智慧模式下发挥最大的作用。

7　非遗档案资源建设群体智慧模式的实现：新媒体平台建设

　　新媒体是 Web2.0 时代发展的产物。新媒体不仅是一个内容集成平台、信息发布平台，更重要的它是一个开放的综合服务平台①。新媒体平台的搭建依赖于网络 Web2.0 的支持。数字电影、数字杂志、数字电视等新媒体形式，逐渐以互动性强、沟通反馈及时、满足受众需求而在公众生活中占据主流地位，其最终目的是共建共享信息资源，为用户提供服务。目前看来，新媒体平台不仅在图书馆、博物馆等文化事业机构得到了广泛的应用，而且在档案馆也取得了初步的成效②。在非遗领域，新媒体平台也开始得以运用。例如，浙江省非遗保护工作领导小组不仅建立了浙江省非遗网站，还开通了非遗新浪微博、腾讯微博和非遗微信公众平台（浙江非遗），定期发布最新动态，供社会公众了解和掌握最新信息。非遗档案资源建设群体智慧模式的实现，一个重要前提就是通过构建新媒体平台，将非遗档案资源建设的主体、客体联系在一起，形成一个集非遗档案资源建设的主体、客体和方法为一体的平台，从而实现网络环境下非遗档案资源共建共享，将非遗档案资源建设过

---

　　①　谭天. 新媒体不是"媒体"——基于媒介组织形态的分析［J］. 新闻爱好者，2014（6）：5.

　　②　路江曼. 我国综合档案馆新媒体应用的问题与对策研究［D］. 武汉：武汉大学，2016：13-14.

程中的群体智慧落到实处。

7.1　新媒体平台概述

"平台"一词是当前使用频率较高的词汇，例如电子商务平台、公共服务平台、教育平台、微信平台等。"平台"具有多个含义，包括计算机硬件或软件的操作环境或泛指进行某项工作所需要的环境或条件①。当今社会，新媒体平台的广泛使用，为非遗档案资源建设提供了新的机遇。

7.1.1　新媒体

1967 年，美国 CBS（哥伦比亚广播电视网）技术研究所所长戈尔德马克（P. Goldmark）在一份商品开发计划中，首次提出了"新媒体"（New Media）一词②。1969 年，美国传播政策总统特别委员会主席 E. 罗斯托（E. Rostow）在向总统尼克松提交的研究报告中，也多处使用了"New Media"一词③。此后，"新媒体"一词被广泛使用。

新媒体是公民进行交往沟通、传播信息的重要平台，其发展历程可划分为三个阶段：以浏览信息为主的 Web1.0 时代；以分享信息为主的 Web2.0 时代；以聚合信息为主的 Web3.0 时代④。在浏览信息为主的 Web1.0 时代，信息传播呈现出金字塔型结构，信息传播模式以"网站—受众"为主，用户被动地接受新媒体信息，而不能"分享"信息。进入以分享信息为主的 Web2.0 时代后，全

---

① 中国社会科学院语言研究所词典编辑室 . 现代汉语词典（第 5 版）[M]. 北京：商务印书馆，2009：1053.

② 匡文波 . "新媒体"概念辨析 [J]. 国际新闻界，2008（6）：66-69.

③ 匡文波 . "新媒体"概念辨析 [J]. 国际新闻界，2008（6）：66-69.

④ 张弛 . 新媒体背景下中国公民政治参与问题研究 [D]. 长春：吉林大学，2015.

球素未谋面但志同道合的公众组成了一个小的虚拟社区，地域模糊了，个体间的交往更加直接，形成了内容主导权为个人所有的互联网体系，用户既是网络信息的浏览者，也是网络内容的制造者。用户不再被动地接受信息，而是信息接受的主动者，逐渐成为信息传播的主体，由此构建了一个自下而上、人人平等参与的信息平台。自组织性、交互性、参与性、去中心化、真实性、开放性、黏性、聚合性、不断更新、微内容等共同构成了其独特优势，而 Blog、Podcasting、Wiki、SNS 以及基于 P2P 技术基础上的 BT 下载等被视为是对 Web2.0 的典型应用①。进入以聚合信息为主的 Web3.0 时代，云计算、物联网、大数据等多种新技术融合和发展，新媒体技术发展更加迅猛，通过构建人工智能、关联数据和语义网络，形成人和网络以及网络与人的沟通。同时，在搜索引擎优化支撑下，提高了人与人沟通的便利性，真正实现互联网与人类生活的大融合。随着新媒体的发展及其对信息交互和信息共享实践的推动，利用新媒体平台进行非遗档案资源建设已经是大势所趋，也是实现群体智慧平台建设的必然。

自"新媒体"一词出现以来，国内外学者纷纷尝试对其进行阐释，虽未形成一个明确的定义，但学者们对"新媒体"有了较为一致的认识。

国外对"新媒体"概念的界定，刚开始十分简短：联合国教科文组织定义"新媒体就是网络媒体"；美国《连线》杂志定义新媒体为"所有人对所有人的传播"（Communications for all by all）；华纳兄弟总裁施瓦茨威格认为"新媒体就是非线性播出的媒体"。此后，《圣何塞水星报》的专栏作家丹·吉尔摩（Dan Gillmor）为"新媒体"的概念界定加入了新的元素——数字技术，他认为"new media"应该是数字技术在传播中广泛应用后产生的新概念。1998 年 5 月，联合国新闻委员会把互联网正式列为继报纸、广播、电视之后出现的"第四媒体"。之后，手机被定义为"第五媒体"。

307

---

① 人民网.Web2.0，基础、争鸣与未来［EB/OL］.［2016-06-10］. http：//media.people.com.cn/GB/22114/44110/113772/7031144.html.

国外关于新媒体的界定较多，除了以上所述，美国的新媒体艺术家列维·曼诺维奇（Lev Manovich）认为，"新媒体将不再是任何一种特殊意义的媒体，而不过是与传统媒体形式相关的一组数字信息，但这些信息可以根据需要以相应的媒体形式展现出来。"①资深媒体分析师 Vin Crosbie 将新媒体定义为，"能对大众同时提供个性化内容的媒体，使传播者和接受者融会成对等的交流者，而无数的交流者相互间可以同时进行个性化交流的媒体"②。传统的交流模式多为"一对一"或"一对多"，而新媒体实现了"多对多"的交流，它不仅使交流者拥有平等的参与权，而且使交流者享有充分的言论自由权③。

在我国，学者们也对新媒体给予了关注并进行了界定。熊澄宇认为，"所谓新媒体是一个相对的概念，例如，广播相对报纸是新媒体，电视相对广播是新媒体，网络相对电视是新媒体。今天我们所说的新媒体通常是指在计算机信息处理技术基础之上出现和影响的媒体形态"④。该定义从时间维度阐述了新媒体的含义，认为新媒体不仅要具有破旧立新的新形式，还要具有前所未有的新技术。匡文波认为，新媒体是"借助计算机或具有计算机本质特征的数字设备传播信息的载体"。他将新媒体分为网络媒体、手机媒体和未来的交互式数字电视，其中网络媒体包括搜索引擎、网络报纸期刊、博客、各类网站等，手机媒体包括手机图书、手机报纸、手机微博、手机电视等⑤。该定义从外延维度定义了新媒体，并区分了新媒体的具体形式。国务院发展研究中心局长岳颂东提出，"新媒体是采用当代最新科技手段，将信息传播给受众的载体，从而对受

---

① 转引自：刘军．试论影响媒体语言的流变［J］．广播电视与教育，2003（2）.

② 转引自：方兴东，胡泳．媒体变革的经济学与社会学-论博客与新媒体的逻辑［J］．现代传播，2003（6）：80-85.

③ 景东，苏宝华．新媒体定义新论［J］．新闻界，2008（3）：57-59.

④ 熊澄宇．中国媒体走向跨界融合［EB/OL］．［2016-06-10］．http：//www.china.com.cn/chinese/OP-c/386927.htm.

⑤ 匡文波．"新媒体"概念辨析［J］．国际新闻界，2008（6）：66-69.

众产生预期效应的介质。"① 新媒体从传播学的角度被当作一种介质，突出强调其传播功能以及对受众的影响，该定义更加侧重新媒体的传播影响力及其介质功能。

2011 年 7 月，《中国新媒体发展报告（2011）》首次发布。中国社会科学院李慎明指出：从某种意义上，新媒体的性质已发生了根本改变，不仅远远超越了传统媒体的属性，而且大大突破了互联网和手机的传媒和通信工具角色，成为与人类社会深度融合，并促使国家社会发生全面变革的社会化媒体。这个关于新媒体内涵的探索已经超出了新媒体作为介质的传播功能，深入到性质本身，更加关注新媒体与人类社会的交融。

可以看出，虽然国内外学者对新媒体的定义说法不一，但可以确定的是，"新媒体"是一个相对的概念，并且是在数字技术和网络技术基础之上延伸出来的一种新的媒体形式。仔细研读发现，新媒体的概念应有广义和狭义之分：广义上的新媒体是"利用数字技术、网络技术和移动通信技术为依托，通过互联网、宽带局域网、无限通信网和卫星等渠道，以电视、电脑和手机为主要输出端，向用户提供视频、音频和语音数据服务、连线游戏、远程教育等集成信息和娱乐服务的所有传播手段或传播形式的总称"②；狭义上的新媒体以改变传播为诉求，以新的传播技术为依托，强调内容生产的分散和个性化，重视互动和体验③。笔者采用广义的新媒体界定，即在当前的社会背景下，以计算机和手机为信息载体的新媒体。据此，相比于报刊、广播、电视等传统媒体，新媒体突破了"一对一"和"多对一"的传统沟通方式，提供了更为个性化的交流渠道，具有显著的互动性和开放性特征，传播内容丰富，媒体类型多样。

309

① 岳颂东：新媒体产业的 8 个特点［EB/OL］.［2017-11-15］. http：// finance. sina. com.cn/hy/20080519/17024884944. shtml.

② 宫承波. 新媒体概论［M］. 北京：中国广播电视出版社，2012：4.

③ 张弛. 新媒体背景下中国公民政治参与问题研究［D］. 长春：吉林大学，2015.

新媒体出现后，尽管概念在不断演进，外延在不断扩大，但学界仍试图对新媒体的类型进行划分，旨在更好地认识、研究和应用新媒体。

依据不同的标准，学者将新媒体划分成各种不同的类别。有学者按其终端形式将新媒体分为：网络新媒体（建立在互联网上的各种新媒体形式，包括各种网站、博客、播客、维客，以及网络电视、网络广播、网络报刊等）、手机新媒体（以手机为接收终端的媒体形式，包括手机短信、手机报、手机电视等）、数字电视新媒体（建立在数字电视基础上的新媒体，包括数字电视，IPTV、移动电视与户外新媒体等）、楼宇新媒体、户外新媒体等。有学者按媒体功能将新媒体分为：自媒体新媒体（如个人微博、个人日志）、工具新媒体（如聊天工具、下载工具）、知识新媒体（如维基百科、百度百科、RSS）、移动新媒体（如手机客户端、手机报、手机电视）、社交新媒体（如社交网站、微博、微信、博客）等。

依据新媒体的传播载体，笔者将其划分为新电视媒体、网络媒体和手机媒体三种类型：

（1）新电视媒体

电视作为传播媒体，早在20世纪20年代就已出现，但随着信息技术和互联网技术的迅速发展，电视媒体得以不断更新、发展，呈现出新特点。第一，交互网络电视（IPTV），即以互联网为基础，传播电视节目的交流沟通方式。交互网络电视的接受者具有较强的主动性，可以根据自己的兴趣爱好有选择地观看电视节目，最大限度地满足观众的需求。交互网络电视把网络交互优势与电视节目传统优势结合起来，实现了网络技术与电视媒体的高度融合，使其不仅具有传统电视媒体的内容，还增加了网页浏览、网络游戏、电子商务、远程教育等增值业务，发展成为传播公共知识和沟通信息的重要工具。第二，移动电视，即一切可以通过移动的方式接受无线信号收看电视节目的技术或应用，尤其是指在公共交通工具上播放电视节目的技术或应用。移动电视是移动通信技术和广播电视技术相融合的产物，它具有移动性强、覆盖面广、时间便捷等特点，不仅可以向电视用户传递数据、视频、文本、音频等媒体服务，还向社会发布各种有用信息，如地铁移动电视、公交移动电视等①。

（2）手机媒体

手机媒体是指以网络为数据平台，以手机为视听终端的信息传播载体。手机媒体的最大优势就是携带方便、使用灵活、高效便捷，被公认是继报刊、广播、电视、互联网之后的"第五媒体"。与其他传播媒体相比，手机新媒体具有即时性、互动性和私密性特征。用户通过手机不仅可以通话交流，还可以游戏娱乐、购买服务、阅读新闻等。尤其是随着智能手机的大量涌现，手机媒体以智能手机为互联网数据终端，融合了报纸、广播、电视的信息交流和传播，成为信息交流和聚合的新平台②。

（3）网络媒体

网络媒体是以计算机和互联网为传播载体，能够有效传播文字、图像、音频、视频等信息的新媒介，它是真正意义上的数字化媒体。与其他媒体比较，网络媒体具有传播范围广、保留时间长、信息数据大、开放性强、交互性强、成本低、效率高等优势。网络媒体的特点主要体现在以下三个方面：第一，迅捷性。网络媒体传播速度快，信息来源广泛，制作发布信息简便，具有实时传播的特征。尤其是在报道突发性事件和持续发展的新闻事件上，网络媒体的"信息刷新"相比于传播媒体的"滚动播出"则更胜一筹。第二，多媒体化。网络媒体整合了报纸、广播、电视三大媒介的优势，实现了文字、图片、声音、图像等传播符号和手段的有机结合。第三，交互性。网络媒体使得公众与媒介的传受地位发生了重大变化，实现了传受双方双向互动的传播效果。信息的传播不再局限于传播媒体的"推送"，转而变成公众在网络信息市场中的主动获取，公众可按自己意愿各取所需。

311

---

① 张弛. 新媒体背景下中国公民政治参与问题研究［D］. 长春：吉林大学，2015.

② 张弛. 新媒体背景下中国公民政治参与问题研究［D］. 长春：吉林大学，2015.

7.1.2 新媒体平台

平台的含义广泛，不同行业对平台的界定有所区别。概括来讲，平台的含义可分为以下四种：第一，供使用者生活或工作的水平的开放式建筑空间或建筑体；第二，生产和施工过程中，为操作方便而设置的工作台；第三，泛指进行某项工作所需要的环境或条件；第四，计算机硬件或软件的操作环境①。本书所指的"平台"是计算机领域的专业术语，即"系统平台"，是指系统为应用软件所提供的基础的平台。从平台的共性来看，通常认为其是一种基础性的，可以衍生其他产品、资源、需求或服务的环境。例如，基于软件产生的 Windows 平台、系统平台等，基于工作流程的服务平台、营销平台等，基于生产制造的流水线平台、建筑平台等。总体来讲，平台分为有形平台和无形平台两种，而本节中所讲的"新媒体平台"则是依托网络环境产生的无形平台。

结合"平台"定义以及前文关于"新媒体"含义界定的梳理，笔者认为，新媒体平台是指依托于互联网、移动互联网等空间，发挥信息传播、资源聚合、文化传承等功能，最终实现资源共建共享的组织形式，它是集资源、文化、需求、服务于一体的综合性的新媒体集合。

7.1.2.1 新媒体平台的类型

新媒体平台有不同的分类方法，例如，在教学应用中，新媒体平台的主要类型有搜索引擎平台、视频网络播放平台、社交媒体平台三种②；在信息内容服务中，新媒体平台主要类型有数字平台、

---

① 中国社会科学院语言研究所词典编辑室．现代汉语词典（第5版）[M]．北京：商务印书馆，2009：1053.
② 陈玲．基于网络的新媒体平台在高校教学中的应用思考 [J]．传播与版权，2015（7）：159-160.

网络平台、电信平台三种①。结合新媒体、平台、新媒体平台的定义以及借鉴相关平台的分类标准进行界定，网络新媒体平台、社交新媒体平台、移动新媒体平台都属于新媒体平台的表现形式。

（1）网络新媒体平台

随着互联网技术的飞速发展，网络新媒体逐渐深入人们的日常生活中。中国互联网信息中心发布的《第 37 次中国互联网发展状况统计报告》显示，截至 2015 年 12 月，我国网民规模达 6.88 亿，互联网普及率为 50.3%；手机网民规模达 6.2 亿，占比提升至 90.1%②。这表明，网络新媒体平台具有广泛的受众群体和广阔的发展空间。

网络新媒体平台的构建要坚持实用性、系统性、创新性的建设原则，采取"基础设施+网络云服务"的建设模式，建设支持包括网站信息内容的统一管理及发布、网络直播、论坛、博客等多方面具有强大扩展能力的新媒体增值业务平台③，创造内容丰富、形式新颖、独具特色的网络空间。Web2.0 的发展推动了网络的社区化，通过 SNS、blog 等分享和交互式服务，将彼此隔离的个体组成一个个网络群体，进而组成了各种各样的网络社区④。

网络新媒体平台是一个综合运用多种信息技术，实现综合业务、运营管理的平台，门户网站、信息服务平台、管理系统等都是网络新媒体平台的具体表现形式。例如，广州电视台网络新媒体平台是一个运用 P2P 流媒体传输技术，集 IP 电视直播、VOD 点播、时移电视、用户统计分析、计费等功能为一体的新型网络流媒体平

① 高英杰．信息内容服务的新平台——"移动媒体"［J］．商场现代化，2006（8S）：93.

② 中国互联网络信息中心．第 33 次中国互联网发展状况统计报告［EB/OL］．［2016-06-20］．http：//www.cnnic.net.cn/hlwfzyj/hlwxzbg/hlwtjbg/201403/t20140305_46240.htm.

③ 黄朝林，刘光民．阿拉善盟广播电视台广播电视新媒体网络平台建设方案［J］．现代电视技术，2015（4）：103.

④ 王三环，史宗恺，周勇．积极把握网络媒体新特征 开拓大学生思想政治教育工作新平台［J］．北京教育：德育，2010（4）：27.

台，并随着增值业务的不断增加而逐渐完善①。网络新媒体平台以广泛的受众群体、便利的接收途径、快捷的传输方式等优势在新媒体发展领域独树一帜。

（2）社交新媒体平台

Web2.0 网络技术的高交互性双向沟通能力，催生了一种新的互联网应用服务——社交新媒体，它迅速填满人们的碎片时间，改变工作生活结构，也使得跨区域、跨组织、跨文化、跨行业的协同合作成为可能②。根据新浪微博发布的 2016 年第一季度财报显示，截至第一季度末，微博月活跃用户达到 2.61 亿，同比增长 32%，日活跃用户达到 1.2 亿，同比增长 35%③。根据腾讯公布的 2016 年业绩报告显示，截至第一季度末，微信每月活跃用户已达到 5.49 亿，用户覆盖 200 多个国家、超过 20 种语言④。可以看出，社交新媒体平台具有很高的关注度，其发展蒸蒸日上。

随着互联网技术、信息技术的发展，社交新媒体经历了第一代社交媒体——概念化社交（以 UUme.com 为代表）、第二代社交媒体——个性真实化社交（以 51.com、猫扑社区、腾讯 QQ、人人网为代表）、第三代社交媒体——SoLoMo 社交（以人人小站、新浪微客、微信二维码等新应用为代表）的发展历程⑤。目前，社交网络已经渗透到搜索引擎、电子商务、网络游戏、电子邮件、即时通信等诸多领域，当下的社交媒体主要关注政务、媒体和名人等人与

---

①　黄辉泽，沈一龙，杨灿. 广州电视台网络新媒体平台运行支撑系统设计与实现 [J]. 有线电视技术，2009（4）：99.

②　周星秀. 基于系统经济学分析社交新媒体机理——以微信为例 [J]. 中国传媒大学学报：自然科学版，2013（5）：57.

③　新浪网. CNNIC 发布第 37 次中国互联网络发展状况统计报告 [EB/OL].［2016-06-20］. http://tech.sina.com.cn/i/2016-01-22/doc-ifxnuvxh5133709.shtml.

④　中关村在线. 腾讯发布 2015 微信用户数据报告 [EB/OL].［2016-06-20］. http://news.zol.com.cn/523/5237369.html.

⑤　周星秀. 基于系统经济学分析社交新媒体机理——以微信为例 [J]. 中国传媒大学学报：自然科学版，2013（5）：58.

人的互动①。

互联网的快速发展缩短了人与人之间的距离，加强了个体之间的交流，尤其以微博、微信、QQ为主的三大社交新媒体平台表现更为突出。社交新媒体平台最重要的特点是社会性，这种互动式、体验式的交流方式吸引着更多的社会公众参与其中。

（3）移动新媒体平台

随着各类移动智能终端技术的普及，信息技术改变了人们接收和发布信息的途径，"掌上移动"成为现实。根据Talking Data发布的《2015移动互联网行业发展报告》显示，2015年，我国移动端用户规模达12.8亿，智能手机设备占比94.2%②。这说明移动终端的网络用户已经成为新媒体的主要用户群体，移动终端app的广泛应用以其使用便利、界面优化、应用群体范围广等优势成为社会公众利用终端服务的重要连接渠道。

移动新媒体是指"以移动终端载体和无线网络为传播介质，以手机媒体、平板电脑等移动智能终端和以车载电视、兼具户外媒体的时空移动终端系统为典型代表，实现文字、图像、音频、视频等内容的传播和服务的新的传播形式"③。移动新媒体的重要特征就是基于移动互联网在手机、平板电脑、掌上电脑、移动视听设备等终端上进行传播和交互的新型媒体④，它具有便携性、移动性、交互性等特点，打破了时空局限，方便用户随时随地接收和发布信息，随时随地享用各种移动服务。

各种移动新媒体中，手机媒体最为典型。手机媒体的快速发展

① 龙雪飞. 传统媒体如何应对网络社交平台等新兴媒体的挑战［J］. 新闻战线，2012（10）：27.

② TalkingData. 2015移动互联网数据报告［EB/OL］.［2016-02-25］. http：//www. talkingdata. com/index/files/2016-01/1454056329890. pdf.

③ 李青青. 空间、地域、流动：移动新媒体研究的三个视角［J］. 南京邮电大学学报：社会科学版，2013，15（4）：67.

④ 陈韦宏. 基于移动互联网的新媒体平台在大学生"精致化"管理中的探索与实践——以桂林电子科技大学信息与通信学院为例［J］. 求知导刊，2014（9）：89-90.

不仅仅表现在手机报、手机电视、手机电影、手机广播等传统媒介的手机化生存，还表现在手机对于新兴媒介形态的融合与创新，而这种融合和创新是手机媒体在完善和超越自身移动新媒体特质的基础上，对于媒体"社会同在性"的追求①。作为一种新的媒体形态，移动新媒体的发展改变了新媒体的布局，促使各种媒介形式相互融合。

上述三种新媒体平台的表现形式是相对的，不同平台之间存在一定的交叉，例如，即使是移动新媒体平台，也离不开网络媒体平台，而社交新媒体平台也与移动新媒体平台、网络新媒体平台存在着一定的依赖关系。从这个角度上看，上述分类也只是提供了一个基本参考，有助于从不同视角了解新媒体。需要注意的是，一种媒体的出现并不会造成前一种媒体的消亡，网络新媒体、社交新媒体、移动新媒体等新媒体平台的出现并没有使传统媒体平台走向衰落，反而与传统新媒体平台融合发展、合作创新，为信息传播、文化传承提供更加宽广的平台和空间。

7.1.2.2 新媒体平台的特征

与传统媒体平台相比，新媒体平台在传播方式、传播范围、传播内容、传播对象等方面存在明显差异，具有以下几点显著特征：

（1）交互性与即时性

新媒体在交互性和即时性方面具有传统媒体不可比拟的优点②。传统媒体平台的信息传输方式局限于"一对一"或"多对一"的形式，信息受众只能接收信息，而缺乏相应的信息反馈途径。相比而言，新媒体平台实现了信息传播与信息接收的互动，任何个体或组织都有可能同时成为信息的传播者和接收者，任何一个

---

① 李青青. 空间、地域、流动：移动新媒体研究的三个视角 [J]. 南京邮电大学学报：社会科学版，2013，15（4）：67.

② 杨安. 新媒体视域下中国共产党密切党群干群关系研究 [D]. 兰州：兰州大学，2014.

传输点都有可能成为信息的新源点，因此，交互性是新媒体传播的本质特征①。新媒体平台极大地缩短了信息传播的时间，缩小了信息传播的空间，不仅实现了信息传播在时间上的对等性和同一性，促使人们及时交流，也使得信息交流者得以跨越空间障碍进行互动。

（2）海量性与共享性

新媒体时代，信息发布呈现出低技术要求、低门槛和多层次等特征；信息主题呈现多领域、随意性和生活化等特征；不管对于媒体信息，还是用户群体，都表现出海量的特征。与此同时，国内外信息渠道的畅通，满足了人们多样化的需求。不同于传统媒体的"信息垄断"和"渠道单一"，新媒体平台带来的大数据浪潮，使得信息达到了空前的共享性。任何人只要具有信息设备和信息获取能力，都能接收和发布信息，真正实现信息共享。

（3）趋真性与失真性

新媒体平台的类型多样和操作简单，使得它更能够贴近人们的真实生活世界，反映人们生活世界的真实现象，在一定意义上新媒体可以做到对生活世界的趋真，它把更多的目光投向普通人的世界，投向以前传统媒体难以进入的领域，不仅关注国家发展的大好局势，也关注现实社会中存在的各种危机和矛盾，在某种程度上有效地化解了社会信息流通堵塞所引起的危机。但由于新媒体主体的良莠不齐，新媒体传播又呈现出失真性的一面，信息发布者常常在传播信息时不能做到客观、公正、全面，接受者往往缺乏对事件的真实了解，往往带有浓重的主观情绪，这使得信息传播呈现出失真性。虽然，新媒体传播趋真性和失真性相伴，但总体而言，新媒体平台还是更多地趋近了现实生活。

（4）跨时空性与多样性

传统媒体的受众群体在接受服务时，不仅受到时间、空间、地

---

① 何迪，郑翠翠. 新媒体的特征及对传播过程的改变——以 MOOC 平台的传播为例 [J]. 科教导刊（中旬刊），2014（12）：170-171.

域等的各种限制，而且受到传统媒体信息更新慢等方面的限制。新媒体平台克服了时空局限，受众群体可以随时随地获取自己需要的信息，同时传播范围广泛，甚至可以扩展到全世界。新媒体平台的服务方式更加多样性，不同于传统纸媒，新媒体平台更加注重数字化的视听效果，从交互式的数字电视到微博、博客、网站、论坛、视频为主的网络媒体，再到微信、短信彩信、手机电视、手机报为主的手机媒体，无不体现了其服务方式多样化，受众群体可以根据自身喜好选择适合的信息服务途径。

（5）自由性与虚拟性

新媒体平台的自由性主要表现在两个方面：一方面，信息传播的自由性，新媒体平台改变了传统大众媒体传播、宣传信息的限定性，信息的传播、扩散更加自由；另一方面，公众获取信息服务的自由性，网络系统的超链接、搜索引擎让受众的浏览不受限制，可以不受指定分类和浏览路线的限制，提高了用户浏览的自由度①。新媒体平台虚拟化的传播方式和传播环境改变了受众获取信息的方式，也对其生活、学习和工作方式产生了深远影响，他们可以在虚拟的网络空间自由寻找所需，不再受实体累赘的影响。

（6）广泛性与时代性

新媒体平台的广泛性主要体现在传播范围的广泛性和受众群体的广泛性。传播范围不再受地域限制，网络遍及的地方，新媒体平台都有存在的条件和市场；新媒体平台的服务对象不再受年龄阶层、文化程度、习俗差异限制，都可以享受其方便快捷的人性化、个性化服务。新媒体平台的时代性是指其传播媒介、传播路径、传播方式、传播内容在特定的时期，具有明显的时代印记。尤其对于传播内容的某个专题、热点来说，时代性体现得淋漓尽致。

（7）碎片化与细分化

新媒体平台的传播内容显现出碎片化的特征，这也使得网络媒

---

① 杨升. 信息时代下新媒体的特征分析 ［J］. 大众文艺, 2015 （11）: 159.

体的用户开始在海量信息当中逐渐找到适合自己的定位①。尤其是随着大数据时代的到来，海量信息广泛分散存储于不同的网络体系结构和媒体平台中，媒体信息的分散性和碎片化，不仅影响受众群体获取信息的途径，还影响用户群体的信息行为。因此，要想提高受众群体从分布分散、内容碎片化的信息中获取有效信息的能力，需要选取合适的媒体工具。细分化具有与碎片化相同的分散性质，不同的是细分化更加侧重信息的局部传播，碎片化则从整体上说明媒体内容的表现特点。

（8）个性化与社群化

传统媒体的传播主体往往局限于掌握信息的少部分用户，而新媒体平台的传播主体多种多样，任何人都可以成为传播主体。尤其是社交媒体的广泛使用，使得每个人都可以成为信息发布者，在新媒体平台上进行讨论与交流。一方面，由于每个信息用户的兴趣、经历、想法和观点都存在差异，发布的信息和对信息的反应也各不相同，从而呈现出个性化色彩。另一方面，新媒体平台也可以使人们的社会关系网络得到保持和延伸，即使是陌生人之间，也可能由于某种信息互动而产生联系，呈现出社群化特征。

（9）网络化与数字化

新媒体平台的传播内容、传播方式、传播路径以数字技术和信息技术为基础，完全依托新技术实现信息的快速、自由传播②。网络技术、数字技术、计算机技术的发展，给人们之间的交流带来了极大的便利，缩小了人与人之间的距离，极大地提高了工作效率，促进了社会快速发展。互联网的发展使得新媒体平台具有海量的数字化媒体信息、便利的人机交互、优化的媒体信息共享机制等优势，互联网已经成为新媒体平台的重要依托基础和传播媒介。

319

---

① 何迪，郑翠翠. 新媒体的特征及对传播过程的改变——以 MOOC 平台的传播为例 [J]. 科教导刊（中旬刊），2014（12）：170-171.

② 孙勇. 新媒体的特征、影响以及传统媒体未来发展战略分析 [J]. 新闻研究导刊，2013（7）：68.

7.2 非遗档案资源建设中新媒体的应用现状

7.2.1 新媒体平台在非遗资源建设中的现状

在上述网络新媒体平台、社交新媒体平台、移动新媒体平台三类新媒体平台中，笔者通过网络调查发现，在非遗领域已经得到应用的是网站、微信和微博三种平台。为此，笔者对网站、微信和微博三种平台的非遗档案资源建设情况进行了调研，对当前新媒体在非遗资源建设当中取得的成绩进行了总结，并针对应用过程中存在的问题，提出了相应的解决对策，以期对日后加强新媒体在非遗资源建设中的应用提供借鉴。

笔者通过网络调研，对非遗网站、微博、微信三个平台在省级、直辖市、自治区以及香港、澳门特别行政区非遗领域的应用状况进行了统计（截至 2017 年 10 月 20 日），见表 7-1。

表 7-1   我国新媒体平台在非遗中的应用情况统计

省市	非遗机构	非遗网站名称	非遗微博平台	非遗微信平台
北京市	北京非遗保护中心	中国非物质文化遗产网	BeiJing 非遗	北京非遗中心
天津市	天津市非遗保护中心	天津市非物质文化遗产网	天津非遗—渤海早报（联办）	天津非遗
重庆市	重庆非遗保护中心	重庆非物质文化遗产网	重庆市渝中非遗	无
上海市	上海市非遗保护中心	上海非物质文化遗产网	上海非遗小传人（徐汇区）	上海非遗小传人（徐汇区）

续表

省市	非遗机构	非遗网站名称	非遗微博平台	非遗微信平台
河北省	河北非遗保护中心	河北非物质文化遗产保护网	河北非遗栏目组	河北非遗
山西省	山西非遗保护中心	山西省非物质文化遗产保护网	山西大学民俗与非遗学社	无
辽宁省	辽宁省非遗保护中心	辽宁省非物质文化遗产保护	无	无
吉林省	吉林省非遗保护中心	吉林非物质文化遗产网	无	无
黑龙江省	黑龙江省非遗保护中心	黑龙江省非物质文化遗产网	无	黑龙江省非物质文化遗产保护中心
江苏省	江苏非遗保护中心	江苏非物质文化遗产	无	江苏非遗
浙江省	浙江省非遗保护工作领导小组	浙江省非物质文化遗产网	浙江非遗网	浙江非遗
安徽省	安徽非遗保护中心	安徽省非物质文化遗产网	安徽非遗职业教育集团	非遗文化保护
福建省	福建省非遗保护中心	福建非遗网·福建省非物质文化遗产保护中心	福建省艺术馆—非遗保护中心	福建非遗
江西省	江西非遗保护中心	江西省非物质文化遗产网	江西师大非遗中心	江西非遗体验馆
山东省	山东省非遗保护中心	非遗—山东省文化厅	非遗山东	山东非遗、非遗山东
河南省	河南省非遗保护中心	河南非物质文化遗产	河南非物质遗产网	无

321

续表

省市	非遗机构	非遗网站名称	非遗微博平台	非遗微信平台
湖北省	湖北省非遗保护中心	湖北非物质文化遗产网	湖北非遗—挑花绣花	非遗所思、武汉非遗艺术博物馆
湖南省	湖南非遗保护中心	湖南非物质文化遗产网	非遗湖南	非遗最美传人
广东省	广东省非遗中心	广东非物质文化遗产数字博物馆	广州非遗	广东非遗网
海南省	海南省非遗中心	海南省非物质文化遗产网	无	海南岛
四川省	四川省非遗保护中心	记忆四川	非遗四川	非遗四川、四川非遗
贵州省	贵州非遗保护中心	贵州非物质文化遗产网	贵州非遗展示中心	贵州非物质文化遗产、贵州省非物质文化遗产博览馆
云南省	云南非遗保护中心	云南非物质文化遗产保护网	云南非遗	云南非遗
陕西省	陕西省非遗保护中心	陕西省非物质文化遗产网	陕西非遗	非遗陕西
甘肃省	甘肃省文化厅	非遗文化—甘肃非物质文化遗产	陇南市非物质文化遗产中心	天工文化
青海省	青海非遗保护中心	官网不详	青海普众文化	POJOART
内蒙古自治区	内蒙古自治区非遗保护中心	内蒙古自治区非物质文化遗产保护中心	无	内蒙古非遗

续表

省市	非遗机构	非遗网站名称	非遗微博平台	非遗微信平台
广西壮族自治区	广西非遗保护中心	官网不详	广西艺术学院非遗协会	无
西藏自治区	西藏自治区文化厅	西藏新闻网—非物质文化遗产	无	西藏文化网
宁夏回族自治区	宁夏非遗保护中心	宁夏非物质文化遗产保护网	无	宁夏非物质文化遗产保护中心
新疆维吾尔自治区	新疆非遗保护研究中心	新疆非物质文化遗产保护研究中心网	新疆非遗中心	西域非遗
台湾地区	台湾文建会	中国台湾网—传统文化非遗专栏	无	台湾鹿港非遗支队
香港特别行政区	香港非物质文化遗产组	非物质文化遗产办事处	无	非遗中华、非遗文交所
澳门特别行政区	中国文物保护基金会	澳门·非物质文化遗产暨古代艺术国际博览会	澳门非遗暨古代艺术国际博览会	澳门非遗古代艺术国际博览会

　　通过上述调查发现，目前国内省级、直辖市以及香港、澳门特别行政区中，除了广西、青海不详外，其他省（直辖市以及特别行政区）都建立了非遗官方网站；24个省（直辖市以及特别行政区）建立了微博平台（公众号），占总量的70.59%；28个省（直辖市、自治区以及特别行政区）建立了微信平台（公众号），占总量的82.35%。这些数据表明，非遗网站、微信和微博平台的建设已经引起省（直辖市、自治区以及特别行政区）一级政府机构的重视，通过相关的平台建设，推动非遗逐渐走入大众生活。限于篇

幅以及统计任务较重，笔者仅仅是统计了省（直辖市、自治区以及特别行政区）一级政府，对于市县一级政府的非遗网站，以及文化主管机构、档案馆、图书馆、文化馆、非遗中心等文化事业机构关于非遗的新媒体平台未加统计。既是如此，新媒体平台的应用逐渐深入到公众的生活仍然清晰可见，为公众接受、传递非遗档案资源提供了新的平台。

事实上，非遗与新媒体紧密结合，才能更加适应时代发展步伐，在瞬息万变的信息化社会立于不败之地。新媒体通过自身的不断发展，为非遗档案资源建设注入了新活力。

（1）非遗文化传播立体化

新媒体利用自身全方位、立体化、多样性的传播优势，通过网站、微博、微信、博客、播客、电子报刊、电子杂志等具体形式，向社会公众介绍和宣传各地优秀传统文化，强调非遗保护和传承的重要性。近些年来，各省市纷纷建立非遗保护中心，并致力于非遗资源建设工作；网站上也有一些非遗爱好者、学者、专家等定期上传一些有关非遗的视频，从不同角度对非遗产品、作品进行深层次解读，让受众群体对我国优秀传统文化形成客观科学的认识。例如，由中国非遗协会主办的大型纪录片《中国非物质文化遗产》一经播出，便收到了社会良好的反响。

（2）非遗内容表现形式丰富化

非遗可以通过多种表现形式呈现在社会公众面前，除了上述提到的非遗网站、微博、微信、电子报刊等形式，还有非遗论坛、非遗专题数据库等，可以供非遗专家、爱好者、学者等自由交流、分享各自独特的观点，也可以查阅相关非遗数据、知识等，享受"一站式"服务。同时，非遗除了普通的文字、图片、视频外，还有多媒体技术、新媒体技术、超链接技术等新技术的应用，丰富非遗内容表现形式。例如，云南省建立玉龙县纳西东巴文化的数字化保护传媒中心，开展对东巴文化的数字化保护工作，重点在于东巴文化的抢救、保护、弘扬和传承，旨在促进民族文化遗产保护工作向科学化方向发展，全面提升文化遗产数字化保护利用的水平。

（3）文化产业发展创新化

一方面，文化产业的发展要有利于保护非遗，传承中华优秀传统文化;另一方面,文化产业的发展也要满足文化市场的发展需求,迎合受众群体的大众口味,促进文化产业创新发展。非遗的发展要适应时代发展和大众需求,要将非遗中特定的文化元素与现代信息技术紧密结合,打造具有地方特色、民族特色、文化特色的创意产品。例如,相关专家、学者相继开展非遗与动漫文化、旅游产业等的结合,希望以创新形式,最大限度地传承和保护非遗文化,并逐渐弱化非遗市场"老龄化"的现象,进一步吸收青少年社会群体,扩大非遗市场。

7.2.2 新媒体平台在非遗资源建设中存在的主要问题

虽然新媒体在非遗资源建设中已取得一些成绩,但就调研现状和目前发展情况来看,依然存在着问题,笔者从新媒体平台建设、社会公众参与两个方面进行探讨。

7.2.2.1 新媒体平台建设方面

(1)非遗新媒体平台建设流于形式

在我国,非遗新媒体平台建设的时间不长,不少机构,包括省级、自治区、直辖市和特区关于非遗档案资源建设才起步,新媒体平台服务只是停留在新媒体平台账号的开设、对新媒体平台功能的简单应用,而没有真正研究新媒体在档案信息服务中的深入应用,缺乏后期的管理和维护,网站信息有时难以点开,自动问答机器人无法正常使用,微博发文量少,非遗新媒体建设有追风之嫌,形式化现象比较严重。

(2)非遗新媒体平台内容非常欠缺

新媒体时代,传播内容变得碎片化,对内容的不断创新是吸引受众注意力的关键[1]。各省市非遗网站、微博、微信对非遗基本知识、非遗项目介绍、非遗保护中心简介等情况说明比较详细,而关

---

① 黎蕾.新媒体时代非物质文化遗产的传播策略——以青春版昆曲《牡丹亭》为例 [J].新闻世界,2015(10):176.

于非遗资源开发建设、非遗系统或平台架构等内容缺乏相关阐述。网络媒体传播者在内容上缺乏创新，而且更多的是依靠已存在的内容，各网站之间发文存在雷同现象；微博、微信发文质量不高，多为一般介绍性文章，缺少探讨性、研究性的学术文章。某些省份运行的非遗微博公众号粉丝仅有二三十人，关注度极低；微博、微信发文数量不超过两位数，甚至发布一些与非遗毫无关系的文章，致使公众号闲置，不能发挥对非遗的宣传、传播作用。三种网络媒体建设较落后，栏目设置不完整，发布内容不完善，存在链接失效现象。一方面，部分非遗网络媒体建设时间较晚、总体规模较小、专业性不强；另一方面，部分依然处于初期维护、探索阶段，传播者尚未形成大规模的群体效应，传播媒介以网站传播为主。

（3）非遗新媒体平台服务体现不足

在互动工具的设置方面，虽然不少非遗档案网站设置了留言板、电子邮箱、常见问题、在线调查、评论、即时通信等与公众沟通交流的工具，但除了留言板、电子邮箱和在线调查外，其他互动交流工具的应用热度并不高。微信平台上未设置服务菜单，不能允许用户自主选择浏览内容，而是由档案馆网站定期发布信息，用户只能被动接受。设置菜单功能的档案馆网站中，也只有为数不多的设置有档案征集、在线咨询等互动栏目，大部分档案馆则未设置这一功能。诸如"互动论坛""联系我们"等板块，回复数量寥寥无几，部分网站公众留言为零，有的网站甚至链接失效，无法打开，这本是网站与公众进行交流的平台，却失去应用功能，形同虚设，使本应加强交流互动的平台变成了单向传播的媒介。网络上的大部分非遗资源并没有引起社会公众的广泛关注，论坛等互动话题内容陈旧、更新较慢，缺乏创新性思维。

（4）新媒体平台宣传力度不够

目前，新媒体平台在非遗资源建设中发挥的作用依然停留在简单介绍的层面，并没有充分发挥新媒体广泛传播的作用。新媒体平台对非遗资源建设重要性宣传力度不够，致使非遗资源建设渠道越来越窄，非遗内容更新较慢，非遗受众群体闭塞，无法形成"群体效应"。新媒体平台宣传力度不够不仅不能充分挖掘非遗资源，而且阻碍中华优秀传统文化的深度开发和共享。

（5）新媒体平台工作人员欠缺

网络媒体建设较落后、发文质量不高等一系列问题与媒体工作人员的专业素养密切相关。首先，媒体工作人员思想观念落后，工作重点依然放在非遗相关政策介绍，忽视对非遗资源深层次的开发利用，未能意识到非遗资源开发建设工作对我国优秀文化传承、形象塑造的重要作用。其次，与新媒体相关的工作人员水平较低，专业知识欠缺，缺乏与受众群体沟通交流，未能熟练掌握非遗建设工作的规律和方法，造成发文质量低、社会公众关注低等现象。

7.2.2.2 社会公众参与方面

（1）社会公众的非遗参与意识不强

社会公众关于借助网络来建设非遗资源和传播非遗文化的意识薄弱，未能真正体会到非遗对文化水平、知识素养的广泛影响，导致网站、微博、微信等在非遗文化、非遗资源建设方面的内容更新较慢。此外，非遗资源关注群体逐渐"老龄化"，青少年关注度相对较低；新媒体对非遗资源建设重要性宣传力度不够阻碍了社会公众获取信息的途径，一定程度上致使社会公众非遗参与意识不足。

（2）社会公众与非遗新媒体平台之间缺乏互动

新媒体运营人员在保障非遗网站、微博、微信等正常运行的情况下，也是沟通社会公众与非遗资源建设工作者之间的纽带，社会公众与非遗新媒体运营人员之间缺乏互动，社会公众就不能对非遗资源建设工作提出自己的意见和建议，非遗新媒体运营人员也不能通过非遗网站、非遗论坛、微博、博客等多种媒介形式公布非遗资源建设工作计划、进展及建设成果等，极大地阻碍了系统平台架构及建设工作的顺利开展。

产生上述问题的原因有多种，包括新媒体平台建设时间不长，平台的影响力和公众的接受度有限；也有管理体制方面的问题，尤其是非遗档案资源建设与公共服务部门并未完全重叠等。因此，无论是多少主体参与，也不论是采取哪种方法，通过新媒体平台将多个主体、多种方法进行整合，从而形成以非遗项目、非遗代表性传承人为主线的非遗档案资源，为非遗的传播、利用和传承服务，这是非遗新媒体平台需要解决的问题，也是非遗档案资源建设群体智慧实现平台的基本要求。

7.3 群体智慧模式下基于非遗档案资源的新媒体平台建设

新媒体技术不仅是非遗档案资源保护的技术支撑，而且是非遗档案资源传播、传承的重要媒介，是当前社会环境下非遗档案资源的物质载体之一。目前，非遗特色资源建设形态主要包括网页形式和数据库形式，非遗档案资源建设中新媒体的应用，必须通过新媒体平台才能实现信息共享和互动交流。新媒体平台作为非遗档案资源建设的技术支撑，要推进新媒体下的非遗档案资源建设，必须加强新媒体服务平台建设，搭建全方位的媒体服务平台体系。同时，为解决现有非遗网站、非遗微博、非遗微信等新媒体平台在非遗档案资源建设中存在的问题，有必要充分发挥群体智慧，提高社会公众参与度，因此，笔者在对新媒体平台建设进行可行性分析的基础上，提出非遗档案资源群体智慧模式下新媒体平台建设的方案。

新媒体平台建设要遵循先进性、开放性、稳定性、安全性的原则，因此，本节引入"5W1H"来分析新媒体平台的建设。1948年，美国政治学家拉斯韦尔在其论文《传播在社会中的结构与功能》中，提出人类的传播活动是由：谁（who）——说了什么（say what）——通过什么渠道（in which channel）——对谁说（to whom）——产生什么效果（with which effect）五要素组成，这即是著名的"拉斯韦尔 5w 模型"①，后经过人们的不断运用和总结，逐步形成了一套成熟的"5W1H"模式。通过引入"5W1H 分析法"，从以下六个方面着手分析新媒体平台的构建：

---

① 谭宏. 论文化传播在旅游市场开发中的作用——基于"拉斯韦尔 5W 模型"的分析 [J]. 新闻界，2008（5）：96.

7.3.1　建设原因（Why）

　　群体智慧模式下新媒体平台的建设，是时代发展和技术进步的必然要求，首先应对平台建设进行可行性分析。可行性研究方法是以预测为前提，从技术、经济、管理、社会等层面对项目建设进行全面综合分析考量的研究方法。做可行性分析不能以偏概全，也不能对所有细枝末节都加以权衡，可行性分析必须为决策提供有价值的证据，可行性分析的终极目标是以最小的代价、最短的时间确定系统是否值得去投资和解决①。新媒体平台建设的目的、需求、必要性等不能与当前施行的国家战略、文化政策、经济政策等相背离，这是进行可行性分析的前提和基础。群体智慧模式下非遗档案资源的新媒体平台建设的可行性分析主要从以下四方面进行：

　　（1）经济可行性

　　主要从资源配置和投资的角度衡量新媒体平台建设的价值。从资源配置角度来讲，评价平台在实现区域经济发展前景、有效配置经济资源、增加供应、创造就业机会等方面的效益。因为新媒体在非遗档案资源建设方面更多体现出来的是文化效益增收，因此经济效益的提高更依赖于相关非遗文化产业的发展，以文化效益带动经济发展。从投资角度来讲，一方面要做好投资环境的分析，对构成投资环境的各要素进行综合考评，另一方面要做好市场分析，对市场的供应需求、营销方案进行分析。分析经济是否可行的最终目的是为了合理协调资源配置，以最少的人力、物力、财力获取最大的经济效益。截至 2015 年年初，中央财政累计投入 35.14 亿元用于非遗保护，其中 30.4 亿元对地方开展 1372 个国家级非遗项目、1986 名国家级代表性传承人、18 个国家级文化生态保护实验区的

329

---

　　①　刘志峰. 软件工程技术与实践［M］. 北京：电子工业出版社，2004：107.

保护工作予以支持①；2015年年底，中央财政安排非遗补助资金6.64亿元，主要用于国家级非遗代表性项目、国家级非遗代表性传承人抢救性记录项目、国家级代表性传承人传习活动和国家级文化生态保护实验区补助等②。不难看出，中央财政逐渐加大对非遗保护的财政支持力度。

（2）技术可行性

主要从平台建设的技术应用角度进行评价，合理设计和选择技术实施方案，运用技术来保障平台顺利搭建。在技术评估方面，要对技术的成熟度进行整体把关。如果属于经过实际验证的技术，要考虑是否符合平台建设原则；如果属于未经实际验证的技术，可能存在一定风险，还要对其可能带来的风险进行评估。在技术方案选择方面，在保证技术应用的先进性、适用性、经济性的前提下，还要考虑其制约条件，例如，先行技术条件是否满足平台建设需求、是否能及时作出调整以适应需求变化等。目前，通过运用现代信息技术手段，对许多濒危的非遗项目及年老体弱的传承人进行全面拍摄、记录，形成档案和建立数据库，是非遗抢救性保护的重要方式③。

（3）组织可行性

主要从平台建设流程、组织机构、组织人员等方面进行可行性分析。制定一份合理的平台建设实施进度计划表，按照计划表先后顺序有条不紊地开展各项工作；建立一个高效率、高质量的组织机构，在各司其职的基础上，协调好各分部门的合作关系，加强沟通交流；选择一支经验丰富、专业技能较高人才队伍，合理解决各部

---

① 新华网. 中央财政9年累计投入35.14亿元用于非遗保护 [EB/OL]. [2016-06-22]. http://news. xinhuanet. com/politics/2015-01/23/c_1114108335. htm.

② 人民网.2015年中央财政安排文化遗产保护补助资金81.1亿元 [EB/OL]. [2016-06-22]. http://politics. people. com. cn/n/2015/1112/c1001-27806961. html.

③ 人民网. 非遗：大力建设中国特色保护体系 [EB/OL]. [2016-06-22]. http://theory. people. com. cn/n/2012/1031/c49165-19448517. html.

门、各组织的人员调配问题，并能根据组织情况变化及时做出相应调整。例如，2011 年 6 月和 10 月，文化部分别在澳门和香港举办了"根与魂·中国非物质文化遗产展演"活动，各地文化主管部门也围绕当年"文化遗产日"的主题，举办了丰富多彩的非遗法宣传活动和保护成果展示活动，活动覆盖面广，人民群众广泛参与，充分体现出非遗保护工作日益深入人心，保护非遗的文化自觉日益增强①。

（4）社会可行性

分析平台建设对社会产生的影响，主要包括以下三点：第一，平台运营是否满足公众各方面的需求，例如物质需求、文化需求、信息需求等；第二，平台运营是否带来更多的社会效益，包括政治效益、经济效益、文化效益等，是否对政治体制、经济结构、文化体系产生有益影响；第三，平台运营是否有利于维护社会稳定，是否有利于维护国家统一和民族团结，是否有利于促进社会和谐和可持续发展，特别是非遗中涉及少数民族地区的部分，要确保平台运营尽量减少不必要的利益纷争。目前，各国对非遗的重视程度和保护力度不断加大：日本于 1950 年重新制定了《文化财保护法》，并不断修改完善至今；法国设立"文化遗产日"促进非遗保护，增强了法国民众保护历史文化遗产的意识②。

7.3.2　建设主体（Who）

在群体智慧模式下建设新媒体平台，首先需要明确平台建设的主体。其中，《非遗法》中明确规定，政府、文化主管部门、法人或其他组织和个人等不同主体参与非遗档案资源建设。对于群体智慧实现平台来讲，应由文化主管部门主导，政府部门监督，档案

331

① 人民网. 非遗：大力建设中国特色保护体系［EB/OL］. ［2016-06-22］. http://theory.people.com.cn/n/2012/1031/c49165-19448517.html.

② 佚名. 非遗保护：国际社会高度重视［J］. 时代经贸，2008（6）：8-14.

馆、图书馆、博物馆、社会组织及公众共同参与建设并引导实现平台的应用。

文化主管部门是非遗档案资源建设群体智慧实现平台的中坚力量和核心群体。他们作为平台的开发者和管理者，需要引入新媒体技术，开发非遗档案资源管理系统。文化主管部门作为平台建设的主体和主管单位，应协调与档案部门的关系，共同致力于保留社会记忆、传承民族文化的事业中。政府部门在非遗档案资源新媒体平台建设中起着方向引领、政策指导和参与监督作用。2005 年，国务院办公厅发布《关于加强我国非物质文化遗产保护工作的意见》，指出"要运用文字、录音、录像、数字化多媒体等各种方式，对非遗进行真实、系统和全面的记录，建立档案和数据库"①。高等院校、非政府组织在政府部门、非遗机构的指导下协助新媒体平台建设工作。高等院校可以为新媒体平台建设提供技术指导人才，非政府组织作为民众与政府之间的关系纽带，有更多的精力投身于非遗档案资源宣传的公益事业中。新闻媒体、社会公众是新媒体平台建设的重要参与者，监督非遗保护工程的推进，扩大非遗档案文化传播范围。

7.3.3　建设对象（What）

如果说建设主体是非遗档案资源建设新媒体平台的主导力量，那么建设对象才是群体智慧模式下新媒体平台建设的关注重点，是真正能够在现代文化潮流中抓住公众眼球的利器。非遗档案资源是新媒体平台建设的重要物质基础，在建设各环节中需要注意三个问题：

第一，以 Web2.0 作为建设对象的技术支撑和实现基础。Web2.0 环境下，以用户为中心，用户既是网络信息的获取者，同时也是信息的贡献者、完善者与传播者，Blog、RSS 和 Wiki 等社

---

① 中华人民共和国中央人民政府·国务院办公厅关于加强我国非物质文化遗产保护工作的意见 ［EB/OL］. ［2016-06-22］. http：//www.gov.cn/zwgk/2005-08115/cortent_21681.htm.

会软件的产生与应用，使得用户可以不受时间和地域的限制分享自己的观点、获取自己需要的信息，进而发布自己的观点①。

第二，保证非遗档案资源建设对象内容的实时更新。在新媒体技术应用过程中，由于运营经验不足等原因，造成现有平台上展示的非遗档案资源内容陈旧，展示形式单一。因此，新媒体平台运营主体应当重视平台上展示的资源内容的维护和更新，同时以"用户需求"为目标，建立起各具特色的非遗档案资源专题数据库。

第三，推进非遗档案资源建设对象内容的创新传承。新媒体下非遗档案资源以数字化形式存在，为用户提供下载、复制功能，使得非遗档案资源的信息内容更加丰富。与此同时，也会造成非遗档案资源在传播过程中失去本身的特色。因此，在新媒体环境下，建设主体应结合非遗档案资源的各个元素，开发独具特色的非遗文化内容，在鼓励社会公众参与非遗档案资源建设、平台建设的同时，注意把控非遗档案资源建设的质量，即在创新中传承非遗文化，在传承中创新非遗文化。

7.3.4　建设场所（Where）

非遗档案资源建设新媒体平台依托于先进的计算机技术、网络技术、Web2.0，通过关联规则、数据挖掘等方法将海量非遗档案资源进行聚类整合，挂靠于文化主管部门，并置于一个开放共享的网络环境下，为社会公众提供利用服务，实现政府部门、文化主管部门、档案馆等建设主体的合作共赢。当然，其他机构，包括档案馆、图书馆、文化馆等文化事业机构乃至非遗爱好者个人，也可以参与到非遗的建设过程中，如非遗网站资源建设等。

诸如刺绣、皮影、戏剧、文学艺术等非遗，都可以通过数字化的方式将其有序化，并存储于集合的计算机网络空间中，通过非遗网站、非遗微博、非遗微信、RSS 订阅等新媒体平台，进行远程网

333

① 戴旸. 基于群体智慧的非物质文化遗产档案管理研究［D］. 武汉：武汉大学，2013：183.

络推送服务、定制服务、个性化服务。开放共享的网络空间为非遗档案资源新媒体平台提供了一个具有广阔发展前景的建设场所，新媒体平台在建设过程中应该注意媒体融合、平台融合、内容融合、知识融合等问题。

针对媒体融合，主要是实现传统媒体和新兴媒体的融合。数字技术的发展带来了传播方式和媒体形态的革命，使得传统的媒体边界走向消解，为媒体内容的共享提供了可能，并最终引发了新一轮的媒介融合浪潮①；针对平台融合，全球自媒体营销泰斗迈克尔·哈耶特曾预言："在当今市场要想获得成功，必须拥有两个战略资产：让人欲罢不能的产品和有效平台"②；针对内容融合，在推动媒体融合发展的基础上，坚持内容为王，以内容优势赢得发展优势③；针对知识融合，实现非遗档案资源有序整合，将内容提炼成知识，提高其学术价值。新媒体平台的搭建要建立在充分发挥群体智慧的基础上，实现媒体融合向平台融合、内容融合向知识融合的过渡与转变。

7.3.5　建设时间/流程（When）

在非遗档案资源建设新媒体平台的各个环节中，需要协调好人力、财力、物力、技术等要素的关系和配置，合理安排平台建设进度，分阶段进行，才能保证各个程序、环节有条不紊地进行。

平台建设初期，首先，建设主体需要对新媒体平台建设做出一个可行性分析报告，全面考量平台建设的经济效益、社会效益等；其次，对平台建设需要涉及的资源进行衡量，例如资金投入、物资设备、人力资源的分配问题；最后，在前两者可行的基础上，制定

---

① 孟建. 媒介融合理论在中国电视界的实践［J］. 广播电视大学学报：哲社版，2009（2）.

② ［美］迈克尔·哈耶特. 平台：自媒体时代用影响力赢取惊人财富［M］. 赵杰，译，北京：中央编译出版社，2013：35.

③ 朱春阳，杨海. 澎湃新闻再观察：融合发展路径的探索与经验［J］. 电视研究，2015（2）：10-12.

平台建设初步流程表，如果前两者不可行，则需等待资源充足、市场条件允许时，即时机成熟时，再做平台建设规划，可以减少人财物不必要的浪费。

平台建设中期，首先需要对市场需求进行调研，明确各项目建设重点和建设倾向；其次，在总投资和现行质量标准的基础上，搭建平台建设总体架构，建立技术管理、人力管理、质量管理体系，制定计划进度表，及时跟进项目进度；最后组建综合管理机构，制定长久运营制度，做好各项调试工作，进行平台建设质量验收工作。

平台建设后期，及时进行平台评价工作，即待平台建设完成并运营一段时间之后，再对平台的立项决策、设计方案、实施流程、生产运营等情况进行客观的总体系统评价，并及时做好软硬件维护、设备更新等工作。这种做法可以达到总结经验、肯定成绩、发现不足、吸取教训、提出建议、改进工作、提高平台建设投资效果的目的。

7.3.6　建设方式（How）

当前，非遗档案资源的传播效果不甚理想，尚未形成应有的文化影响力，这与非遗档案管理机构对新媒体平台的不重视息息相关，而民间非遗保护团体由于资金有限，也无法搭建和维护新媒体平台。非遗保护工程是我国一项重要的文化建设工程，需要政府部门和相关机构的大力支持，为搭建高品质的非遗档案资源的新媒体传播平台，非遗档案资源管理机构可以加强与专业媒体机构的合作，专业的媒体机构拥有丰富的信息资源、媒介资源、技术资源和人才资源，可以在非遗档案资源的新媒体平台建设过程中给予一定专业指导，以最小的投入获取最大的价值回报。只有推进与专业媒介机构的合作，加大对新媒体平台建设的资金投入，合理配置资源，才能真正建立起符合时代发展和公众利用需求的非遗档案资源服务平台。

因此，为优化非遗档案资源传播效果，扩大非遗文化影响力，提高社会公众参与度，充分发挥新媒体技术的力量，笔者从在线业务、开放服务、在线互动、平台管理四个功能层面，从非遗网站、

335

微博、微信、移动客户端、论坛、数字电视等新媒体平台的融合角度，构建社会公众参与、文化主管部门、档案部门、非遗管理机构等合作的新媒体平台，见图 7-1。

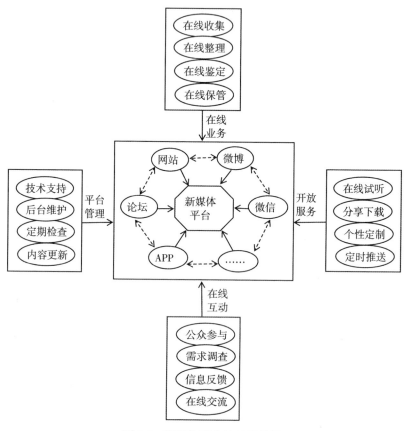

图 7-1　新媒体平台体系架构图

📚 7.4　群体智慧模式下基于非遗档案资源的新媒体平台运行

群体智慧是指众多个体在共同目标和信念的驱使下，通过个体的认知、个体间的协作与合作，依托一定的平台，以群体为单位，开展的信息获取、问题认识、群体决策和群体预测等方面的行为，进而产生超越个体，或是个体总和的智慧与能量①。群体智慧模式下非遗档案资源建设，不能仅仅依靠单一的新媒体服务平台，还应依据新媒体的发展搭建多种信息服务平台，实现非遗档案资源在新媒体时代的全方位展示和传播。因此，笔者仅就非遗档案资源建设依托的、已构建的群体智慧模式实现平台的体系架构图进行功能阐述及如何运行说明。

7.4.1 在线业务功能

在线非遗档案业务功能是非遗档案资源建设新媒体平台的主体功能，主要由文化机构下属的档案业务部门主管。借助快速发展的互联网技术和多媒体技术，在线业务功能为公众参与非遗档案资源建设提供了更加便捷的途径，促进公众及时参与非遗档案实践，并提升公众参与非遗档案建设的效率和体验效果。非遗档案资源新媒体平台建设的在线业务功能主要包括以下四方面：

（1）在线收集

非遗档案的收集是指按照法律法规的要求，通过专门的征集与接收途径，把分散在民间的自发传承的非遗资料、各组织已收集整理的有关非遗的档案以及其他有关档案，集中到档案馆、文化馆、博物馆等文化事业机构进行保存的过程②。本节中的收集主要侧重以网站、微博、微信等新媒体平台融合的在线方式进行。

由于我国非遗历史文化悠久，相关非遗档案资料大多散存于民间或档案馆、文物部门等各种文化机构里，给非遗档案工作收集增加困难。一方面，文化主管部门的档案业务工作人员作为在线收集

---

① 戴旸. 基于群体智慧的非物质文化遗产档案管理研究 [D]. 武汉：武汉大学，2013：52-53.

② 周耀林，戴旸，程齐凯. 非物质文化遗产档案管理理论与实践 [M]. 武汉：武汉大学出版社，2013：63.

工作的主体，要加强对非遗收集工作重要性、紧迫性的认识；另一方面，非遗专家、非遗爱好者等群体应主动将相关非遗档案资料进行在线上传，使非遗档案收集工作有序、依法、全面、重点开展。

（2）在线整理

非遗档案的整理是指通过一系列措施和方法，将收集的非遗档案进行科学的分类、组合、排列和编目，使之有序化、系统化的过程①。本节中的在线整理是处理在线收集来的非遗档案的延续环节，同时又是在线鉴定、在线保管和在线利用服务的基础和前提。

档案业务工作人员在线收集和社会公众在线上传来的非遗档案往往处于杂乱无序的状态，如不加以整理，则无法开展后期的在线保管和在线利用服务，更不能有效发挥非遗档案的价值。因此，需要在遵循有机联系、灵活变化、分级整理、防止泄密等原则的基础上，使用科学、有效的方法，通过新媒体平台以"项"或者"传承人"为单位对非遗档案进行在线整理，使之系统化、有序化。

（3）在线鉴定

非遗档案的鉴定是指基于一定的标准，鉴别和判定非遗档案的价值，以决定对非遗档案的处置②。在线鉴定是非遗档案工作的重要组成部分，通过在线鉴定以及在在线鉴定基础上的归档保存才能形成最终的非遗档案。

非遗档案在线鉴定要在尊重历史情形和现实状况的基础上，从国家和人民的整体利益出发，用全面的、历史的、发展的观点，指导非遗档案在线鉴定工作。非遗档案在线鉴定工作的直接参与者主要有档案馆、文化部、非遗管理机构、传承人等。档案业务部门是非遗档案在线鉴定的主体，在非遗档案在线鉴定环节中起到了最为重要的作用。

---

① 周耀林，戴旸，程齐凯．非物质文化遗产档案管理理论与实践［M］．武汉：武汉大学出版社，2013：82.

② 周耀林，戴旸，程齐凯．非物质文化遗产档案管理理论与实践［M］．武汉：武汉大学出版社，2013：98.

（4）在线保管

非遗档案在线保管是非遗档案管理工作中的基本环节之一，即对已整理好的并已归档的非遗档案进行日常的维护性、保护性管理。从非遗档案形成角度看，由于其地域性特征突出，因此应遵循分散保管和相对集中保管相结合的原则。从非遗档案保管载体上看，由于其涉及多种载体形式，在线保管工作需要兼顾不同载体的保管要求。

非遗档案的记录手段主要包括文字记录和声像记录两种形式。随着信息技术的发展，录音、录像、摄影等科技逐渐走入生活中，声像记录的形式日益增多，这些多媒体技术的应用，生动形象地将历史、文化、社会生活真实、完整地记录和保存下来，是重要的原始记录、直接记录，需要加强在线保管工作。

7.4.2　开放服务功能

新媒体平台的开放服务功能是实现非遗资源价值的重要环节，与线下开放服务相比，线上服务能够对用户反馈的信息进行及时收集和响应，有利于非遗档案资源在线开放利用的长期发展，保障平台服务环节有序进行。非遗档案资源新媒体平台建设的开放服务功能主要包括以下四方面：

（1）在线试听

群体智慧实现平台将非遗网站、微博、微信、移动客户端等平台融合为一体，因此具有多种新媒体平台的服务功能。互动多媒体技术、超文本链接技术的应用，集文字、图片、语音、视频于一体，丰富非遗档案资源服务内容，提高非遗档案资源共享力度和服务能力。

例如，2015年年初，中国网络电视台（CNTV）少数民族新媒体传播平台正式上线，推出了蒙古语、维吾尔语、哈萨克语手机客户端，维吾尔语、哈萨克语和藏语视频网（全球唯一提供安多藏语、康巴藏语和卫藏语三种藏语电视节目的网络平台），青海网络

339

广播电视台也同步上线①。新媒体平台的应用丰富了非遗档案资源利用形式，扩大了非遗档案资源传播范围。

（2）分享下载

群体智慧实现平台为非遗档案用户提供分享下载功能。用户可以通过检索组合，快速查询到自己需要的非遗档案信息，并从平台上进行全文下载或目录条目下载；还可以通过微博、微信等平台分享到网络空间，扩大非遗档案资源受众群体。

例如，2011年，美国国家档案馆在网站上专门开辟"公民档案工作者"板块，任何公民都可为网站上的档案图片和资料添加标签、注释说明；此后又开设"历史上的今日档案"栏目，并将其做成 APP 程序，供用户下载，这种用社交媒体打造档案文化传播新平台的实践做法值得我国档案部门参考和借鉴②。新媒体平台的分享下载功能扩大了非遗档案资源的影响力。

（3）个性定制

群体智慧实现平台为非遗档案用户提供个性定制功能。新媒体平台要分析影响非遗档案用户的查档用档需求，通过运用多种信息技术对查档用档用户的年龄、性别、职业、偏好、检索倾向等进行数据挖掘和分析，为用户量身打造基于查档需求的个性定制服务。

例如，荔枝 FM 和喜马拉雅广播借助网络和手机客户端，实现了定制广播的信息传播和获取方式，呈现出内容多元化、听众分众化、主播平民化、传播碎片化等特点③。新媒体平台个性定制的功能具有更强的互动性，查档用户可以通过微信、电子邮箱、留言板、论坛等方式提出自己的个性查阅需求，档案工作人员将大数据分析软件得出的结果与用户提出的个性需求相结合，提高信息定制

---

① 少数民族语新媒体平台上线［J］.新闻论坛，2015（1）：123.

② 李映天，吴薇.美国国家档案馆：用社交媒体打造档案文化传播的新平台［J］.兰台世界，2013（5）：107.

③ 任晓琴.媒体时代广播的"私人定制"——以荔枝 FM 和喜马拉雅为例［J］.视听，2015（5）：130-131.

的满意度。

（4）定时推送

群体智慧实现平台为非遗档案用户提供定时推送功能。定时推送功能是在对查档用档用户自身个性信息需求进行分析的前提下，将用户主动查询信息改为服务器主动发送信息，并通过新媒体交互方式对服务器设置固定时间段的主动发送功能。用户自行设定需要接收的时间和免打扰模式，并将其反馈给服务器，服务器根据用户设定时间段进行不同模式的推送服务。

定时推送功能是在个性定制功能的基础上，由服务器定时定向将用户需求信息实时通过新媒体平台送达用户接收端的服务。同时，服务器在功能实施过程中，具有安全性和稳定性，保障用户个人信息安全和公开信息传递安全，保障平台运行稳定性，有利于扩大非遗档案信息服务群体，优化服务体验。

7.4.3 在线互动功能

在线互动功能的作用在于通过信息发布和用户反馈对公众线上非遗档案活动进行引导和宣传，加深公众对非遗档案内容与实践的了解，为非遗档案建设寻求线索和提供建议。可以说，在线互动是连接公众与非遗档案工作者的纽带，是业务活动有序开展的保证。非遗档案资源新媒体平台建设的在线互动功能主要包括以下四方面：

（1）公众参与

公众参与是指具有共同利益、兴趣的社会群体对政府涉及公共利益事务的决策的介入，或者提出意见与建议的活动①。在我国，公众参与国家政治、经济、文化和社会生活，是实现公民基本权利的途径，是人民当家作主的实质所在②。群体智慧理论的应用，表

341

---

① 张小罗. 网络媒体：公众参与的新平台［J］. 太平洋学报，2009（7）：76.

② 王锡锌. 公众参与和行政过程：一个理念和制度分析的框架［M］. 北京：民主法制出版社，2007：1.

现在公众参与、群体商议、群体决策等方面。具体来说，一方面，在群体智慧理论的指导下，广大社会群体，尤其是原生地域的公众将以自发组织或外力因素的驱动下组合在一起，由于对原生地域更加熟悉和了解，他们贡献的非遗方面的相关资料和知识，甚至会超过非遗专家调查获得的信息；另一方面，除了普通社会公众，一些热衷于非遗的爱好者、民间研究人士等纷纷参与到非遗档案资源建设中来，为非遗资料的收集、建档、建库贡献力量，扩大了非遗的影响力。

（2）需求调查

没有调查就没有发言权，需求调查是互动的、双向的。非遗档案工作人员和社会公众要想达成协议，就必须对公众进行相关需求调查，提高服务的效能。一方面，要想满足社会公众对非遗档案信息的利用需求，最重要的就是明确用户需求是什么，针对需求进行信息服务，才能提高受众服务满意度，优化服务效果；另一方面，要想将非遗档案信息进行广泛宣传和传播，更应该进行需求调查，理解公众信息需求的倾向和使用新媒体的偏好，才能有重点地开展工作，提高非遗档案信息影响力。

（3）信息反馈

非遗档案工作人员在对社会公众有关非遗档案需求进行调查的基础上，及时将相关调查数据、信息进行回收，便于开展后期工作。此外，社会公众应主动将有关非遗档案的需求信息以及其他相关信息，如对非遗档案工作开展过程中需要改进的意见和建议，对非遗档案工作人员的服务质量、服务态度的评价，对非遗新媒体平台、系统、网站等提出的界面优化措施等。信息反馈功能加强了非遗档案工作人员与社会公众的互动交流，有利于督促非遗档案工作人员提高服务质量和服务水平，优化服务效果和服务体验。

（4）在线交流

社会公众不仅可以通过留言板、论坛、电子邮箱等方式进行互动沟通，还可以通过新媒体平台进行在线交流和实时互动。在线交流的实时性、及时性、直接性等优势，能让非遗档案工作者准确了解社会公众的真实想法，以便根据查档用档用户的不同情况、不同需求、不同特点进行准确把握和及时定位，从而做出相对合理的判断，选择相对合适的决策方案，避免不必要纷争和误解，提高非遗档案工作质量和新媒体平台运营稳定性。

7.4.4 平台管理功能

新媒体平台作为联系非遗档案工作人员和社会公众的纽带，为非遗档案资源的宣传和传播、为民族优秀传统文化的传承和发扬提供了广阔的发展空间，其主要由文化机构下属的技术部门主管。因此，需要对其进行有效管理，才能延长平台运营期限和运营效果。新媒体平台建设的平台管理功能主要包括以下四方面：

（1）技术支持

Web2.0环境下，博物馆、档案馆、图书馆以及其他拥有"网上馆藏资源"的文化和遗产机构开始重视公众参与以及与社会公众的互动，尝试着将"标签""博客"等技术运用到其网络资源建设管理当中，大胆吸收公众参与到馆藏的"编目""描述"等传统核心工作当中。在新媒体平台中，可以采用多层B/S结构，通过应用云并行计算的方式，实现新媒体平台中编码的实时性操作，同时促进数据压缩处理能力的提高与优化①。

2015年9月，国内首家真正意义上的Web3.0技术平台革命性产品"长江云"——湖北新媒体云平台，首次在武汉发布，致力于打造"采编融合、内容汇聚、多渠道传播、多终端一体化"的区域新媒体运营平台②。技术的不断发展为新媒体平台长期有效运营提供技术支持。

343

---

① 王晓萍. 大数据时代云计算在新媒体平台的应用研究［J］. 电子制作，2015（10）：158.

② 人民网-湖北频道. 国内首个新媒体云平台武汉首发 助推媒体融合发展［EB/OL］.［2016-06-14］. http：//hb. people. com. cn/n/2015/0911/c337099-26327193. html.

（2）后台维护

随着新媒体平台日益壮大，访问量日益增加，对于一些动态网页、视频播放界面、3D体验室等，系统平台如果不能及时反馈用户的请求，很容易发生崩溃现象。因此，需要建立一个强大的后台维护系统、一支技艺高超的后台维护团队来保证新媒体平台平稳运行。

保障新媒体平台的业务连续性，使其持续、安全、稳定地运行，是新平台管理后期维护的重要目标。网站编辑通过互联网，访问后台管理服务器，对全网数据进行管理和维护①。平台维护除了日常性的一般维护工作外，还要建立应急预案。应急预案的后期维护主要分为维护意识、预测预警、应急资源保障、相关培训、责任和奖惩、定期演练、预案更新等②，并通过建立应急预案，减少平台发生故障带来的威胁。

（3）定期检查

对新媒体平台进行定期检查可以掌握平台运营总体情况，及时发现系统漏洞和薄弱环节并进行补休，以减少由于系统漏洞带来的技术风险、安全威胁，提高信息安全防护能力。定期检查工作的开展要坚持"谁主管谁负责、谁运行谁负责"的原则，各司其职，明确各自的工作重点和职责所在。

对新媒体进行定期检查的内容包括硬件设备检查和软件设备检查。对于硬件设备来讲，主要检查计算机及相关设备建设、运行、维修维护等情况，确保硬件防火墙或硬件多功能网关的安全，能阻断大多数病毒及入侵危害③。对于软件设备来讲，主要检查办公软件、业务软件、应用软件等的安装和使用情况，是否存在影响软件

---

①　罗蕴军．浅析网络广播电视台新媒体平台建设［J］．广播电视信息，2013（8）：61-63.

②　吴涛．试论"网络应急预案"的后期维护［J］．信息安全与通信保密，2010（6）：82-83.

③　罗蕴军．浅析网络广播电视台新媒体平台建设［J］．广播电视信息，2013（8）：61-63.

运行的威胁因素，检查软件开发、软件集成、数据处理、安全监测等问题，确保系统软件安全，如交叉验证、访问控制、信息加密、安全审计、安全认证等功能正常运行①。

（4）内容更新

新媒体平台及时进行内容更新是平台正常运营的必备工作，不仅体现出作为建设主体的政府部门、档案部门、文化机构等对非遗档案工作的重视，还能表现出作为建设客体的非遗档案资源数量广泛。

平台的内容更新要注意以下几个方面：第一，注意平台更新的非遗档案内容的质量，如果是原创文章，要注意尽量避免错别字、链接失效、图片无法浏览等情况的发生，如果是转发文章，要注意标注文章出处；第二，注意平台更新的非遗档案内容的数量，要把握内容更新的数量，过少过多都将影响非遗档案读者的阅读兴趣；第三，注意平台非遗档案内容更新的频率，切不可短时间内更新多条，否则可能造成某一时间段因访问量剧增而系统崩溃的情况发生，也不可长时间不更新，造成平台闲置。

7.5　群体智慧模式下基于非遗档案资源的新媒体平台运营效果

建立非遗新媒体平台，其目的是通过平台将不同的主体进行有效的结合，这种结合是群体智慧产生的基础，由此推动非遗新媒体平台实现如下效果：

7.5.1　新媒体平台的效果

地方非遗项目进入市场，在商业利益的驱动下使之形成规模化

①　罗蕴军．浅析网络广播电视台新媒体平台建设［J］．广播电视信息，2013（8）：61-63.

产业，才是其真正实现长期延续的现实途径①，弥补官网单向宣传中容易出现的问题，实现呈现的全面化。

（1）扩大新媒体平台的感召力

国务院办公厅在《加强我国非物质文化遗产保护工作的意见》中明确指出："要鼓励和支持新闻出版、广播电视、互联网等媒体对非遗及其保护工作进行宣传展示，普及保护知识，培养保护意识，努力在全社会形成共识，营造保护非遗的良好氛围。"② 新媒体平台为非遗档案资源建设赢得了广泛的发展空间，非遗档案资源建设通过传播媒介在时空上得以突破和拓展。因此，新媒体已突破传统口耳相传的传播推广方式，成为非遗档案资源代代相传的重要手段和保证。

新电视媒体、手机媒体、网络媒体是非遗档案资源建设平台或系统呈现的重要表现形式，通过新媒体平台的应用，能够最大限度地扩大非遗档案资源建设平台或系统的影响力和号召力。在全球非遗保护浪潮的推动下，以各国文化主管部门为首的非遗保护和管理体系已经形成。而图书馆、博物馆、档案馆等正致力于开展"信息化""数字化""网络化"建设的文化机构，在非遗资源保存当中的作用也逐渐显现出来。加强非遗档案资源建设和非遗传承保护体现了特定民族、国家和地域内的人们，对我国传统优秀民族文化的重视和关注，这一系列活动都需要人的广泛参与才能顺利完成。因为人是非遗的主体，非遗档案资源平台建设也应"以人为本"。为此，首先，要加强各地政府与文化主管部门合作，紧紧依靠政府、文化机构开展非遗档案资源建设工作；其次，非遗"建档""建库"以及非遗档案资源系统、平台的架构都要求工作人员对非遗有相当的了解，面对众多的非遗资源，尤其是少数民族聚集的地

346

① 田少煦. 新技术·新媒体与少数民族非物质文化遗产的现代融合[C]//中国人民大学新闻与社会发展研究中心. 中国少数民族地区信息传播与社会发展论丛. 北京：中国文史出版社，2012：83-90.

② 国务院办公厅关于加强我国非物质文化遗产保护工作的意见（国办发［2005］18号）［Z］.

区，更应该加强传承保护工作；再次，媒体工作人员应加强非遗网站、非遗数字展览馆等的建设，优化界面设置，并加强与受众群体的交流沟通；最后，面对非遗档案资源建设工作中出现的各种问题，要善于借助社会公众的力量，依靠群体智慧来为非遗档案资源建设提供新思路。

新媒体具有"群体效应"①，通过对特定区域非遗档案资源建设的必要性、重要性进行广泛宣传，可以感染拥有相似习俗、语言、宗教信仰或价值观的受众群体，使其参与到非遗档案资源建设和非遗保护传承工作中来，将会极大提升传播效果，加强感召力。

（2）加强新媒体平台的传播力

随着现代化进程的加快、全球化的深入发展，许多承载中华民族传统优秀文化的非遗正遭受冲击或逐渐消亡，新媒体平台在非遗档案资源建设、文化传承与保护方面将发挥不可替代的作用。新媒体图文并茂、声像结合、多媒体技术广泛应用，并以传播迅速、互动性强、波及范围广、影响程度深等优势在非遗档案资源建设与传播方面的作用进一步凸显。同时，新媒体平台为非遗档案资源建设提供了肥沃的土壤和养分，有利于非遗的传承、保护和发展，有利于适应新时代和新技术的发展和应用。

在信息化不断发达的今天，尤其是伴随着大数据、云计算、"互联网+"的深入推广和应用，各地纷纷建立了非遗网站、门户网站、非遗博物馆等来保护和宣传非遗。新媒体平台通过全方位、立体化的传播和共享优势，借助网站、微博、微信、电子期刊等方式向社会公众展示和宣传非遗全貌，引起公众对非遗传承和保护的热情，从而使其更加全身心地投入到非遗档案资源建设和非遗保护工作中。近年来，各省市纷纷建立了自己的非遗网站，并开通了非遗微博、微信等公众号，定期推送一些与非遗相关的各方面的文档资料、视频等，相关非遗爱好者、非遗方面的专家也开展了非遗档案资源开发方面的工作，力求全方位解读非遗档案产品，让受众群

---

① 杨青山，罗梅. 非物质文化遗产的新媒体传播价值分析 [J]. 传媒，2014（11）：80.

体更加深入地了解、认识中华优秀传统文化，激发受众群体主动参与、学习热情，从而进一步扩大非遗档案资源建设的传播力和影响力。

此外，连云港、扬州、哈尔滨等城市集中优势资源纷纷建立"非遗"网络数据库①，力求将非遗文化通过多种方式立体化、深层次地展现在社会公众面前，真正体现新媒体"一对一、一对多"的特点。新媒体有助于降低非遗内容的碎片化程度，让受众群体真正体会到新媒体在非遗档案资源建设中的优势所在，真正体会到"一站式""集中化"服务。将新媒体平台应用于非遗档案资源传播，一定程度上丰富了非遗档案资源传播形式，深化了非遗档案资源传播内涵，扩大了非遗档案资源传播范围，加强了非遗档案资源传播力度，推动了非遗档案资源建设。

7.5.2　新媒体平台参与者的效果

（1）促使非遗档案资源建设多元参与主体的合理分工

政府、文化主管部门、档案馆、图书馆、博物馆、文化馆、非遗中心、教育部门、非政府部门、社会公众、非遗爱好者等共同构成了多元化非遗档案资源和实现平台的建设主体和实践主体（详见第 5 章）。参与群体背景的差异，决定了不同层次的社会群体在实践中角色有所不同。为保证社会公众能有序地参与到非遗档案建设中，非遗档案工作人员需要对不同层次的社会群体进行筛选与分工，以保障非遗档案资源建设工作顺利开展。

非遗参与主体可以简单地区分为机构和个人。法规制度为机构参与非遗档案资源建设提供了保障。对于个人而言，主要是媒体人员和社会公众。一方面，对于媒体人员来讲，应建立更为完善的激

---

① 杨青山，罗梅. 非物质文化遗产的新媒体传播价值分析 [J]. 传媒，2014（11）：79.

励机制，鼓励更多的媒体人投身保护工作行列①，非遗网站、微博、微信等平台的搭建，都离不开媒体公众智慧的应用，将非遗档案资源通过多种形式进行宣传和传播，扩大非遗档案资源的深远影响；另一方面，对于社会公众来讲，在新媒体应用于非遗档案资源建设工作过程中，要充分发挥自身主观能动性，吸收更多热爱非遗、热爱档案事业、有文化保护使命感的公众群体参与到非遗档案资源建设当中，发挥其群体力量和智慧，为我国非遗档案资源建设和服务工作贡献力量，推动中华传统优秀文化的大发展、大繁荣。除此之外，尝试建设网络课堂，真人的讲解往往比文字更能提高传播效果②。通过网络宣传方式，举办非遗远程教育，加强非遗资源建设重要性的宣传。更重要的是，社会公众本身应树立积极参与意识，为传承保护中华传统优秀文化贡献力量。

美国全国性的虚拟图书馆"美国记忆"（American Memory），记录了美国几百年的风土人情，包含非遗数据库在线使用，是将内容的累积和延续性运用到非遗传播中的典型范例③，"美国记忆"数据库，可以方便研究者和网络受众不受时空限制，自由地获取和分享非遗信息；具有数字化存储功能，可重复学习，持续传播。相对而言，国内非遗网站主要是国家级和省级非遗的官方网站、官微等，内容多为图片、文字的结合，缺少视频、链接共享等功能，彼此之间相对独立，不能真正实现非遗资源共建共享，我国在此方面可以适当借鉴国外相关经验，促进非遗资源建设工作的顺利开展。

（2）扩大非遗档案资源建设的参与度

面对众多的非遗档案资源，要善于依靠群体智慧来解决非遗资源建设过程中面临的难题，借助群体智慧寻找非遗档案资源建设的新思路。非遗是宝贵的文化资源，文化的建设与繁荣，离不开社会

349

---

① 杨晓云．非物质文化遗产保护中媒体作用研究［J］．贵州社会科学，2012（7）：127.

② 黄丽娜，吴娅．新媒体环境下非物质文化遗产的传播与传承——以"侗族大歌"为例［J］．凯里学院学报，2015（1）：24.

③ 郑春辉，朱思颖．黑龙江省非物质文化遗产的新媒体传播方式研究［J］．文化遗产，2013（5）：29.

公众的广泛参与；非遗档案资源的建档、建库、系统架构或平台的建设等一系列活动的开展都离不开群体的参与。唤醒群体参与非遗档案资源建设的意识，激发群众的参与热情，建设群体参与激励机制，将成为非遗档案资源建设的重要环节。群体智慧的参与和广泛应用，将有助于化解非遗档案资源建设过程中遇到的各种难题，实现非遗档案资源建设系统、平台、机制的构建。新媒体平台的建设，将群体智慧集中于一体，它们可以为非遗资料的收集、整理、建档、建库贡献自己的力量；可以对相关非遗项目进行宣传，扩大非遗的影响范围和影响深度；也可以借助新媒体广大的用户群体、广泛的传播途径、多样的传播手段、丰富的传播内容，实现非遗档案资源全方位、立体化、个性化、多样化的服务，从而进一步扩大非遗的影响力。因此，群体的广泛参与和新媒体的推广应用，将在很大程度上推动非遗档案资源系统平台构建、基础架构建设。

非遗档案资源的收集、整理、建库、建档以及民族文化的建设与繁荣等都离不开社会群体的参与，群体智慧为资源建设、平台建设提供新的发展思路，通过充分发挥群体智慧，制定合理的群体决策方案。充分发挥群体智慧，正确引导社会公众，让人们正确认识到非遗档案资源中存在的深层次价值，才能深入挖掘隐藏在非遗档案资源背后的丰富文化资源；通过新媒体的参与，建设保护非遗档案资源的系统架构或平台，并通过大规模、立体化、全方位的新媒体宣传，充分发挥群体智慧的力量，从而增强公众的感知度和重视度。

7.5.3 非遗资源建设的效果

（1）加快非遗档案资源的整合与服务

长期以来，我国的非遗资源主要是依靠口传身教的方式世代传承，相对于种类繁多、内容丰富的非遗，当前得以留存下来的文字记录十分稀少。随着近代信息技术的发展，多媒体技术逐渐被应用到非遗档案资源建设工作中，通过运用文字、录音、录像、数字化多媒体等现代科技手段，对一批非遗档案资源进行了真实、系统和全面的记录，形成非遗档案库、数据库，并通过网络媒体技术，使其在互联网上即可检索查询、再现非遗视频，实现非遗档案资源存储和非遗档案资源宣传的并行推进。在此基础上，部分非遗保护机构建立起非遗数字博物馆，依靠多媒体集成、数字影像、虚拟现实等技术，将多种媒介形式的非遗信息整合在一起，在不动用非遗的条件下，利用网络环境的四通八达，打破了特定时间和场所的制约，能充分展示、传播与利用文化遗产，达到了最大限度地利用和共享非遗资源的目的。可见，新媒体的应用为非遗的展示和传播提供了更为便利的条件和广阔的途径。

　　目前，新媒体技术在我国非遗档案资源建设中已经得到了部分应用，有效地整合了我国各地的非遗资源，也在一定程度上实现了部分非遗档案资源的共享，推进了我国非遗档案资源的建设与发展。2005 年，中国艺术研究院成立了非遗数据库管理中心；2006年，国家级非遗网站"中国非物质文化遗产网"在互联网发布；紧接着，贵州、江苏、福建、浙江、上海、福建、安徽、重庆、湖南、山西、贵州、云南、苏州等众多省市都建立了当地特色的非遗网站；此后，更有许多专业的综合的非遗网站如雨后春笋般地诞生，如中国民俗网、中国国学网、中华手工艺网、中国戏曲网、农历网、中国南京云锦网、中国古琴网等。与此同时，人民网、新华网等很多重要的官方网站也相继开通非遗专栏，很多民间团体、科研机构、公司企业等独立或联合发布非遗网站。新媒体技术为非遗档案资源的传播起到了至关重要的作用，网络平台以更加直观多元的方式向大众展示了非遗的独特魅力，展现了我国丰富的非遗资源，为用户认识非遗、保护非遗，提供了交流经验和展示学术成果的平台①。

　　构建非遗档案资源新媒体共享平台，通过对各类新媒体的综合应用，将数字化的非遗档案资源通过网络平台向广大用户展示，为用户提供便捷的检索系统和个性化的编辑传播功能，使得非遗档案

351

---

　　① 司丽君. 上海市非物质文化遗产网站研究［D］. 南京：南京艺术学院，2013.

资源能够不断创新发展。如今互联网的发展正呈现出一种井喷态势，不仅发展极快，而且各个媒体形态之间迅速融合也让人应接不暇，尤其是近年来迅速发展起来的手机媒体，它是一种依靠智能移动终端，采用移动无线通信方式获取信息和服务的新型媒体，使得用户可以随时随地，并且在移动过程中都能方便地从互联网获取信息和服务，从而拉近非遗档案资源与社会公众之间的距离，创造一个信息实时共享的网络空间，推进非遗档案资源及时而有效的传播与服务。

（2）推进非遗档案资源的数字化保护与传承

回顾非遗保护的历史，文字、录音、摄影、录像等传统技术曾在很长一段时期内，为人类保存了大量珍贵的文化遗产资料。然而，随着时间的迁移，这些非遗资料面临着众多问题，例如文字材料模糊，录像带磨损老化，视频资料无法读取等，使得非遗资料无法长期保存。随着信息技术的发展，新媒体被广泛应用，非遗档案资源的保护方式也随之发生变化，数字信息技术成为当前非遗档案资源建设中不可或缺的技术支撑。

数字化保护①就是将数字信息技术应用于非遗的抢救与保护，实现对非遗的保护、传承与发扬。数字化保护是借助数字摄影、三维信息获取、多媒体和网络等技术，建立的一个综合型数字系统，利用数据库技术建立起一个全面的资料数据库，汇总相关记录媒体提供的信息，对非遗档案资源加以信息化存储、进行科学的分类；建立非遗档案资源的备份系统，利用云计算、大数据等信息技术，对数字化的非遗档案资源进行异地备份，保证非遗档案资源的长期可获取性；建立新媒体支撑的数字博物馆，运用图像、声音、视频、文字、数字化的多媒体手段，利用多媒体虚拟场景的建模和镜头语言的演示等虚拟现实的数字技术，对非遗文化进行真实再现。

"数字化传承"是指运用二维三维图像、3D 扫描、虚拟现实、计算机网络等新媒体技术对非遗的文字、图像、音视频等数据信息

---

①　郭妮丽. 新媒体影像在非物质文化遗产保护中的作用［D］. 太原：山西大学，2012.

进行数字采集和保存，再通过图像修复软件等进行后期整理、修复和再现，最后通过网络、电视、移动终端等设备平台向用户进行数字化展示，以实现对非遗档案资源的保护和传播，传承非遗文化的目的①。

新媒体作为一类新兴的传播媒介，在传统文化与现代文化之间搭建起平台，促使地方性的非遗文化融入国家现代文明中，在满足当前用户文化需求的同时，也为非遗文化传承开辟了新途径。新媒体技术的发展和广泛运用为非遗档案资源建设提供了更加广阔的平台与发展空间。借助新媒体技术，对各类文化资源和非遗文化内容进行整合与创新，有助于实现非遗文化产业的发展，满足现代市场的文化产品需求。由此可见，把握新媒体技术的发展趋势，将新媒体技术运用到非遗档案资源建设中去，大力开发与非遗相关的数字艺术、文化视频、游戏动漫等，可以有效地推进新媒体时代下非遗档案资源建设，发展非遗文化产业。

总之，新媒体平台将非遗建设主体、建设客体、建设方法进行了有效搭建。建设主体层面，实现了专业人士与非专业人士相结合、非遗传承人与非传承人相结合；建设客体层面，实现实体整合与信息整合相结合、宏观规范与微观规范相结合；建设方法层面，实现传统建档方法与现代建档方法相结合、在线方法与离线方法相结合。在平台运营过程中，社会公众可以在非遗档案资源建设的各个环节中充分发挥群体参与、群体商议、群体决策的作用，从而将群体智慧落到实处。同时，应注重发挥社会公众在信息传播方面的优势，提升非遗档案资源的传播效果，扩大非遗档案资源共建共享，拓展非遗档案服务受众群体，鼓励更多社会公众积极参与到非遗档案资源建设工作中，共同保护非遗，传承非遗文化。不难看到，非遗档案资源建设"群体智慧模式"需要借助新媒体平台来实现。该平台既是一个资源平台，汇集全国非遗档案资源，形成海量化的"非遗资源池"；也是一个开发平台，实现网络非遗档案资

353

① 卜星宇. 新媒体语境下中国少数民族非物质文化遗产的数字化传承[D]. 北京：北京印刷学院，2015.

源有效挖掘和利用；同时还是一个服务平台，提供非遗档案资源基础服务和增值服务，进一步实现全国非遗档案资源的大集成和大服务。归根到底，新媒体平台是一个依托于 Web2.0 的共享平台，是一种实现建设主体和受众群体沟通的交互模式，它的搭建和实现需要政府部门、文化主管部门、档案部门、社会公众、传承人等多主体的共同努力，才能最终实现非遗档案资源建设共享，完成非遗档案资源建设"群体智慧模式"的构建。

8 非遗档案资源建设群体智慧模式实现机制

机制（Mechanism）一词的含义是：①用机器制造的；②机器的构造原理和工作方式、机器内部各部分间的组合、传动的制约关系；③有机体各部分（组织机构）的构造、功能特性及其相互联系、相互作用的关系；④某些自然现象的物理、化学规律；⑤一个工作系统的组织或部分之间相互作用的过程和方式等。从词源角度考察，"机制"一词最早源于机器的组织构造和活动运行方式。18世纪后，"人是机器"的观点开始流行，"机制"逐渐被借用到生物学和医学中，用以表示生物有机体各组织和器官的有机结合，产生特定功能的相互作用关系。现代许多学科如心理学、社会学、经济学、政治学等都借用"机制"一词，形成了心理机制、社会机制、经济机制、市场机制、政治机制、教育机制等概念。其中，"机制"泛指引起、制约事物运动、转化、发展的内在结构和作用方式，包括事物内部因素的耦合关系，各因素相互作用的形式，功能作用的程序以及转变的契机等。揭示事物运动的机制意味着对事物的认识已从现象的描述进到对本质的认识①。

在社会科学领域，机制更加强调人的能动性与事物客观规律性的内在统一。"机制最主要的含义应该指社会中某些部门、领域通

---

① 刘建明，张明根. 应用写作大百科［M］. 北京：中央民族大学出版社，1994：150.

过建立富有生机活力的制度、明确程序规则和落实措施等，使该系统健康有序运转的内在机理和方式。"以系统论言之，"任何事物和组织都有其独有的一套机制，否则，就无以维持其存在与运转"①。基于上述界定，非遗档案资源建设群体智慧模式的实现机制可以理解为：在一个开放的网络交互环境当中，以非遗档案资源建设效益最大化为目标，促进非遗档案资源建设群体智慧平台中各个主体、客体及其相互关系能够良好有序运转的一套程序规则和落实措施。我国非遗档案资源建设必须建立一定的机制，从而保证非遗档案资源建设群体智慧模式落到实处。

8.1 机制概述

21世纪以来，互联网实现从Web1.0到Web2.0的时代跨越，改变了传统网络环境下以大型门户为主、以数据为中心，以少数专业人士来参与的模式。无论是从网页界面还是技术架构都是参与者进行交互协作，为集聚群体智慧提供了支撑。在文化推动力、技术发展力、政策牵引力、建设需求力的合力作用下，借助开放的网络环境，充分利用Web2.0构筑起来的非遗档案资源建设群体智慧模式应运而生。Web2.0所特有的"以用户为中心"特征，让用户参与和用户生成内容变得更加方便，而运用Web2.0搭建起来的非遗档案资源建设群体智慧实现平台，同样没有现实中非遗档案资源建设各个参与主体地位的"金字塔"结构，没有绝对的权威，每个参与者与资源贡献者都是平台的建设者和维护者，共享平台建设的成果。

对于非遗档案资源建设群体智慧模式的实现，笔者提出要搭建起一个基于Web2.0环境的实现平台，充分发挥其交互、协作、共享的特点。该平台的搭建将作为传统非遗档案资源建设模式的一种

---

① 吕会霖. 新世纪思想政治工作 [M]. 上海：上海人民出版社，2005：80.

强有力补充，并与之协调发展。然而，开放的网络环境、多主体的参与也让该模式和平台的最终实现面临一些问题，具体而言，包括：知识产权保护问题、资源建设质量控制问题、多主体利益的协调问题、公众参与的激励机制问题以及平台运行的保障问题等。

从总体上看，将群体智慧运用到非遗档案资源建设当中，不仅需要从个体的视角来审视非遗档案资源建设所涉及的众多参与主体之间的关系，还要最大限度地激励、协调各参与主体的参与并贡献其智慧和力量；不仅需要拓宽非遗档案资源建设的来源渠道，还要从源头控制非遗档案资源建设的质量，促进非遗档案资源的整合与开发；不仅需要搭建起群体参与的平台，还要充分利用新媒体进行用户交互，促进非遗档案资源的展示与传播，构建一个良性的生态系统。以上几个方面正是非遗档案资源建设"群体智慧"模式得以实现的主体（第5章）、客体（第6章）以及平台（第7章）方面。

从模式的实现路径和过程来看，需要主体、客体、平台等多个层面的协同（见图8-1），当然也离不开政策、资金、技术、人才、设备等软硬件条件的支撑。此外，要实现主体、客体与平台三者之间的运作，必须解决上述问题。而解决上述问题的关键是从问题的本源着手，探析群体参与下，各参与主体之间的相互关系以及存在的问题，并以此为依据合理制定一套完整的实现机制，以保障建设平台的长期可持续发展以及资源建设的质量。本章内容将关注实现机制层面的研究，在建设主体、利用主体、建设客体、建设平台等层面关系厘清、方法得当的前提下，从知识产权、质量控制、激励、协调和保障五个方面来探讨非遗档案资源建设群体智慧模式的实现机制问题。其中，知识产权机制的完善为非遗档案资源建设提供了制度性规范化保护；质量控制是推进非遗档案资源建设的关键环节，信息质量是决定群体智慧能否发挥其价值的重要保障；协调机制是不断促进非遗档案资源建设规范化标准化；激励保障措施的运用为非遗档案资源的强化营造良好的协作氛围，奠定了重要基础。

357

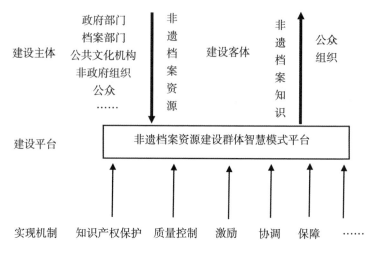

图 8-1　非遗档案资源建设群体智慧模式运行图

8.2　知识产权保护机制

知识产权是指智力创造成果：发明、文学和艺术作品，以及商业中使用的符号、名称、图像和外观设计。知识产权一般分为：①工业所有权，包括专利、商标、工业品外观设计以及原产地地理标志等；②著作权，包括文学和艺术作品：诸如小说、诗歌和戏剧、电影、音乐作品；绘图、绘画、摄影和雕塑以及建筑设计；③商业秘密。广义的知识产权包括著作权、邻接权、商标权、商号权、商业秘密权、地理标记权、专利权、集成电路布图设计权、植物新品种权和反不正当竞争权①。

知识产权保护就是通过赋予知识产权的创造者合法的权利，对

---

① 维基百科．知识产权［EB/OL］．［2016-05-30］．https：//zh.wikipedia.org/wiki/知识产权.

人类智力创作成果给予适当的保护。近几年，由于知识产权侵权案件频发，国家以及各个领域都越来越重视知识产权的保护。互联网作为一个世界范围内的资源共享平台，由于具有高效、快捷、免费等特点，在使用量上发展得十分迅速。同样地，相较于传统的知识产权侵权案件，网络知识产权侵权案件更加简便、隐蔽和廉价。在这种形势下，非遗档案资源建设，尤其是在群体智慧模式下开展非遗档案资源建设必须重视知识产权侵权风险，了解群体智慧运用于非遗档案资源建设所涉及的知识产权问题，讨论管理主体如何在建设过程中尊重和保护知识创造者的合法权益，并建立相应的知识产权保护机制，识别和规避各类侵权风险，否则就有可能触犯知识产权的禁区，带来不必要的麻烦。

8.2.1　群体智慧模式实现面临的知识产权问题

知识产权具有专有性、地域性和时间性等特性，然而在网络环境下，网络技术以其无限的复制性、全球的传播性和变幻莫测的交互性已使知识产权体系的保护陷入尴尬境地，网络知识产权侵权现象非常普遍。互联网改变了传统的信息拥有者、传播者和使用者之间的利益格局，引发了版权拥有者与网络技术产业之间的激烈冲突。总的来说，以搭建网络平台为核心的非遗档案资源建设群体智慧模式实现面临的知识产权问题主要来自两个层面：非遗本体知识产权的保护问题、非遗档案资源建设的知识产权问题。

8.2.1.1　非遗本体知识产权的保护问题

2003 年，联合国教科文组织通过的《保护非遗公约》指出："非遗，指被各社区、群体，有时是个人，视为其文化遗产组成部分的各种社会实践、观念表述、表现形式、知识、技能以及相关的工具、实物、手工艺品和文化场所。这种非遗世代相传，在各社区和群体适应周围环境以及与自然和历史的互动中，被不断地再创造，为这些社区和群体提供持续的认同感，从而增强对文化多样性和人类创造力的尊重。"按上述定义，非遗被分为：①口头传统和表现形式,包括作为非遗媒介的语言;②表演艺术;③社会实践、仪式、节庆活动;④有关自然界和宇宙的知识和实践;⑤传统手工艺。而在我国,非遗通常被分为十大类:民间文学、民间音乐、民间舞蹈、传统戏剧、曲艺、杂技与竞技、民间美术、传统手工技艺、传统医药、民俗。

非遗自身的特性,决定非遗知识产权在现有的法律制度框架内,很难被其他法律制度全面保护。从法学概念来看,尽管"非遗"与"传统知识"这两个概念在指向上有一定的同一和交叉,但在知识产权保护的法律体系以及具体保护的对象和范围等方面都存在较大的差别①。我国非遗既囊括了传统文化(民间文学、民间音乐、民间舞蹈等),也包括传统知识(传统手工艺、传统医药等)。另外,还具有多种表现形式,如言语表现形式(故事、传说、诗歌等)、音乐表现形式(歌曲、曲艺、器乐等)、行动表现形式(舞蹈、游戏、游行和其他表演等)、有形表现形式(雕刻、纺织、乐器等艺术品和建筑形式)。同时,不同非遗种类的表现形式不同,有的非遗(如民俗类)为集体表现,而有的非遗(如传统技艺类、传统医药类)又具有专门的传承人和独有的配方。因此,我国非遗本体涉及的知识产权类型包括著作权、邻接权、商标权、商业秘密权等各个方面,也面临知识产权权利形态的问题,既包括集体产权也包括个体产权②。

非遗传承人在著作权、邻接权、专利权、商标权、商业秘密权等方面存在权利的保护问题。如作为民间文学的收集者和传播者,传承人可以享有邻接权,在杂技舞蹈等项目中,传承人可以享有表演者权。对于在传承过程中作出创新的内容,如剪纸艺术传承人对其创作的剪纸造型、木版年画的传承人对其创作的版画,传承人完全可以依法享有独立的著作权,对于一些采用家庭传承的技艺,历

360

---

① 李顺德. 非物质文化遗产的法律界定及知识产权保护 [J]. 江西社会科学, 2006(5): 11.

② 吴汉东. 论传统文化的法律保护——以非物质文化遗产和传统文化表现形式为对象 [J]. 中国法学, 2010(1): 58.

来都是秘不外传，经过漫长的世代相传，仍不为公众所知，只要符合专利的申请条件，传承人可以选择通过专利申请获得公开的、独占的权利。采用家庭传承的传统技艺，只要不为公众知悉，就可被传承人作为商业秘密来保护。对于存在众多传承人的情况下，虽然已无秘密可言，但作为一项口传心授的技巧，仍然难以为一般公众所掌握，传承人仍然可以利用它来获取相应的权益。对于家族传承的非遗，传承人可将其文化因素注册成商标，享有独占的商标权，如我国存在的众多的老字号。对于具有较强地区性和族群性的非遗，可以将其注册为集体商标或证明商标，以实现其商业价值，传承人可从中享有一定比例的商业利益①。

2006年12月29日，全国人大常委会表决通过了我国《关于加入〈世界知识产权组织版权条约〉和〈世界知识产权组织表演和录音制品条约〉的决定》，表明了我国在信息技术和通信技术领域，特别是互联网领域积极保护版权人、表演者和录音制品制作者权利的态度和决心。数字作品应受数字版权的保护。数字版权是由传统版权所衍生出的新概念，是指计算机软件、电子数据库、电脑游戏、数字文学作品、数字图片、数字动画、数字电影、数字音视频作品等具有独创性、以数字格式存在的文学、艺术和技术作品的作者所享有的权利。广义的数字版权还包括数字邻接权，即数字作品的传播者、录制者以及广播组织者等对经其加工、传播的作品所享有的权利。但在实践中，非遗数字版权的保护难度很大，其主要原因是：第一，数字技术对版权中的复制权、发行权、传播权、修改权、完整权等权利形成前所未有的威胁，各项权利的界定发生混乱，权利的内涵趋于复杂，数字版权人难以像在印刷时代那样对各项权利实现有效控制；第二，网络传输具有高效率、跨地域、开放性的特点，极易导致侵权行为的发生，而且对侵权行为的认定及制裁极为困难；第三，数字作品是否都应受版权法保护，目前还存有较多争议。例如，数字作品中的数据库是一种汇编作品，涉及对原

361

---

① 徐辉鸿. 非物质文化遗产传承人的公法与私法保护研究 [J]. 政治与法律, 2008 (2)：80.

作的改编、翻译、注释、整理、加工，此后产生的作品版权归属很难断定，而且数据库又是一个内容可以不断增加、修改、删除的动态的数据集和，其保护期的计算也是一个难点①。

8.2.1.2　非遗档案资源建设的知识产权问题

网络环境中的非遗档案资源建设除了非遗本体所涉及的知识产权问题外，更重要的是非遗档案资源建设过程中的知识产权问题以及非遗档案资源建设成果的知识产权保护问题。在网络环境下，创作作品的表达形式由传统的文字、图表等变得更加综合和便捷，作品的载体也从有形的纸张、磁介质等变为数字化网络。网络的虚拟性、无形性和全球性以及传播媒介的大众化使作品的传播让版权人无法控制。网络环境下，知识产权领域产生了许多需要保护的与网络有关的新客体，包括多媒体作品、数据库、在线交互式作品、域名、网络专利等。

作者在网上发表的作品，完全符合《著作权法》规定的作品的构成要件：第一，它是作者独立创作完成的，当然具有独创性；第二，这些作品可以通过硬盘或者软件加以拷贝，从而无限制地复制，其可复制性无可非议；第三，这些作品是被数字化以后以数字代码形式固定在磁盘或光盘等有形载体上的；第四，这些作品涉猎范围无外乎文学艺术和科学领域。因此，网络上发表的作品应当受到《著作权法》的保护，按照我国《著作权法》第 10 条的规定，其权利人依法享有对其作品的发表权、署名权、保护作品完整权、使用权、获得报酬权以及信息网络传播权。

2006 年发布的《信息网络传播权保护条例》明文规定，信息网络传播权是指以有线或者无线方式向公众提供作品、表演或者录音录像制品，使公众可以在其个人选定的时间和地点获得作品、表演或者录音录像制品的权利。权利人享有的信息网络传播权受《著作权法》和该条例保护。除法律、行政法规另有规定外，任何

---

① 王光文．非物质文化遗产知识产权保护初探［J］．理论学习与探索，2007（4）：24.

组织或者个人不得：①未经许可对从互联网上得到的作品，违法转载，或使他人违法转载，例如复制他人作品，刊登到自己的网站，或向其他网站投稿；②未经许可对从互联网上得到的作品进行传播；③未经许可对从互联网下载得到的作品，上载到互联网。将他人的作品、表演、录音录像制品通过信息网络向公众提供，应当取得权利人许可，并支付报酬。利用互联网传播作品并因此获得报酬，是法律赋予作者的一种新的财产权利，互联网络的经营者、数字信息传播者和广大网络用户应当尊重作者的这项权利。

根据《著作权法》第 46 条、第 47 条的规定，凡未经著作权人许可，有不符合法律规定的条件，擅自利用受著作权法保护的作品的行为，即为侵犯著作权的行为。结合网络著作权侵权的概念，可将网络著作权侵权分为以下几种类型：①擅自复制并转载他人的网上作品；②擅自在网上传播他人在传统媒体上发表的作品；③擅自建立与他人网站或作品链接的行为；④抄袭并使用他人网站（网页）的行为。

虽然版权保护随着合格作品的产生而产生，但许多使用 Web2.0 技术及服务的用户都还缺乏版权保护意识，错误地认为既然互联网公共领域的作品都可以被创造、分享及引用，那么就可以自由地获取使用，如一些用户把任何其他人创造的版权作品通过复制、粘贴以利用。非遗档案资源建设群体智慧实现平台在 Web2.0 环境下运行，其中，社会公众是非遗档案资源建设的主体，在建设过程当中，通常遇到的知识产权问题表现为著作权的侵权问题。这一方面体现为非遗档案资源建设当中，建设主体上载非原创性作品所带来的侵犯他人著作权的问题；另一方面则体现为其他平台或者个人，对该平台非遗档案资源建设成果著作权的侵犯问题。

8.2.2 知识产权侵权风险规避方法

在非遗档案资源建设群体智慧模式的实现过程中，建设主体不仅要维护非遗档案资源、非遗知识贡献者的知识产权，尊重知识产权，保护知识创造者的正当权益，防止知识产权的滥用，还要增强

363

法律意识，注重用法律保护知识产权，明确各主体的责任，学会管理知识产品的知识产权。此外，还需要引进数字时代知识产权保护的相关技术，善用技术来保护知识产权。

8.2.2.1 增强意识，注重法律保护

对非遗知识产权的保护要充分利用已有的知识产权保护法律法规和制度措施。针对非遗本体知识产权保护所面临的种类繁多的问题，需要认识到，不同种类的非遗应由不同的知识产权部门进行保护。对于以非遗为基础而产生的新发明最适合专利保护模式；对于一些传统工艺、传统配方、绝活、绝技、家传秘方等适用商业秘密权保护模式；对于一些口头传统和表现形式以及表演艺术适用著作权保护模式；对于一些老字号类型的商业开发类的非遗适用商标权保护模式①。

在非遗档案资源建设当中，必须明确认识非遗本体所涉及的知识产权问题，严格按照我国所颁布的《著作权法》《商标法》《专利法》等法律法规的规定，尊重和保障非遗本体的知识产权。以非遗著作权保护为例，根据《中华人民共和国著作权法》的规定，精神权利包括发表权、署名权、修改权、保护作品完整权。经济权利包括复制权、发行权、出租权、展览权、表演权、放映权、广播权、信息网络传播权、摄制权、改编权、翻译权、汇编权等。邻接权（包括表演者权、录音录像制作者权和广播组织者权）具有著作权的性质，属于广义的著作权。著作权保护的客体包括：文字、口头、音乐、戏剧、曲艺、舞蹈、杂技、书法、绘画、雕塑、工艺美术、建筑设计、摄影、电影（包括类似摄制电影方法的创作）、模型、图形（工程设计图、产品设计图等）、计算机软件等方面的作品。我国非遗中的民间文学、音乐、舞蹈、戏剧、曲艺、杂技与竞技、美术这七类作品均在著作权保护客体的范围之内。因此，在非遗档案资源建设中，必须要尊重和保障非遗相关的精神权利和经

---

① 齐爱民．非物质文化遗产系列研究（三）非物质文化遗产的知识产权综合保护［J］．电子知识产权，2007（6）：20-21．

济权利。同时，还要帮助各个参与主体（群体）意识到知识产权保护的重要性，知道哪些作品是应予以保护的。

8.2.2.2 明确责任，进行管理保护

网络（尤其是 Web2.0）环境下，版权保护主体不仅包括印刷品，更多的是数字作品，如文本、静态和动态图像、网站、音乐、广播、录音、软件以及数据库，而这些都是非遗档案资源建设中常见的资源类型。可以说，网络环境下利用群体智慧平台开展非遗档案资源建设最常遇到的知识产权问题就是版权问题，不仅因为版权所保护的作品种类繁多，保护期限也不同，还由于其对作品的自动保护以及受某些准则制约。也就是说，大部分的作品一旦被创造、分享或传播，就很有可能受版权保护，而且版权所有者（可能是多人）保留排他权，即限制他人复制、广播、表演、传播、向公众公开其作品或发行复制品。

因此，在知识产权保护机制当中，除了要增强意识，注重用法律保护非遗本体知识产权以及非遗档案资源建设中所涉及的知识产权之外，还要明确各建设参与主体（群体）的责任，进行管理保护。建设主体在上传享有版权的作品时，要签订相应的版权许可协议或类似的合同。要建立版权保护审核机制和侵权应急处理机制，一方面要采取措施（如标明作品的来源与出处）尽可能避免侵犯他人作品的版权，通过审核机制对上传的作品进行版权审核，当发生版权纠纷问题时，管理主体要及时采取行动，解决纠纷；另一方面，要注重平台原创作品的版权保护，采取措施保障原创作品的版权，严格打击和取缔知识产权的侵权行为，并建立侵权应急处理机制进行保障。此外，还要注重利用道德约束机制，在法律不能解决所有问题的时候，用道德的力量约束人的侵权等违法犯罪行为。具体而言，非遗档案资源建设群体智慧模式实现平台建设中，要注意以下几点：

一是要保证平台服务器中的非遗档案资源是合法的，例如要得到相关知识产权权利人的允许，并支付给权利人报酬，规避直接侵权的可能性。

365

二是不要进行风险较大的嵌套链接，普通链接也要经过被链接网站的许可。

三是在平台的醒目位置，设置投诉侵权的通道和联系方式，权利人一旦发现平台的链接或平台的信息存储空间有复制、盗版的资源时，就能够尽快与平台管理员取得联系。

四是平台的管理员一旦接收到权利人的投诉信息，要马上核实权利人反映的情况，若情况属实，要立即撤去侵权的资源或链接，并对上传者采取一定的制裁措施（如冻结账户等）和配合权利人追究其侵权责任。

五是平台的首页或其他醒目位置一定要是审核过的资源；对未审核的资源不得进行整理、编辑和推荐等。

8.2.2.3 引进技术，善用技术保护

群体智慧运用到非遗档案资源建设所搭建的基于 Web2.0 的实现平台，会面临一定的知识产权侵权风险，要实现该群体智慧模式，必须采取措施规避这些风险，否则这个实现平台就可能面临侵权、违法的风险。在实践当中，除了法律保护和管理保护之外，最常用也是最重要的手段是技术保护。目前而言，主要包括数字版权管理技术和数字水印技术两种。

数字版权管理技术（Digital Rights Management，简称 DRW）是指数字化内容在生产、传播、销售、使用过程中知识产权保护与管理的技术工具。DRM 的目标是运用技术手段遏制盗版，保护数字化内容的知识产权，保证数字化产品市场销售渠道的畅通，保障作者、出版商、分销商的利益和用户的合法使用权利①。DRM 是一项涉及技术、法律和商业各个层面的系统工程，它为数字媒体的商业运作提供了一套完整的实现手段。DRM 技术确保了数字媒体内容能够被合法地使用，使各个平台的内容提供商，无论是互联网、多媒体还是交互数字电视，能提供更多的内容，采取更灵活的

---

① 赵继海. DRM 技术的发展及其对数字图书馆的影响 [J]. 大学图书馆学报，2002（1）：14.

节目销售方式，同时有效地保护知识产权。

数字水印技术（Digital Watermarking，简称 DW）是指用信号处理的方法在数字化的多媒体中嵌入隐含的标记。其本质上是一个嵌入在数字产品（如图像、视频、音频、图形、三维模型等）中关于作者、所有者、发行者、使用者的标识，携带版权保护信息和认证信息，水印与内容本身集成在一起，不需额外的存储空间或新的存储格式标准。它包含的各种信息是不可见的（也有可见的）或不可听的，然而能够被计算机"阅读"或"可视"①。数字水印技术是目前信息安全技术领域的一个新方向，是一种可以在开放网络环境下保护版权和认证来源及完整性的新型技术，创作者的创作信息和个人标志通过数字水印系统以人所不可感知的形式嵌入多媒体中，人们无法从表面上感知水印，只有专用的检测器或计算机软件才可以检测出隐藏的数字水印，它也是数字版权管理的关键技术之一②。

运用技术手段，不仅要对上传的数字资源添加数字水印，保障其复制、下载等过程全程跟踪的技术保护，还要使用数字权限管理系统识别用户是否拥有所有权，使用一些系统或技术管理访问行为，保护访问网站时的口令，以及元数据标准化来获得所有权人信息③。当然，最佳方式是使用数字版权管理技术，进行全过程的保护。

8.3 质量控制机制

在群体智慧模式下的非遗档案资源建设中，群体智慧的积累依赖于群体广泛参与、资源快速共享以及群体交互协作，然而在吸收

367

---

① 刘颖，封玮．我国知识产权保护技术现状与展望［J］．情报科学，2005，23（7）：1098-1103.

② 范科峰，莫玮等．数字版权管理技术及应用研究进展［J］．电子学报，2007，35（6）：1141.

③ 孙金香，龚雪琴．试论 Web2.0 及其知识产权问题［J］．高校图书情报论坛，2010（4）：54.

广泛、分散、多样化的群体参与非遗档案资源建设的同时，对于群体所提供信息、资源以及反馈的质量也应当进行控制与提升，信息质量也是决定群体智慧能否发挥其价值的重要保障。

　　质量控制是质量管理过程中的重要一环，是为了满足质量要求，尽可能消除工作与活动中存在的不合格或不满意情况而采取的相关活动与技术①，随着大量个体参与非遗档案资源建设，个体的数量、层次以及兴趣等因素对非遗档案资源建设质量的影响力也逐渐变大。因此，对于非遗档案资源建设的质量控制是对群体参与到资源建设后的各个主体进行引导从而实现对内容和实践形式的管理，可以说对于非遗档案资源建设中的因素控制是质量控制的关键。具体来看，包括群体的决策质量和群体所提交及共享的非遗档案资源的信息质量两个方面。

8.3.1　非遗档案资源建设决策质量及其影响因素

　　群体在非遗档案资源建设中的决策活动，主要集中在通过留言、添加标签、投票、定级等方式开展非遗档案资源的认知、分类、共享和评价，并以互动协作的方式开展非遗档案具体管理与保护措施的发掘、选择和决策。因此，非遗档案资源建设的决策质量，是指个体决策对非遗档案资源建设目标和绩效实现的影响与贡献。我们呼唤群体在非遗档案资源建设中的介入与参与，是希望以群体的力量为非遗档案的管理带来正面的影响和积极的贡献。曾经有人认为决策是一种"完全理性"的行为，但即便是提出"理性人"假设的 Simon 也不得不承认，完全理性的决策在现实中几乎是不存在的，总有很多来自决策者自身或外在环境的因素会影响和左右到决策②。具体到非遗档案资源建设的决策上，决策群体自身的

① 宋立荣. 基于网络共享的农业科技信息质量管理研究 [D]. 北京：中国农业科学院，2008：76.

② Simon, Herbert A. Models of Man：Social and Rational [M]. Oxford, England：Wiley, 1957：287.

特征以及周围环境都会对决策质量产生较大的影响，这些影响因素主要包括以下三个方面：

8.3.1.1 群体规模

群体规模是指群体中人数的多少，它是群体结构与特征的外在体现，也同群体决策的质量有着直接的关联。经典社会学家齐美尔曾说，规模过小的群体将无法实现科学的群体决策，相对而言，规模较大的群体解决问题的能力将更强，但规模过大，也会出现难以驾驭和效率低下等问题①。Stenfan Krause 通过实验证明，群体规模越大，群体智慧也将随之产生，群体决策质量也将更高，Stenfan 甚至指出，当群体人数超过四十人时，群体的智慧将会超过一些专家和社会精英②。Gallupe 等也发现规模较大的群体往往能够比规模较小的群体产生出更多的群体智慧，做出更多更优质的决策③。但是，也有一些学者认为，群体规模与群体决策质量负相关，正如齐美尔所认同的，规模较小的群体较之于规模较大的群体有着更强的凝聚力④，因此，小规模的群体，在决策的效率、一致性等方面往往更高。Thomas 和 Fink 甚至计算出数量介于 5～7 人之间的群体，其决策的质量是最高的⑤。

当然，也有一些学者认为群体规模与群体决策质量之间的关系是动态的，在群体参与的非遗档案资源建设中，群体的规模最小可以是两人，即一对，他们会因为频繁地互动而产生更加浓厚的亲切

---

① 风笑天. 社会学导论（第2版）［M］. 武汉：华中科技大学出版社，2008：96.

② Krause S, James R, Faria J J, et al. Swarm Intelligence in Humans：Diversity Can Trump Ability［J］. Animal Behaviour，2011，81（5）：941-948.

③ Gallupe R B, et al. Electronic Brainstorming and Group Size［J］. Academy of Management Journal，1992（35）：350-369.

④ 风笑天. 社会学导论（第2版）［M］. 武汉：华中科技大学出版社，2008：96.

⑤ Thomas E G，Fink C F. Effects of Group Size［J］. Psychological Bulletin，1963（60）：371-384.

感，但也可能会因此滋生出一些紧张和局促，当两人意见相左时，小的群体可能因为其中一人的退出而解散，因而稳定性不强。同时，规模较小的群体，其知识储备、资源掌握也是有限的，这也会影响到决策的全面性和科学性。随着群体规模的增大，原本存在的紧张感和不稳定性将会慢慢消失，群体成员的动态变化将带来更多的生机与活力，集思广益的效果也能真正实现。但是，群体规模过大，交流和协作机制的不健全，也会在很大程度上降低群体决策的效率，而群体成员意见的过于分散，也难以形成科学和集中的决策思想，因此，正如国内群体决策研究学者刘树林所认同的，群体规模与群体决策质量之间呈现的是"n"形变化趋势①，即群体大小与绩效的相互作用间有一个曲线关系②，随群体规模的增加，群体所创建的策略方案的质量指标略呈上升趋势。

8.3.1.2　群体认知偏差

除去群体的外部特征，非遗档案资源建设参与群体之间，以及群体内部个体之间的认知偏差，也会影响到群体的决策质量。不同的群体，以及群体中不同个体之间，常常会由于血缘、亲缘、地缘上的相似，以及对共同目标的追求与实现，很自然地产生一种亲切感和凝聚力，这在互联网环境下将会表现得更为突出。互联网上所呈现的信息是海量的，而网络所具有的过滤和推介功能，常常会使个体接触和选择到的都是他们所感兴趣的信息，而个体常常会对这种信息的需求与供给上的不对称浑然不觉。同时，基于相同兴趣爱好组合起来的网络趣缘群体，已经成为群体参与非遗档案资源建设的主要群体，这些都会加剧群体间的同质化现象。社会心理学的研究发现，群体之间认识的历程，在经历了"群体认同"和"群体

---

① 刘树林，刘学军，朱涛. 群体特征对群体决策绩效影响的研究综述 [A]. 见龙升照，人—机—环境体系工程研究进展（第七卷）[C]. 北京：海洋出版社，2005：64.

② Steiner I D. Group Process and Productivity [M]. New York：Academic Press, NY, 1972.

比较"之后，将极有可能会出现"群体迷思"与"群体极化"的现象，这都将是群体决策中的大忌①。

"群体迷思"（Group think）的概念是由美国心理学家欧文·贾尼斯（Irving Lester Janis）于 1972 年提出。作者提出，在一个有着较高凝聚力的群体中，群体的成员常常会因为不愿显示自己的另类，维护群体的和谐，而忽略自己最初的决策，选择盲从和附和②。群体迷思有着十分严重的后果，正如历史学家小阿瑟·施莱辛格（Arthur Schlesinger Jr）所指出的，群体迷思模式下，群体成员对自己的盲目和自我蒙蔽常常抱有一种自信和乐观的态度，可能会有少数人拥有不同的意见，但他们不会在背地小声嘀咕和抱怨，如果有人敢于正面提出自己的异议，他必定受到排斥或干脆被拒之门外，群体并不会因此重新审视和评价自己的观点，只会以集体合理化的方式进一步捍卫他们的观点。

"群体极化"（Group polarization）的概念是由美国哲学家凯斯·桑斯坦（James Stoner）于 1961 年提出，这是在"群体迷思"基础上更进一步的群体认知偏差。桑斯坦指出，个体在进行群体决策时，往往会背离最佳的决策，做出比个体决策更加极端，更加保守或冒险的决策③。Sunstein 指出，基于共同爱好而组建起来的网络趣缘群体有着较强的群体认同感，因而更容易形成群体极化④；Sia Tan 和 Wei 也认为，相对于面对面的交流，网络交互产生的群体极化将更为严重⑤。当然，群体极化并非一无是处，它的一些大

---

① 嵇美云，田大宪. 群体性突发事件的网络舆情预警与应对——基于社会心理学的视角 [J]. 浙江传媒学院学报，2011（5）：17-18.

② Janis，Irving L. Victims of Groupthink：A Psychological Study of Foreign-policy Decisions and Fiascoes [M]. Oxford，England：Houghton Mifflin. 1972：10.

③ Myers，David G；Lamm，Helmut. The Group Polarization Phenomenon [J]. Psychological Bulletin，1976，83（4）：602.

④ Sunstein C R. The Law of Group Polarization [J]. Journal of Political Philosophy，2002，10（2）：175-195.

⑤ Sia C，Tan B C Y，Wei K. Group Polarization and Computer Mediated Communications：Effects of Communication Cues，Social Presence and Anonymity [J]. Information Systems Research，2002，13（1）：70-90.

胆尝试、勇敢创新的决策，对于社会的进行和发展是有着积极推动作用的。但在绝大多数情况下，群体极化是一种不理性、不客观和不健康的决策，他们总是会引领着群体的行为朝着更加冒险的方向偏移，决策失败的后果往往是为群体共有资源，或社会公共资源带来极大的损失。我国非遗保护、非遗档案资源建设是一项艰难而复杂的工作，非遗档案资源原本就是濒危和珍贵的，这就要求我们必须坚持谨慎、稳妥、有条不紊的管理策略，任意的冒险和不负责任，都会带来灾难性的后果。

8.3.1.3　决策对象

非遗档案资源建设中的群体决策质量，除了受决策主体的规模与认知偏差影响之外，不同的决策对象也会产生效果迥异的决策质量。对此，国外的一些学者已经开展了相关研究工作。Konstantinos 发现，对于一次运算的决策，群体产生的智慧总是小于群体中少数专家的智慧，但面对的是一个二次或二次以上的决策时，群体智慧总是比专家要更胜一筹①。Stefan Krause 则专门设置了两个不同性质的问题，对某博物馆中一天之内的参观者开展实证调查②。这两个问题分别是：①您右手边桌上的玻璃罐里有多少个玻璃弹珠；②一个硬币要被连续抛多少次，才能保证每次抛出去的都是"头"那一面（这样的概率就像大乐透一样小）。调查结果显示，大量普通公众都被问题①所吸引，并踊跃做出回答，对于问题②的参与就相对较少。从答案来看，很多普通公众所提供的问题①的答案都是正确的，而专家的准确率却很低，相反，他们更擅长解答的是问题②。由此可见，在非遗档案资源建设工作中，群体的智慧并不是针对所有的管理流程都会有卓越的表现，这也正是本书着重将群体智

372

---

① Katsikopoulos K V, King A J. Swarm Intelligence in Animal Groups：When Can a Collective Out-Perform an Expert？［J］. Plos One, 2010, 11（5）：1-2.

② Krause S, James R, Faria J J, et al. Swarm Intelligence in Humans：Diversity Can Trump Ability［J］. Animal Behaviour, 2011, 81（5）：941-948.

慧用于实现非遗资源的收集、分类和鉴定的原因所在。

8.3.2 非遗档案资源建设信息质量及其影响因素

非遗档案资源建设的信息质量，在此主要是针对群体所上传、收藏和共享的非遗档案资源及相关网络标签而提出的。而群体通过网络虚拟环境所提供的这些非遗档案信息是否在数量和质量上达到丰富非遗档案资源、推进非遗档案资源建设的要求，这就是对非遗档案信息质量的主要评判标准。

非遗档案有着重要的知识属性和信息属性，结合国内主要研究观点，笔者认为，这种有益的知识属性和信息属性，主要体现在原始记录性、科学性、创新性、先进性、学术性、准确性、可读性、价值性、规范性、可靠性等方面，其中尤以原始记录性、科学性、创新性和价值性最为突出。原始记录性是非遗档案的基本属性，主要体现在非遗档案资源来源、物理形态及内容信息的真实性、完整性和有效性上。科学性指的是群体所提交的非遗档案资料是否原汁原味、清晰客观地体现出这一非遗项目的主要形式和基本特点。创新性则是指非遗档案资源在记录对象、记录内容、记录方式等方面所具有的独创性和新颖性，这是判定非遗档案信息质量高低的关键指标。而价值性则取决于这一资源中所承载信息的数量和质量可能会对非遗档案资源建设带来的贡献大小，如果某一资源有着较好的原始记录性、科学性和创新性，那么它必定有着较大的价值性，必定是值得珍视和保存的珍贵非遗档案资料。

我们提倡群体在非遗档案资料收集中的广泛参与，并通过互联网搭建起群体活动的平台。但是，互联网和 Web2.0 环境下的开放与交互，在为群体主体创造了一个自由宽松的活动空间的同时，也为信息质量带来了很大的隐忧。管理主体文化素养参差不齐、管理经验不足、管理水平低下等客观原因，部分主体出于谋求奖励浑水摸鱼，或网络伦理的缺乏等功利因素，以及互联网不加控制、高度自由的环境等原因，都使得非遗档案资源的信息质量无法保证。在非遗档案资源数量以迅猛速度增长的同时，虚拟、无用、重复或过时的信息却充斥在整个管理体系之中，这种群体参与形式上的如火如荼，和实际上的收效甚微必将形成强烈的反差，在降低非遗档案资源建设效率的同时，也会带来人力、资金成本的浪费，以及大量垃圾信息的污染。因此，要确保群体参与的非遗档案资源建设工作顺利有效地开展，信息质量的控制是十分必要和紧迫的。

8.3.3 非遗档案资源建设的质量控制机制

非遗档案资源建设的质量控制机制是指为规范非遗档案资源建设诸多主体思想与行为，确保非遗档案资源建设的有效开展，提升非遗档案资源建设的质量和效果的相关规范、制度或手段的总称。非遗档案资源建设的质量控制举措主要体现在宏观控制和微观控制两个层次。

（1）非遗档案资源建设的宏观质量控制，需要有相关法律法规的约束、标准规范的指导、组织管理的监督，以及主体管理素养的培养和社会大环境的营造。我国现行的法规体系还是一个不完整的框架，具体到非遗档案资源建设上，过于粗放的条款并未对相关机构和大众群体在非遗档案资源建设中的权利和义务做出明确的规定，各主体究竟该以何种角色、何种尺度参与到非遗档案资源建设中，这些都未有明确地界定，自然也就出现了管理上的混乱、交叉和同质化的局面。只有重新制定和细化相关的法律法规，才能明确不同主体在非遗档案资源建设中的职责和偏重，进而以"人尽其才，优势互补"的形式推动非遗档案资源建设的全面发展。因此，在标准规范上实现非遗档案资源建设质量的控制，首先要做的就是在吸收和借鉴档案管理相关标准的基础上，坚持非遗项目档案和非遗传承人档案"两条主线"，从技术数据、业务流程以及管理"三个维度"尽快构建起非遗档案资源建设的标准体系。同时，尽快将这些标准用于非遗档案资源建设实践的指导和群体行为的约束，以实现群体参与的非遗档案资源建设的规范化和有序化。

非遗档案资源建设质量的宏观控制，还需要强化组织上的管理，即制定详细具体的建设规划，充分发挥政府和文化主管部门作为责任主体的倡导、组织和管理支持作用，明确档案机构在具体管理工作的业务指导和协调作用，在承认自组织管理模式存在可行性和合理性的同时，认识并履行档案机构对决策和资源的筛选、汇聚、过滤、修改和完善的作用。

（2）非遗档案资源建设质量的微观控制，是指通过先进技术的采用，以及部分关键环节的管控，最大限度地消弭存在于非遗档案资源建设质量中的消极因素，确保非遗档案资源建设的效益。结合决策质量和信息质量的特点及其影响因素，将微观控制的主要措施总结为以下几个方面：

第一，以自组织为主，吸收群体观点。随着信息技术的不断发展，非遗档案资源建设的主体逐渐扩大，社会公众也越来越多参与到了非遗档案资源建设实践的过程中，这大大提升了非遗档案资源建设发展的速度。但是，一些无价值的资料也可能会被归入到非遗档案资源建设体系之中，并在其中呈现出不合适的状况，浪费了人力与物力。面对这一情况，社会公众作为参与非遗档案资源建设的主体，也必须要对非遗档案资源建设的质量，及其自身发展情况负责，进行高质量、有针对性的非遗档案资源建设实践，这就需要社会公众通过决策质量控制和信息质量控制两方面进行非遗档案资源建设的质量控制。在控制过程中，一方面，需要保证群体选择和组成遵循索罗维基"多样性、独立性、分散性和集中性"四大原则，另一方面，还应通过一定的手段规范群体的思维及其具体行为，引导群体成员从不同角色、不同维度发表自己对问题的看法，提出自己认可的决策，从而真正做到取长补短，集思广益。

在群体进行非遗信息资源长期建设时，为保持意见的独立性与多样性，我们需要借助一定的手段对思维以及行为进行规范与引导，从而避免群体迷思与群体极化，在这一过程中，我们可以借助

375

爱德华·德·博诺（Edward de Bono）所提出的"六个思考框"①，使主体或管理者能够对自身或管理对象的思维及活动进行组织。德博诺将个体思维总结为"目的、观点、准确性、价值、兴趣、结果"六个维度，个体在决策过程中，通过在六个思维维度之间灵活转换，从六个方面对自身思维进行平衡，从而得出最优的决策，保证决策的来源能够代表个体自身的特点，确保决策的多样性以及完整性，降低群体之间相互影响的效果，防止个体沿着别人思路进行思维。

第二，建设主体实名，信息排名优化。除了对参与群体的组成及群体思维进行一定的前期或过程干预和引导，并对提交资源的信息质量进行一定的管理和监控外，还可以在非遗档案资源建设过程中实行主体实名制，这是确保主体参与态度和行为责任，进而提升信息质量的必要途径。这就需要主体在参与非遗档案资源建设的过程中提交自己的基本情况，以便于后期对于非遗档案资源建设效果的问责，从而提高非遗档案资源建设的效率与质量。另外，对于主体所提交的信息，在数字化后还应采取自组织的方式对其进行筛选、定级、排名和推荐，将早期网络信息所使用的管理员监控形式与用户添加评价或投票进行计算排名相结合，建立新的统计计算排名方式以及相关的标准②，这为公众在海量增长的网络信息中获取有效信息以及重要信息提供了一定办法，既能使公众尽快接触到非遗档案信息资源，使群众能够迅速、全面地了解相关信息，也为各主体参与非遗档案资源建设树立学习典范。

第三，引入专家推荐，大众同行监督。有着丰富专业知识和从业经验的专家，他们在非遗档案资源建设过程中的介入，对信息质量的评价和推荐，常常可以使得我国非遗档案信息建设事半功倍，因此在我们尊重和调动大众群体力量的时候，也不能忽视社会精英

---

① 爱德华·博德挪. 六个思考框 [M]. 庄榕霞，祖道海，译. 沈阳：万卷出版社，2011：9-10.

② 史波. 网络舆情群体极化的动力机制与调控策略研究 [J]. 情报杂志，2010（7）：53.

与专家在其中所起到的作用。在强调保持自组织过程中意见独立性的同时，也需要注意到专家对于群体的决策以及提交的信息都有着显著的引导作用。在群体中具有较多权限、较高自理以及威望的个体被称为意见领袖，在群体中具有较高的话语权，其观点与意见对群体内成员具有较大的影响。对于意见领袖，一方面需要在培养意见领袖的基础上，强调群体意见的独立性；另一方面，我们应尊重其观点，积极发挥其引导作用，往往意见领袖对于信息资源建设的正确引导会使得档案信息资源管理更加有效。例如档案部门依据自身的经验与方法，可对非遗信息资源建设过程中各环节实践与标准建设进行指导。因此，在非遗信息资源建设过程中，政府、文化主管部门需要考虑引入档案部门的专家推荐机制，积极调动和吸取档案部门的经验与方法，注重对意见领袖的培养①，进而对群众参与非遗档案信息建设的观点及意见进行引导与优化。

第四，非遗信息资源稳定的长期存储与备份也是非遗信息资源质量控制的重要途径之一。众所周知，数字资源具有不稳定、易更改性、对存储载体的依赖性等特点，这决定了在保存过程中，非遗档案信息资源易于丢失。所以，加强数字资源的保护和备份十分重要。在此，我们需要认识到档案部门在这一方面的积极作用，档案部门有着丰富的电子档案管理经验和方法，这些经验完全可以用于非遗档案信息资源的保存和备份，档案部门应该成为相关工作的主导者和执行者。

随着信息指数的增长，群体参与非遗信息资源建设的不断攀升，仅仅通过意见领袖或是所占比重较小的管理者对信息资源进行管理，保证其质量是不够的，大众群体需要通过平台（例如 Wiki 平台、微信平台等）实现自身对信息资源质量的控制，使群众能够有足够的权限与机会进行自我监督以及自我约束。这有助于在同行评议和大众监督相结合的状况下，提升群体在参与非遗档案信息建设过程中的公德心，减少无用或恶意的信息，提高非遗档案信息

---

① 杨文雯. 虚拟社区信息质量管理控制实证研究 ［D］. 上海：华东师范大学，2012：37-41.

价值。

8.4 协调机制

协调是对系统中各要素进行的统筹安排和全面调度，其目的在于使各要素均衡配置、相互衔接、相互促进。研究协调的机制可以从分析不协调状态的原因开始。不协调的直观表现是行动方面的不衔接、不和谐，甚至公开冲突、对抗[①]。在非遗档案资源建设活动中，其主体包括了各级地方人民政府、各级文化事业管理部门、非遗传承人、非遗商业性机构、非遗研究性机构，以及各级各类文化事业机构等[②]，随着非遗档案资源建设工作的开展，由社会公众组成的社区也将逐渐以自组织的形式成为建设的主体之一，这些主体处于同一系统之中，并随着资源以及信息的流动形成正式或非正式的关系，可以说这些主体共同构成了一个网络。而这一网络又可以分为两层次，第一层次是由各级政府以及各类文化主管部门所构成的，这些机构是非遗档案资源建设的主导者，同时也为第一层次网络传递信息及资源，在这一层次中，各主导机构不仅需要协调非遗档案资源建设中的资源配置，也需要协调非遗档案资源建设各机构之间的关系；第二层次是由非官方机构所组成的，这些机构是非遗保护的实施者及传承者，也是非遗档案资源建设实践工作的直接参与者，他们通过对非遗档案的收集、管理工作或自身对于非遗的理解，向非遗档案建设的主导者提供建议，确保标准的制定与实施符合实际要求。

非遗档案资源建设内各个主体都有着相互联系，并保持相对的独立性。群体智慧下非遗档案建设协调机制需要多元化个体相互协

---

① 陈佳鹏. 煤炭资源开发利用标准体系构建及运行机制研究 [D]. 北京：中国矿业大学（北京），2009：77.

② 周耀林，程齐凯. 论基于群体智慧的非物质文化遗产档案管理体制的创新 [J]. 信息资源管理学报，2011（2）：59-66.

作共同构建，在各自的权限内实施各自的职能并互相配合，如果存在着某一方在构建与实施过程中滞后，则会使得档案资源建设进程受阻。而在建设过程中，当主导机构无法将有限的资源有效分配给各个执行机构，则会导致档案资源建设与执行难以得到有效的贯彻，执行方面的不足导致创新能力的削弱，从而使档案资源建设难以深化。所以我们需要积极寻求方法对非遗档案资源建设体系进行系统协调，促使同一层级或不同层次间机构都能够平衡发展，保证系统的效用。对非遗档案建设的协调主要采用两种方法，即显性协调方法和隐形协调方法。

8.4.1 显性协调方法

显性协调是指在非遗档案资源建设的实施、监督、评价等环节中，各级政府及文化主管部门、文化事业机构、传承人以及不断增加的个体之间相互合作，推进档案资源建设发展。这种协调方式体现为以下几种形式：

第一，组织协调方式。从经济学的角度来看，可以将其看作不同主体互相博弈，进而在多方之间实现合作均衡，以达到利益最大化的一种形式。在非遗档案资源建设过程中，各方的利益都较为一致，其目标都在于保护非遗，并能以相对稳定的方式对非遗进行传承。这就需要在非遗档案资源建设过程中，政府部门、文化事业机构、非遗传承人与参与建设的群体之间能共同探讨，确保信息在不同主体之间相互流通。非遗档案具有多样化的形成主体，文化主管部门、档案机构、传承人以及一般个体，都有可能形成非遗档案。因此，基于群体智慧的非遗档案资源建设需要允许通过一定的方式，由各个主体各自形成并对非遗档案进行综合，且将非遗档案在实体意义上或者是通过遗产名录组织在一起①。参与非遗档案建设的个体可以依据自身的优势并结合自身需求，共同参与到档案资源

379

---

① 周耀林，程齐凯. 论基于群体智慧的非物质文化遗产档案管理体制的创新 [J]. 信息资源管理学报，2011（2）：65.

建设过程中，各级政府部门也需要保证信息渠道的顺畅，积极接收群体在实践过程中的反馈，主动与其进行对话，进而合理地从管理、技术等方面对非遗档案资源建设进行调整。非遗档案资源建设过程中，各主体创建内容或者分享内容，相互之间存在依存关系的情况，因为不同个体的工作之间相互依赖，人们需要协调相互间的工作，进而避免不必要的冲突。非遗档案资源建设工作存在着多个环节，许多环节的工作都需要相关各主体进行合作。合作的前提是非遗档案资源建设工作中各个主体之间的平等性，实践中，单一主体无法对非遗档案资源建设的任务和资源进行单独占有，各个主体基于各自的专长和资源，通过合作实现非遗档案资源建设工作的全局最优化①；同时在建设过程中，政府部门和文化事业机构应当发挥其主导地位，积极指导，为参与建设的群体提供相应的培训、帮助与前沿信息，非遗传承人应当从长远利益出发，采取符合当前与未来利益的非遗档案资源建设实践活动；而在监督和评价阶段，个体应先立足于各自的角度对非遗档案资源建设情况进行监督与判断，通过实施情况进行调研，并对实际情况进行综合分析，将所得结果通过集体决策，以投票、协商、预测等方式进行确认，并作为制定调节计划与发展计划的基础。推进非遗档案资源建设中鉴定、整理并不断完善和优化，展开新一轮主体相互协调活动。

第二，政策引导方式。通过政策与法律法规的出台，对非遗档案资源建设进行引导，提升其发展速度，这就首先需要充分了解非遗档案资源建设的情况，从而提供相应的政策支持。政府通过建立档案资源建设方面相应的法律法规对参与建设的各主体以及所涉及的各方面要素，如权限、技术等进行统筹，以起到支撑和约束作用，这有利于调节资源建设发展过程中存在的主体或个体间矛盾以及主体间权限不均衡问题。其次，政策的引导在肯定主体的权责，协调主体当前活动的同时还需要保持一定的前瞻性，不能违背政策体系的发展趋势，这是保证非遗档案资源建设能够持续、稳定发展

---

① 周耀林，程齐凯. 论基于群体智慧的非物质文化遗产档案管理体制的创新 [J]. 信息资源管理学报，2011 (2)：65.

的基础，进而能够引导并支撑非遗档案资源建设有序进行，减少非遗档案资源建设过程中的无效行为，提升资源的利用效率。

在政策引导以及相关法律法规构建方面，国家应当履行权利主体角色，通过政策及法规的确立，切实做好收集、管理保护、合理利用、延续性等方面的工作，建立管理机制，科学设置管理体系，为用科学、规范、理性的手段保护非遗提供依据。而非遗生成的群体则担当非遗档案所有人的角色。非遗是由该群体世代相传，并视为其文化遗产组成部分的各种传统文化表现形式、实物和场所，是有关民族集体创造的智慧杰作，是人类共同的宝贵精神财富。而非遗传承人作为非遗及其群体的典型代表，其身份既不是独占使用人，也不是所有权人，只是"法定的"非遗传承人，其职责在于对非遗进行推广与传承。由此可看出，非遗档案相关政策与法规的权利内容在于占有权、使用权、有限处分权、收益及收益分享权和传承权。对此五种权利内容进行限定才能一方面保证群体能够在一定范围内对非遗及非遗档案信息持有有限的支配权，档案资源能较为顺利的被利用；另一方面，在保障所有者对非遗档案享有优先支配权的基础上，权利主体能够对可能影响遗传资源物种变异、珍稀濒危物种灭绝、珍贵民族特色工艺失传、域外外泄影响民族利益等情形下非遗档案处理问题具有一定的灵活处理的权利，进而防止所有者对于非遗档案资源控制力度过大的现象①。

第三，制度保障方式。制度是保证非遗档案资源建设顺利发展的基础。制度保障是针对政策能发挥其作用，建设活动得以规范执行而形成的相应机制，是实现资源共享，推动各主体全面发展，提供可持续发展的驱动力，并通过对不同主体的约束，保证资源能够得到高效配置与组合。以制度保障的形式对非遗档案资源建设进行协调，需要建立多层次制度平台，从非遗档案建设主体、管理手段、技术采纳、实践流程等不同角度对制度进行设计，确保制度的有效性。另外还应当通过建立法律法规的方式，保证制度的权威

381

① 李华明，李莉. 非物质文化遗产知识产权主体权利保护机制研究[J]. 中央民族大学学报：哲学社会科学版，2015（2）：107.

性，从法律的高度支撑非遗档案信息建设的实施。

8.4.2　隐性协调方法

　　隐性协调方法是非遗档案资源建设各主体协调过程中所隐含的各种协调关系的总和，即通过建立一系列隐形机制来应对常规程序之外的偶然事件。

　　首先是信任机制。随着非遗档案资源建设不断地完善，个体之间来往更加密切，在互动过程中，不同个体之间逐渐形成上下层级或相互协作的关系，进而彼此产生依赖，或彼此之间存在着长期的业务往来，两者之间就会形成信任关系。信任的形成是主体间相互协调与合作的必要前提。同时，信任机制有着以下两个特点：首先信任的建立是相互的，单方面的信任关系是不稳定的，其次信任的建立与消失速度是不对称的，信任的建立是需要逐步加强的，而信任的破坏却能在短时间内完成，且信任的重建难度较大。

　　群体参与的非遗档案资源建设是以网络信息技术为依托，以实现信息共享和推动群体参与到非遗档案资源建设的最终实现为目的的虚拟网络化分布式动态组织形式，在虚拟主体群众中，高的信任往往会带来高的团队绩效，Lipnack 和 Stamps 提出了"虚拟团队的成功来自信任"①，Charles Handy 也指出："没有信任就没有虚拟组织。"② 随着群体参与到非遗档案资源建设之中，非遗档案资源建设的主体结构逐渐呈现简单化、扁平化、网络化的特点，传统垂直组织结构中的权力影响和干预逐渐减弱，而组织内部、成员之间的信任关系则有着更为重要的意义和价值。信任关系的建立和维系，可以增加虚拟团队中的合作和信息沟通，降低风险和不确定性，避免利益冲突带来的相互伤害。信任关系可以支撑群体参

---

　　① Lipnack J, Stamps J. Virtual Teams: Reaching Across Space, Time, and Organizations with Technology [M]. John Wiley & Sons, 1997. 64.

　　② Handy C. Trust and the Virtual Organization [J]. Long Range Planning, 1995 (28): 126.

与的非遗档案资源建设的有效运作。在资源建设过程中，对于主体而言，信任机制贯穿非遗档案信息资源建设的过程中，主体之间的相互信任推进了主体之间的相互认可以及合作的深度，往往会使更多的个体参与到非遗档案资源建设中。主体间的信任和认同将扩大主体间信息共享与交流的广度与深度，提高非遗档案资源建设的水平与效果，彰显每一个个体在非遗档案资源建设中的积极性、创造性和独特性，提升各主体参与非遗档案资源建设的满意度，增强个体对主体群的忠诚度，反过来也推进了信任机制的不断深化①。

非遗档案资源建设的过程包括了非遗档案资源的采集、共享、交流、分析、评议、定级和利用等环节，这些形式总体来说都属于知识或信息的共享和交流。Davenport 和 Prusak 等指出，互惠和信任是促进知识共享的两个重要影响因素，这一点在网络环境下表现得更为强烈②。知识总体来说可分为显性知识或隐性知识，互联网所具有的自由、开放、共享和海量存储的特点，为个体成员通过网络实现显性知识的共享与交流提供了可能，其他主体也可以通过网络随时随地浏览和接收新的知识与信息。在高度稳定的信任关系下，信息发布主体将会降低自身知识保护的意识和水平，不会再限制知识或信息流向其他主体，因为他们相信对方不会做出阻碍整体目标实现的事情。因此在非遗档案资源建设过程中，信任机制通过对各主体之间关系进行调节，保证了在建设过程中信息的流通顺畅以及较高的可信度，其作用的发挥在于消除主体之间的阻力，并提高主体之间的凝聚力从而发挥其调节作用。然而随着主体凝聚力的提高，非遗档案资源建设过程中应当注意群体迷思和群体极化引起的决策质量下降，不可过度依赖于信任机制。

其次是声誉机制。声誉机制的基础在于信任机制中由 Lewicki

① 戴旸. 基于群体智慧的非物质文化遗产档案管理研究 [D]. 武汉：武汉大学，2010：209-210.

② Davenport T H, Prusak L. Working Knowledge：How Organizations Manage What They Know [M]. Boston：Harvard Business School Press，2000：8.

和 Bunker 于 1995 年提出的"了解型信任"①。随着群体在非遗档案资源建设工作的不断深入，管理主体间的了解与认知将会逐步加强，熟悉度也会不断提升，各主体对对方所具有的基本能力、诚信度、主要情感已经有了一个较为清晰的认知，并以此为依据做出较为科学和准确的预测，因此具有较高的稳定性。其具体的形式包括允许和鼓励其他主体或网站登录者对某一主体发布的信息做出评价或顶帖；或者网站管理员依据不同主体的信息贡献程度，以及提供信息的质量进行评级，级别越高，意味着其拥有更好的网络声誉。随着非遗档案资源建设的发展，主体之间长期合作的需要使得各主体对于对方的历史记录更为重视。这种历史记录的表现则是一个主体自身的声誉，而良好的声誉能保证未来合作的有序开展，声誉机制也是提高协作有效执行概率的重要依据。在互联网环境下主体的历史信息能够迅速进行传播，因此不良的行为会很快扩散并受到惩戒，只有当对方所展现的能力超过预期水平的时候，主体间的合作才能得以延续，原本的信任基础才能得以延续，然而对能力的认同并不意味着一味要求对方具有强大的能力、海量的知识储备，当一方的能力远远超过另一方时，主体间平等地合作也将无法进行下去，原本建立起来的信任关系也会就此消失②。因此在非遗档案建设过程中，声誉机制对于主体参与建设起到的调节作用在于，一方面能够为主体在选择合作对象的时候提供切实的判断依据，有利于消除主体间隔阂，提高工作效率；另一方面，则能够通过声誉对主体进行筛选，从而选择符合当前发展需求的主体参与非遗档案信息建设，保证主体目标与发展方向的一致性，促进主体间合作。

再次是文化协调机制。文化协调机制的基础同样是 Lewicki 和

384

---

① 戴旸．基于群体智慧的非物质文化遗产档案管理研究［D］．武汉：武汉大学，2010：210-211.

② 戴旸．基于群体智慧的非物质文化遗产档案管理研究［D］．武汉：武汉大学，2010：214-215.

Bunker 于 1995 年提出的"认同型信任"①,文化可以理解为行业、职业与专业方面的知识所构成的共同的价值观念所形成的系统,在一定程度上会影响主体的合作与互动,行为规范与期望。通过社会化形成期望聚合,参与非遗档案资源建设的群体是由大众群体构建起来的虚拟团队,群体中的每个成员都具有自己的目标并认同非遗档案资源建设对文化传承的意义。在这一文化认同的引领下,单个主体围绕非遗档案资源建设所产生的意愿与理想很容易为他人所理解与认同,并由此建立起新的信任关系,同时随着合作的不断深入,知识积累所构成的集合形成共同的价值观和共同文化系统,并能使各主体更充分地进行信息沟通和交流②,进而提升主体协调的效率,促进非遗档案资源建设发展。然而以我国为例:我国是一个多民族国家,疆域辽阔,文化繁荣,不同的民族、不同的地域,有着不同的文化特质,同时由于个体所处的生活环境存在差异,所认同的文化也并不相同,因此实现文化认同,一方面需要对文化的母体进行追溯,积极探寻隐藏在不同文化中的共同文化元素,实现不同文化的相互渗透和相互交融,另一方面,需要积极开展跨文化的培训,鼓励主体之间的接触,增进对于不同文化的了解,进而消除彼此间的隔阂与陌生,以这两方面作为基础,才能形成有共同文化特质同时保存不同文化特色的为多元化主体所共同认同的文化基础。

由此可知,隐性调节是各个主体依据现实情况而做出的自我选择与主动调节的机制。在非遗档案资源建设过程中,不同的主体有着不同的专业,履行不同的职能,在协调机制构建与作用发挥的过程中形成了各自的子系统。而显性与隐性的调节提升了子系统之间的协作程度,在一定程度上,使整个系统的效用超过各个子系统效

385

---

① Lewicki, Roy J.; Bunker, Barbara Benedict. Trust in relationships: A Model of Trust Development and Decline [M]. San Francisco, CA, US: Jossey-Bass, 1995: 240.

② 陈佳鹏. 煤炭资源开发利用标准体系构建及运行机制研究 [D]. 北京: 中国矿业大学, 2009: 93.

用累加之和。

综合以上的方法和机制,从实践角度看,非遗档案建设下各主体相互协调时,个体应先依据其自身在非遗档案资源建设中所处位置以及自身所需要发挥的职能,从而对调节的方法进行选择。根据当前的状况判断应对其使用显性调节或者是隐性调节,选择确定方法,依据对象的不同,从组织、政策、制度方面加以协调,还是针对信任、声誉、文化等角度对其进行调节,最后达到相互协作的效果。在这一过程中,显性调节与隐性调节往往综合使用,以达到协调各主体及相应子系统的目的。

对非遗档案资源建设中的主体进行调节的目的在于两方面:首先,通过对各子系统之间进行调节,能够为各个主体提供可以充分发挥其优势的环境,从而使其能力最大限度地得以发挥;其次,对于各子系统的协调能够形成协同效应,增强各个部分之间沟通与合作,使得每一主体都不孤立存在。系统整体的价值不仅仅等于各子系统价值的叠加,而是通过调节将非遗档案资源建设体系优化成为动态、灵活的机构,能良好地适应任何环境与状况。

8.5 激励机制

"激励"(Motivate)的本义为"采取行动",引申义则为"使人产生行动的动机",或"激发人的行为动机",是管理过程中不可或缺的环节和活动。激励理论研究的基础可以追溯到 1943 年美国著名心理学家马斯洛提出的需求层次理论,他认为,人的需求是具有层次性的,高层次需求满足的基础应当以满足低层次的需求为基础。在此基础上,维克托·弗鲁姆提出了期望理论,他认为,激励力度的大小取决于事件成功的概率以及成功后所带来的价值。在考虑人的需要的基础上,同时考虑了满足需要的途径及环境的影响。弗雷德里克·赫茨伯格的双因素理论,提出了激励因素(促使人满意)和保健因素(减少不满意)。他认为,只减少不满意,并不会提高员工满意程度,只有加强激励因素,才会有效提高员工的满意程度，通过对保健因素和激励因素的应用可以采用不同的激励方式。

综合以上研究成果，我们可以看到"激励"的主要形式与类型，主要是基于"经济人""社会人""自我实现人"三重假设而提出和形成的。"经济人（economic man）假设"认为经济诱因是引发人们工作动机的主要因素，人们参与生产活动的目的是希望获得最大的经济利益①；"社会人（social man）假设"认为作为独特的社会生物，社会需求是人们从事工作的主要动机，人们通过工作可以与周围的人建立融洽的关系，并获得同事的认可，享受工作带来的乐趣，以金钱为主的物质利益反而成为次要的因素②；"自我实现人（self-actualizing man）假设"认为自我实现是人类需要的最高层次，在工作中取得成就，实现个人的独立与自治，自身的能力、优势与技术得到发挥，并逐渐适应于周围的环境，这些都是自我价值的实现，获得的奖励，除了有增加工资、职务晋升外，还包括自身知识的增加、个人才干的增长以及内在潜力的发挥③。

在群体参与的非遗档案资源建设过程中，群体参与的热情是保证群体有效参与的关键，同时群体与其他主体间的关系也需要通过一定的措施进行激励，从而强化各主体的合作关系。对非遗档案资源建设的方法、手段进行引导。因此，建立运用有效的激励机制具有两方面的积极意义：一方面，激励机制能够对信息资源建设过程中主体的目标及实践活动进行引导，进而推动非遗档案资源建设的发展；另一方面，激励机制能通过对主体参与非遗档案资源建设环节的状况以及积极性的管理，对主体间的合作关系进行调节。

387

① Ferber M A, Nelson J A. Beyond Economic Man：Feminist Theory and Economics［M］. University of ChicagoPress，2009：25.

② 张其仔. 社会资本论［M］. 北京：社会科学文献出版社，1997：20.

③ Covin T M. Readings in Human Development：A Humanist Approach［M］. MSS Information Corporation，1974：46-53.

8.5.1 激励的主要类型

　　基于"经济人""社会人""自我实现人"三种假设，激励按照其作用方式可被划分为物质激励和非物质激励两大类。在非遗档案资源建设中，两者都是主要的激励类型。

　　物质激励是指运用现金、奖品等物质手段满足参与主体物质上的需求，以激发其参与非遗档案资源建设的动力与激情，进而充分调动其主动性、创造性的过程。在我国现行非遗档案资源建设过程中，物质激励已经得到了很好的利用，政府和文化主管部门对在非遗档案资源建设过程中表现突出，或是做出重大贡献的机构与个人给予的一定资金奖励，或是投入更多的资金以帮助和促进非遗档案资源建设工作的开展，都属于物质激励的内容。

　　非物质激励往往通过金钱和物质之外的途径来实现，具体包括情感激励、声誉激励、创新激励、工作激励等。其中，情感激励又可细分为尊重激励、信任激励、赞美激励等；工作激励则包括任务激励、授权激励、目标激励等。总体来说，非物质激励是一种较高层次的"零成本"激励，只是它的实现，需要依托一定的物质载体①。在非遗档案资源建设过程中，非物质激励的形式主要有情感激励（爱）及其中的尊重激励（认可）、声誉激励（荣誉），以及工作激励中的任务激励（责任）②。

　　在非遗档案资源建设过程中，采取一定的激励手段对于大众群体在非遗档案资源建设中的参与动机有着助长、反复强化的作用。物质激励和非物质激励相结合的多种激励手段并用，必将极大地激励参与者实现自身目标、推动国家文化的进步与繁荣，抑或是承担政府、文化主管部门所赋予的三方面重任，并以一种积极、踊跃的

---

　　① 魏红梅．客户知识共享激励机制研究［D］．哈尔滨：哈尔滨工业大学，2010：49.
　　② 周耀林，程齐凯．论基于群体智慧的非物质文化遗产档案管理体制的创新［J］．信息资源管理学报，2011（2）：64.

姿态参与到非遗档案资源建设过程中，而我国的非遗档案资源建设工作也会因此而不断成长、壮大，并逐步走向成熟。同时，激励也是突破参与者之间共享知识与信息的障碍，营造良好协作氛围的重要保证。标准、清晰、明确、平等、公允的激励手段，在强化用户参与动机的同时，也会极大催生和强化参与者共享知识与信息的意愿，使其抛弃一切顾虑与避忌，愿意和乐于使自己的私有资本成为大众所共有的文化资源。

8.5.2　激励机制的构建

激励机制（Motivate Mechanism）是指在一个组织体系中，为实现激励主体与激励客体之间相互作用、相互影响，甚至是相互约束而采用并固化的激励手段、方式、方法、结构与关系的总和。在非遗档案资源建设的整体组织中，我们可以看到不同的个体在不同管理层次中，对于激励因素的需求偏好存在着一定差异性，同一个体在不同的参与阶段或不同的参与活动中，也同样有着不同的需求偏好，而个体在参与非遗档案资源建设过程中所处的外在环境，同样会对其个体的激励效果产生一定的影响。因此，激励机制的设计应依据不同个体的不同需求偏好来设计，以实现最大的激励效果，同时还应注意激励手段适用的范围和产生的作用也都是不同的。唯有集合多种激励手段，通过优化组合、取长补短，才能实现预期的激励效果。

在大众群体参与非遗档案资源建设过程中，激励机制的主体应当是政府及其文化主管部门。在法律上，政府以及文化主管部门是非遗档案资源建设的倡导者和组织者，在非遗档案建设体系中，政府以及文化主管部门担任管理者这一角色，是非遗档案建设众多主体的核心，因此，也具有发挥激励作用，从而最大限度地调动大众群体参与的积极性和主动性的作用。然而在群体智慧模式下的非遗档案资源建设过程中，激励的主体身份是动态相对的：群体在非遗信息建设过程中围绕某一项非遗档案建立起来的主题讨论组，因对某一种非遗有着共同兴趣的趣缘组群，甚至是上传非遗档案资料，

389

接受其他个体评价、投票和定级的管理个体。在这一过程中，往往也通过一定的激励手段对群体进行吸引，以获得高质量的信息及反馈，激励的手段包括小额现金奖励、虚拟货币、发放勋章、增加积分，或是文字表扬等①。而在非遗信息建设过程中，所有参与者均为激励的对象，此时群体具有的身份兼具激励主体与激励客体的身份。针对这种情况，在非遗档案信息建设过程中应当遵从马斯洛的观点，以满足不同个体在不同状况下的不同需求为目标进行灵活而全面的构建。

8.5.2.1 激励机制的构建理念

在激励机制的构建过程中，我们需要对四个方面进行考量，即构建目的、主要需求、具体规范、效率四个方面。

如上文所说，激励机制构建的基本原则在于通过调节激励的主体与客体间关系从而最大限度地调动群体的积极性。因此，激励主体与激励客体在档案建设过程中所产生的需求就是激励机制的主要需求，任何一种激励机制的目的都在于提高绩效，这就意味着激励机制的构建需要以主客体两方面需求与非遗档案建设水平的提高相适合为目的。因此在规范建立的过程中，一方面需要考虑使其成为激励手段长期稳定发挥作用的依据；另一方面应当使其对激励课题的发展进行一定的引导以及约束。

在对群体参与的非遗档案信息建设激励机制的构建过程中，我们对于激励主体与客体的考量究其本质是对参与非遗档案信息建设中个体的考量，个体在档案信息建设过程中能发挥积极作用和正面影响，才能实现个体的有效参与、互动，达到群策群力、集思广益的效果，进而实现群体智慧的涌现。因此，在制定非遗档案资源建设激励机制的指导思想和设计理念时，我们也应当结合个体的需求及其在非遗档案资源建设中发挥的作用进行构建。随着大量个体在激励机制中主客体身份的重叠化，个体在非遗档案资源建设过程中

---

① 戴旸. 基于群体智慧的非物质文化遗产档案管理研究 [D]. 武汉：武汉大学，2010：246.

的需求及作用的发挥也处于动态及不断变化的状态。因此，对个体的激励手段也不应该是一成不变的，为了实现个体需求与激励机制之间的最优配置，笔者认为，应该坚持以下三个方面：第一，从个体的自身特征来看，处于不同管理层次、有着不同的文化背景，在非遗档案资源建设中扮演着不同角色的个体，他们对于激励因素的需求偏好是不同的，同一个体在不同的参与阶段或不同的参与活动中，也同样有着不同的需求偏好，因此，激励机制的设计应依据不同个体的不同需求偏好来设计，以实现最大的激励效果；第二，从个体构成的组群的特点看，组群是个体在参与非遗档案资源建设过程中所处的外在环境，如组群的整体氛围、组群所处的生命周期等，同样会对其个体的需求以及激励效果产生一定的影响，因此，设计激励机制时，同样需要考虑这一方面的因素；第三，正如前文所言，非遗档案资源建设有着多种激励手段，从激励形式上看有物质激励和非物质激励，从激励时间上看有长期激励和短期激励，从激励施加表现上看则有显性激励和隐性激励，不同手段的组合使用会产生不同的优缺点，其适用的范围和产生的作用也都是不同的，唯有集合多种激励手段，依据不同情境对激励手段进行选择与优化、取长补短，才能实现预期的激励效果。

8.5.2.2 激励机制的构建方式

基于上文所述的构建理念，在非遗档案资源建设激励机制的构建中，应依据个体的不同角色、不同参与阶段、处于不同组群三种标准，对个体的激励手段进行设计、组合，可分为以下三种：

（1）基于不同角色个体的非遗档案资源建设的激励

在参与非遗档案资源建设的众多主体中，政府和文化主管部门是非遗档案资源建设的主事者；民间组织、公共文化机构、新闻媒体、高等院校中的主体群是非遗档案资源建设的实践者；档案部门是有着丰富档案管理经验，足以成为指导非遗档案资源建设的专业主体；而包括非遗传承人在内的广大社会公众则是非遗档案资源建设的支持者。其中政府和文化主管部门，在大部分情况下是主要的激励主体，但在参与非遗档案资源建设的具体工作时，他们同样是激励的客体。他们一般是非遗档案资源建设的组织者和倡导者，更加在意的是自己因此获得的社会荣誉和地位，因此，对他们的激励应以非物质激励为主、物质激励为辅，长期激励为主、短期激励为辅，隐性激励为主、显性激励为辅。

作为执行者和专业主体的民间组织、公共文化机构、高等院校、档案部门，他们中的大部分人有着较高的文化素养、业务经验、正确的参与动机和积极的参与热情，他们多对自己所负责的工作或部分负责，是整个工作中的业务骨干，通过局部影响到非遗档案资源建设的全局。在需求偏好上，他们希望得到政府和文化主管部门的肯定，但也需要协调内部个体成员形成合力来完成，因而外部环境也有着较大的影响，对于他们的激励，和政府及文化主管部门的激励形式大体相同，只需在组合比例上做出微调。所不同的是，对这一部分主体，任务激励也是一种必要的激励手段。

对于包括非遗传承人在内的社会公众来说，他们的文化水平、个人觉悟及参与动机是参差不齐的，加之他们处于基层，因而较多处于流动与变化中。但是，他们同样也渴望得到尊重，其个人价值也希望得到实现，而绝大部分的公众，对于非遗档案资源建设抱有善意的动机，所缺少的仅仅是参与的动力和坚持的毅力与水平。因此，对这些主体的激励，应将物质激励与非物质激励相结合，短期激励与长期激励相结合，显性激励与隐性激励相结合。

（2）基于不同参与阶段个体的非遗档案资源建设的激励

依据群体在参与非遗档案资源建设不同阶段的特征，笔者将个体在非遗档案资源建设中的参与划分为参与准备阶段、参与初级阶段、参与中级阶段和参与高（后）级阶段四个主要阶段。

处于参与准备阶段的个体，其心理上的特征往往是观望、犹疑、踌躇或跃跃欲试，这就需要一种暂时却又能立即见效的激励方式，鼓励和推动个体参与到非遗档案资源建设中。因此，在这一阶段，物质激励是主要激励方式，非物质激励则处于辅助地位；从激励的时间上看，宜以短期激励为主、长期激励为辅；在激励形式上则以显性激励为主、隐性激励为辅。

处于参与初级阶段的个体，多处于尝试、探索、模仿和简单创造的状态，准备阶段的激励手段已经产生了一定的效果，但还需要继续坚持，同时，个体刚刚贡献出的资源和做出的成绩，也渴望获得他人的肯定与认同，这也是他们继续深入参与的动力。因此，在这一阶段，应坚持物质激励和非物质激励并重，短期激励和长期激励同在，显性激励和隐性激励共存。

在参与中级阶段，个体已经积累了一定的参与经验，也熟悉了周围的环境，可以说，在非遗档案资源建设中已经驾轻就熟，此时对于精神和情感上的满足是其主要需求。因此，在这一阶段，应以非物质激励为主、物质激励为辅，长期激励为主、短期激励为辅，隐性激励为主、显性激励为辅。

当个体处于参与高级或后期阶段时，激励将逐渐呈现出边际递减效应，激励手段对个体的影响和促进作用将不再显著，个人的需求也已不再突出。当然，为了个体以周而复始、循环往复的态度重新投身到新的非遗档案资源建设中，激励仍是必要的，保持各种激励手段间的相互匹配与均衡，是这一阶段所要坚持的主要准则。

（3）基于处于不同生命周期组群个体的非遗档案资源建设的激励

由个体组成的非遗档案资源建设的组群或团体，它们都有着从产生、发展到功成以后解散的生命周期，对于处在不同生命周期的组群中的个体，所要采用的激励手段和组合也是不一样的，在此，本文将组群的生命周期简单划分为草创期、发展期、成熟期和即将解散期。

处于草创期的非遗档案资源建设组群，其内部成员的数量应该不多，且规模较小，拥有或可以利用的资源很少，相关的管理制度和组织手段也是不完善的，处于这种组群的个体，他们需要的是必胜的信心和管理层对其的信任。因此，在这一阶段采用的激励手段应该相对简单明确，注重非物质激励和长期激励。

处于发展期的组群，其内部成员的数量正在逐渐增多，规模也在逐步扩大，他们已经开展或完成了一些具体任务，取得了一定的成绩。因此，这个组群正逐渐趋于稳定，人心浮动的情况也会相对好转，对于处于这种组群中的个体，激励的方式应该是灵活多样的，可以依据该主体在该组群中承担的具体角色确定激励手段和组合。例如，对于主事者、执行者和专业主体，应以非物质激励、长期激励、隐性激励为主，物质激励、短期激励、显性激励为辅；对于处于基层的大众个体，应以物质激励、短期激励、显性激励为主，非物质激励、长期激励、隐性激励为辅。

处于成熟期的组群，其内部成员的数量及规模已经稳定，他们已经成为非遗档案资源建设的中坚力量，并形成了一系列的管理经验和管理方法，处于这种组群中的个体，他们所具有的价值实现的满足感和集体荣誉已经成为其继续开展工作的动力。因而，所采取的激励手段可相对弱化，但以尊重激励和任务激励为主的非物质激励仍能起到一定的效果。

处于即将解散期的组群，往往存在有两种情况，一种是功成身退，另一种则是因衰退而解散。因功成身退而即将解散的组群，其中的个体内心会充盈着强烈的成就感和愉悦感；而因衰退而被迫解散的组群，其中的个体将会有着无比的失落感、挫败感或惋惜感。对于非遗档案资源建设来说，实现优秀组群的再度升华，或是落后组群的成功蜕变或衰退延长，都是其所愿见到的最好局面。因此，对于这些组群中的个体，物质激励、短期激励或显性激励往往会产生更为明显的效果，而非物质激励、长期激励或隐性激励则收效甚微，一般不宜采用。

8.6 保障机制

保障一词主要包括三层含义①：①起保护防卫作用的事物；②保护、防卫，使之不受侵犯或破坏；③保证。在社会生活中，常见的与保障相关的术语包括：社会保障、后勤保障、军械保障、军需保障等等。在管理学科相关研究中，"保障"常常是从政策、法

---

① 阮智富，郭忠新. 现代汉语大词典（上册）［M］. 上海：上海辞书出版社，2009：359.

规、技术、人才、资源、环境等方面去促进或维护某个项目或业务
的开展和实施。基于此,笔者认为非遗档案资源建设群体智慧模式
实现的保障机制就是确保群体智慧应用于非遗档案资源建设得以实
现的一系列软硬件条件的支撑和保障。

从宏观层面上看,非遗档案资源建设群体智慧模式实现平台的
建设需要寻求一定的资金、人才、技术支持,它们是任何一个国家
或地方重大系统工程得以实现必不可少的条件。

8.6.1 政策保障

国家政策法规的出台会对非遗保护工作的开展产生较大的影
响。非遗档案资源建设群体智慧模式的提出来源于实践,从某种程
度上看,又高于实践,对于实践工作的开展具有一定的推动作用。
当然,要实现非遗档案资源建设群体智慧模式,需要建立一定的保
障机制,尤其是国家政策的支持和引导,可以产生一种自上而下的
影响效应。

保障机制的建立首先需要以政策为导向,从韩国、苏格兰等国
家的实践情况来看,非遗档案资源建设的群体智慧模式的实现,需
要国家文化主管部门进行自上而下的顶层设计。他们通过平台的设
计与开发,以政策、资金、标准、技术等为保障来实现群体智慧模
式。在我国,全国非遗保护工作由文化部非遗司领衔,各地非遗
保护工作同样由文化主管部门主导。因此,对我国而言,无论是
否由文化主管部门来主导非遗档案资源建设,这种群体智慧模式
的实现,都需要得到国家或者地方文化主管部门的政策支持和引
导。

2004 年加入《保护非遗公约》后,我国的非遗保护工作正式
沿着联合国教科文组织提出的方法和路径展开。随着《关于加强
我国非物质文化遗产保护工作的意见》《国家级非物质文化遗产代
表作申报评定暂行办法》《非遗法》等法律法规的制定与颁布,非
遗建档工作在全国范围内逐步展开,成为文化主管部门落实党的十
七大报告中提出的"保护历史文化遗产"的重要举措。2011 年,

党的十七届六中全会《中共中央关于深化文化体制改革推动社会主义文化大发展大繁荣若干重大问题的决定》中提出"文化与科技融合"的战略构想，为推动我国非遗保护提供了新指向。2012年2月发布的《国家"十二五"时期文化改革发展规划纲要》提出要"推进文化科技创新"，并"实施文化数字化建设工程"，其中文化资源数字化中包括了建立全国文化遗产数据库、少数民族文化资源数字化建设等。还特别强调要"加强非遗保护传承"，健全非遗普查、建档等制度，提升非遗保护的科学化水平。2012年9月，《文化部"十二五"文化科技发展规划》中，将"文化艺术资源保护与开发"确定为文化科技发展的重点工作任务及领域。并指出要：推动文化资源数字化、信息化和网络化进程；针对各类文化遗产保护传承和各类艺术表现形式资源积累的需求，利用高新技术建立起文化基础资源的信息采集、转换、记录、保存的应用技术体系；利用高新技术提升对传统介质资源保护的技术手段；建立各类文化基础资源信息数据库；开展针对各类文化基础资源数字化应用的关键技术研究；利用现代信息处理技术形成标准化、可共享的数字文化资源体系。这为中华文明在数字化条件下的传承与创新发展奠定坚实的资源基础。

2015年3月5日，李克强总理在十二届全国人大三次会议上的政府工作报告中提出制定"互联网+"计划，强调"推动移动互联网、云计算、大数据、物联网等与现代制造业结合，促进电子商务、工业互联网和互联网金融健康发展，引导互联网企业拓展国际市场"。自此，"互联网+"作为一项国家战略，为未来国家各领域的发展指明了方向。"互联网+"战略的提出，在各行各业引起了极大的关注，其将对我国社会、经济、文化等方面产生深远影响，也将引领创新驱动发展的"新常态"。互联网+政务、互联网+金融、互联网+交通、互联网+医疗、互联网+教育、互联网+文化等成为当下互联网+应用的热门领域。在互联网+战略的大背景下，文化主管部门要敢于创新非遗保护模式，探索互联网环境下群体智慧在非遗档案资源中的应用，并进行相应的顶层设计，引领全国各地非遗保护工作的新方向。

8.6.2 标准规范保障

标准是比较、评定事物的依据或准则。在实践当中，人们通常以某一类科学、技术、概念或经验的综合成果为基础，制定一种标准文件来实现某项活动的标准化和规范化。在 Web2.0 环境下，利用群体的力量来开展非遗档案资源建设尤其需要标准来进行规范。

在早期，我国非遗保护工作的开展缺乏统一的标准规范。进入21 世纪，我国民族民间文化保护工程启动之后，我国文化主管部门才相继发布了《中国民族民间文化保护工程普查工作手册》《中国非物质文化遗产普查手册》对非遗的分类代码进行了规范。此后直到 2011 年非遗保护标准化工作都没有被提上议事日程。2011年，文化部启动非遗数字化保护工程，并开始制定数字化保护标准。目前，《术语和图符》《数字资源信息分类与编码》《数字资源核心元数据》3 个基础标准以及《普查信息数字化采集》《采集方案编写规范》《数字资源采集实施规范》《数字资源著录规则》4个民间文学类、传统戏剧类、传统美术类、传统技艺类中的民居营造技艺业务标准等 7 项基本标准已经形成①。全国统一的非遗数据库还没有形成，各地已开始自行设计和实践，但由于数字化保护的分类标准不统一，而造成未来各地数据库难以融合②。

与此同时，各个地方性的标准规范仍未被提上议事日程，导致出现相关标准规范的严重滞后以及大多数标准缺失的现象。由于缺乏相应的强制性标准，非遗建档、建库以及保存方式各不相同，加之缺乏长期保存的意识，在存储载体、存储格式、存储环境等的选择上以及信息分类、元数据编制等方面都具有很大的随意性和不确

397

① 丁岩. 吹响非遗数字化保护工作的时代号角 [N]. 中国文化报，2013-12-11（3）：1.

② 陈彬斌. 非遗保护将进入数字化时代 [N]. 中国文化报，2011-12-06（1）：1.

定性。上述现象的产生，主要有以下两个方面：一是国家颁布的法规文件中对非遗普查、建档以及长期保存的规定笼统、宽泛，仅提出问题，缺乏相应的标准，可操作性差；二是信息技术发展迅猛，信息保存方式更新换代频繁，而非遗资源保存、传播所依赖的载体、格式等多样，对载体、格式进行选择时没有统一的标准，易造成载体、格式异构，形式多样。在这种情形下，各地区、各机构对非遗资源开展大量采集，产生了自下而上的采集方式，从而导致各行其是状况的出现，而非自上而下制定统一标准规范的形式。

因此，在非遗档案资源建设群体智慧模式实现的保障机制当中，标准规范显得尤其重要，建设主体必先确定一套网络环境下非遗档案资源建设的标准体系，包括：一般技术标准、元数据标准和系统标准。

8.6.2.1 一般技术标准

一般技术标准是指在非遗档案资源建设过程中对非遗档案资源的采集、流转、传输、存储方面的技术标准以及数据格式、载体等非遗资源管理流程中的技术标准规范。主要包括非遗档案资源网络采集技术标准、非遗档案资源长期保存流转技术标准、非遗档案资源网络传输技术标准、非遗数据存储安全规范、非遗档案资源保存格式标准以及非遗档案资源长期保存载体选择标准，见表8-1。

针对当前非遗档案资源长期保存格式多样化的现状，急需制定非遗资源长期保存格式标准，尤其是从源头上采用统一的标准格式，包括非遗档案资源形成、传输以及存储各个环节，保证非遗档案资源的重用性，确保非遗档案资源可以被多种应用创建和修改，同时，也可以避免依赖于特定的供应商。因此，制定非遗档案资源长期保存格式标准能够为非遗资源长期保存提供一定的指导，实现非遗档案资源保存格式之间的兼容性，从而实现非遗档案资源的长期保存。

表 8-1　　网络环境下非遗档案资源建设的一般技术标准

标准名称	可参考标准
《非遗档案资源网络采集技术标准》 《非遗档案资源长期保存流转技术标准》 《非遗数据网络传输技术标准》 《非遗数据存储安全规范》 《非遗档案资源长期保存格式标准》 《文本数据加工标准》 《图像数据加工标准》 《音频数据加工标准》 《视频数据加工标准》 《非遗档案资源长期保存载体选择标准》 ……	《信息与文献——信息交换格式》（ISO-2709） 《归档和保存数字录音的技术文档》（国际声音和音视频档案馆联合会，IASA） 《文本和图形资料数字化转录技术标准》（美国） 《数字化文化遗产材料技术指南》（美国） 《内容分类与数字化对象指南》（美国） 《保存和归档的 MXF 格式应用规范》（美国） 《照片档案管理规范》（GB/T 11821-2002） 《版式电子文件长期保存格式需求》（DA/T 47-2009） 《电子文件归档光盘技术要求和应用规范》（DA/T38-2008） 《基于 XML 的电子文件封装规范》（DA/T48-2009） 《磁性载体档案管理与保护规范》（DA/T 15-1995） 《数码照片归档与管理规范（征求意见稿）》 ……

8.6.2.2　元数据标准

元数据的实质是定义和描述其他数据的数据。元数据是一种标准，是管理和利用的工具，是系统结构的组成部分①。元数据既能描述非遗资源或非遗数据自身所特有的属性，具有锁定、证实、评价等功能，又能支持系统对非遗档案资源的管理和维护。因此，非遗档案资源长期保存元数据标准建设非常重要。

---

① 刘家真等. 电子文件管理——电子文件与证据保留［M］. 北京：科学出版社，2009：132.

　　非遗档案资源建设过程中元数据标准必不可少，如非遗传承人档案收集对象、非遗传承人档案整体实体、非遗传承人档案鉴定实体、非遗传承人档案保存实体以及非遗项目信息指标实体都是重要的元数据集，内含各类元素。因此，元数据标准主要包括非遗传承人档案收集对象元数据标准、非遗传承人档案整理元数据标准、非遗传承人档案鉴定元数据标准、非遗传承人档案长期保存元数据标准、非遗项目元数据著录标准、非遗资源长期保存元数据标准等，见表 8-2。

表 8-2　　　　网络环境下非遗档案资源建设的元数据标准

标准名称	可参考标准
《非遗传承人档案收集对象元数据标准》	《文件元数据：原则》（ISO 23081-1）
《非遗传承人档案整理元数据标准》	《信息与文献 文件管理处置 文化元数据第 1 部分：原则》（ISO 23081-1：2006）
《非遗传承人档案鉴定元数据标准》	《保存存取利用/元数据》（Z39.50）《信息与文献—文件管理—文件元数据第 1 部分：原则》（GB/T 26163.1-2010）
《非遗传承人档案长期保存元数据标准》	《国家图书馆核心元数据标准》
《非遗项目元数据著录标准》	《国家图书馆专门元数据设计规范》《国家图书馆管理元数据规范》
《非遗档案资源长期保存元数据标准》	《数字资源核心元数据》《信息资源目录系统》（IRDS）
《专门类别非遗资源元数据标准与著录规范》	《基本元数据规范》《元数据扩展规划》
《非遗档案资源著录规则》	《专门元数据规范》
……	《专门数字对象描述元数据规范》……

　　当前已有的非遗项目、传承人元数据标准不全面、不系统，建设非遗资源长期保存元数据标准任重道远。非遗资源长期保存元数据是实现非遗资源长期保存的重要数据信息。因此，要实现非遗资源真实、完整、有效的长期保存，制定非遗资源长期保存元数据标

准是重中之重。借鉴吸收已形成的元数据标准，形成各种类型的非遗项目和非遗传承人的元数据。国外非遗资源元数据标准制定，值得借鉴的有《CDWA 艺术作品描述类目》《VRA 核心类目》《文物编目：描述文物及其影像指南》以及《博物馆藏品记录标准程序》《博物馆记录原则宣言》① 等，国内主要是昆明市档案局《非物质文化遗产档案机读目录数据库结构格式》② 等。

8.6.2.3 系统标准

系统标准是指为保证非遗档案资源长期保存各流程的顺利进行和各系统之间实现无缝衔接而制定的标准。非遗档案资源长期保存系统标准是保证非遗资源长期保存各环节互操作的基础，贯穿于非遗资源长期保存整个生命周期，对非遗资源长期保存具有重要作用。系统标准主要包括非遗档案资源长期保存系统标准和系统互操作标准，见表 8-3。

表 8-3　　　网络环境下非遗档案资源建设的系统标准

标准名称	可参考标准
《非遗资源长期保存系统标准》 《系统互操作标准》 ……	《信息与文献——文件管理系统——需求》（ISO/CD 13391） 《电子文件管理系统通用功能需求》（GB/T29194-2012） 《电子文件全程管理系统测评规范》 ……

非遗资源长期保存系统是指通过对非遗资源保存机构自身和外部获得的数据进行收集和序化整理，形成规范、有序的非遗资

---

① 黄永欣. 文化遗产资讯领域中的参考模型［J］. 图书馆学研究，2012（11）：59.

② 李蔚. 创新思维 积极探索档案资源整合新方法［J］. 云南档案，2011（2）：18.

源库。非遗资源长期保存系统标准是非遗资源长期保存建设的急需标准之一，通过借鉴参考档案、图书、电子文件已形成的系统标准，并基于文化主管部门有关非遗资源长期保存系统建设平台构建非遗资源长期保存系统标准，有助于实现对非遗资源的组织、集中、有序化管理。通过系统之间的互操作对非遗资源按统一格式进行数据包封装，从而实现非遗资源长期保存系统标准化。

8.6.3 技术保障

非遗档案资源建设群体智慧模式的实现依赖于计算机、数码相机、智能手机等数字设备的记录和保存，它们以数字代码的形式而存在，依赖现代信息技术进行存取。简言之，网络环境下的非遗档案资源建设具有很强的技术依赖性，形成、收集、整理、传输、存储和利用的任何一个环节都必须在一定的技术环境下进行。技术的先进与否，直接关系到非遗档案资源建设、开发和利用的程度和效果。因此，要确保非遗档案资源建设群体智慧模式的实现，关键是要构建起非遗档案资源建设的技术体系，即在一个基础应用平台的支持下，设计出满足非遗档案资源建设、资源整合与开发、资源利用与可视化展示等一系列功能的系统功能模块，来支持非遗档案资源从采集、鉴定、归档、保管到提供利用的全过程，它是非遗档案资源建设在网络和计算机技术上的具体实现。当然，广义的技术保障涉及硬件设备（包括服务器、网络设备、存取设备等）、软件设施（包括操作系统、数据库系统等）、网络设施（主要是网络环境设施）以及应用系统的开发等各个方面的内容。笔者在此不做过多赘述，主要阐述非遗档案资源建设群体智慧模式得以实现的主要技术，包括：Wiki 技术、资源可视化技术。

8.6.3.1 Wiki 技术

Wiki 是一种简单易用的网络协作工作平台，由编辑、链接、历史、记录、沙箱、搜索引擎等多个功能模块构成，既可作为内部团队的知识管理工具,又可作为基于 Web 的开放的内容管理系统(CMS)①。Wiki 是一种以"共同创作"为手段,可在网络上开放多人协同创作的超文本系统,靠"众人修改更新",借助互联网创建、积累、完善和分享知识的全新 Web 应用模式。由于这种模式体现了开放、合作、平等、共享的网络文化和融合大众集体智慧的思想,而且这种创建、更改及发布的代价远比 HTML 文本小得多,因此 Wiki 的概念和技术得到了广泛传播。Wiki 的应用研究遍及学术、教育、数字图书馆、企业知识管理、医学、地理信息系统、软件开发等诸多领域。

一般而言,Wiki 由四个基本要素组成:①内容。由用户创建并存储于服务器上,内容通常以标记文本存储,标记的方式决定文本将以何种格式在浏览器中显示,一些 Wiki 同样支持图片、数学公式和附件;②模板。决定 Wiki 页面的外观,包含每个页面必备的标准信息,如页眉、页脚、标志、编辑修改按钮等;③Wiki 引擎。处理所有关于 Wiki 业务逻辑的软件,能够将内容和模板相结合生成并显示各种类型的页面,并根据用户指令保存一个编辑好的页面,保存新建或改动的内容到服务器上,及管理用户的访问权限;④页面。用户浏览器中所显示的页面。

从技术本质上讲,Wiki 引擎以可执行的脚本程序的形式安装在服务器上,服务器利用这些脚本程序动态生成"Wiki 页面"呈现给用户。Wiki 页面中的内容本身以纯文本形式存放于文件系统或数据库中,当这些页面被用户浏览时,服务器首先从相关的纯文本文件或数据库条目中取出要显示的内容,然后在 Wiki 脚本程序的帮助下格式化成 HTML 形式的网页,呈现在用户浏览器中。当用户按下编辑按钮,Wiki 页面便从浏览状态转变为编辑状态,此时服务器取出相应的 Wiki 页面的纯文本内容,将其直接显示在一个可编辑的文本框中,供用户修改,然后提交给服务器。当该页面再次被访问时,更改的内容便取代先前的版本呈现给用户,旧的版

403

---

① Ebersbach A, Glaser M, et al. Wiki:Web Collaboration [M]. Berlin, Heidelberg:Springer-verlag, 2006:9-10.

本被保存到历史版本记录中①。

常用的 Wiki 引擎包括：①PmWiki。程序小巧无数据库，搭建配置简单，扩展性较强，PHP 环境。②MediaWiki。具有多语种Wiki 程序中使用最广泛，基于它的站点数量较多。③TWiki。使用Perl 编写而成，适合企业应用，属于企业级协作平台。④TiddlyWiki。用 Javascript 编写而成，较为小巧，虽为单一文件，但有出色的动态效果。⑤CooCooWakka。较早出现的中文 Wiki 程序，程序较小。⑥MoinMoin。具有多语种，支持中文，插件较多，Python 环境②。Wiki 引擎的核心模块包括：页面编辑模块和版本控制模块。不管 Wiki 引擎采用何种程序设计语言开发，作为一种面向社群的超文本式协作工具，大部分 Wiki 具有以下基本功能：编辑功能、创建链接、版本控制、最近更改、沙箱测试、检索功能、其他功能。

8.6.3.2 可视化技术

随着计算机技术、网络技术的迅速发展，特别是大数据、云计算、"互联网+"的到来，可视化技术逐渐广泛应用于大规模的海量信息，并揭示信息之间的关系和信息间隐藏的潜在规律和联系。作为计算机及信息科学领域一种重要的研究方向，信息可视化（Information Visualization，简称 IV）一词最初由 Robertson G 等人在1989 年的 UIST 主题会议上发表的一篇关于 *The Cognitive Coprocessor Architecture for Interactive User Interfaces*③ 的论文中正式提出。随后关于 IV 主题领域的研究迅速成为计算机及信息科学领域重要的研

---

① 雷雪. 面向知识创新的学术 Wiki 平台研究 [D]. 武汉：武汉大学，2009：20-26.

② 施清. 应用 WIKI 技术构建高校学生　管理工作的交互平台 [D]. 成都：电子科技大学，2013：22.

③ Robertson G, Card S, Mackinlay J. The Cognitive Coprocessor Architecture for Interactive User Interfaces [C]. In Proceeding of: Proceedings of the 2nd Annual ACM Symposium on User Interface Software and Technology (UIST), 1989：10-18.

究热点，并快速向其他学科不断演进。当前国内外关于信息可视化领域的研究进展日益丰富和多样，基础理论和技术方法也趋于成熟和完善，可视化软件工具、系统平台不断研发生产，广泛应用于情报、医疗、气象、航天、地质等多个领域行业。信息的可视化研究经历了科学计算可视化、数据可视化、信息可视化、知识可视化四个发展阶段。

非遗档案可视化包含检索、展示两个层面，分别实现了检索过程与结果可视化以及内容展示可视化。目前，非遗档案检索主要有两种途径：通过浏览分类体系的方式进行逐级查找；通过网站的检索框提问搜索的方式在数据库中查询①。前者是一种启发式的搜索，连续性强，但时间成本较高，而后者有明确的目标，耗时短，但过程不透明，检索词可能与词表索引不匹配导致检索失败②。可视化的应用可以弥补两种检索方式的不足，显著提高非遗档案的检索效率与质量。

非遗档案是一种层次信息，适用节点连接、空间填充等方法进行可视化浏览，包括 Space Tree、Radial Graph、Tree Map、Information Pyramid 等。等级结构可视化不仅能够直观地描绘非遗档案资源的整体结构，还可以清晰地反映局部细节，扩检、缩检十分方便。提问搜索可视化分为过程可视化和结果可视化。传统检索过程常利用布尔逻辑算符整合多个检索条件，而过程可视化就是要脱离逻辑符号、省却复杂命令，通过操作图形指定查询关系，可运用 Visual Query 语言来实现③。结果可视化则可用簇图法形成检索结果的全局性视图，展现整体结构与逻辑关系。还可仿照豆瓣影评的社会化标签模式，或运用语义化标签聚类，进行检索结果的快速定位和相关档案的关联推荐，提高档案查全率及查准率。根据语义

---

① ［美］Jin zhang 著．信息检索可视化［M］．夏立新，陆伟，沈吟东，等译．北京：科学出版社，2009：4.

② 孙逊．档案可视化信息检索之路径［J］．湖北档案，2008（1）：15.

③ 张继东．数字图书馆信息可视化应用模型研究［J］．情报理论与实践，2011（1）：103-104.

关系设计检索结果导航，如地图概览的形式，可促进用户对信息空间的认知①。

动态展示非遗档案加工成果，有利于发挥其学术研究和公共教育功能。地理信息系统（GIS）整合地理空间数据及其属性，反映资源或环境的现状与变迁。研究人员通过查看 GIS 可视化结果，分析现象产生的原因，进而提出相应对策，如传承人迁徙的路径、主客观原因及应对方法。

非遗档案不仅包括文字、声像材料，还包括道具、实物等。如果非遗档案展示仅仅停留在简单的陈列、凝固的展览上，将如何体现南京云锦工艺的动态流程、太极拳的发展脉络，抑或昆曲的身段动作？虚拟现实、增强现实等技术用于构建三维场景，展现完整的文化空间，动态还原民风民俗，使人有身临其境的感受，做到活态固化与固态活化②。学者 Shi Y W 提出"利用三维数字技术，将非遗场景进行数字化再现，以便于查阅档案的读者更生动更直观地了解到非遗内容，并尽可能实现现场互动"③。例如，角色生成系统构建真实感模型，运动捕捉系统采集土风舞表演动作，通过后期制作将二者绑定，形成三维场景的动态再现④。增强现实技术是虚拟现实技术的提升，用于整合不同类型的信息资源，将虚拟与现实环境叠加，借助可穿戴设备观看非遗的分布特征与变迁轨迹，还可运用手势动作与平台互动⑤。

---

① 邱均平，余厚强，吕红，李小涛 . 国外馆藏资源可视化研究综述 [J]. 情报资料工作，2014（1）：13.

② 覃凤琴 . 从"非物质"到"外化物质再现"——非物质文化遗产档案式保护及其价值考察 [J]. 山西档案，2007（5）：22-24.

③ Shi YW. The Digital Protection of Intangible Cultural Heritage-The Construction of Digital Museum [J]. 9TH International Conference on Computer-Aided Industrial Design & Conceptual Design, Vols 1 and 2—Multicultural Creation and Design—Caid & CD, 2008（1）：1196-1199.

④ 谈国新，孙传明 . 信息空间理论下的非物质文化遗产数字化保护与传播 [J]. 西南民族大学学报（人文社会科学版），2013（6）：183.

⑤ 蒋晖 . 关于应用现代技术的实物档案建设研究 [J]. 档案与建设，2015（10）：19.

参 考 文 献

1. 著作

［1］翟珊珊．基于关联数据的非物质文化遗产资源聚合研究［M］．北京：科学出版社，2015．

［2］张正兰等编著．多媒体技术及其应用［M］．北京：北京大学出版社，2015．

［3］杨红．非物质文化遗产数字化研究［M］．北京：社会科学文献出版社，2014．

［4］苑利，顾军．非物质文化遗产保护［M］．北京：社会科学文献出版社，2013．

［5］周耀林，戴旸，程齐凯．非物质文化遗产档案管理理论与实践［M］．武汉：武汉大学出版社，2013．

［6］周耀林，戴旸，程齐凯．非物质文化遗产档案管理理论与实践［M］．武汉：武汉大学出版社，2013．

［7］［美］迈克尔·哈耶特．平台：自媒体时代用影响力赢取惊人财富［M］．赵杰，译．北京：中央编译出版社，2013．

［8］文化部非物质文化遗产司．非物质文化遗产保护法律法规资料汇编［M］．北京：文化艺术出版社，2013．

［9］马费成，宋恩梅等．信息管理学基础［M］．武汉：武汉大学出版社，2012．

［10］涂子沛．大数据：正在到来的数据革命，以及它如何改变政

府、商业与我们的生活 [M]. 桂林：广西师范大学出版社，2012.

[11] 宫承波. 新媒体概论 [M]. 北京：中国广播电视出版社，2012.

[12] 詹姆斯·穆迪，比安卡·诺格拉迪. 张婧斯译. 第六次浪潮：一个资源为王的世界 [M]. 北京：中信出版社，2011.

[13] 爱德华·博德挪（作），庄榕霞，祖道海（译）. 六个思考框 [M]. 沈阳：万卷出版社，2011.

[14] 李欣. 数字化保护非物质文化遗产保护的新路向 [M]. 北京：科学出版社，2011.

[15] 朱洁等编著. 多媒体技术教程 [M]. 北京：机械工业出版社，2011.

[16] 周耀林，王三山，倪婉. 世界遗产与中国国家遗产 [M]. 武汉：武汉大学出版社，2010.

[17] 乌丙安. 非物质文化遗产保护理论与方法 [M]. 北京：文化艺术出版社，2010.

[18] 李昕. 非物质文化遗产保护与文化产业发展 [M]. 南京：江苏人民出版社，2010.

[19] 金盛华. 社会心理学 [M]. 北京：高等教育出版社，2010.

[20] 王松华. 非物质文化遗产保护与开发的经济学研究基于上海弄堂文化的研究 [M]. 成都：西南财经大学出版社，2009.

[21] 赵方. 我国非物质文化遗产的法律保护研究 [M]. 北京：中国社会科学出版社，2009.

[22] 王鹤云，高绍安. 中国非物质文化遗产保护法律机制研究 [M]. 北京：知识产权出版社，2009.

[23] 苑利，顾军. 非物质文化遗产学 [M]. 北京：高等教育出版社，2009.

[24] 潘年英. 非物质文化遗产保护与本土经验 [M]. 贵阳：贵州人民出版社，2009.

[25] 阮智富，郭忠新. 现代汉语大词典·上册 [M]. 上海：上海辞书出版社，2009.

[26] 阮智富，郭忠新．现代汉语大词典·下册［M］．上海：上海辞书出版社，2009.

[27] 方廷玉．独创的北京中医药数字博物馆英文版，数字博物馆研究与实践［M］．北京：中国传媒大学出版社，2009.

[28] 刘家真等．电子文件管理——电子文件与证据保留［M］．北京：科学出版社，2009.

[29] 阮智富，郭忠新．现代汉语大词典·上册［M］．上海：上海辞书出版社，2009.

[30] ［美］Jin zhang 著．夏立新，陆伟，沈吟东等译．信息检索可视化［M］．北京：科学出版社，2009.

[31] 中国社会科学院语言研究所词典编辑室．现代汉语词典（第5版）［M］．北京：商务印书馆，2009：1053.

[32] 风笑天．社会学导论（第二版）［M］．武汉：华中科技大学出版社，2008.

[33] 朱玉媛．档案学基础［M］．武汉：武汉大学出版社，2008.

[34] 谷国锋．区域经济发展的动力系统研究［M］．长春：东北师范大学出版社，2008.

[35] 覃业银，张红专．非物质文化遗产导论［M］．沈阳：辽宁大学出版社，2008.

[36] 肖希明．信息资源建设［M］．武汉：武汉大学出版社，2008.

[37] 傅谨．薪火相传非物质文化遗产保护的理论与实践［M］．北京：中国社会科学出版社，2008.

[38] 郑渝川．释放集体才智中的决策力［M］．21 世纪商业评论，2008（3）.

[39] 中国艺术研究院，中国非物质文化遗产保护中心编．中国非物质文化遗产普查手册［M］．北京：文化艺术出版社，2007（1）.

[40] 王锡锌．公众参与和行政过程：一个理念和制度分析的框架［M］．北京：民主法制出版社，2007.

[41] 方允璋．图书馆与非物质文化遗产［M］．北京：北京图书馆出版社，2006.

[42] 王文章. 非物质文化遗产概论 ［M］. 北京：文化艺术出版社，2006.

[43] 马费成，赖茂生主编. 信息资源管理 ［M］. 北京：高等教育出版社，2006.

[44] 秦俊香. 影视接受心理 ［M］. 北京：中国传媒大学出版社，2006.

[45] 吕会霖. 新世纪思想政治工作 ［M］. 上海：上海人民出版社，2005.

[46] 刘志峰. 软件工程技术与实践 ［M］. 北京：电子工业出版社，2004.

[47] 程焕文，潘燕桃. 信息资源共享 ［M］. 北京：高等教育出版社，2004.

[48] 章志光. 社会心理学 ［M］. 北京：人民教育出版社，2002.

[49] 联合国教育、科学及文化组织，国际图联. 公共图书馆服务发展指南 ［M］. 上海：上海科学技术文献出版社，2002.

[50] 胡延平. 跨越数字鸿沟—面对第二次现代化的危机与挑战 ［M］. 北京：社会科学文献出版社，2002.

[51] 孟雪梅. 信息资源建设 ［M］. 哈尔滨：黑龙江人民出版社，2002.

[52] 吴彤. 自组织方法论研究 ［M］. 北京：清华大学出版社，2001.

[53] ［美］埃文斯等编著，丁文进等编译. 英汉法荷德意俄西档案术语词典 ［M］. 北京：档案出版社，1988.

[54] 张其仔. 社会资本论 ［M］. 北京：社会科学文献出版社，1997.

[55] 马锦忠等. 数据库系统概论 ［M］. 南京：南京大学出版社，1995.

[56] 吴宝康，冯子直主编. 档案学词典 ［M］. 上海：上海辞书出版社，1994.

[57] 刘建明，张明根 主编. 应用写作大百科 ［M］. 北京：中央民族大学出版社，1994.

[58] 张清源．现代汉语常用词词典［M］．成都：四川人民出版
社，1992.

2. 学位论文

[1] 路江曼．我国综合档案馆新媒体应用的问题与对策研究［D］.
武汉：武汉大学，2016.

[2] 卜星宇．新媒体语境下中国少数民族非物质文化遗产的数字
化传承［D］.北京：北京印刷学院，2015.

[3] 张弛．新媒体背景下中国公民政治参与问题研究［D］.长春：
吉林大学，2015.

[4] 杨安．新媒体视域下中国共产党密切党群关系研究［D］.兰
州：兰州大学，2014.

[5] 张赛男．基于集体智慧的开放学习资源聚合与分享研究［D］.
大连：东北师范大学，2014.

[6] 国健．传统戏剧类非物质文化遗产档案管理研究［D］.济南：
山东大学，2014.

[7] 司丽君．上海市非物质文化遗产网站研究［D］.南京：南京
艺术学院，2013.

[8] 戴旸．基于群体智慧的非物质文化遗产档案管理研究［D］.
武汉：武汉大学，2013.

[9] 史星辰．我国非物质文化遗产档案管理研究［D］.合肥：安
徽大学，2013.

[10] 王迪．中国煤炭产能综合评价与调控政策研究［D］.徐州：
中国矿业大学，2013.

[11] 施清．应用 WIKI 技术构建高校学生管理工作的交互平台
［D］.成都：电子科技大学，2013.

[12] 郭妮丽．新媒体影像在非物质文化遗产保护中的作用［D］.
太原：山西大学，2012.

[13] 陈建．非物质文化遗产档案展览研究［D］.济南：山东大
学，2012.

[14] 储蕾．非物质文化遗产档案式保护研究［D］.苏州：苏州大

学，2012.

[15] 杨文雯．社区信息质量管理控制实证研究 [D]．上海：华东师范大学，2012.

[16] 张喜文．基于集体智慧的生态型企业协同进化研究 [D]．武汉：武汉理工大学，2011.

[17] 周良兵．促进 DV 参与非物质文化遗产保护的策略研究 [D]．金华：浙江师范大学，2010.

[18] 陈竹君．非物质文化遗产档案研究 [D]．合肥：安徽大学，2010.

[19] 魏红梅．客户知识共享激励机制研究 [D]．哈尔滨：哈尔滨工业大学，2010.

[20] 陈佳鹏．煤炭资源开发利用标准体系构建及运行机制研究 [D]．北京：中国矿业大学（北京），2009.

[21] 雷雪．面向知识创新的学术 Wiki 平台研究 [D]．武汉：武汉大学，2009.

[22] 宋立荣．基于网络共享的农业科技信息质量管理研究 [D]．北京：中国农业科学院，2008.

[23] 赵林林．非物质文化遗产档案资源的管理、开发与利用 [D]．济南：山东大学，2007.

[24] 覃美娟．非物质文化遗产档案式保护研究——兼论广西少数民族非物质文化遗产的档案式保护 [D]．南宁：广西民族大学，2007.

3. 期刊论文

[1] 谭伟贞．梅山非物质文化遗产档案保护研究——以湖南人文科技学院梅山文化研究中心为例 [J]．档案学研究，2017 (S2)：110-113.

[2] 夏熔静．苏州非物质文化遗产档案化保护的实践与思考 [J]．档案与建设，2017 (7)：80-83.

[3] 刘鹏茹，锅艳玲．我国非物质文化遗产档案资源数据库系统建设研究 [J]．浙江档案，2017 (6)：25-27.

［4］ 杨军．民族文化与档案记忆重构的交互机制及演进路径——广西非物质文化遗产档案保护研究系列（二）［J］.山西档案，2017（2）：80-84.

［5］ 倪晓春，张蓉．关于非物质文化遗产档案数字资源库建设的思考［J］.档案学通讯，2017（2）：53-57.

［6］ 马晨璠，戴旸．我国非物质文化遗产档案传播主体研究［J］.档案学通讯，2017（2）：81-86.

［7］ 马晨璠，戴旸．分众传播：非物质文化遗产档案传播新模式［J］.北京档案，2017（2）：17-20.

［8］ 胡郑丽．"互联网+"时代非物质文化遗产"档案式保护"的重构与阐释［J］.浙江档案，2017（1）：22-24.

［9］ 周耀林，黄川川，叶鹏．论中国刺绣技艺的保护与传承——基于群体智慧的SMART模型［J］.武汉大学学报（人文科学版），2016（2）：100-112.

［10］ 周耀林，李丛林．我国非物质文化遗产资源长期保存标准体系建设［J］.信息资源管理学报，2016（1）：38-43.

［11］ 徐军华，刘灿姣等．我国省级公共图书馆非物质文化遗产数据库建设的调研与分析［J］.图书馆，2016（2）：29.

［12］ 刘忠宝．非物质文化遗产数字化保护方法研究——以山西省为例［J］.图书馆学刊，2015（9）：33-35+46.

［13］ 叶鹏，周耀林．非物质文化遗产建档式保护的现状、机制及对策［J］.学习与实践，2015（9）：115-124+2.

［14］ 姜璐．公共图书馆在非物质文化遗产保护中的作用-以山东省非物质文化遗产开放获取文献资源为例［J］.河南图书馆学刊，2015，35（3）：8.

［15］ 马芸馨．国外非物质文化遗产建档实践［J］.兰台世界，2015（3）：29-30.

［16］ 金银琴．非物质文化遗产数字化保护建设现状与思考——以浙江省为例［J］.科技情报开发与经济，2015（7）：139.

［17］ 蒋晖．关于应用现代技术的实物档案建设研究［J］.档案与建设，2015（10）：19.

413

[18] 李华明，李莉．非物质文化遗产知识产权主体权利保护机制研究 [J]．中央民族大学学报：哲学社会科学版，2015（2）：107．

[19] 戴旸，胡冰倩，冯丽．国外公众参与非物质文化遗产建档实践及其借鉴 [J]．中州大学学报，2015（1）：90．

[20] 许辉，杨洁明．换塔里盆地非遗档案盒数字化建设研究 [J]．塔里木大学学报，2015（27）：43．

[21] 姜宁，赵邦茗．文化消费的影响因素研究——以长三角地区为例 [J]．南京大学学报：哲学·人文科学·社会科学，2015（5）．

[22] 戴旸，胡冰倩，冯丽．国外公众参与非物质文化遗产建档实践及其借鉴 [J]．中州大学学报，2015（1）：88．

[23] 冯丽，戴旸．Web2.0 下我国非物质文化遗产建档保护促进研究 [J]．北京档案，2015（5）：26．

[24] 朱春阳，杨海．澎湃新闻再观察：融合发展路径的探索与经验 [J]．电视研究，2015（2）：10-12．

[25] 杨升．信息时代下新媒体的特征分析 [J]．大众文艺，2015（11）：159．

[26] 陈玲．基于网络的新媒体平台在高校教学中的应用思考 [J]．传播与版权，2015（7）：159-160．

[27] 黄朝林，刘光民．阿拉善盟广播电视台广播电视新媒体网络平台建设方案 [J]．现代电视技术，2015（4）：103．

[28] 黎蕾．新媒体时代非物质文化遗产的传播策略——以青春版昆曲《牡丹亭》为例 [J]．新闻世界，2015（10）：176．

[29] 少数民族语新媒体平台上线 [J]．新闻论坛，2015（1）：123．

[30] 任晓琴．媒体时代广播的"私人定制"——以荔枝 FM 和喜马拉雅为例 [J]．视听，2015（5）：130-131．

[31] 王晓萍．大数据时代云计算在新媒体平台的应用研究 [J]．电子制作，2015（10）：158．

[32] 黄丽娜，吴娅．新媒体环境下非物质文化遗产的传播与传

承——以"侗族大歌"为例 [J]. 凯里学院学报, 2015 (1)：24.

[33] 杨青山, 罗梅. 非物质文化遗产的新媒体传播价值分析 [J]. 传媒, 2014 (11)：79-80.

[34] 谭天. 新媒体不是"媒体"——基于媒介组织形态的分析 [J]. 新闻爱好者, 2014 (6)：5.

[35] 陈韦宏. 基于移动互联网的新媒体平台在大学生"精致化"管理中的探索与实践——以桂林电子科技大学信息与通信学院为例 [J]. 求知导刊, 2014 (9)：89-90.

[36] 何迪, 郑翠翠. 新媒体的特征及对传播过程的改变——以 MOOC 平台的传播为例 [J]. 科教导刊 (中旬刊), 2014 (12)：170-171.

[37] 戴旸, 周磊. 国外"群体智慧"研究述评 [J]. 图书情报知识, 2014 (2)：120-124.

[38] 孙中秋, 陈晓美, 毕强. 知识自组织与他组织方法类比与融合研究 [J]. 数字图书馆论坛, 2014 (9)：19-20.

[39] 戴旸, 李财富. 我国非物质文化遗产建档标准体系的若干思考 [J]. 档案学研究, 2014 (5)：35-39.

[40] 戴旸. 应然与实然：对我国非物质文化遗产建档主体的思考 [J]. 档案学通讯, 2014 (4)：82-85.

[41] 徐晨辰, 肖希明. 公共图书馆非物质文化遗产资源建设现状研究 [J]. 新世纪图书馆, 2014 (11)：58-59.

[42] 王璞, 徐方. 陕西省档案馆启动非物质文化遗产建档工作 [J]. 陕西档案, 2014：4.

[43] 冯广珍. 广西机构自建数据库的现状与分析 [J]. 图书馆界, 2014 (2)：26.

[44] 叶鹏, 周耀林. 论我国非物质文化遗产档案元数据的创立思路与语意标准 [J]. 忻州师范学院学报, 2014 (2)：112-117.

[45] 谈国新, 孙传明. 信息空间理论下的非物质文化遗产数字化保护与传播 [J]. 西南民族大学学报 (人文社会科学版),

2013（6）：179-184.

[46] 曾立毅．基于项目管理理论的非物质文化遗产信息化建设研究［J］.管理世界，2013（4）：180-181.

[47] 陈彬强．闽台非物质文化遗产信息资源建设与共同保护研究［J］.图书馆工作与研究，2013（9）：9-13.

[48] 袁晓波，崔艳峰．论非物质文化遗产获取和惠益分享原则［J］.湖南社会科学，2013（4）：69-73.

[49] 徐拥军，王薇．美国、日本和台湾地区文化遗产档案数据库资源建设的经验借鉴［J］.档案学通讯，2013（5）：58-62.

[50] 刘海鑫，刘人境．集体智慧的内涵及研究综述［J］.管理学报，2013，10（2）：305-306.

[51] 陈建，高宁．我国非物质文化遗产建档保护研究回顾与前瞻［J］.档案学研究，2013（5）：60.

[52] 王云庆，樊树娟．谈非物质文化遗产档案管理的主体和客体［J］.山东艺术学院学报，2013（4）：9-10.

[53] 宋立堂．非物质文化遗产资料数据库的建设和研究［J］.图书情报工作，2013（S1）：84.

[54] 常艳丽．非物质文化遗产网站的网络影响力分析［J］.现代情报，2013，33（9）：90-94.

[55] 申少春．河南省公共图书馆数字资源建设、利用与发展趋势研究［J］.河南图书馆学刊，2013（8）：5.

[56] 黄涛．近年来非物质文化遗产保护工作中政府角色的定位偏误与矫正［J］.文化遗产，2013（3）：13.

[57] 王巧玲，孙爱萍，陈文杰．档案部门参与非遗保护工作的优势与劣势分析［J］.北京档案，2013（6）：11-13.

[58] 张一．从非物质文化遗产的传承与传播看非遗档案的开发利用［J］.北京档案，2013（1）：30.

[59] 胡怀莲．公共图书馆参与非物质文化遗产保护的角色辨析［J］.四川图书馆学报，2013（2）：43.

[60] 冯云，杨玉麟，孔繁秀等．非物质文化遗产保护视野下的民族高校图书馆特色馆藏建设［J］.新世纪图书馆，2013

（10）：53.

[61] 周星秀．基于系统经济学分析社交新媒体机理——以微信为例 [J]．中国传媒大学学报：自然科学版，2013（5）：57-58.

[62] 李青青．空间、地域、流动：移动新媒体研究的三个视角 [J]．南京邮电大学学报：社会科学版，2013，15（4）：67.

[63] 郑春辉，朱思颖．黑龙江省非物质文化遗产的新媒体传播方式研究 [J]．文化遗产，2013（5）：29.

[64] 杨晓云．非物质文化遗产保护中媒体作用研究 [J]．贵州社会科学，2012（7）：127.

[65] 王云庆，陈建．非物质文化遗产档案展览研究 [J]．档案学通讯，2012（4）：37-39.

[66] 蔡萌生，陈绍军．反思社会学视域下群体智慧影响因素研究 [J]．学术界，2012（4）：26-27.

[67] 李鹏．Web2.0环境中用户生成内容的自组织 [J]．图书情报工作，2012，56（16）：122.

[68] 冯英华．高校图书馆2.0信息服务激励机制研究 [J]．图书馆论坛，2012（1）：110.

[69] 康保成．《非遗法》形成的法律法规基础 [J]．民族艺术，2012（1）：49.

[70] 黄永欣．文化遗产资讯领域中的参考模型 [J]．图书馆学研究，2012（11）：59.

[71] 黄永林，谈国新．中国非物质文化遗产数字化保护与开发研究 [J]．华中师范大学学报：人文社会科学版，2012，51（2）：49-51.

[72] 徐国联．非物质文化遗产资源保护的信息化建设 [J]．计算机工程应用技术，2012（4）：141.

[73] 彭建波．谈面向非物质文化遗产的特色资源建设——以皮影数字博物馆为例 [J]．图书馆工作与研究，2012（5）：34.

[74] 龚剑．非物质文化遗产资源数据库建设路径探微 [J]．贵图学刊，2012（4）：2.

417

[75] 董永梅. 非物质文化遗产资源分类探析 [J]. 图书馆建设, 2012 (9)：35.

[76] 刘钒, 钟书华. 国外"群集智能"研究述评 [J]. 自然辩证法研究, 2012 (7)：114.

[77] 苏寒, 胡笑旋. 基于群体智慧的复杂问题决策模式 [J]. 中国管理科学, 2012 (S2)：784.

[78] 王伟凯. 日本与韩国非物质文化遗产保护方式述略 [J]. 理论探讨, 2012 (1)：330.

[79] 吴品才, 储蕾. 非物质文化遗产档案化保护的理论基础 [J]. 档案学通讯, 2012 (5)：75-77.

[80] 杨洋. 虚拟戏曲博物馆的设计思考 [J]. 戏曲艺术, 2012 (4)：121-125.

[81] 伍晓鲁, 康国栋. 非物质文化遗产智能交互平台的搭建研究——以吉首大学图书馆为例 [J]. 新世纪图书馆, 2012 (8)：59-61.

[82] 刘英梅, 郭瑞芳. 全媒体端砚数据库构建意义及其内容结构 [J]. 图书馆学研究, 2012 (18)：29-33.

[83] 吴品才, 储蕾. 非物质文化遗产档案化保护的理论基础 [J]. 档案学通讯, 2012 (5)：75-77.

[84] 周耀林, 王咏梅, 戴旸. 论我国非物质文化遗产分类方法的重构 [J]. 江汉大学学报（人文科学版）, 2012 (2)：30-36.

[85] 谭必勇, 徐拥军, 张莹. 档案馆参与非物质文化遗产数字化保护的模式及实现策略研究 [J]. 档案学研究, 2011 (2)：69-74.

[86] 戴旸, 周耀林. 论非物质文化遗产档案信息化建设的原则与方法 [J]. 图书情报知识, 2011 (5)：69-75.

[87] 李姗姗, 周耀林, 戴旸. 非物质文化遗产信息资源档案式管理的瓶颈与突破 [J]. 信息资源管理学报, 2011 (3)：73-77.

[88] 周耀林, 程齐凯. 论基于群体智慧的非物质文化遗产档案管理体制的创新 [J]. 信息资源管理学报, 2011 (2)：55-66.

[89] 黄晓斌，周珍妮．Web2.0 环境下群体智慧的实现问题 [J]．
图书情报知识，2011（6）：114-118．

[90] 程齐凯，周耀林，戴旸．论基于本体的非物质文化遗产分类
组织方法 [J]．信息资源管理学报，2011（3）：78-83．

[91] 阙跃平．论行政保护情景下的非物质文化遗产网站构建
[J]．文化学刊，2011（6）：122．

[92] 管庆霞．非物质文化遗产保护的网络媒体呈现 [J]．新闻爱
好者，2011（18）：39．

[93] 周端敏，欧阳峰．用心打造"黔姿百态"——记贵州省国家
级非物质文化遗产档案展 [J]．中国档案，2011（2）：72-
73．

[94] 胡海．我国的非政府组织与群体性事件治理 [J]．湖南大学
学报，2011（4）：45．

[95] 张继东．数字图书馆信息可视化应用模型研究 [J]．情报理
论与实践，2011（1）：103-104．

[96] 孙金香，龚雪琴．试论 Web2.0 及其知识产权问题 [J]．高
校图书情报论坛，2010（4）：54．

[97] 王三环，史宗恺，周勇．积极把握网络媒体新特征 开拓大学
生思想政治教育工作新平台 [J]．北京教育：德育，2010
（4）：27．

[98] 孙金香，龚雪琴．试论 Web2.0 及其知识产权问题 [J]．高
校图书情报论坛，2010（4）：54．

[99] 史波．网络舆情群体极化的动力机制与调控策略研究 [J]．
情报杂志，2010（7）：53．

[100] 吴汉东．论传统文化的法律保护——以非物质文化遗产和
传统文化表现形式为对象 [J]．中国法学，2010（1）：58．

[101] 雷国洪，田正梅，罗晓路．非物质文化遗产普查的实践与
探讨——以宜昌市非物质文化遗产普查为例 [J]．三峡论
坛，2010（3）：22．

[102] 李荣启，唐骅．新世纪我国非物质文化遗产的保护与传承
[J]．广西民族研究，2010（1）：198．

419

[103] 苑利，顾军．非物质文化遗产项目普查申报的五项原则 [J]．温州大学学报（社会科学版），2010（1）：16-21.

5. 网络资源

[1] 南京市档案局．秦淮区档案馆进一步充实秦淮非物质文化特色遗产档案数据库 [EB/OL]．[2016-06-30]．http：//www. dajs. gov. cn/art/2015/7/29/art_1229_69771. html.

[2] 北京非物质文化遗产保护中心．关于我们 [EB/OL]．[2016-06-30]．http：//www. bjchp. org/.

[3] 百度百科．中国文化遗产词典 [EB/OL]．[2016-06-30]．http：//baike. baidu. com/link？url = l4rXCtp86YYHgNfp9Q2 WVVUjec34WloAMXtcrO6XRs3uZNS6vvOeipehLZ3KazOGgrLR2e R0fUbMilswsELpTK.

[4] 文化部部长在非遗保护工作部际联席会议 [EB/OL]．[2016-06-30]．http：//news. qq. com/a/20091126/002429. htm.

[5] 中国首次非物质文化遗产普查基本结束 [EB/OL]．[2016-06-30]．http：//news. qq. com/a/20091126/002429. htm.

[6] 中国：全国共普查非物质文化遗产约87万项 [EB/OL]．[2016-06-30]．http：//jjsx. china. com. cn/lm1575/2014/255733. htm.

[7] 辽宁全面采录非遗传承人技艺生活环境全面采录 [EB/OL]．[2016-06-30]．http：//news. 163. com/10/0223/03/6065ONLK000120GR. html.

[8] 文化部．文化部关于印发《全国公共图书馆事业发展"十二五"规划》的通知 [EB/OL]．[2016-06-30]．http：//www. gov. cn/gongbao/content/2013/content_2404725. htm.

[9] 非遗保护NGO [EB/OL]．[2016-06-30]．文化月刊遗产杂志，文化遗产网，http：//www. c；uhcri. com/a/sd｝；c；/2011/ 0921/4304 _4. html.

[10] TalkingData. 2015移动互联网数据报告 [EB/OL]．[2016-02-25]．http：//www. talkingdata. com/index/files/2016-01/1454056329890. pdf.

［11］ 新华网．中央财政 9 年累计投入 35.14 亿元用于非遗保护．
［EB/OL］．［2016-06-22］．http：//news.xinhuanet.com/politics/
2015-01/23/c_1114108335.htm.

［12］ 人民网．2015 年中央财政安排文化遗产保护补助资金 81.1 亿
元 ［EB/OL］．［2016-06-22］．http：//politics.people.com.
cn/n/2015/1112/c1001-27806961.html.

［13］ 人民网．非遗：大力建设中国特色保护体系［EB/OL］．
［2016-06-22］．http：//theory.people.com.cn/n/2012/1031/
c49165-19448517.html.

［14］ 中国互联网络信息中心．第 33 次中国互联网发展状况统计
报告［EB/OL］．［2016-06-20］．http：//www.cnnic.net.cn/
hlwfzyj/hlwxzbg/hlwtjbg/201403/t20140305_46240.htm.

［15］ 新浪网．CNNIC 发布第 37 次中国互联网络发展状况统计报告
［EB/OL］．［2016-06-20］．http：//tech.sina.com.cn/i/2016-
01-22/doc-ifxnuvxh5133709.shtml.

［16］ 中关村在线．腾讯发布 2015 微信用户数据报告［EB/OL］．
［2016-06-20］．http：//news.zol.com.cn/523/5237369.html.

［17］ 中国政府网．国务院办公厅关于加强我国非物质文化遗产保
护工作的意见［EB/OL］．［2016-06-16］．http：//www.gov.
cn/zwgk/2005-08/15/content_21681.htm.

［18］ 人民网-湖北频道．国内首个新媒体云平台武汉首发 助推媒
体融合发展［EB/OL］．［2016-06-14］．http：//hb.people.
com.cn/n/2015/0911/c337099-26327193.html.

［19］ 陕西地方文献收藏中心．陕西非物质文化遗产数据库［EB/
OL］．［2016-06-12］．http：//www.sxlib.org.cn/difang/ztsjk/
201506/t20150625_209650.htm.

［20］ 中山市非物质文化遗产．中山市非遗数据库建成并投入使用
［EB/OL］．［2016-06-12］．http：//www.zssfeiyi.com/fygs/fyxwdt/
201331/n4028112.html.

［21］ 刘爱河．行走田野 八年守望——记湖北襄阳拾穗者民间文化
工作群［EB/OL］．［2016-06-11］．http：//www.ccrnews.com.

421

cn/index. php/Zhuanlanzhuankan/content/id/44037. html.

[22] 凤凰网. 凤凰卫视举办纪念保护"非遗"10 周年论坛［EB/OL］. ［2016-06-12］. http：//news. ifeng. com/mainland/detail _2013_10/16/30368617_0. shtml.

[23] 人民网. Web2.0，基础、争鸣与未来［EB/OL］. ［2016-06-10］. http：//media. people. com. cn/GB/22114/44110/113772/7031144. html.

[24] 熊澄宇. 中国媒体走向跨界融合［EB/OL］. ［2016-06-10］. http：//www. china. com. cn/chinese/OP-c/386927. htm.

[25] 维基百科. 知识产权［EB/OL］. ［2016-05-30］. https：//zh. wikipedia. org/wiki/知识产权.

[26] 第 37 次中国互联网络发展状况统计报告［EB/OL］. ［2016-04-20］. http：//www. cnnic. net. cn/hlwfzyj/hlwxzbg/hlwtjbg/201601/t20160122_53271. htm.

[27] 浙江省非物质文化遗产网［EB/OL］. ［2016-03-10］. http：//www. zjfeiyi. cn/.

[28] 联合国教科文组织. 非物质文化遗产［EB/OL］. ［2016-03-08］. http：//en. unesco. org/themes/intangible-cultural-heritage.

[29]《公约》缔约国名单（截至 2015）［EB/OL］. ［2016-02-11］. http：//www. crihap. cn/2016-01/22/content_23205296. htm.

[30] CNNIC. CNNIC 发布第 37 次《中国互联网络发展状况统计报告》［EB/OL］. ［2016-02-10］. http：//www. cnnic. net. cn/gywm/xwzx/rdxw/2016/201601/t20160122_53283. htm.

[31] 国家级非物质文化遗产名录［EB/OL］. ［2016-01-27］. http：//baike. baidu. com/view/2262178. htm.

[32] 我院多位学者参加"乡村之眼：第三届人类学记录影像论坛"［EB/OL］. ［2016-01-25］. http：//www. sky. yn. gov. cn/dtxx/csdt/6416440345945516053.

[33] 百度百科. 非物质文化遗产［EB/OL］. ［2015-12-29］. http：//baike. baidu. com/view/11090. htm.

［34］中国非物质文化遗产网．非物质文化遗产保护工作的意义
［EB/OL］．［2015-09-28］．http：//www. zgfy. org/contentR ead.
asp？classid＝80&cmsid＝13400.

［35］襄阳政府网．《中国国家地理》报道南漳古山寨［EB/OL］.
［2015-08-11］．http：//www. xf. gov. cn/know/lsxyzy/lssp/201207/
t20120718_321888. shtml.

［36］联合国教科文组织．公约［EB/OL］．［2015-08-10］．http：//
www. ihchina. cn/show/feiyiWeb/html/com. tjopen. define. pojo.
feiyiwangzhan. FaGuiWenJian. detail. html？id＝134d33fb-238a-
4834-a4f4-e057dce3c1cc&classPath＝com. tjopen. define. pojo.
feiyiWeb. faguiwenjian. FaG.

［37］动力的含义［EB/OL］．［2015-08-10］．http：//baike. baidu.
com/view/48912. htm#3.

［38］CNNIC 发布第 36 次《中国互联网络发展状况统计报告》
［EB/OL］．［2015-08-10］．http：//www. cnnic. net. cn/hlwfzyj/
hlwxzbg/hlwtjbg/201507/t20150722_52624. htm.

［39］长江商报．湖北省成立首批 16 个非遗研究中心［EB/OL］.
［2015-08-10］．http：//www. changjiangtimes. com/2013/11/
461059. html.

［40］中华人民共和国文化部网站．"非遗学科建设渐成气候"
［EB/OL］．［2015-08-10］．http：//www. ccnt. gov. cn/xwzx/
whbzhxw/ t20070404_36446. htm.

［41］山东省非物质文化遗产普查验收标准_一般通知_公告通知_
聊城市文化广电新闻出版局［EB/OL］．［2015-08-10］.
http：//whj. liaocheng. gov. cn/ReadNews. asp？NewsID＝1126.

［42］湖南省非物质文化遗产普查验收标准［EB/OL］．［2015-08-10］.
http：//www. hnqyg. com/edit/UploadFile/20094/200943164344298.
doc.

［43］非遗保护［EB/OL］．［2015-08-10］．http：//www. wzqyg.
com/fybh/bhcs/200712/t20071212_47720. htm.

［44］骆蔓．浙江省非物质文化遗产信息化建设推进会在杭召开

423

［EB/OL］.［2015-08-01］. http：//www. zjfeiyi. cn/news/detail/
31-1142. html.

［45］《中国非物质文化遗产保护发展报告（2014）》发布［OL］.
［2015-05-30］. http：//politics. gmw. cn/2014-11/02/content _
13732693. htm.

［46］人民日报. 香港公布首份"非遗"清单［EB/OL］.［2015-
07-23］. http：//news. xinhuanet. com/culture/2014-06/18/c _
126635297. htm.

［47］陕西省政府. 陕西省人民政府关于贯彻落实国务院通知精神
加强文化遗产保护工作的实施意见［EB/OL］.［2015-08-02］.
http：//www. zgfy. org/contentRead. asp？classid = 72&cmsid =
13431.

［48］文化部. 文化部"十二五"时期文化改革发展规划［EB/
OL］.［2015-08-02］. http：//culture. people. com. cn/GB/
87423/17857491. html.

［49］贵州省政府. 贵州省非物质文化遗产保护发展规划（2014—
2020 年）［EB/OL］.［2015-08-02］. http：//www. cssn. cn/
mzx/llzc/201406/t20140613_1210003. shtml.

［50］南京市政府. 南京市非物质文化遗产保护规划（2011—2015
年）［EB/OL］.［2015-08-02］. http：//www. naupd. com/？a =
view&p = 9&r = 113.

［51］汕尾市人民政府. 汕尾市非物质文化遗产（民间文化艺术）
保护发展规划（2008—2013 年）［2015-08-02］. http：//
www. 66test. com/Content/1809762_1. html.

［52］余杭区政府. 余杭区"十二五"时期非物质文化遗产保护发
展规划（2011—2015 年）［EB/OL］.［2015-08-02］. http：//
www. yuhang. gov. cn/zwgk/bumen/I001/gkjh/fzghjjd/201207/
t20120702_416992. html.

［53］延边政务信息网. 汪清开通"中国朝鲜族农乐舞"网站
［EB/OL］.［2015-08-02］. http：//www. ybnews. cn/news/
time/201106/122823. html.

［54］中山大学非物质文化遗产研究中心．中国非物质文化遗产保护与研究网-历史沿革［EB/OL］．［2015-08-02］．http：//cich. sysu. edu. cn/gjfybh/index. html.

［55］艺驿网．关于我们［EB/OL］．［2015-08-02］．http：//www. 789179. com/about. php？do＝us.

［56］56非遗网．馆长致辞［EB/OL］．［2015-08-02］．http：//www. 56ich. com/article-233-1. html.

［57］百度百科．网站［EB/OL］．［2015-08-01］．http：//baike. baidu. com/link？url＝w-l5im5-YK6Ut3YnNB0iC　OD5IYjykui KVNyZYdZYtyOb7sO-D7tVn4igPDld2I＿Yeg-IIkSOyxBNPwHxSM 45wq-EXUkvjuA＿DHj-JA8WcLS.

［58］国家档案局．档案工作基本术语（中华人民共和国档案行业标准 DA/T1—2000）［EB/OL］．［2015-07-30］．http：//www. yuanan. gov. cn/art/2013/5/6/art＿63＿230995. html.

［59］文化部．国家级非物质文化遗产保护与管理暂行办法［EB/OL］．［2015-07-30］．http：//www. gov. cn/gongbao/content/2007/content＿751777. htm.

［60］中央人民政府．非遗法［EB/OL］．［2015-07-30］．http：//www. gov. cn/flfg/2011-02/25/content＿1857449. htm.

［61］江苏省政府．江苏省非物质文化遗产保护条例［EB/OL］．［2015-07-30］．http：//www. jsqwfy. com/zcfg/jss/1745. shtml.

［62］江苏省人民代表大会委员会．苏州市非物质文化遗产保护条例［EB/OL］．［2015-07-30］．http：//www. jsqwfy. com/zcfg/jss/1879. shtml.

［63］浙江省文化厅．浙江省文化厅关于实施省级非物质文化遗产项目"八个一"保护措施的通知［EB/OL］．［2015-07-30］．http：//www. ttwhg. com/newsShow. asp？dataID＝342.

［64］文化部．文化部"十二五"时期文化改革发展规划［EB/OL］．［2015-07-30］．http：//culture. people. com. cn/GB/87423/17857491. html.

［65］四川省政府．四川省人民政府办公厅关于印发四川省"十二五"

文化改革发展规划的通知［EB/OL］.［2015-07-30］. http：//
www. sc. gov. cn/10462/11555/11563/2012/3/14/10202765. shtml.

［66］ 海南省文化广电出版体育厅. 海南省非物质文化遗产保护规
划［EB/OL］.［2015-07-30］. http：//www. hainan. gov. cn/
hn/zwgk/jhzj/hyzygh/201211/t20121120_798701. html.

［67］ 山东省文化厅. 山东省非物质文化遗产保护传承工作规划
［EB/OL］.［2015-07-30］. http：//www. sdwht. gov. cn/html/
2013/qzlxzgcs_0906/10955. html.

［68］ 海宁市发展和改革局. 海发改规（2011）82 号关于印发
《海宁市非物质文化遗产"十二五"保护发展规划》的通知
［EB/OL］.［2015-07-30］. http：//www. zjfeiyi. cn/zhuanti/
detail/19-625. html.

［69］ 中山市政府. 中山市非物质文化遗产保护与利用发展规划纲
要（2011—2020 年）［EB/OL］.［2015-07-30］. http：//www.
zssfeiyi. com/fygs/fyfgwj/2013216/n240795. html.

［70］ 成都市政府. 成都市非物质文化遗产传承人保护规划［EB/
OL］.［2015-07-30］. http：//www. chengduwenhua. gov. cn/
newshow. aspx？mid=68&id=487.

［71］ 腾讯网. 中国首次非物质文化遗产普查基本结束［EB/OL］.
［2015-07-30］. http：//news. qq. com/a/20091126/002429.
htm.

［72］ 兴义市新闻中心. 兴义市为非物质文化遗产建档［EB/OL］.
［2015-07-30］. http：//www. xyzc. cn/news/xytoday/shenghuobaiwei/
2008-04-17/9401. html.

［73］ 辽宁日报. 辽宁全面采录非遗传承人技艺 生活环境全面采录
［EB/OL］.［2015-07-30］. http：//liaoning. nen. com. cn/
liaoning/112/3443112. shtml.

［74］ 雅安市档案局. 苏州昆山市档案馆开展"非遗"项目建档试
点［EB/OL］.［2015-07-30］. http：//www. yasdaj. gov. cn/
info-1353. html.

［75］ 赣州市政府信息公开. 会昌：为非物质文化遗产建档［EB/

OL］．［2015-07-30］．http：//xxgk. ganzhou. gov. cn/bmgkxx/
daj/gzdt/zwdt/200906/t20090622_95523. htm.

［76］中国松阳网．我县启动"非遗口述档案"建档工作［EB/
OL］．［2015-07-30］．http：//www. songyang. gov. cn/zwgk/
sydt/bmdt/201311/t20131119_136382. htm.

［77］中国新闻网．中国传承人口述史研究所成立 冯骥才：给非遗
建档案［EB/OL］．［2015-07-30］．http：//www. chinanews.
com/cul/2015/06-17/7349562. shtml.

［78］杨太阳．10 月 27 日是第八个"世界音像遗产日"5 件入选
《世界记忆名录》的音像档案遗产赏析［EB/OL］．［2015-07-
30］．http：//www. zgdazxw. com. cn/news/2014-10-23/content_
70921. htm.

［79］人民网．《文化部"十二五"时期文化改革发展规划》全文
［EO/BL］．［2015-07-23］．http：//culture. people. com. cn/GB/
87423/17857491. html.

［80］财政部．湖北省"十二五"时期文化改革发展规划纲要
［EO/BL］．［2015-07-23］．http：//hb. mof. gov. cn/lanmudaohang/
zhengcefagui/201206/t20120628_662958. html.

［81］海南省政府．海南省非物质文化遗产保护规划［EO/BL］．
［2015-07-23］．http：//www. hainan. gov. cn/hn/zwgk/jhzj/
hyzygh/201211/t20121120_798701. html.

［82］贵州民族报．非遗保护的"贵州经验"探索：写在《贵州省
非物质文化遗产保护发展规划（2014—2020 年）》出台之
际［EO/BL］．［2015-07-23］．http：//www. cssn. cn/mzx/llzc/
201406/t20140613_1210003. shtml.

［83］杭州市文广新局．杭州市非物质文化遗产保护发展规划纲要
［EO/BL］．［2015-07-23］．http：//www. hzwh. gov. cn/syfz/
whsy/ggwhzc/200611/t20061114_55886. html.

［84］嘉兴市文化局．嘉兴市非物质文化遗产保护发展规划
（2010—2015 年）［EO/BL］．［2015-07-23］．http：//www. jiaxing.

gov. cn/swhj/ghjh ＿ 6124/ghxx ＿ 6126/201005/t20100512 ＿ 101191. html.

[85] 南京日报. 南京市非物质文化遗产保护规划（摘要）（组图）［EO/BL］.［2015-07-23］. http：//news. 163. com/11/0610/09/7668635Q00014AED. html.

[86] 中国文化报. 中国民族民间文化保护工程实施方案［EO/BL］.［2015-07-23］. http：//www. chinesefolklore. org. cn/ChinaFolkloreSociety/xscz/040520-bhf. htm.

[87] 文化部. 中国艺术研究院非物质文化遗产数据库管理中心［EO/BL］.［2015-07-23］. http：//topics. gmw. cn/2011-02/28/content_1659473. htm.

[88] 蔡武. 2011 年全国非物质文化遗产保护工作重点［EB/OL］.［2015-07-20］. http：//www. sccnt. gov. cn/whmt/scfwzwhycwhmt/201105/P020110503635364063956. pdf.

[89] 李明波. 我市"非遗"档案数据库基本建成［EB/OL］.［2015-07-20］. http：//www. ordoswhxw. gov. cn/XXGK/TZGG/200911/t20091124_94935. html.

[90] 全国"格萨尔数据库-果洛分库"建设项目正式启动——中国共产党新闻——人民网—全国哲学社会科学规划办 公室网站［EB/OL］.［2015-07-20］. http：//www. npopss-cn. gov. cn/GB/219506/219507/16265116. html.

[91] 吉林省政府. 吉林省非物质文化遗产数据库［EB/OL］.［2015-07-20］. http：//222. 161. 207. 53：81/tpi/WebSearch ＿ FY/Index. aspx.

[92] 湖南省政府. 湖南非物质文化遗产资源库［EB/OL］.［2015-07-20］. http：//220. 168. 54. 213：9080/was5/Web/search？channelid＝23746&templet＝hnfy2011/hnfy. jsp.

[93] 首都图书馆. 北京记忆［EB/OL］.［2015-07-20］. http：//www. bjmem. com/bjm/.

[94] 厦门图书馆. 厦门记忆［EB/OL］.［2015-07-20］. http：//www. xmlib. net/.

［95］天津图书馆．津门曲艺［EB/OL］．［2015-07-20］．http：//www. tjwh. gov. cn/yswt/ysbl/dfqy/difangquyi. htm.

［96］天津文化信息网．天津民俗［EB/OL］．［2015-07-20］．http：//www. tjwh. gov. cn/shwh/mjwh/minsu/index. htm.

［97］吉林省图书馆．吉林省二人转数据库［EB/OL］．［2015-07-20］．http：//222. 161. 207. 53：81/tpi/WebSearch ＿ ERZ/Index. aspx

［98］吉林省图书馆．吉林省萨满文化数据库［EB/OL］．［2015-07-20］．http：//222. 161. 207. 53：81/tpi/WebSearch ＿ SM/Index. aspx.

［99］桂林图书馆．"刘三姐文化"数据库［EB/OL］．［2015-07-20］．http：//www. gll-gx. org. cn/liusanjie/.

［100］郑州市图书馆．"商都文化"数据库［EB/OL］．［2015-07-20］．http：//www. zzldcn. cn/Panoramic/Index. aspx.

［101］深圳市图书馆．深圳市非遗数据库［EB/OL］．［2015-07-20］．http：//www. szln. gov. cn/szmemory/szfy. jsp.

［102］陕西省图书馆．陕西省非遗数据库［EB/OL］．［2015-07-20］．http：//www. shawh. org. cn/feiwuzhi/index. htm.

［103］西安图书馆与西安非遗保护中心．西安非遗数据库［EB/OL］．［2015-07-20］．http：//113. 140. 9. 218/feiyi/.

［104］天津图书馆与天津古籍保护中心．天津非遗数据库［EB/OL］．［2015-07-20］．http：//www. tjl. tj. cn/ArticleChannel. aspx？ChannelID＝378.

［105］中国美术学院艺术设计学系．浙江省非物质文化遗产（民间美术与工艺类）数据库［EB/OL］．

［106］福客民俗网．中国非遗名录数据库系统［EB/OL］．［2015-07-20］．http：//fy. folkw. com/.

［107］日本亚洲文化中心．亚太非物质文化遗产数据库［EB/OL］．［2015-07-20］．http：//www. accu. or. jp/ich/en/.

［108］故宫博物院．故宫数字博物馆［EB/OL］．［2015-07-20］．http：//www. dpm. org. cn/index1024768. html#.

［109］ 北京市科协与北京大学信息管理系．科学与艺术数字博物馆 ［EB/OL］．［2015-07-20］．http：//e-museum. beijingmuseum. gov. cn/col/col4096/index. html.

［110］ 北京科协与中国传媒大学北京民族博物馆．北京民俗数字博物馆 ［EB/OL］．［2015-07-20］．http：//www. digital-museum. com. cn/.

［111］ "蜀风雅韵——成都非物质文化遗产数字博物馆"获文化部创新奖 让非物质文化遗产"活"起来 ——川剧频道 ［EB/OL］．［2012-12-14］．http：//scopera. newssc. org/system/2009/11/16/012429054. shtml.

［112］ 成都图书馆．成都非物质文化遗产数字博物馆 ［EB/OL］．［2015-07-20］．www. ichchengdu. cn/

［113］ 华洋创融．海南旅游数字博物馆 ［EB/OL］．［2015-07-20］．http：//www. haihainan. com.

［114］ 教育部科技司．皮影数字博物馆简介 ［EB/OL］．［2015-07-20］．http：//digitalmuseum. zju. edu. cn/front. do？methede = showTheme&oid = 8a8691a629916f650012991b395d30006 &schoolid = 7&ytype = 3.

［115］ 无锡市人民政府、中国音乐学院、中国艺术研究院．中国民族音乐博物馆 ［EB/OL］．［2015-07-20］．http：//www. wxrb. com/node/museum/.

［116］ 光明日报．羌族文化数字博物馆网上开通 ［EB/OL］．［2015-07-20］．http：//www. gmw. cn/01gmrb/2008-07/25/content_810265. htm.

［117］ 国家图书馆．网络书香过大年 ［EB/OL］．［2015-07-20］．http：//www. ndlib. cn/2015wlsxgdn/szzy/dfgtszy/.

［118］ 国家数字图书馆．非物质文化遗产资源 ［EB/OL］．［2015-07-20］．http：//mylib. nlc. gov. cn/Web/guest/zhengjifeiwuzhiyichan.

［119］ 新华网．重庆开通少数民族传统文化数字博物馆．［EB/OL］．［2015-07-20］．http：//news. xinhuanet. com/tech/2010-07/18/c_12345232. htm.

［120］中国传承人口述史研究所成立．冯骥才：给非遗建档案
　　　　［EB/OL］．［2015-06-17］．http：//www.chinanews.com/cul/
　　　　2015/06-17/7349562.shtml.

［121］新浪网．非遗条例实施两年半 全市普查项目4110项［EB/
　　　　OL］．　［2015-06-10］．http：//news.sina.com.cn/o/2015-06-
　　　　10/025931932405.shtml.

［122］王琦．民盟江苏省委提案建言 让江苏非物质文化遗产"活
　　　　过来"［EB/OL］．［2015-01-28］．http：//js.ifeng.com/news/
　　　　detail_2015_01/28/3492025_0.shtml.

［123］国务院关于公布第四批国家级非物质文化遗产代表性项目
　　　　名录的通知（国发［2014］59号）［EB/OL］．［2014-12-03］.
　　　　http：//www.gov.cn/zhengce/content/2014-12/03/content_9286.
　　　　htm.

［124］《中国非物质文化遗产保护发展报告（2014）》发布［EB/
　　　　OL］．　［2014-11-02］．http：//politics.gmw.cn/2014-11/02/
　　　　content_13732693.htm.

［125］第三届中国非物质文化遗产博览会闭幕成果丰硕［EB/
　　　　OL］．　［2014-10-14］．http：//travel.163.com/14/1014/15/
　　　　A8HDNNAD00063JSA.html.

［126］第五届山东文博会闭幕 现场交易额近35亿元［EB/OL］.
　　　　［2014-08-31］．　http：//www.sccif.com/five/zxbd/201408/
　　　　t20140831_10941004.htm.

［127］国家数字文化网．全国文化信息资源共享工程介绍［EB/
　　　　OL］．［2014-08-28］．http：//www.ndcnc.gov.cn/gongcheng/
　　　　jieshao/201212/t20121212_495375.htm.

［128］文化部，财政部．关于进一步加强公共数字文化建设的指
　　　　导意见［EB/OL］．［2014-08-28］．http：//www.mof.gov.cn/
　　　　zhengwuxinxi/zhengcefabu/201112/t20111209_614350.htm.

［129］周小璞．2013年第4次网络培训：非物质文化遗产与文化
　　　　共享工程［EB/OL］．［2014-08-28］．http：//www.ndcnc.gov.

cn/peixun/courseware/2013_04_fwzwhyc/link_view.

[130] 中央政府门户网站．非遗法［EB/OL］．［2014-12-18］．
http：//www. gov. cn/flfg/2011-02/25/content_1857449. htm.

[131] 中央政府门户网站．非遗法［EB/OL］．［2014-12-18］．
http：//www. gov. cn/flfg/2011-02/25/content_1857449. htm.

[132] 于国鹏．《非物质文化遗产记忆档案》推出［EB/OL］.
［2014-03-07］. http：//paper. dzwww. com/dzrb/content/20140307/
Articel15003MT. htm.

[133] 陈睿睿．海量非遗资料亟待科学归档［EB/OL］．［2014-02-
17］. http：//epaper. ccdy. cn/html/2014-02/17/content＿118160.
htm.

[134] 丁岩．吹响非遗数字化保护工作的时代号角［EB/OL］.
［2013-12-11］. http：//epaper. ccdy. cn/html/2013-12/11/
content_113351. htm.

[135] 第四届国际非遗节引来 80 国家 诸多亮点凸显成都魅力
［EB/OL］.［2013-05-28］. http：//scnews. newssc. org/system/
2013/05/28/013786572. shtml.

[136] 我国将建立"中国苗族刺绣艺术数据库"保护苗绣_资讯中
心_博宝艺术网［EB/OL］.［2012-12-15］. http：//news.
artxun. com/cixiu-1546-7725348. shtml.

[137] 黑龙江成立赫哲族说唱艺术伊玛堪研究中心-新华书画-新华
网［EB/OL］.［2012-12-15］. http：//news. xinhuanet. com/
shuhua/2011-12/17/c_122437829. htm.

[138] 天津大学建成首家非物质文化遗产保护数据中心—科研发
展—中国教育和科研计算机网 CERNET［EB/OL］.［2012-
12-14］. http：//www. edu. cn/gao_xiao_zi_xun_1091/20090615/
t20090615_384111. shtml.

[139] "中国非物质文化遗产数字化保护工程（一期）"项目研讨
会在京召开——渭南市人民政府［EB/OL］.［2012-12-14］.
http：//top. weinan. gov. cn/fwzwhyc/bhdt/15139. htm.

[140] 保护地方艺术 宜昌建立非物质文化遗产数据库_艺廊漫步更

多_中国经济网——国家经济门户［EB/OL］.［2012-12-14］. http：//www.ce.cn/kjwh/ylmb/ylgd/200607/03/t20060703_7594920.shtml.

［141］重庆开通少数民族传统文化数字博物馆_网易新闻中心［EB/OL］.［2012-12-14］. http：//news.163.com/10/0718/14/6BSMLOPI000146BC.html.

［142］江苏"非物质文化遗产"列全国首位［EB/OL］.［2012-12-14］. http：//news.sina.com.cn/o/2012-12-14/145425813856.shtml.

［143］保护地方艺术 宜昌建立非物质文化遗产数据库_艺廊漫步更多_中国经济网——国家经济门户［EB/OL］.［2012-12-14］. http：//www.ce.cn/kjwh/ylmb/ylgd/200607/03/t20060703_7594920.shtml.

［144］成都建成非物遗产普查数据库_新闻中心_新浪网［EB/OL］.［2012-12-14］. http：//news.sina.com.cn/c/2008-02-24/043013464128s.shtml.

［145］中央政府门户网站.非遗法［EB/OL］.［2014-12-18］. http：//www.gov.cn/flfg/2011-02/25/content_1857449.htm.

［146］天津大学建成首家非物质文化遗产保护数据中心—科研发展—中国教育和科研计算机网 CERNET［EB/OL］.［2012-12-14］. http：//www.edu.cn/gao_xiao_zi_xun_1091/20090615/t20090615_384111.shtml.

［147］枣庄非博会达成135个签约项目 总金额超400亿［EB/OL］.［2012-09-08］. http：//news.iqilu.com/shandong/yaowen/2012/0908/1317259.shtml.

［148］中央政府门户网站.国务院关于公布第三批国家级非物质文化遗产名录的通知（国发［2011］14号）［EB/OL］.［2011-06-09］. http：//www.gov.cn/zwgk/2011-06/09/content_1880635.htm.

［149］中国非遗数字化成果展首博开幕［EB/OL］.［2010-06-15］. http：//www.21nowart.com/portal.php? mod=view&aid=

187458.

［150］新华网 . 中国首次非物质文化遗产普查基本结束 ［EB/
OL］. ［2009-11-26］. http：//news. xinhuanet. com/politics/
2009-11/26/content_12545361. htm.

［151］林理 . "非遗"普查 看看他们怎么做 ［EB/OL］. ［2008-11-
30］. http：//epaper. ccdy. cn/html/2008-11/30/content_20711.
htm.

［152］中央政府门户网站 . 国务院关于公布第二批国家级非物质
文化遗产名录和第一批国家级非物质文化遗产扩展项目名
录的通知（国发〔2008〕19 号）［EB/OL］. ［2008-06-14］.
http：//www. gov. cn/zwgk/2008-06/14/content_1016331. htm.

［153］中国非物质文化遗产专题展 ［EB/OL］. ［2007-06-08］.
http：//www. worldartmuseum. cn/content/596/2646_1. shtml.

［154］中央政府门户网站 . 国务院关于公布第一批国家级非物质
文化遗产名录的通知（国发〔2006〕18 号）［EB/OL］.
［2006-06-02］. http：//www. gov. cn/zwgk/2006-06/02/content _
297946. htm.

［155］非物质文化遗产保护成果展今日在京启幕 ［EB/OL］.
［2006-02-12］. http：//culture. people. com. cn/GB/22219/
4095763. html.

［156］文化部办公厅 . 文化部办公厅关于开展非物质文化遗产普
查工作的通知（办社图发〔2005〕21 号）［EB/OL］. ［2005-07-
23］. http：//www. maoxian. gov. cn/zhuant/fwzwhyc/zcfg/201305/
t20130506_903018. html.

［157］Rodriguez M A. The Hyper-Cortex of Human Collective-
Intelligence Systems ［EB/OL］. ［2015-08-10］. http：//arxiv.
org/abs/cs/0506024.

［158］Tim O'Reilly. What is Web2. 0 ［EB/OL］. ［2016-06-30］.
http：//tim. oreilly. com/pub/a/oreilly/tim/news/2015/08/
01/what-is-Web-20. html?.

［159］Aboriginal Cultural Heritage program ［EB/OL］. ［2016-06-

30〕. http：//www. tcr. gov. nl. ca/tcr/heritage/ACH _Pro-gram _Guidelines. pdf.

［160］ The Intangible Cultural Heritage of the Republic of Moldova ［EB/OL］. ［2016-06-30］. http：//www. patrimoniuimat-Erial. md/en /pagini / institutions-institutions-administrate-ich-database-moldova/archives.

［161］ Merriam-Webster. Simple Definition of *collective* ［EB/OL］. ［2016-06-30］. http：//www. merriam-Webster. com/dictionary/ collective.

［162］ Portuguese American Journal ［EB/OL］. ［2016-06-30］. http：// portuguese-american-journal. com/ado-worlds-intangible- cultural-heritage-unesco/.

［163］ The training course for safeguarding of intangible cultural heritage 2011 final report ［EB/OL］. ［2016-06-30］. http：// www. irci. jp/assets/files/Participants Reports/Maldives_Report. PDF.

［164］ UNESCO. Browse the Lists of Intangible Cultural Heritage and the Register of Best Safeguarding Practices ［EB/OL］. ［2016-04-27］. http：//www. unesco. org/culture/ich/en/lists.

［165］ Merriam-Webster Dictionary. Intelligence ［EB/OL］. ［2015-08-10］. http：//www. merriam-Webster. com/dictionary/intelligence.

［166］ Malone T W, Laubacher R, Dellarocas C. Harnessing crowds： Mapping the genome of collective intelligence ［EB/OL］. （2009-02-03） ［2015-08-10］. http：//papers. ssrn. com/sol3/ papers. cfm？ abstract_id＝1381502.

［167］ Atlee T, Por G. Collective intelligence as a field of multi-disciplinary study and practice ［EB/OL］. ［2015-08-10］. http：// www. community-intelligence. com/files/Atlee% 20-% 20Por% 20-% 20CI%20as%20a%20Field%20of%20multidisciplinary%20study% 20and%20practice%20. pdf.

［168］ The Co-Intelligence. What is intelligence？ ［EB/OL］. ［2015-

08-10]. http: //www. co-intelligence. org/FAQ. html.

[169] Voldtofte F. A Generative Theory on Collective Intelligence [EB/OL]. [2015-08-10]. http: //Web. archive. org/Web/ 20061230194534/http: //www. worldcafe. dk/worldcafe/ generative. htm.

[170] Hahm H. Establishing and managing online database and archives for ICH safeguarding [EB/OL]. [2015-08-10]. http: // www. ichcap. org/eng/ek/sub8/pdf_file/03/E02_3_Establishing _and_Managing_Online_Databases_and_Archives. pdf.

[171] Pór G. What is collective intelligence [EB/OL]. [2015-08-10]. http: //www. community-intelligence. com/blogs/public/.

[172] Pór G. The Quest for Collective Intelligence [EB/OL]. [2015-08-10]. http: //www. visionnest. com/btbc/cb/chapters/quest. htm.

[173] Atlee T, Pór G. Collective intelligence as a field of multi-disciplinary study and practice [EB/OL]. [2015-08-10]. http: // www. community-intelligence. com/files/Atlee% 20-% 20Por% 20-% 20CI% 20as% 20a% 20Field% 20of% 20multidisciplinary% 20study%20and%20practice%20. pdf.

[174] Atlee T, Pór G. Collective intelligence as a field of multi-disciplinary study and practice [EB/OL]. [2015-08-10]. http: // www. community-intelligence. com/files/Atlee% 20-% 20Por% 20-% 20CI% 20as% 20a% 20Field% 20of% 20multidisciplinary% 20study%20and%20practice%20. pdf.

[175] Recommendation on the Safeguarding of Traditional Culture and Fo=lklore: UNESCO [EB/OL]. [2015-07-30]. http: //portal. unesco. org/en/ev. php-URL _ ID = 13141&URL _ DO = DO _ TOPIC&URL_SECTION = 201. html.

[176] Convention for the Safeguarding of the Intangible Cultural Heritage [EB/OL]. [2015-07-30]. http: //portal. unesco. org/ en/ev. php-URL_ID = 17716&URL_DO = DO_TOPIC&URL

_SECTION＝201. html.

［177］ Wikipedia. Cultural resourcesmanagement ［EB/OL］. ［2015-07-27］. https：//en. wikipedia. org/wiki/Cultural _ resources _ managemen.

［178］ HONG KONG PUBLIC LIBRARIES. MULTIMEDIA INFORMATION SYSTEM ［EO/BL］. ［2015-07-23］. https：//sc. lcsd. gov. hk/TuniS/mmis. hkpl. gov. hk/ich.

［179］ Database on the Status of Intangible Cultural Heritage Research and Documentation in India ［EB/OL］. ［2015-07-20］. http：// intangibleheritage. intach. org/database-on-the-status-of-intangible-cultural-heritage-research-and-documentation-in-india/.

［180］ WIPO. Consolidated Analysis of the Legal Protection of Traditional Cultural Expressions ［EB/OL］. ［2015-07-20］. http：//www. wipo. int/edocs/mdocs/tk/en/wipo_grtkf_ic_5/wipo_grtkf_ic_5 _3. pdf.

6. 外文资源

［1］ Davenport T H, Prusak L. Working Knowledge：How Organizations Manage What They Know ［M］. Boston：Harvard Business School Press, 2000：8.

［2］ Artese MT, Gagliardi I. Inventorying Intangible Cultural Heritage on the Web：a Life-cycle Approach ［J］. International Journal of Intangible Heritage, 2017, 12：112-138.

［3］ Severo M, Venturini T. Intangible cultural heritage webs： Comparing national networks with digital methods ［J］. New Media & society, 2016, 18 (8)：1616-1635.

［4］ Kamil N, Yu Xiaoling. Study on the Development Mode of Xinjiang Lop Nur Human Intangible Cultural Heritage of Diet Culture Tourism ［C］. 4th International Conference on Management Science, Education Technology, Arts, Social Science and Economics (MSETASSE), 2016.

[5] Shi M, Zhu W, Yang H, et al. Using agent-based model to simulate stakeholder balance model of tourism intangible cultural heritage [J]. Multiagent and Grid Systems, 2016, 12 (2): 91-103.

[6] Ciftcioglu, Cetinkaya G. Sustainable Wild-collection of Medicinal and Edible Plants in Lefke Region of North Cyprus [J]. Agroforestry Systems, 2015: 917-931.

[7] Severo M, Venturini T. Intangible Cultural Heritage Webs: comparing national networks with digital methods [J]. New Media & Society, 2015: 9-12.

[8] Giglitto D. Using wiki software to enhance community empowerment by building digital archives for intangible cultural heritage [C] //. Proceedings of EUROMED 2014: 5th International Conference on Cultural Heritage, Limassol, Cyprus, 2014: 268.

[9] Perera K, Chandra D. Documenting the Intangible Cultural Heritage for Sustainable Economic Growth in Developing Countries [C] // Proceedingsof CIDOC 2014, Dresden, 2014: 3.

[10] Park S C. Ichpedia, a case study in community engagement in the safeguarding of ICH online [J]. International Journal of Intangible Heritage, 2014, 9: 69-82.

[11] Artese M T, Gagliardi I. Lecture Notes in Computer Science [M]. Springer-verlag berlin: 2014: 767-776.

[12] Muqeem K. MUSE: Understanding Traditional Dances [C]. IEEE Virtual Reality Conference, 2014: 173-174.

[13] Sheenagh P. Between narratives and lists: performing digital intangible heritage through global media [J]. Infornation journal of heritage studies, 2013: 7-8.

[14] Karavia D, Georgopoulos A. Placing Intangible Cultural Heritage [C]. 2013 Digital Heritage International Congress: 675-678.

[15] Bendrups D . Sound recordings and cultural heritage: the Fonck Museum, the Felbermayer collection, and its relevance to

contemporary Easter Island culture ［J］. International journal of heritage studies, 2013 (10): 166-176.

［16］ Ivanjko T, Zlodi G. Crowdsourcing digital cultural heritage ［C］//. INFuture2013: Information Governance, 2013: 199-207.

［17］ Artese M T, Gagliardi I. Cataloging intangible cultural heritage on the Web ［M］//Progress in Cultural Heritage Preservation. Springer Berlin Heidelberg, 2012: 677-678.

［18］ Jett J, Senseney M, Palmer C L. Enhancing Cultural Heritage Collections by Supporting and Analyzing Participation in Flickr ［C］//. Proceedings of the American Society for Information Science & Technology, Baltimore, 2012: 1.

［19］ Rinne S. Cultural heritage in social media: Museum of Photography ［D］. Jyväskylä: University of Jyväskylä, 2012.

［20］ Georgi S, Jung R. Collective intelligence model: How to describe collective intelligence ［M］//Advances in collective intelligence 2011. Berlin Heidelberg: Springer, 2012: 53-64.

［21］ Silvia Rinne. Cultural Heritage In Social Media Museum of Photography ［D］. University of Jyväskylä, 2012.

［22］ Krause S, James R, Faria J J, et al. Swarm intelligence in humans: diversity can trump ability ［J］. Animal Behaviour, 2011, 81 (5): 941-948.

［23］ Lykourentzou I, Vergados D J, Kapetanios E, et al. Collective intelligence systems: Classification and modeling ［J］. Journal of Emerging Technologies in Web Intelligence, 2011, 3 (3): 217.

［24］ Freeman C G. Photosharing on Flickr: Intangible heritage and emergent publics ［J］. International Journal of Heritage Studies, 2010, 16 (4-5): 352.

［25］ Leimeister J M. Collective intelligence ［J］. Business & Information Systems Engineering, 2010, 2 (4): 245.

［26］ Noor N L M, Razali S, Adnan W A W. Digital cultural heritage: Community empowerment via community-based e-museum

439

［C］//Information Society （i-Society），2010 International Conference on. IEEE, 2010: 544.

［27］ Malone T W, Laubacher R, Dellarocas C. The collective intelligence genome ［J］. IEEE Engineering Management Review, 2010, 38 （3）: 20-22.

［28］ Vergados D J, Lykourentzou I, Kapetanios E. A resource allocation framework for collective intelligence system engineering ［C］//Proceedings of the International Conference on Management of Emergent Digital EcoSystems. ACM New York, 2010: 182-188.

［29］ Katsikopoulos K V, King A J. Swarm Intelligence in Animal Groups: When Can a Collective Out-Perform an Expert? ［J］. Plos One, 2010, 11 （5）: 1-2.

［30］ Stiles E, Cui X H. Workings of Collective Intelligence within Open Source Communities ［M］. Berlin: Springer-Verlag Berlin, 2010: 282-289.

［31］ Ferber M A, Nelson J A. Beyond Economic Man: Feminist Theory and Economics ［M］. University of Chicago Press, 2009: 25.

［32］ Lek H H, Poo D, Agarwal N K. Knowledge Community （K Comm）: Towards a Digital Ecosystem with Collective Intelligence ［J］. 2009 3rd IEEE International Conference on Digital Ecosystems And Technologies, 2009: 575-580.

［33］ Gregg D. Developing a collective intelligence application for special education ［J］. Decision Support Systems, 2009, 47 （4SI）: 455-465.

［34］ Pietrobruno S. Cultural Research and Intangible Heritage ［J］. Culture Unbound: Journal of Current Cultural Research, 2009, 1 （1）: 227-241.

［35］ Bonabeau E. Decisions 2.0: The power of collective intelligence ［J］. MIT Sloan management review, 2009, 50 （2）: 45-52.

440

[36] Lykourentzou I, Vergados D J, Loumos V. Collective intelligence system engineering [C] // Proceedings of the International Conference on Management of Emergent Digital EcoSystems, Lyon, France, 2009: 134-140.

[37] Alag S. Collective intelligence in action [M]. New York: Manning, 2009: 3-19.

[38] Razali S, Noor N L M, Adnan W A W. Structuring the Social Subsystem Components of the Community Based E-Museum Framework [M] //Online Communities and Social Computing. Springer Berlin Heidelberg, 2009: 108.

[39] Srinivasan R, Boast R, Furner J, et al. Digital museums and diverse cultural knowledges: Moving past the traditional catalog [J]. The Information Society, 2009, 25 (4): 271.

[40] Patias P, Chrysanthou Y, Sylaiou S, et al. The development of an e-museum for contemporary arts [C] //Conference on Virtual Systems and Multimedia. 2008: 20.

[41] Malone T W. What is collective intelligence and what will we do about it [M] //. Collective Intelligence: Creating a Prosperous World at Peace, Oakton: Earth Intelligence Network, 2008: 1.

[42] Tapscott D, Williams A D. Wikinomics: How mass collaboration changes everything [M]. New York : Penguin Group, 2008.

[43] Howe J. Crowdsourcing: How the power of the crowd is driving the future of business [M]. New York: Random House, 2008: 1.

[44] McCleery A, Gunn L, et al. Scoping and mapping intangible cultural heritage in Scotland: final report [R]. Museums Galleries Scotland, 2008: 30-31.

[45] Page S E. The difference: How the power of diversity creates better groups, firms, schools, and societies [M]. Princeton, New Jersey: Princeton University Press, 2008: 12.

[46] Shi YW. The Digital Protection of Intangible Cultural Heritage-

441

The Construction of Digital Museum [J]. 9th International Conference on Computer-Aided Industrial Design & Conceptual Design, Vols 1 and 2-Multicultural Creation and Design-Caid & CD, 2008, (01): 1196-1199.

[47] O'Reilly, Tim, What is Web 2.0: Design Patterns and Business Models for the Next Generation of Software. Communications & Strategies, No. 1, p. 17, First Quarter 2007. Available at SSRN: http://ssrn.com/abstract=1008839。

[48] Vickery G, Wunsch-Vincent S. Participative Web and user-created content: Web 2.0 wikis and social networking [M]. Paris: Organization for Economic Cooperation and Development (OECD), 2007.

[49] O'reilly T. What is Web 2.0: Design patterns and business models for the next generation of software [J]. Communications & strategies, 2007 (1): 18.

[50] Simon N. Discourse in the blogosphere: What museums can learn from Web 2.0 [J]. Museums & Social Issues, 2007, 2 (2): 257.

[51] Segaran T. Building Smart Web2.0 Application-Programming Collective Intelligence [M]. O'Reilly Media Inc, August 2007 First Edition.

[52] Sun R. Cognition and multi-agent interaction: From cognitive modeling to social simulation [M]. Cambridge University Press, 2006.

[53] Dobson K. Culture as Resource? The Function of Literary Research and Criticism in Canada [J]. ESC: English Studies in Canada, 2006, 32 (2): 15.

[54] Howe J. The rise of crowdsourcing [J]. Wired Magazine, 2006, 14 (6): 1-4.

[55] Ebersbach A, Glaser M, et al. Wiki: Web Collaboration [M]. Berlin, Heidelberg: Springer-verlag, 2006: 9-10.

[56] Ahn V L. Human Computation [D]. Pittsburgh : Carnegie Mellon University, 2005.

[57] Flew T. New Media : An Introduction [M]. South Melbourne, Victoria, Australia: Oxford University Press, 2005: 101-114.

[58] Tom A. Defining Collective Intelligence [M] //Taher, Nasreen. Collective Intelligence : An Introduction. India: ICFAI University Press, 2005: 3-13.

[59] Youngho H, JungSik J. A study on the Cyber Museum Organization System for Intangible Cultural Properties III- Focused on the Chungnam Province [J]. Korean Institute of Interior Desogn Journal, 2004: 179-186.

[60] Surowiecki J. The Wisdom of Crowds: Why the Many are Smarter Than the Few and how Collective Wisdom Shapes Business, Economies, Societies, and Nations [M]. New York: Little Brown, 2004: 10-20.

[61] Yúdice G. The expediency of culture: Uses of culture in the global era [M]. Durham: Duke University Press, 2003: 1.

[62] Wilson P C. Ethnographic Museums and Cultural Commodification Indigenous Organizations, NGOs, and Culture as a Resource in Amazonian Ecuador [J]. Latin American Perspectives, 2003, 30 (1): 177.

[63] Sunstein C R. The Law of Group Polarization [J]. Journal of Political Philosophy, 2002, 10 (2): 175-195.

[64] Sia C, Tan B C Y, Wei K. Group Polarization and Computer Mediated Communications: Effects of Communication Cues, Social Presence and Anonymity [J]. Information Systems Research, 2002, 13 (1): 70-90.

[65] Kaplan C. Collective intelligence: A new approach to stock price forecasting [C] //Systems, Man, and Cybernetics, 2001 IEEE International Conference on. IEEE, 2001: 2893-2898.

[66] Bloom H. Global brain: The evolution of mass mind from the big

bang to the 21st century [J]. Wiley, 2001: 8.

[67] Bonabeau E, Meyer C. Swarm intelligence: A whole new way to think about business [J]. Harvard Business Review, 2001, 79 (5): 106-114.

后　记

　　本书是国家社科基金项目"非物质文化遗产档案资源建设'群体智慧模式'研究"（项目编号13BTQ060）最终成果。

　　资源建设是档案工作的核心内容之一。2016年，国家档案局印发的《全国档案事业发展"十三五"规划纲要》提出，要有效推进档案资源体系建设，丰富和优化档案馆藏，"鼓励开展口述历史档案、国家记忆和城市（乡村）记忆工程、非物质文化遗产建档等工作"。非遗档案资源建设是非遗档案工作的基础，是实现非遗档案资源价值的前提条件，也是社会记忆长期保存和公共文化有效供给的重要手段。因此，如何以国家政策为导向，结合当代社会、技术环境与公众需求，探讨非遗档案资源建设模式具有很重要的理论与现实意义。

　　本书引入"群体智慧"理论，剖析了群体智慧模式理论及其在网络环境、文化遗产领域的应用，以此为依据构建了非遗档案资源建设的群体智慧新模式，从建设目标（What）、建设主体（Who）、建设机制（Why）、建设方法（How）四个层面设计了非遗档案资源建设"群体智慧"模式的基本模块，并阐释其实现路径。本书是基于网络环境下非遗档案资源建设的新趋势、新动向进行的一些初步探索，为当前网络环境下在非遗保护浪潮中参与非遗保护过程中公众、档案管理工作者、政府职能部门的合理定位提供了参考。本书旨在抛砖引玉，希望更多的专家学者加入这一研究行列。

　　本书由周耀林、赵跃等撰著。周耀林制定了总体写作框架，并对各章内容写作提出了建议。具体分工如下：第 1 章 1.1 节、1.2 节、1.4 节、1.5 节由周耀林、常大伟执笔；第 1 章 1.3 节，第 2 章 2.1 节，第 3 章 3.1 节、3.2 节，第 4 章由周耀林、赵跃、徐青霞执笔，第 6 章 6.4 节，第 8 章 8.1 节、8.2 节由赵跃执笔；第 2 章 2.2 节、第 6 章 6.2 节、6.5 节由纪明燕执笔；第 3 章 3.3 节由许诗竹执笔；第 5 章由李有仙执笔；第 6 章 6.1 节、6.3 节由周耀林、刘婧执笔；第 7 章 7.1 节、7.5 节由朱倩执笔；第 7 章 7.2 节、7.3 节、7.4 节由贾聪聪执笔；第 8 章 8.3 节、8.4 节、8.5 节由庞喜哲、戴旸、王琴执笔；第 8 章 8.6 节由李丛林执笔。黄川川参与了第 2 章资料的收集与整理，孙晶琼、黄玉婧、许辉、姬荣伟、刘晗、王璐瑶、徐妙妙、李有仙、冯熙然、纪明燕、贾聪聪、秦垒、沈朋、徐娇、刘爽、章珞佳、周玉萱参与了相关资料的搜集和书稿的校对。

　　撰写过程中，执笔人参考了大量的国内外研究成果，在此对被引文献作者谨致忱谢。感谢本项目结题成果评审专家中肯的意见和建议。由于近年来国内外非遗保护发展很快，加之著者学术水平有限，文中难免有错误和不妥之处，敬请读者批评指正。